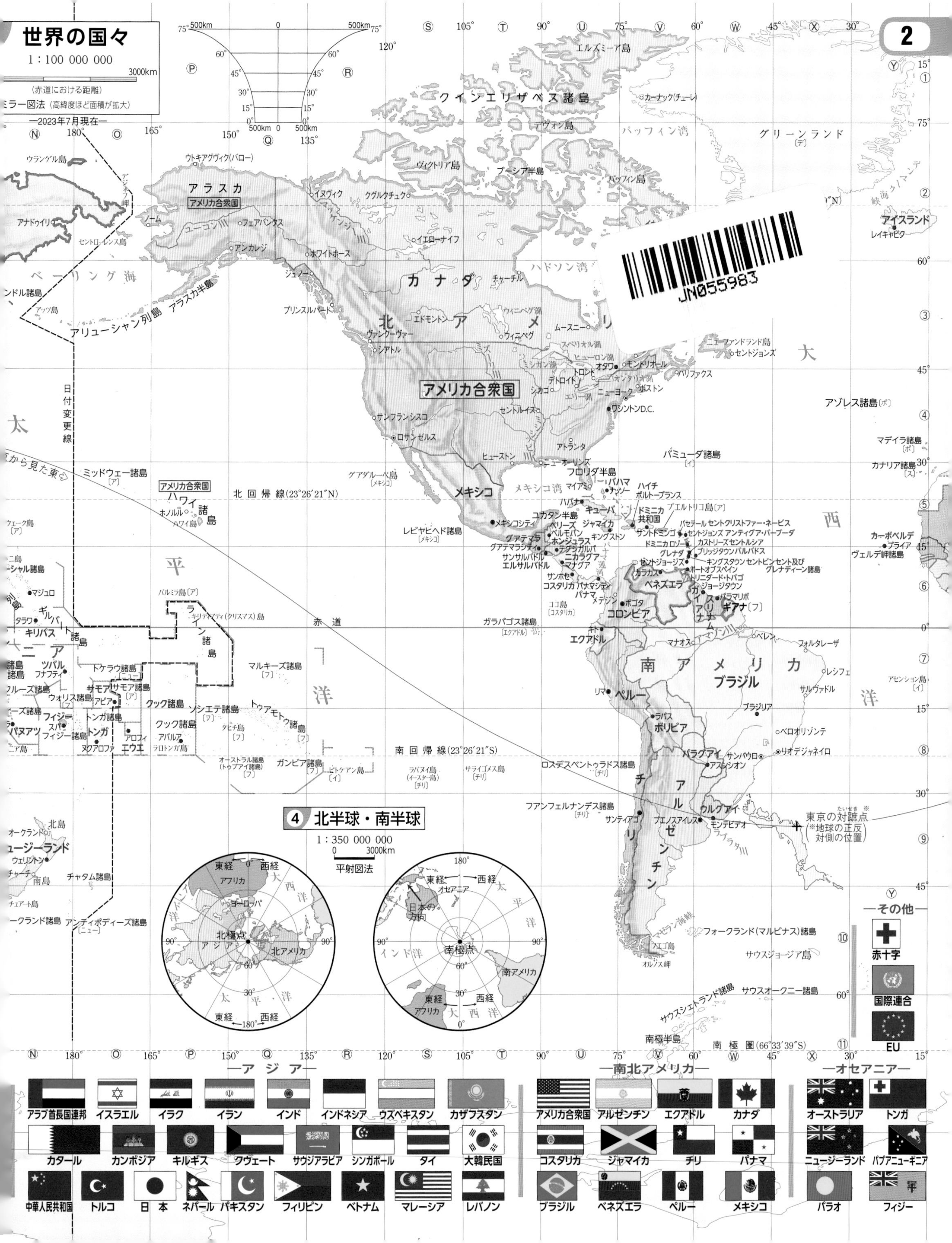
世界の国々
1：100 000 000
3000km
(赤道における距離)
ミラー図法 (高緯度ほど面積が拡大)
—2023年7月現在—
エルズミーア島
クインエリザベス諸島
カーナック(チューレ)
デヴォン島
バッフィン湾
グリーンランド
〔デ〕
ウランゲル島
ウトキアグヴィク(バロー)
ヴィクトリア島
ブーシア半島
バッフィン島
アラスカ
アメリカ合衆国
イヌヴィク
クグルクチュク
ノーム
フェアバンクス
ユーコン川
アナドゥイリ
セントローレンス島
アンカレジ
ホワイトホース
イエローナイフ
アイスランド
レイキャビク
ベーリング海
ジュノー
チャーチル
ハドソン湾
カナダ
コマンドル諸島
アッツ島
アラスカ半島
アリューシャン列島
プリンスルパート
エドモントン
ウィニペグ湖
北アメリカ
ヴァンクーヴァー
シアトル
ウィニペグ
ムースニー
スペリオル湖
ニューファンドランド島
セントジョンズ
大
ヒューロン湖
オタワ
モントリオール
トロント
デトロイト
シカゴ
ニューヨーク
ボストン
ハリファクス
アメリカ合衆国
エリー湖
アゾレス諸島〔ポ〕
日付変更線
太
セントルイス
ワシントンD.C.
サンフランシスコ
ロサンゼルス
アトランタ
マデイラ諸島〔ポ〕
ヒューストン
ニューオーリンズ
バミューダ諸島〔イ〕
カナリア諸島〔ス〕
ミッドウェー諸島〔ア〕
グアダルーペ島〔メキシコ〕
フロリダ半島
アメリカ合衆国
ハワイ諸島
ホノルル
ハワイ島
北回帰線(23°26′21″N)
メキシコ
メキシコ湾
マイアミ
バハマ
ナッソー
ハイチ
ポルトープランス
ハバナ
キューバ
ドミニカ共和国
プエルトリコ島〔ア〕
ユカタン半島
メキシコシティ
ジャマイカ
西
サントドミンゴ
ベリーズ
ベルモパン
キングストン
レビヤヒヘド諸島〔メキシコ〕
グアテマラ
ホンジュラス
テグシガルパ
ニカラグア
マナグア
エルサルバドル
サンサルバドル
グアテマラシティ
セントクリストファー・ネービス
アンティグア・バーブーダ
セントルシア
バルバドス
セントビンセント及びグレナディーン諸島
グレナダ
トリニダード・トバゴ
カーボベルデ
プライア
ヴェルデ岬諸島
平
マーシャル諸島
カラカス
ベネズエラ
ジョージタウン
ガイアナ
スリナム
パラマリボ
ギアナ〔フ〕
マジュロ
パルミラ島〔ア〕
サンホセ
コスタリカ
パナマ
パナマシティ
メデジン
ボゴタ
コロンビア
ココ島〔コスタリカ〕
ライン諸島
キリバス
ギルバート諸島
タラワ
キリティマティ(クリスマス)島
ガラパゴス諸島〔エクアドル〕
赤道
キト
エクアドル
マナオス
アマゾン川
ベレン
フォルタレザ
ツバル
フナフティ
トケラウ諸島〔ニュ〕
マルキーズ諸島〔フ〕
南アメリカ
ブラジル
レシフェ
アセンション島〔イ〕
サモア
サモア諸島〔ア〕
アピア
ウォリス諸島〔フ〕
洋
リマ
ペルー
サルヴァドル
洋
クック諸島
フィジー
スバ
ソシエテ諸島〔フ〕
トゥアモトゥ諸島〔フ〕
タヒチ島〔フ〕
ラパス
ボリビア
ブラジリア
バヌアツ
トンガ
トンガ諸島
ヌクアロファ
クック諸島
アバルア
ラロトンガ島
アロフィ
ニウエ
ベロオリゾンテ
南回帰線(23°26′21″S)
パラグアイ
サンパウロ
リオデジャネイロ
オーストラル諸島(トゥブアイ諸島)〔フ〕
ガンビア諸島〔フ〕
ピトケアン島〔イ〕
ラパヌイ島(イースター島)〔チリ〕
サライゴメス島〔チリ〕
ロスデスベントゥラドス諸島〔チリ〕
アスンシオン
チリ
アルゼンチン
フアンフェルナンデス諸島〔チリ〕
ウルグアイ
サンティアゴ
ブエノスアイレス
モンテビデオ
ラプラタ川
東京の対蹠点
(※地球の正反対側の位置)
オークランド
北島
ニュージーランド
ウェリントン
クライストチャーチ
南島
チャタム諸島
チアート島
オークランド諸島
アンティポディーズ諸島〔ニュー〕
④ 北半球・南半球
1：350 000 000
0 3000km
平射図法
東経 0° 西経
アフリカ
ヨーロッパ
大西洋
北極点
アジア
北アメリカ
インド洋
太平洋
東経 180° 西経
東経 180° 西経
オセアニア
日本の方向
太平洋
インド洋
南極点
南アメリカ
東経 0° 西経
アフリカ
大西洋
マゼラン海峡
フォークランド(マルビナス)諸島
フエゴ島
オルノス岬
サウスジョージア島
サウスシェトランド諸島
サウスオークニー諸島
南極半島
南極圏(66°33′39″S)
—その他—
赤十字
国際連合
EU
—アジア—
アラブ首長国連邦
イスラエル
イラク
イラン
インド
インドネシア
ウズベキスタン
カザフスタン
カタール
カンボジア
キルギス
クウェート
サウジアラビア
シンガポール
タイ
大韓民国
中華人民共和国
トルコ
日本
ネパール
パキスタン
フィリピン
ベトナム
マレーシア
レバノン
—南北アメリカ—
アメリカ合衆国
アルゼンチン
エクアドル
カナダ
コスタリカ
ジャマイカ
チリ
パナマ
ブラジル
ベネズエラ
ペルー
メキシコ
—オセアニア—
オーストラリア
トンガ
ニュージーランド
パプアニューギニア
パラオ
フィジー

もくじ

活用のヒント

読図 地図やグラフなどを読み取る力を身につけられる問いです。解答例は下記URLか二次元コードからみることができます。

SDGs 読図のなかで，とくにSDGs（持続可能な開発目標）の達成を意識した問いです。

https://ict.teikokushoin.co.jp/d-text_04hs/map/dokuzu/index.html

地図帳の凡例（はんれい）

世界

ロンドン LONDON 300万人以上の都市
シカゴ CHICAGO 100～300万人の都市
グラスゴー Glasgow 50～100万人の都市
ボルドー Bordeaux 10～50万人の都市
エヴィアン Evian 10万人未満の都市
リュイシュン（旅順） 都市の一部

- 市街地
- 首都
- 州・省都など
- スイス SWITZERLAND 国界
- 未確定・係争中の国界
- テキサス TEXAS 州・省界など
- サハ共和国 SAKHA 共和国界 自治共和国界
- ネネツ自治管区 Nenets 自治管区界 自治州界
- 西サハラ WESTERN SAHARA 非独立国
- 日付変更線
- 高速鉄道
- 鉄道
- 建設中の鉄道
- 高速道路
- 道路
- パナマ シティー←8882→ロンドン 距離(km) 航路
- 主要空港
- 港
- 城壁
- 史跡 歴史的に重要な地名
- 名勝
- パイプライン（原油）
- 金 鉱山
- 炭田
- 油田
- ガス田
- 特殊建造物・その他の重要な地点
- 故宮 おもな世界文化遺産
- ドロミテ おもな世界自然遺産
- メテオラ おもな世界複合遺産
- おもなラムサール条約登録湿地

領土記号

- 〔ア〕 アメリカ合衆国
- 〔イ〕 イギリス
- 〔オ〕 オランダ
- 〔オー〕 オーストラリア
- 〔ス〕 スペイン
- 〔デ〕 デンマーク
- 〔ニュー〕 ニュージーランド
- 〔ノ〕 ノルウェー
- 〔フ〕 フランス
- 〔ポ〕 ポルトガル
- 〔南ア〕 南アフリカ共和国

日本

※記号は市町村役場の位置を示す

- 市街地
- 横浜 300万人以上の市
- 神戸 100～300万人の市
- 船橋 50～100万人の市
- 藤沢 20～50万人の市
- 大垣 10～20万人の市
- 芦屋 10万人未満の市
- 別海 町
- 北山 村
- 浦賀 字（あざ）（旧市町村など）
- 都道府県庁所在地
- 地方界
- 都道府県界
- 北海道の振興局界
- 旧国界
- えき トンネル 建設中 JR新幹線
- 新幹線以外のJR線
- その他の鉄道線
- インターチェンジ 高速自動車道
- おもな有料道路・自動車専用道路
- 国道番号 〈23〉 東京へ おもな道路
- 航路
- 国立公園
- 国定公園
- 橋
- 国際線のある空港
- その他の空港
- 商港
- 漁港
- 史跡 歴史的に重要な地名
- 古戦場跡
- 名勝
- 天然記念物
- 神社
- 寺院
- 城跡
- 特色のある建造物・その他の重要な地点
- 姫路城 世界文化遺産
- 知床 世界自然遺産
- 阿蘇ジオパーク 世界ジオパーク
- ラムサール条約登録湿地
- 灯台
- 火力発電所
- 水力発電所
- 原子力発電所
- 地熱発電所
- 風力発電所
- 太陽光発電所
- 石灰石 鉱山
- （明延） 閉山した鉱山
- 炭田
- 油田
- ガス田

拡大図の記号

〔50万分の1の拡大図〕

- 都道府県庁
- 地下鉄

都市図の記号

- 都道府県庁
- 市役所
- 区役所
- 都府県界
- 市郡界
- 町村区界
- えき（地下） JR新幹線
- 新幹線以外のJR線
- その他の鉄道線
- （地上） 地下鉄
- 路面電車
- （地下） 高速自動車道 有料道路
- 一般国道
- 高等学校

地形（世界・日本）

- ▲3015(m) 山頂
- ▲3776(m) 火山頂
- 峠
- 氷雪地
- 砂砂漠（すなさばく）
- 標高 水深 (m) 湖沼
- ダム・人造湖（世界）
- ダム・人造湖（日本）
- 塩湖
- 位置の定まっていない湖岸線
- 河川
- 可航上限・下限
- 滝
- 運河・用水路
- かれ川（ワジ）
- 湿地
- 塩分を含む湿地
- 流氷の限界
- 年間氷結している範囲
- 堆（たい）（バンク）
- サンゴ礁
- 温泉
- 砂浜海岸
- •-9550 海溝（かいこう）の一番深い所(m)
- ◎312 都市標高(m)
- カルデラ おもな地形名称

ウェブコンテンツ

二次元コードや下記URLから学習を深めるコンテンツをみることができます。コンテンツの使用料は無料ですが，インターネットにアクセスした際には通信料がかかる場合があります。 https://ict.teikokushoin.co.jp/d-text_04hs/map/index.html

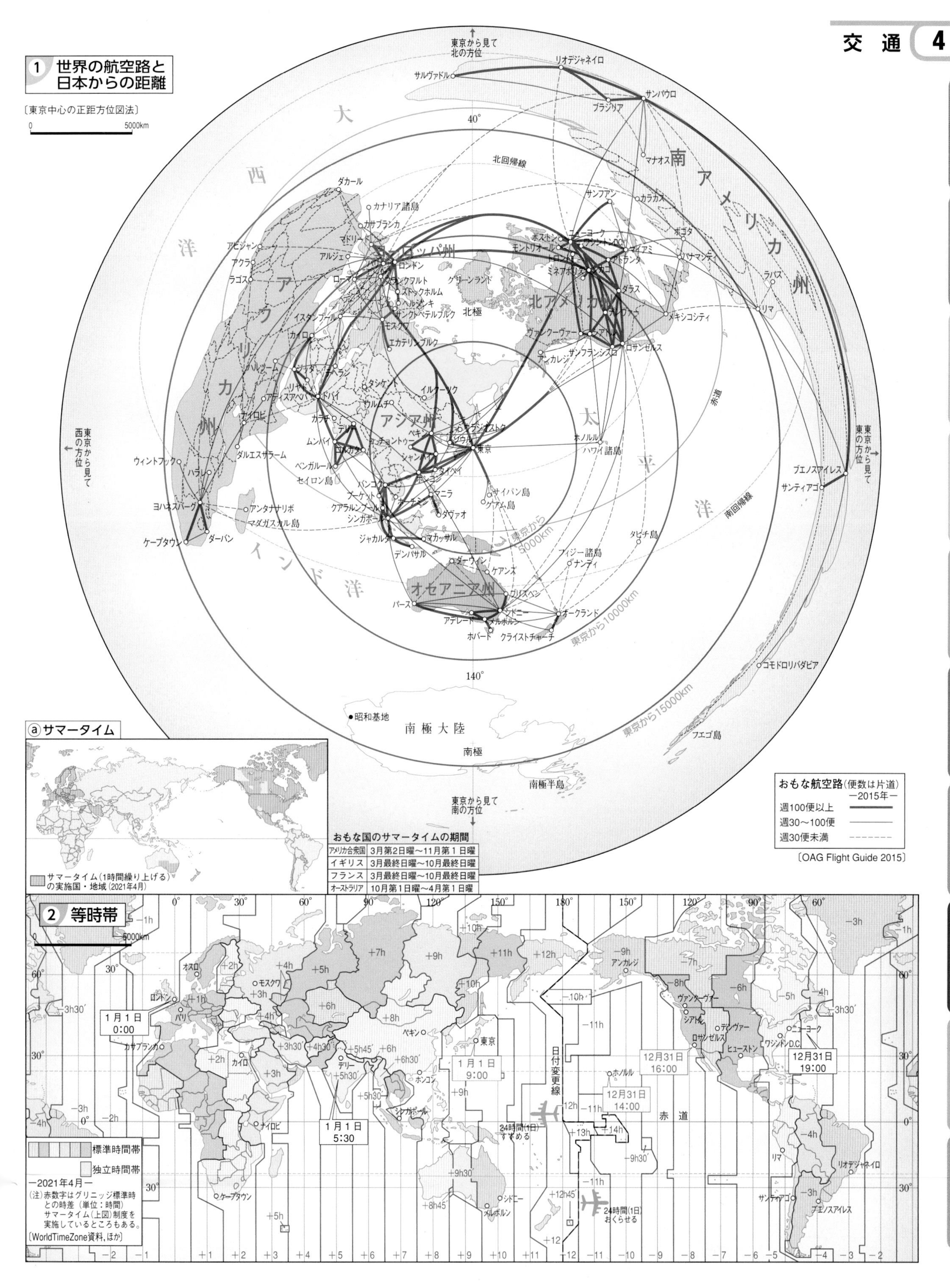

おもな国のサマータイムの期間

国	期間
アメリカ合衆国	3月第2日曜～11月第1日曜
イギリス	3月最終日曜～10月最終日曜
フランス	3月最終日曜～10月最終日曜
オーストラリア	10月第1日曜～4月第1日曜

① アジア・ヨーロッパ・北アメリカ
1：50 000 000
0
1000
2000km
北極中心正距方位図法
(北極からの距離と方位が正しく、周囲のひずみが大きい。)
読図
インドとアメリカ合衆国のおおむね中央を通る経線の経度差は，何度だろうか，この差はどのような産業で役立てられているだろうか。
セーシェル
ビクトリア
セーシェル諸島
ソマリア
ソマリア半島
アデン
サヌア
イエメン
メッカ
ナジュド
紅海
エジプト
カイロ
スエズ運河
地中海
チュニジア
チュニス
イタリア
ローマ
ギリシャ
アテネ
サウジアラビア
アラビア半島
ルブアルハリ砂漠
ネフド砂漠
リヤド
イスラエル
エルサレム
ヨルダン
レバノン
キプロス
イラク
シリア
バグダッド
イスタンブール
アンカラ
トルコ
ブルガリア
ブカレスト
ルーマニア
ハンガリー
オーストリア
チェコ
ポーランド
ワルシャワ
ウクライナ
キーウ
(キエフ)
ベラルーシ
ミンスク
リトアニア
ラトビア
エストニア
ヘルシンキ
フィンランド
クウェート
カタール
バーレーン
バスラ
ペルシア湾
アラブ首長国連邦
オマーン
マスカット
ソコトラ島
(イエメン)
シーラーズ
ザグロス山脈
イスファハーン
タブリーズ
アルメニア
ジョージア
黒海
カフカス山脈
アゼルバイジャン
テヘラン
イラン
イラン高原
ロストフ
バンダレアッバース
カスピ海
アストラハン
ヴォルゴグラード
アラビア海
チャゴス諸島
ディエゴガルシア島
モルディブ諸島
マレ
モルディブ
赤道
インド洋
マシュハド
アシガバット
トルクメニスタン
アティラウ
モスクワ
サンクトペテルブルク
ニジニーノヴゴロド
サマーラ
東ヨーロッパ平原
カラチ
パキスタン
カンダハル
アフガニスタン
カブール
アムダリア川
アラル海
ウズベキスタン
カザフスタン
カザフステップ
ムンバイ
パナジ
コジコーデ
アーメダーバード
デカン高原
インド半島
ベンガルール
イスラマバード
ラホール
インダス川
タジキスタン
タシケント
チェリャビンスク
エカテリンブルク
ウラル山脈
アルハンゲリスク
コラ半島
ムルマンスク
コロンボ
スリジャヤワルダナプラコッテ
セイロン島
スリランカ
ハイデラバード
チェンナイ
インド
デリー
カシミール
パミール高原
キルギス
カシ
アルマティ
アスタナ
ペトロパヴロフスク
オムスク
西シベリア低地
オビ川
バルハシ湖
カーンプル
ヒンドスタン平原
ネパール
ヒマラヤ山脈
カトマンズ
エヴェレスト山
8848
ティンプー
ブータン
ラサ
チベット高原
タクラマカン砂漠
タリム盆地
テンシャン山脈
ホータン
セメイ
スルグト
ヤマル半島
サベッタ
ノヴォシビルスク
ノヴォクズネツク
ベンガル湾
コルカタ
ガンジス川
ダッカ
バングラデシュ
トルファン
アルタイ山脈
ノリリスク
エニセイ川
北シベリア低地
中央シベリア高原
タイミル半島
アンダマン諸島(インド)
ニコバル(インド)諸島
ハミ
トンホワン
ユイメン
アンガラ川
ブラーツク
ミャンマー
エーヤワディー川
ヤンゴン
ネーピードー
マンダレー
モンゴル
ゴビ砂漠
モンゴル高原
イルクーツク
ロシア連邦
中華人民共和国
ランチョウ
ウランバートル
バイカル湖
ヤブロノヴイ山脈
チタ
スタノヴォイ山脈
タイ
バンコク
ラオス
ビエンチャン
タイランド湾
クンミン
チョントゥー
チョンチン
シーアン
長江
黄河
ヤクーツク
メダン
マラッカ海峡
スマトラ島
クアラルンプール
マレーシア
マレー半島
シンガポール
カンボジア
プノンペン
ハノイ
ホーチミン
ベトナム
ペキン
テンチン
大シンアンリン山脈
ウーハン
ハルビン
パレンバン
ハイナン島
コワンチョウ
マカオ
ホンコン
シェンヤン
ナンキン
ハバロフスク
オホーツク
ジャカルタ
ジャワ島
南シナ海
ハンチョウ
黄海
(ホワンハイ)
ピョンヤン
朝鮮民主主義人民共和国
ソウル
大韓民国
シャンハイ
フーチョウ
ウラジオストク
樺太
サハリン
オホーツク海
カムチャツカ半島
クリュチェフスカヤ
4754
ペトロパヴロフスク＝カムチャツキー
コマンドル諸島
インドネシア
マレーシア
サラワク
ブルネイ
バンダルスリブガワン
カオシュン
台湾
タイペイ
東シナ海
南西諸島
日本海
札幌
日本国
国後島
択捉島
千島列島
(クリル)
パラムシル島
千島・カムチャツカ海溝
アジアへ
スラバヤ
カリマンタン島
(ボルネオ)
バンジャルマシン
パラワン島
マニラ
ルソン島
フィリピン
フィリピン諸島
福岡
沖縄島
大阪
名古屋
東京
横浜
日本海溝
伊豆諸島
小笠原諸島
伊豆・小笠原海溝
火山列島
硫黄島
北回帰線
沖ノ鳥島
フィリピン海
バリ島
ロンボク海峡
ロンボク島
小スンダ列島
スンバワ島
マカッサル
スラウェシ島
セレベス海
ミンダナオ島
ダヴァオ
マルク諸島
ハルマヘラ島
ポートヘッドランド
オーストラリア
東ティモール
パラオ諸島
パラオ
大スンダ列島
太

アジア
ヨーロッパ
北アメリカ
大西洋
北回帰線
流氷の限界
ブラジル
スリナム
パラマリボ
ガイアナ
ジョージタウン
マナオス
トリニダード・トバゴ
ベネズエラ
カラカス
コロンビア
ボゴタ
メデジン
カリ
ドミニカ共和国
サントドミンゴ
ハイチア
ポルトープランス
カリブ海
キングストン
ジャマイカ
バハマ
ナッソー
キューバ
ハバナ
西インド諸島
パナマシティ
パナマ
サンホセ
コスタリカ
マナグア
ニカラグア
ホンジュラス
テグシガルパ
ベリーズ
ベルモパン
エルサルバドル
サンサルバドル
グアテマラシティ
グアテマラ
ユカタン半島
メリダ
メキシコ湾
メキシコ
メキシコシティ
アカプルコ
グアダラハラ
モンテレー
オリサバ山
西シエラマドレ山脈
カリフォルニア半島
レビヤヒヘド諸島
グアダルーペ島
ロサンゼルス
サンフランシスコ
ポートランド
シアトル
ヴァンクーヴァー
ヴァンクーヴァー島
ハイダグワイ(クインシャーロット諸島)
アラスカ湾
アメリカ合衆国
ロッキー山脈
海岸山地
グレートプレーンズ
プレーリー
中央平原
アパラチア山脈
デンヴァー
エルパソ
ソルトレークシティ
グレートソルト湖
ダラス
ヒューストン
ニューオーリンズ
メンフィス
シカゴ
デトロイト
トロント
オタワ
モントリオール
ボストン
ニューヨーク
フィラデルフィア
ワシントンD.C.
アトランタ
ジャクソンヴィル
フロリダ半島
バミューダ諸島
ミシシッピ川
ミシガン湖
ヒューロン湖
スペリオル湖
ローレンシア台地
ラブラドル高原
ラブラドル半島
ラブラドル海
ニューファンドランド島
セントジョンズ
ハリファクス
ノヴァスコシア半島
ハドソン湾
ジェームズ湾
カナダ
ウィニペグ
ウィニペグ湖
チャーチル
レジャイナ
エドモントン
グレートスレーヴ湖
グレートベア湖
マッケンジー川
イエローナイフ
ボーフォート海
バンクス島
ヴィクトリア島
クインエリザベス諸島
北磁極(2021年)
北極点
北極海
エルズミーア島
デヴォン島
バフィン島
バフィン湾
デーヴィス海峡
アンガヴァ半島
サウサンプトン島
グリーンランド
ヌーク(ゴットホープ)
デンマーク海峡
アイスランド
レイキャビク
北極圏
フェロー諸島
オークニー諸島
イギリス
アイルランド
ダブリン
ロンドン
パリ
ビスケー湾
スペイン
マドリード
ポルトガル
リスボン
モロッコ
ジブラルタル海峡
マデイラ諸島
アゾレス諸島
サンタマリア島
アラスカ
アラスカ半島
アンカレジ
ローガン山 5959
デナリ(マッキンリー山) 6190
ホワイトホース
フェアバンクス
ジュノー
ノーム
チュコト半島
ベーリング海
プリビロフ諸島
アリューシャン列島
アリューシャン海溝
ウナラスカ島
コディアク島
ヌニヴァク島
セントローレンス島
バロー岬
日付変更線
平洋
赤道
陸高と水深(m)
5000
4000
3000
2000
1000
500
200
0
海面下
200
1000
2000
4000
6000
8000
夏に長期間海氷がある範囲(1981〜2010年平均)
2019年9月15日の海氷
北極海を航行する航路の例
サベッタ 北極海のおもな寄港地

大西洋
ATLANTIC OCEAN
アイルランド
ダブリン
イギリス
ロンドン
ポルトガル
リスボン
マデイラ諸島
［ポ］
カナリア諸島
［ス］
スペイン
マドリード
イベリア半島
バルセロナ
ジブラルタル海峡
ラバト
カサブランカ
マラケシュ
モロッコ
アトラス山脈
西サハラ
アルジェ
オラン
フランス
パリ
ブリュッセル
ベルギー
ルクセンブルク
アムステルダム
オランダ
ドイツ
ベルリン
デンマーク
コペンハーゲン
ノルウェー
オスロ
スウェーデン
ストックホルム
スカンディナヴィア半島
フィンランド
ヘルシンキ
エストニア
タリン
ラトビア
リガ
リトアニア
ビリニュス
ポーランド
ワルシャワ
プラハ
チェコ
ベルン
スイス
オーストリア
ウィーン
ブラチスラバ
スロバキア
ハンガリー
ブダペスト
クロアチア
ボスニア・ヘルツェゴビナ
セルビア
ルーマニア
ブカレスト
モルドバ
ブルガリア
ソフィア
ティラナ
アルバニア
ギリシャ
アテネ
ローマ
イタリア
チュニス
チュニジア
バレッタ
マルタ
トリポリ
ベンガジ
地中海
ベラルーシ
ミンスク
ウクライナ
キーウ
（キエフ）
モスクワ
東ヨーロッパ平原
サンクトペテルブルク
ニジニーノヴゴロド
サマーラ
ヴォルゴグラード
ロストフ
オデーサ
ハルキウ
チェリャビンスク
エカテリンブルク
ウラル山脈
西シベリア低地
ロシア
オムスク
ノヴォシビルスク
ノヴォクズネツク
スルグト
オビ川
ヤマル半島
北シベリア
カラ海
ノヴァヤゼムリャ
バレンツ海
コラ半島
ムルマンスク
アルハンゲリスク
ヴォルクタ
スヴァールバル諸島
［ノ］
ゼムリャフランツァヨシファ
ノルウェー海
北海
流氷の限界
黒海
イスタンブール
トルコ
アンカラ
アナトリア高原
小アジア
ニコシア
キプロス
ジョージア
トビリシ
アルメニア
エレバン
アゼルバイジャン
バクー
カフカス山脈
アストラハン
カスピ海
アティラウ
アラル海
カザフステップ
カザフスタン
アスタナ
セメイ
（セミパラチンスク）
バルハシ湖
アルタイ山脈
ウズベキスタン
タシケント
サマルカンド
トルクメニスタン
アシガバット
キルギス
ビシュケク
アルマティ
ウルムチ
トゥルファン
テンシャン山脈
（天山）
タリム盆地
タクラマカン砂漠
カシ
ホータン
ドゥシャンベ
タジキスタン
パミール高原
カシミール
クンルン山脈
チベット高原
ヒマラヤ山脈
ラサ
ネパール
カトマンズ
エベレスト山
8848
ティンプー
ブータン
シリア
ベイルート
レバノン
ダマスカス
エルサレム
イスラエル
アンマン
ヨルダン
バグダッド
イラク
タブリーズ
テヘラン
イラン
マシュハド
イスファハーン
ザグロス山脈
イラン高原
シーラーズ
バスラ
クウェート
ネフド砂漠
サウジアラビア
リヤド
メディナ
ジッダ
メッカ
ヤンブー
バーレーン
マナーマ
カタール
ドーハ
ドバイ
アラブ首長国連邦
アブダビ
バンダレアッバース
マスカット
オマーン
アラビア半島
ルブアルハリ砂漠
サヌア
イエメン
アデン
アデン湾
ソコトラ島
［イエメン］
紅海
アフガニスタン
カブール
カンダハル
イスラマバード
ラワルピンディ
ラホール
パキスタン
カラチ
インダス川
デリー
メーラト
ジャイプル
カーンプル
ヒンドスタン平原
ヴァラナシ
ダッカ
バングラデシュ
コルカタ
ガンジス川
アーメダーバード
ボパール
インド
デカン高原
ムンバイ
インド半島
ハイデラバード
パナジ
ベンガルール
チェンナイ
コジコーデ
コーチ
スリランカ
セイロン島
コロンボ
スリジャヤワルダナプラコッテ
ベンガル湾
アンダマン諸島
［インド］
ニコバル諸島
［インド］
アラビア海
モルディブ
マレ
モルディブ諸島
赤道
セーシェル
ビクトリア
セーシェル諸島
チャゴス諸島
［イ］
ディエゴガルシア島
インド洋
INDIAN OCEAN
アルジェリア
モーリタニア
マリ
アハガル高原
本初子午線
リビア
北回帰線
リビア砂漠
エジプト
カイロ
ギーザ
アレクサンドリア
アスワン
ナイル川
サハラ砂漠
ニジェール
ニアメ
チャド
チャド湖
ンジャメナ
ナイジェリア
アブジャ
スーダン
ハルツーム
オムドゥルマン
白ナイル川
青ナイル川
カメルーン
ヤウンデ
中央アフリカ
バンギ
コンゴ民主共和国
コンゴ共和国
南スーダン
エリトリア
アスマラ
タナ湖
エチオピア
エチオピア高原
アディスアベバ
ジブチ
ソマリア半島
ソマリア
グアルダフィ（カセイル）岬
陸高と水深(m)
6000
5000
4000
3000
2000
1000
500
200
0
海面下
200
1000
2000
4000
6000
8000
2 第二次世界大戦中（1941年）のアジア
1000km
国名 当時の独立国
赤数字 成立年・独立年
黒数字 領有開始年
ソビエト連邦
ハバロフスク
ウランバートル
モンゴル人民共和国
1924（中華民国は独立を認めず）
満洲国
1932
国際連盟は独立を認めず
ウラジオストク
千島列島
1875
樺太
1905
新京
長春
平壌
京城
日本
東京
北平（北京）
青島
朝鮮
1910
中華民国
1912
西安
南京
上海
成都
漢口
（武漢）
重慶
小笠原諸島
硫黄島
カシ
イラン
アフガニスタン
1919
デリー
ネパール
ブータン
ラサ
カトマンズ
カラチ
イギリス領インド
［ボ］ディウ
ダマン［ボ］
カルカッタ
ボンベイ
［ボ］ゴア
ヤナオン［フ］
ベンガル湾
マヘ
ポンディシェリー［フ］
カリカル［フ］
コロンボ
イギリス領ビルマ
ラングーン
広州
マカオ
ホンコン（香港）
［ボ］
［イ］
台湾
1895
タイ
バンコク
フランス領インドシナ
サイゴン
メコン川
南シナ海
フィリピン
マニラ
サイパン島
グアム島
南洋群島
パラオ諸島
太平洋
日本の委任統治領
マレー
クアラルンプール
シンガポール
ブルネイ
パダン
オランダ領東インド
バタヴィア（ジャカルタ）
ティモール島［ボ］
アラビア海
イギリス領
フランス領
オランダ領
ポルトガル領
アメリカ合衆国領
日本領
1941年の日本の勢力範囲
現在の国界

① ユーラシア

1：42 000 000

0 500 1000km

ランベルト正積方位図法
(面積が正しく,全体としてひずみが小さい。)

アジアハイウェイ

読図 東京やソウルと同じような緯度にあるヨーロッパの国の首都はどこだろうか。

① 東アジア
1：16 000 000
0 200 400km
正距円錐図法
(経線と標準緯線にそった距離が正しい。全体としてひずみが小さい。)
ロシア連邦
RUSSIAN FEDERATION
サヤン山脈
アルタイ共和国
REPUBLIC OF ALTAY
トゥーヴァ共和国
REPUBLIC OF TUVA
カザフスタン
KAZAKHSTAN
キルギス
KYRGYZ
ジュンガル盆地
Junggar Pd.
アルタイ山脈
ハンガイ山脈
Hangayn Nuruu
モンゴル国
MONGOLIA
モンゴル(蒙古)高原
Mongolia
ウランバートル
ULAN BATOR
ゴビ砂漠
Gobi
テンシャン(天山)山脈
Tian Shan
ウルムチ
URUMQI
トゥルファン盆地
Turpan Pd.
シンチヤンウイグル自治区
(新疆維吾爾)
タリム盆地
Tarim Pd.
タクラマカン砂漠
Takla Makan Sha.
パミール高原
カラコルム山脈
クンルン(崑崙)山脈
Kunlun Shan
アルチン山脈
Altun Shan
チャイダム盆地
Qaidam Pd.
チーリエン(祁連)山脈
チベット高原
Tibet
チベット(西蔵)自治区
中華人民共和国
PEOPLE'S REPUBLIC OF CHINA
タングラ山脈
(唐古拉)
Tanggula Shan
チンハイ
(青海省)
カンスー
(甘粛省)
ランチョウ
(蘭州)
ニンシャ(寧夏)
回族自治区
インシャン(陰山)山脈
オルドス
Ordos
チンリン山脈
(秦嶺)
シーアン
(西安)
スーチョワン
(四川省)
スーチョワン(四川)盆地
チョントゥー
(成都)
チョンチン
重慶
コイチョウ
(貴州省)
ユンコイ高原
(雲貴)
ユンナン
(雲南省)
クンミン
(昆明)
コワンシー(広西)
壮族自治区
ホントワン山脈
ヒマラヤ山脈
Himalaya
ネパール
NEPAL
カトマンズ
KATHMANDU
ブータン
BHUTAN
ヒンドスタン平原
Hindustan Pl.
デリー
DELHI
インド
INDIA
東ガーツ山脈
E.Ghats
バングラデシュ
BANGLADESH
ダッカ
DHAKA
コルカタ
KOLKATA
ベンガル湾
Bay of Bengal
アラカン山脈
Arakan Yoma
パトカイ山脈
バゴー山脈
Bago Yoma
ミャンマー
MYANMAR
シャン高原
Shan Plat.
ネーピードー
NAY PYI TAW
マンダレー
MANDALAY
タイ
THAILAND
ラオス
LAOS
ビエンチャン
VIENTIANE
ベトナム
VIET NAM
ハノイ
HANOI
トンキン湾
G.of Tonkin
ラサ
Lhasa

大シンアンリン山脈
小シンアンリン山脈
ヘイロンチャン
チチハル
ハルビン
チャンチュン
チーリン
シホテアリニ山脈
プリモルスキー（沿海州）
ハバロフスク
ウラジオストク
オホーツク海
Sea of Okhotsk
択捉島
国後島
色丹島
歯舞群島
千島・カムチャツカ海溝
旭川
札幌
小樽
釧路
網走
稚内
宗谷海峡
津軽海峡
函館
青森
盛岡
秋田
山形
仙台
福島
新潟
佐渡島
郡山
宇都宮
水戸
前橋
長野
富山
金沢
福井
さいたま
東京
千葉
川崎
横浜
甲府
静岡
浜松
名古屋
岐阜
京都
大阪
神戸
奈良
大津
和歌山
姫路
岡山
広島
鳥取
松江
隠岐
山口
下関
高松
徳島
松山
高知
北九州
福岡
佐賀
長崎
佐世保
熊本
大分
宮崎
鹿児島
対馬
日本国
JAPAN
日本海
Japan Sea
日本海溝
伊豆諸島
八丈島
伊豆・小笠原海溝
小笠原諸島
火山列島
太平洋
PACIFIC OCEAN
朝鮮民主主義人民共和国
DEMOCRATIC PEOPLE'S REPUBLIC OF KOREA
ピョンヤン（平壌）
大韓民国
REPUBLIC OF KOREA
ソウル
インチョン（仁川）
プサン（釜山）
テグ（大邱）
ウルルン島（鬱陵島）
竹島
チェジュ島（済州）
朝鮮半島
ペキン
テンチン（天津）
ターリエン（大連）
リヤオトン半島
シャントン半島
チンタオ（青島）
渤海
黄海（ホワンハイ）
Yellow Sea
シャンハイ（上海）
チョウシャン群島（舟山）
東シナ海
East China Sea
長江
チョーチャン（浙江省）
フーチエン（福建省）
フーチョウ（福州）
ナンキン
ホンコン（香港）
HONG KONG
マカオ
MACAO
台湾
タイペイ（台北）
カオシュン（高雄）
尖閣諸島
宮古島
石垣島
西表島
与那国島
沖縄島
那覇
奄美大島
大東島
北大東島
南大東島
沖大東島
南西諸島
琉球諸島
薩南諸島
南西諸島海溝
北回帰線
バシー海峡
バタン諸島
バブヤン諸島
ルソン海峡
ルソン島
フィリピン
PHILIPPINES
南シナ海
South China Sea
東沙群島（プラタス諸島）
ハイナン（海南）島
この図の範囲
陸高と水深(m)
6000
5000
4000
3000
2000
1000
500
200
0
海面下
200
1000
2000
4000
6000
8000
アジアハイウェイ
〈AH3〉
※図中のA Bはp.12②の断面図に対応。

② 中国の行政区分
1：55 000 000
0 1000km
ロシア連邦
モンゴル国
ヘイロンチャン（黒竜江省）
チーリン（吉林省）
内モンゴル（内蒙古）自治区
リヤオニン（遼寧省）
朝鮮民主主義人民共和国
大韓民国
日本国
シンチャンウイグル（新疆維吾爾）自治区
チンハイ（青海省）
カンスー（甘粛省）
チベット（西蔵）自治区
スーチョワン（四川省）
ホーナン（河南省）
チャンスー（江蘇省）
フーペイ（湖北省）
アンホイ（安徽省）
チョーチャン（浙江省）
チャンシー（江西省）
フーナン（湖南省）
コイチョウ（貴州省）
ユンナン（雲南省）
コワンシー（広西）壮族自治区
コワントン（広東省）
フーチエン（福建省）
ハイナン（海南省）
台湾
インド
ネパール
ミャンマー
ラオス
ベトナム
タイ
フィリピン
①シャントン（山東省）
②ホーペイ（河北省）
③シャンシー（山西省）
④シャンシー（陝西省）
⑤ニンシャ（寧夏）回族自治区
● 直轄市 ○ 特別行政区

① 中国の鳥瞰図

読図 ①・②図から，中国の地形は，西部と東部でそれぞれどのような特徴があるかを読み取ろう。また，東部を南北に分けて地形の特徴を読み取ろう。

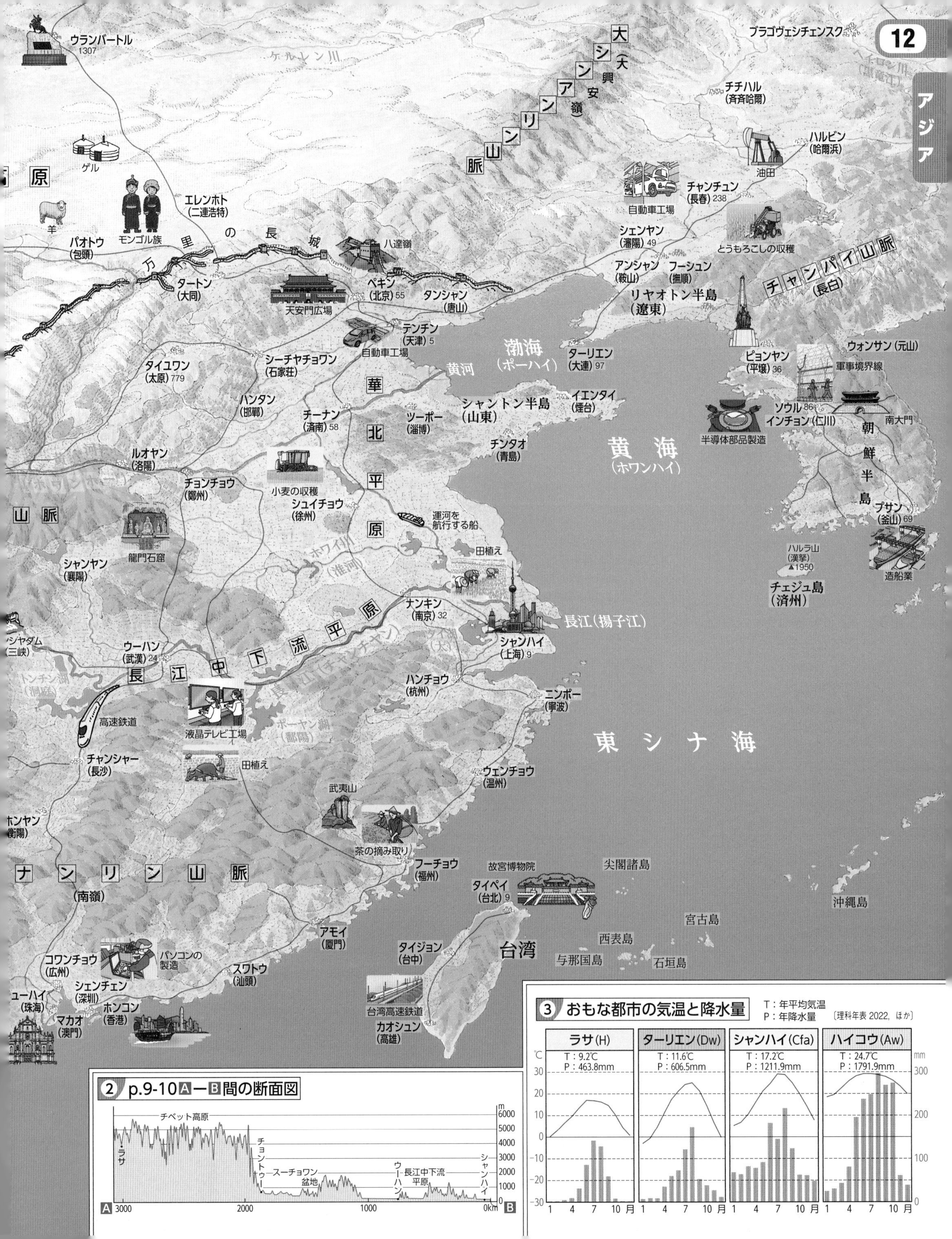

12
アジア
ウランバートル
1307
ケルレン川
ブラゴヴェシチェンスク
大シンアンリン山脈
(大興安嶺)
チチハル
(斉斉哈爾)
ハルビン
(哈爾浜)
油田
ゲル
原
エレンホト
(二連浩特)
羊
モンゴル族
自動車工場
チャンチュン
(長春) 238
パオトウ
(包頭)
万里の長城
八達嶺
シェンヤン
(瀋陽) 49
とうもろこしの収穫
アンシャン
(鞍山)
フーシュン
(撫順)
チャンパイ山脈
(長白)
タートン
(大同)
ペキン
(北京) 55
タンシャン
(唐山)
リヤオトン半島
(遼東)
天安門広場
テンチン
(天津) 5
自動車工場
渤海
(ポーハイ)
ターリエン
(大連) 97
ウォンサン (元山)
タイユワン
(太原) 779
シーチヤチョワン
(石家荘)
黄河
ピョンヤン
(平壌) 36
軍事境界線
華北平原
ハンタン
(邯鄲)
シャントン半島
(山東)
イエンタイ
(煙台)
ソウル 86
インチョン (仁川)
南大門
チーナン
(済南) 58
ツーポー
(淄博)
半導体部品製造
朝鮮半島
チンタオ
(青島)
黄海
(ホワンハイ)
ルオヤン
(洛陽)
チョンチョウ
(鄭州)
小麦の収穫
山脈
シュイチョウ
(徐州)
運河を
航行する船
プサン
(釜山) 69
龍門石窟
ホワイ川
(淮河)
田植え
ハルラ山
(漢拏)
▲1950
造船業
シャンヤン
(襄陽)
チェジュ島
(済州)
ナンキン
(南京) 32
長江 (揚子江)
シャダム
(三峡)
ウーハン
(武漢) 24
長江中下流平原
シャンハイ
(上海) 9
トンチン湖
(洞庭)
長江 (チャンチャン)
ハンチョウ
(杭州)
ニンポー
(寧波)
高速鉄道
液晶テレビ工場
ポーヤン湖
(鄱陽)
東シナ海
チャンシャー
(長沙)
田植え
ウェンチョウ
(温州)
武夷山
ホンヤン
(衡陽)
茶の摘み取り
ナンリン山脈
(南嶺)
フーチョウ
(福州)
故宮博物院
尖閣諸島
タイペイ
(台北) 9
沖縄島
宮古島
アモイ
(厦門)
タイジョン
(台中)
台湾
西表島
与那国島
石垣島
パソコンの
製造
コワンチョウ
(広州)
スワトウ
(汕頭)
シェンチェン
(深圳)
ューハイ
(珠海)
マカオ
(澳門)
ホンコン
(香港)
台湾高速鉄道
カオシュン
(高雄)
2 p.9-10 A－B 間の断面図
m
6000
5000
4000
3000
2000
1000
0
チベット高原
・ラサ
チョントゥー
スーチョワン
盆地
ウーハン
長江中下流
平原
シャンハイ
A 3000
2000
1000
0km B
3 おもな都市の気温と降水量
T：年平均気温
P：年降水量
〔理科年表 2022，ほか〕
ラサ(H)
T：9.2℃
P：463.8mm
ターリエン(Dw)
T：11.6℃
P：606.5mm
シャンハイ(Cfa)
T：17.2℃
P：1211.9mm
ハイコウ(Aw)
T：24.7℃
P：1791.9mm
℃
30
20
10
0
-10
-20
-30
mm
300
200
100
0
1
4
7
10
月

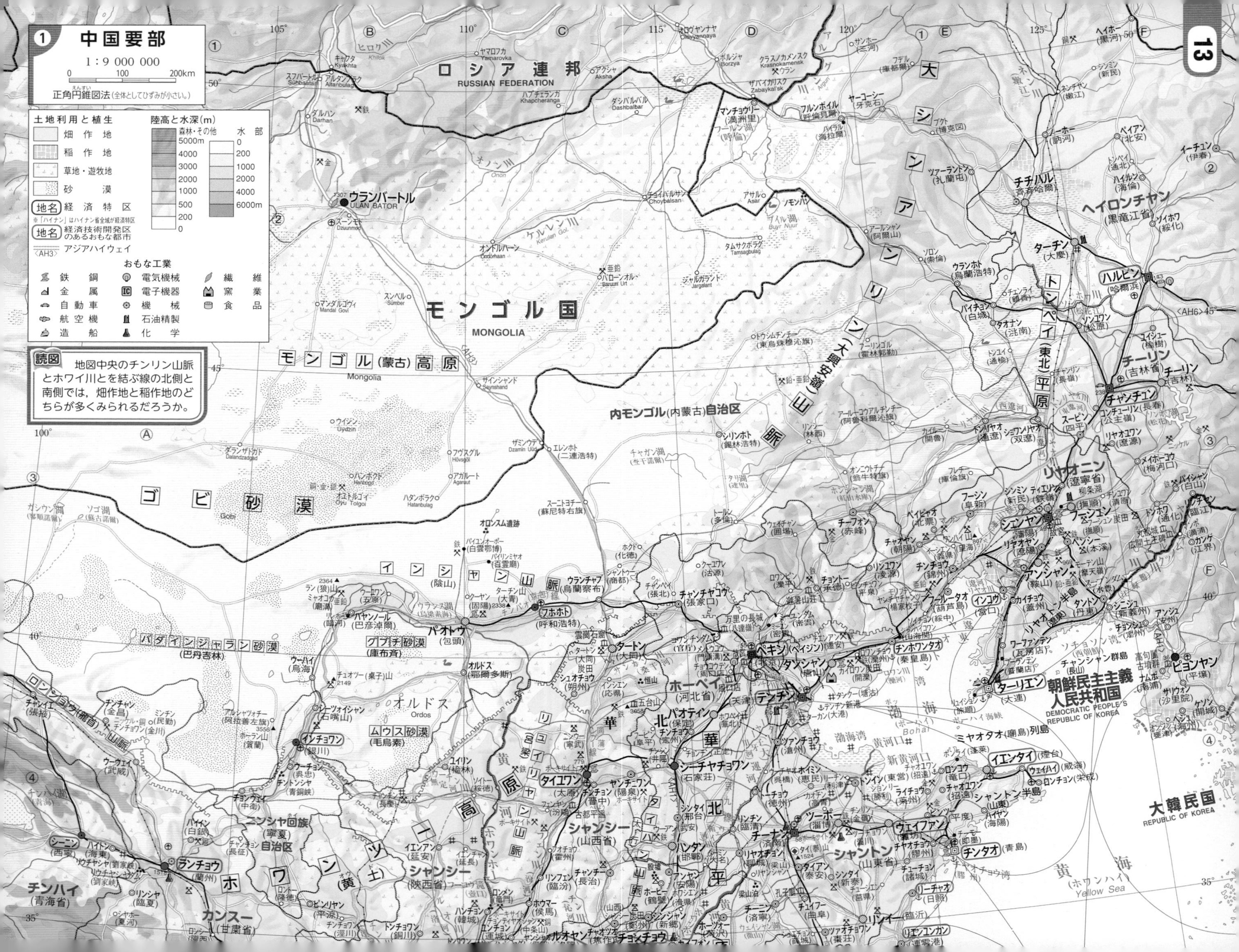

1 中国要部
1：9 000 000
0 100 200km
正角円錐図法（全体としてひずみが小さい。）
土地利用と植生
畑作地
稲作地
草地・遊牧地
砂漠
地名 経済特区
※「ハイナン」はハイナン省全域が経済特区
地名 経済技術開発区のあるおもな都市
〈AH3〉 アジアハイウェイ
陸高と水深(m)
森林・その他
5000m
4000
3000
2000
1000
500
200
0
水部
0
200
1000
2000
4000
6000m
おもな工業
鉄鋼
金属
自動車
航空機
造船
電気機械
電子機器
機械
石油精製
化学
繊維
窯業
食品
読図 地図中央のチンリン山脈とホワイ川とを結ぶ線の北側と南側では，畑作地と稲作地のどちらが多くみられるだろうか。
ロシア連邦
RUSSIAN FEDERATION
モンゴル国
MONGOLIA
モンゴル(蒙古)高原
Mongolia
ウランバートル
ULAN BATOR
ゴビ砂漠
Gobi
内モンゴル(内蒙古)自治区
大シンアンリン(大興安嶺)山脈
トンペイ(東北)平原
ヘイロンチャン(黒竜江省)
チーリン(吉林省)
リャオニン(遼寧省)
ハルビン(哈爾浜)
チャンチュン
シェンヤン
ターリエン(大連)
ペキン(ペイジン)
テンチン
ホーペイ(河北省)
華北平原
シャンシー(山西省)
シャンシー(陝西省)
シャントン(山東省)
シャントン半島
リャオトン半島
ニンシャ回族自治区
カンスー(甘粛省)
チンハイ(青海省)
ホワンツー(黄土)高原
オルドス
Ordos
ムウス砂漠
クブチ砂漠
バダインジャラン砂漠
インシャン山脈
タイハン山脈
チンリン山脈
朝鮮民主主義人民共和国
DEMOCRATIC PEOPLE'S REPUBLIC OF KOREA
ピョンヤン
大韓民国
REPUBLIC OF KOREA
渤海
Bohai
黄海
(ホワンハイ)
Yellow Sea
チンタオ
イエンタイ
チーナン
タイユワン
フホホト
パオトウ
インチョワン
ランチョウ
シーニン
シーチャチョワン
万里の長城

中華人民共和国
PEOPLE'S REPUBLIC OF CHINA
日本国
JAPAN
ベトナム社会主義共和国
SOCIALIST REPUBLIC OF VIET NAM
ラオス人民民主共和国
LAO PEOPLE'S DEMOCRATIC REPUBLIC
タイ王国
KINGDOM OF THAILAND
フィリピン共和国
REPUBLIC OF THE PHILIPPINES
台湾
スーチョワン(四川省)
フーペイ(湖北省)
ホーナン(河南省)
アンホイ(安徽省)
チョーチヤン(浙江省)
チヤンシー(江西省)
フーナン(湖南省)
コイチョウ(貴州省)
ユンナン(雲南省)
コワンシー(広西)壮族自治区
コワントン(広東省)
フーチエン(福建省)
ハイナン(海南省)
シャンハイ(上海)
ナンキン(南京)
ウーハン(武漢)
チョンチン(重慶)
チョントゥー(成都)
コワンチョウ(広州)
ホンコン(香港)
マカオ(澳門)
タイペイ(台北)
ハノイ
HANOI
東シナ海
East China Sea
南シナ海
South China Sea
トンキン湾
G.of Tongking
バシー海峡
ルソン海峡
Luzon Str.
太平洋
PACIFIC OCEAN
北回帰線
長江(揚子江)
尖閣諸島
東沙群島(プラタス諸島)
Pratas Is.
ルソン島
Luzon
この図の範囲

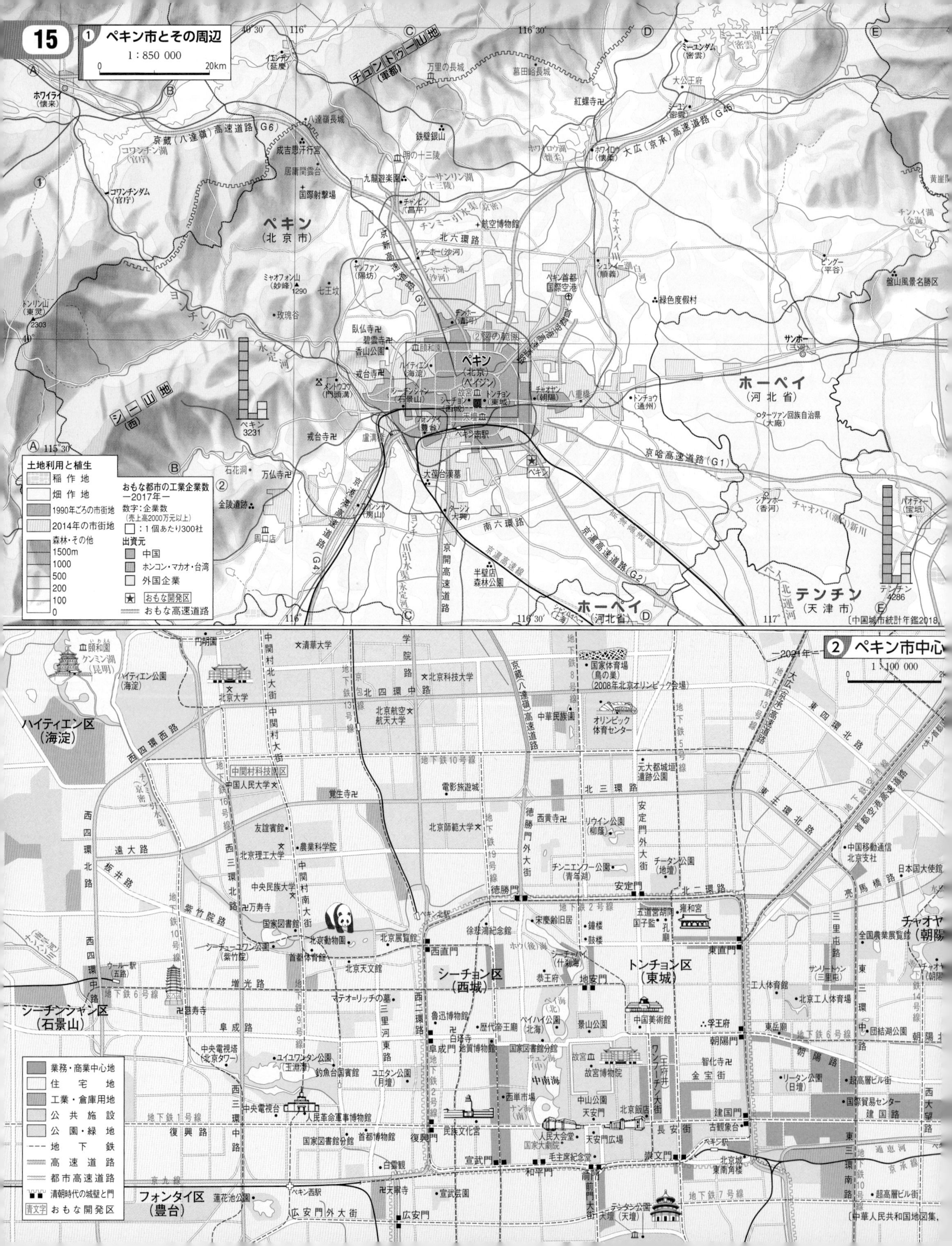

15
① ペキン市とその周辺
1：850 000
0 20km
土地利用と植生
稲作地
畑作地
1990年ごろの市街地
2014年の市街地
森林・その他
1500m
1000
500
200
100
0
おもな都市の工業企業数 −2017年−
数字：企業数
(売上高2000万元以上)
：1個あたり300社
出資元
中国
ホンコン・マカオ・台湾
外国企業
おもな開発区
おもな高速道路
ペキン
(北京市)
ペキン
(北京)
(ペイジン)
ペキン 3231
テンチン 4286
テンチン
(天津市)
ホーペイ
(河北省)
チュントゥー山地
(軍都)
シー山地
(西)
万里の長城
慕田峪長城
八達嶺長城
明の十三陵
居庸関雲台
成吉思汗行宮
京蔵（八達嶺）高速道路（G6）
大広（京承）高速道路（G45）
京哈高速道路（G1）
京滬高速道路（G2）
京港澳高速道路（G4）
京新高速道路（G7）
北六環路
南六環路
京開高速道路
ペキン首都国際空港
ペキン南駅
頤和園
香山公園
碧雲寺
臥仏寺
戒台寺
盧溝橋
周口店
大葆台漢墓
万仏寺
石花洞
金陵遺跡
七王坟
玫瑰谷
航空博物館
紅螺寺
鉄壁銀山
九龍遊楽園
国際射撃場
緑色度假村
盤山風景名勝区
大公主府
ミーユン湖
(密雲)
ミーユン
(密雲)
ホワイライ
(懐来)
コワンチン湖
(官庁)
コワンチンダム
(官庁)
イエンチン
(延慶)
チャンピン
(昌平)
シーサンリン湖
(十三陵)
ホワイロウ
(懐柔)
シュンイー
(順義)
ピングー
(平谷)
サンホー
(三河)
トンチョウ
(通州)
ターツァン回族自治県
(大廠)
シアンホー
(香河)
パオティー
(宝坻)
チンハイ湖
(金海)
黄崖関
ヤンファン
(陽坊)
シャーホー
(沙河)
シャーホー湖
(沙河)
ミャオフォン山
(妙峰)
1290
トンリン山
(東灵)
2303
メントウコウ
(門頭溝)
シーチンシャン
(石景山)
ハイティエン
(海淀)
フォンタイ
(豊台)
故宮
天壇
チャオヤン
(朝陽)
八里橋
ファンシャン
(房山)
ターシン
(大興)
半壁店森林公園
チンミー引水渠（京密）
ヨンチン川
永定河
チャオパイ川
チャオパイ（潮白）新川
②図の範囲
〔中国城市統計年鑑2018〕
② ペキン市中心
−2021年−
1：100 000
ハイティエン区
(海淀)
シーチョン区
(西城)
トンチョン区
(東城)
シーチンシャン区
(石景山)
フォンタイ区
(豊台)
チャオヤン
(朝陽)
円明園
頤和園
クンミン湖
(昆明)
ハイティエン公園
(海淀)
北京大学
清華大学
北京科技大学
北京航空航天大学
中国人民大学
中関村科技園区
北京理工大学
農業科学院
中央民族大学
北京師範大学
国家図書館
北京動物園
北京展覧館
北京天文館
首都体育館
シーチューユワン公園
(紫竹院)
国家体育場
(鳥の巣)
(2008年北京オリンピック会場)
オリンピック体育センター
中華民族園
元大都城垣遺跡公園
電影旅遊城
覚生寺
友誼賓館
万寿寺
慈寿寺
西黄寺
リウイン公園
(柳蔭)
チンニエンフー公園
(青年湖)
チータン公園
(地壇)
雍和宮
孔廟
国子監
五道営胡同
徳勝門
安定門
西直門
東直門
宋慶齢旧居
徐悲鴻紀念館
鐘楼
鼓楼
シーチャハイ
(什刹海)
恭王府
地安門
ホウ（後）海
ペイ海
(北)
ペイハイ公園
(北海)
景山公園
故宮
故宮博物院
中国美術館
孚王府
朝陽門
智化寺
金宝街
中南海
中山公園
天安門
天安門広場
人民大会堂
国家大劇院
毛主席紀念堂
前門
前門大街
テンタン公園
(天壇)
北京飯店
ワンフーチン大街
(王府井)
長安街
建国門
古観象台
崇文門
北京城東南角楼
宣武門
和平門
復興門
民族文化宮
西単市場
ナン海
(南)
国家図書館分館
首都博物館
白雲観
宣武芸園
天寧寺
広安門
広安門外大街
蓮花池公園
ペキン西駅
京九線
マテオ=リッチの墓
魯迅博物館
歴代帝王廟
白塔寺
阜成門
地質博物館
中央電視塔
(北京タワー)
ユイユワンタン公園
(玉淵潭)
釣魚台国賓館
ユエタン公園
(月壇)
中央電視台
人民革命軍事博物館
ウール一駅
(五路)
中国移動通信北京支社
日本国大使館
全国農業展覧館
サンリートゥン
(三里屯)
工人体育館
北京工人体育場
東岳廟
団結湖公園
リータン公園
(日壇)
超高層ビル街
国際貿易センター
北四環中路
北三環路
北二環路
東四環北路
東三環北路
東三環中路
東三環南路
西四環北路
西四環中路
西三環北路
西三環中路
亮馬橋路
朝陽路
建国路
遠大路
板井路
紫竹院路
増光路
阜成路
復興路
中関村北大街
中関村大街
中関村南大街
三里河東路
西二環路
学院路
徳勝門外大街
安定門外大街
三里屯路
西大望路
京蔵（八達嶺）高速道路
大広（京承）高速道路
首都空港高速道路
通恵河
京承線
地下鉄1号線
地下鉄2号線
地下鉄4号線
地下鉄5号線
地下鉄6号線
地下鉄7号線
地下鉄8号線
地下鉄9号線
地下鉄10号線
地下鉄13号線
地下鉄14号線
地下鉄16号線
京包線
業務・商業中心地
住宅地
工業・倉庫用地
公共施設
公園・緑地
地下鉄
高速道路
都市高速道路
清朝時代の城壁と門
おもな開発区
〔中華人民共和国地図集,

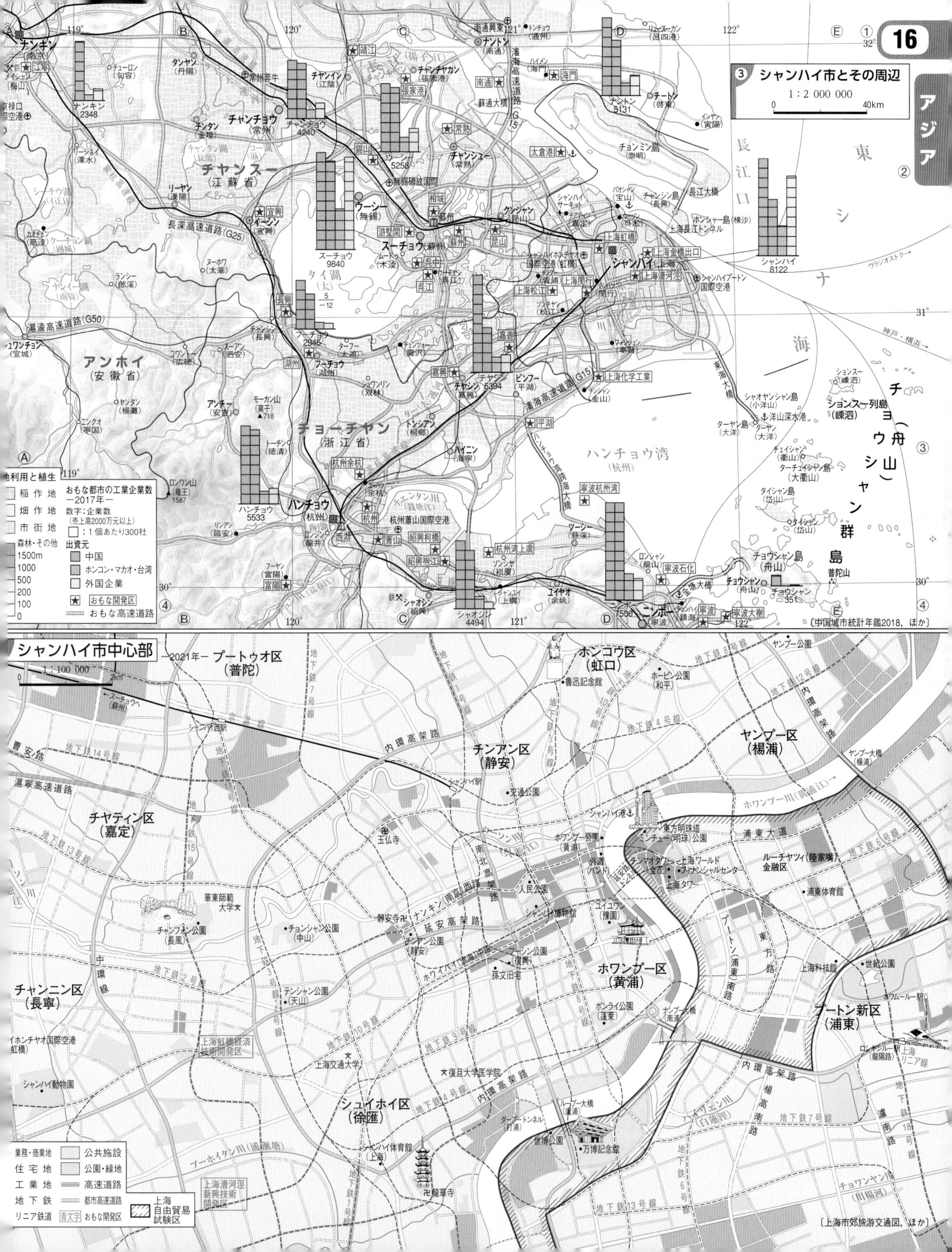
③ シャンハイ市とその周辺
1：2 000 000
0
40km
チャンスー
(江蘇省)
アンホイ
(安徽省)
チョーチヤン
(浙江省)
ナンキン
(南京)
チャンチョウ
(常州)
ウーシー
(無錫)
スーチョウ
(蘇州)
シャンハイ
(上海)
ハンチョウ
(杭州)
ニンポー
(寧波)
タイ湖
(太)
ハンチョウ湾
(杭州)
長江口
東シナ海
チョウシャン群島
(舟山)
ションスー列島
(嵊泗)
チョウシャン島
(舟山)
チョンミン島
(崇明)
ナントン
(南通)
ナンキン
2348
チャンチョウ
4240
ウーシー
5258
スーチョウ
9840
フーチョウ
2946
チヤシン
5394
ハンチョウ
5533
シャオシン
4494
ニンポー
7500
チョウシャン
351
ナントン
5131
シャンハイ
8122
長深高速道路(G25)
滬渝高速道路(G50)
瀋海高速道路(G15)
東海大橋
杭州湾跨海大橋
地利用と植生
稲作地
畑作地
市街地
森林・その他
1500m
1000
500
200
100
0
おもな都市の工業企業数
―2017年―
数字：企業数
(売上高2000万元以上)
：1個あたり300社
出資元
中国
ホンコン・マカオ・台湾
外国企業
おもな開発区
おもな高速道路
〔中国城市統計年鑑2018，ほか〕
シャンハイ市中心部
―2021年―
1：100 000
0
2km
プートゥオ区
(普陀)
ホンコウ区
(虹口)
チンアン区
(静安)
ヤンプー区
(楊浦)
チヤティン区
(嘉定)
チャンニン区
(長寧)
ホワンプー区
(黄浦)
プートン新区
(浦東)
シュイホイ区
(徐匯)
ホワンプー川(黄浦江)
内環高架路
中環線
南北高架路
延安高架路
滬寧高速道路
ルーチヤツイ(陸家嘴)
金融区
東方明珠塔
上海ワールドフィナンシャルセンター
上海タワー
外灘(バンド)
人民公園
シャンハイ博物館
ユイユワン(豫園)
シャンハイ駅
シャンハイ西駅
上海虹橋経済技術開発区
上海漕河涇新興技術開発区
上海交通大学
復旦大学医学院
華東師範大学
万博記念館
龍華寺
玉仏寺
静安寺
魯迅記念館
上海自由貿易試験区
業務・商業地
住宅地
工業地
地下鉄
リニア鉄道
公共施設
公園・緑地
高速道路
都市高速道路
おもな開発区
〔上海市郊旅游交通図，ほか〕

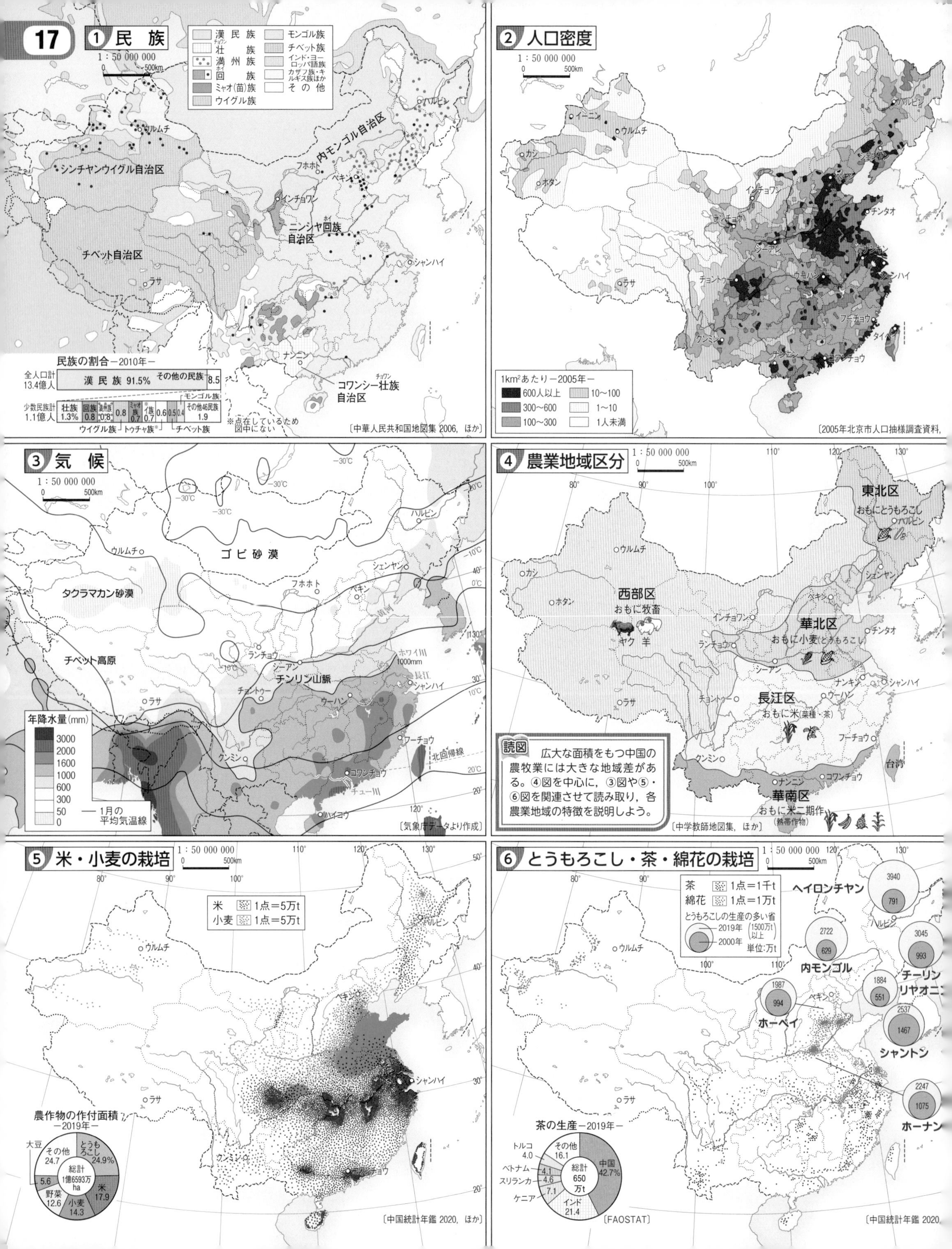

17
① 民族
1：50 000 000
漢民族
壮族
満州族
回族
ミャオ(苗)族
ウイグル族
モンゴル族
チベット族
インド・ヨーロッパ語族
カザフ族・キルギス族ほか
その他
内モンゴル自治区
シンチャンウイグル自治区
ニンシャ回族自治区
チベット自治区
コワンシー壮族自治区
民族の割合－2010年－
全人口計 13.4億人
漢民族 91.5%
その他の民族 8.5
少数民族計 1.1億人
壮族 1.3%
回族 0.8
満州族 0.8
ウイグル族
トゥチャ族
チベット族
モンゴル族
その他46民族 1.9
※点在しているため図中にない
〔中華人民共和国地図集 2006，ほか〕
② 人口密度
1km²あたり－2005年－
600人以上
300～600
100～300
10～100
1～10
1人未満
〔2005年北京市人口抽様調査資料，
③ 気候
ゴビ砂漠
タクラマカン砂漠
チベット高原
チンリン山脈
ホワイ川 1000mm
北回帰線
チュー川
年降水量(mm)
3000
2000
1600
1000
600
300
50
0
1月の平均気温線
〔気象庁データより作成〕
④ 農業地域区分
東北区 おもにとうもろこし
西部区 おもに牧畜 ヤク 羊
華北区 おもに小麦(とうもろこし)
長江区 おもに米(菜種・茶)
華南区 おもに米二期作(熱帯作物)
読図 広大な面積をもつ中国の農牧業には大きな地域差がある。④図を中心に，③図や⑤・⑥図を関連させて読み取り，各農業地域の特徴を説明しよう。
〔中学教師地図集，ほか〕
⑤ 米・小麦の栽培
米 1点＝5万t
小麦 1点＝5万t
農作物の作付面積－2019年－
総計 1億6593万ha
とうもろこし 24.9%
米 17.9
小麦 14.3
野菜 12.6
大豆 5.6
その他 24.7
〔中国統計年鑑 2020，ほか〕
⑥ とうもろこし・茶・綿花の栽培
茶 1点＝1千t
綿花 1点＝1万t
とうもろこしの生産の多い省 2019年(1500万t以上) 2000年 単位:万t
ヘイロンチヤン 3940 791
内モンゴル 2722 629
チーリン 3045 993
リヤオニン 1884 551
ホーペイ 1987 994
シャントン 2537 1467
ホーナン 2247 1075
茶の生産－2019年－
総計 650万t
中国 42.7%
インド 21.4
ケニア 7.1
スリランカ 4.6
ベトナム 4.1
トルコ 4.0
その他 16.1
〔FAOSTAT〕
〔中国統計年鑑 2020

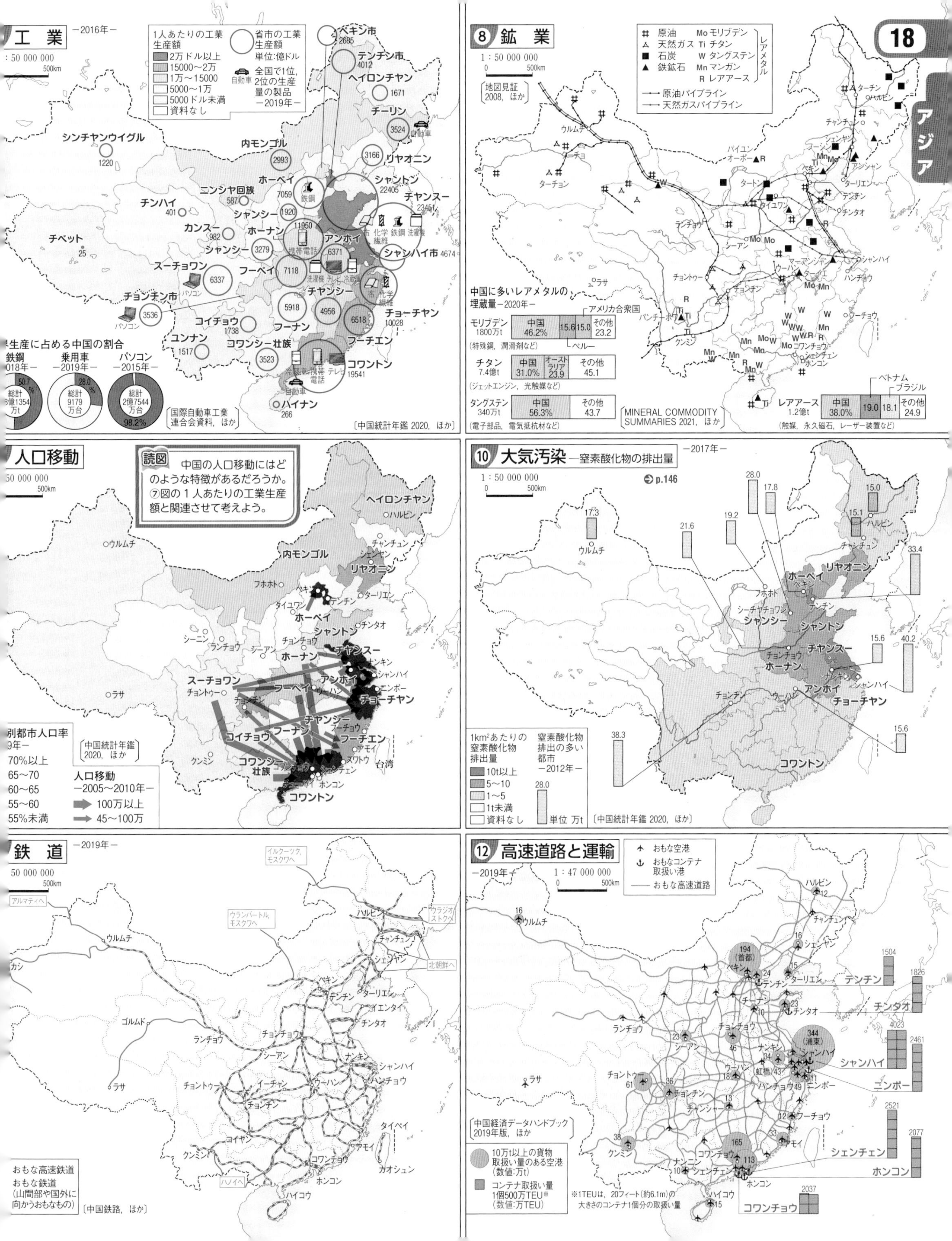

工　業　－2016年－
1：50 000 000
500km
1人あたりの工業生産額
2万ドル以上
15000～2万
1万～15000
5000～1万
5000ドル未満
資料なし
省市の工業生産額
単位:億ドル
全国で1位，2位の生産量の製品　－2019年－
自動車
ペキン市 2685
テンチン市 4012
ヘイロンチヤン 1671
チーリン 3524
シンチヤンウイグル 1220
内モンゴル 2993
リヤオニン 3166
ホーペイ 7059
シャントン 22405
ニンシヤ回族 587
チンハイ 401
シャンシー 1920
チヤンスー 23451
カンスー 982
ホーナン 11950
チベット 25
シャンシー 3279
アンホイ 6371
シャンハイ市 4674
スーチョワン 6337
フーペイ 7118
チヤンシー 5918
チョンチン市 3536
鉄鋼
携帯電話
洗濯機
テレビ
冷蔵庫
化学繊維
布
パソコン
コイチョウ 1738
チョーチヤン 10028
フーナン 4956
6518
ユンナン 1517
コワンシー壮族 3523
フーチエン
コワントン 19541
ハイナン 266
世界の生産に占める中国の割合
鉄鋼 －2018年－ 総計18億1354万t 50.7%
乗用車 －2019年－ 総計9179万台 28.0%
パソコン －2015年－ 総計2億7544万台 98.2%
〔国際自動車工業連合会資料，ほか〕
〔中国統計年鑑 2020，ほか〕
⑧ 鉱　業
1：50 000 000
500km
〔地図見証 2008，ほか〕
原油
天然ガス
石炭
鉄鉱石
Mo モリブデン
Ti チタン
W タングステン
Mn マンガン
R レアアース
レアメタル
原油パイプライン
天然ガスパイプライン
ウルムチ
ターチョン
パイユンオーボー
ターチン
ハルビン
チャンチュン
フーシュン
シェンヤン
アンシャン
ペキン
ターリエン
テンチン
チンタオ
タイユワン
ランチョウ
シーアン
シャンハイ
ハンチョウ
マーアンシャン
ウーハン
ターイエ
チョントゥー
チョンチン
パンチーホワ
クンミン
ラサ
フーチョウ
コワンチョウ
シェンチェン
ホンコン
中国に多いレアメタルの埋蔵量－2020年－
モリブデン 1800万t 中国 46.2% アメリカ合衆国 15.6 ペルー 15.0 その他 23.2 (特殊鋼，潤滑剤など)
チタン 7.4億t 中国 31.0% オーストラリア 23.9 その他 45.1 (ジェットエンジン，光触媒など)
タングステン 340万t 中国 56.3% その他 43.7 (電子部品，電気抵抗材など)
MINERAL COMMODITY SUMMARIES 2021，ほか
レアアース 1.2億t 中国 38.0% ベトナム 19.0 ブラジル 18.1 その他 24.9 (触媒，永久磁石，レーザー装置など)
⑨ 人口移動
1：50 000 000
500km
読図　中国の人口移動にはどのような特徴があるだろうか。⑦図の1人あたりの工業生産額と関連させて考えよう。
ヘイロンチヤン
ハルビン
ウルムチ
チャンチュン
シェンヤン
内モンゴル
リヤオニン
フホホト
ペキン
テンチン
ターリエン
タイユワン
ホーペイ
シャントン
チンタオ
シーニン
ランチョウ
シーアン
チョンチョウ
チヤンスー
ホーナン
ナンキン
シャンハイ
スーチョワン
アンホイ
チョントゥー
フーペイ
ウーハン
ニンポー
ラサ
チョンチン
チョーチヤン
チヤンシー
コイチョウ
フーナン
フーチョウ
フーチエン
アモイ
スワトウ
クンミン
台湾
コワンシー壮族
コワンチョウ
シェンチェン
ホンコン
コワントン
省別都市人口率 2019年
70%以上
65～70
60～65
55～60
55%未満
〔中国統計年鑑 2020，ほか〕
人口移動 －2005～2010年－
100万以上
45～100万
⑩ 大気汚染―窒素酸化物の排出量　－2017年－
1：50 000 000
500km
p.146
17.3
ウルムチ
21.6
19.2
28.0
17.8
15.0
15.1
ハルビン
チャンチュン
33.4
リヤオニン
ホーペイ
ペキン
フホホト
テンチン
シーチヤチョワン
シャンシー
シャントン
チヤンスー
チョンチョウ
ホーナン
15.6
40.2
ナンキン
シャンハイ
チョンチン
ウーハン
アンホイ
チョーチヤン
15.6
38.3
コワントン
1km²あたりの窒素酸化物排出量
10t以上
5～10
1～5
1t未満
資料なし
窒素酸化物排出の多い都市 －2012年－
28.0
単位 万t
〔中国統計年鑑 2020，ほか〕
⑪ 鉄　道　－2019年－
1：50 000 000
500km
イルクーツク，モスクワへ
アルマティへ
ウランバートル，モスクワへ
ウラジオストクへ
ハルビン
チャンチュン
シェンヤン
北朝鮮へ
ウルムチ
カシ
ペキン
テンチン
ターリエン
イエンタイ
チンタオ
ゴルムド
ランチョウ
チョンチョウ
シーアン
ナンキン
シャンハイ
ハンチョウ
ラサ
チョントゥー
イーチャン
ウーハン
チョンチン
タイペイ
アモイ
カオシュン
コイヤン
クンミン
コワンチョウ
ハノイへ
ホンコン
ハイコウ
おもな高速鉄道
おもな鉄道(山間部や国外に向かうおもなもの)
〔中国鉄路，ほか〕
⑫ 高速道路と運輸
－2019年－
1：47 000 000
500km
おもな空港
おもなコンテナ取扱い港
おもな高速道路
ハルビン 12
16 ウルムチ
チャンチュン
16 シェンヤン
194 (首都) ペキン
24 テンチン
15 ターリエン
テンチン 1504
チーナン 10
23 チンタオ
チンタオ 1826
ランチョウ
23 シーアン
チョンチョウ 46
ナンキン 34
344 (浦東) シャンハイ
シャンハイ 4023
ウーハン 18
虹橋 43
11
ニンポー 2461
ラサ
チョントゥー 61
36 チョンチン
ハンチョウ 49
ニンポー
チャンシャー 13
12 フーチョウ
〔中国経済データハンドブック 2019年版，ほか〕
38 クンミン
165 コワンチョウ
33 アモイ
シェンチェン 2521
10万t以上の貨物取扱い量のある空港(数値:万t)
コンテナ取扱い量 1個500万TEU※ (数値:万TEU)
ナンニン 10
シェンチェン
113
ホンコン 2077
ホンコン
※1TEUは，20フィート(約6.1m)の大きさのコンテナ1個分の取扱い量
ハイコウ 15
コワンチョウ 2037

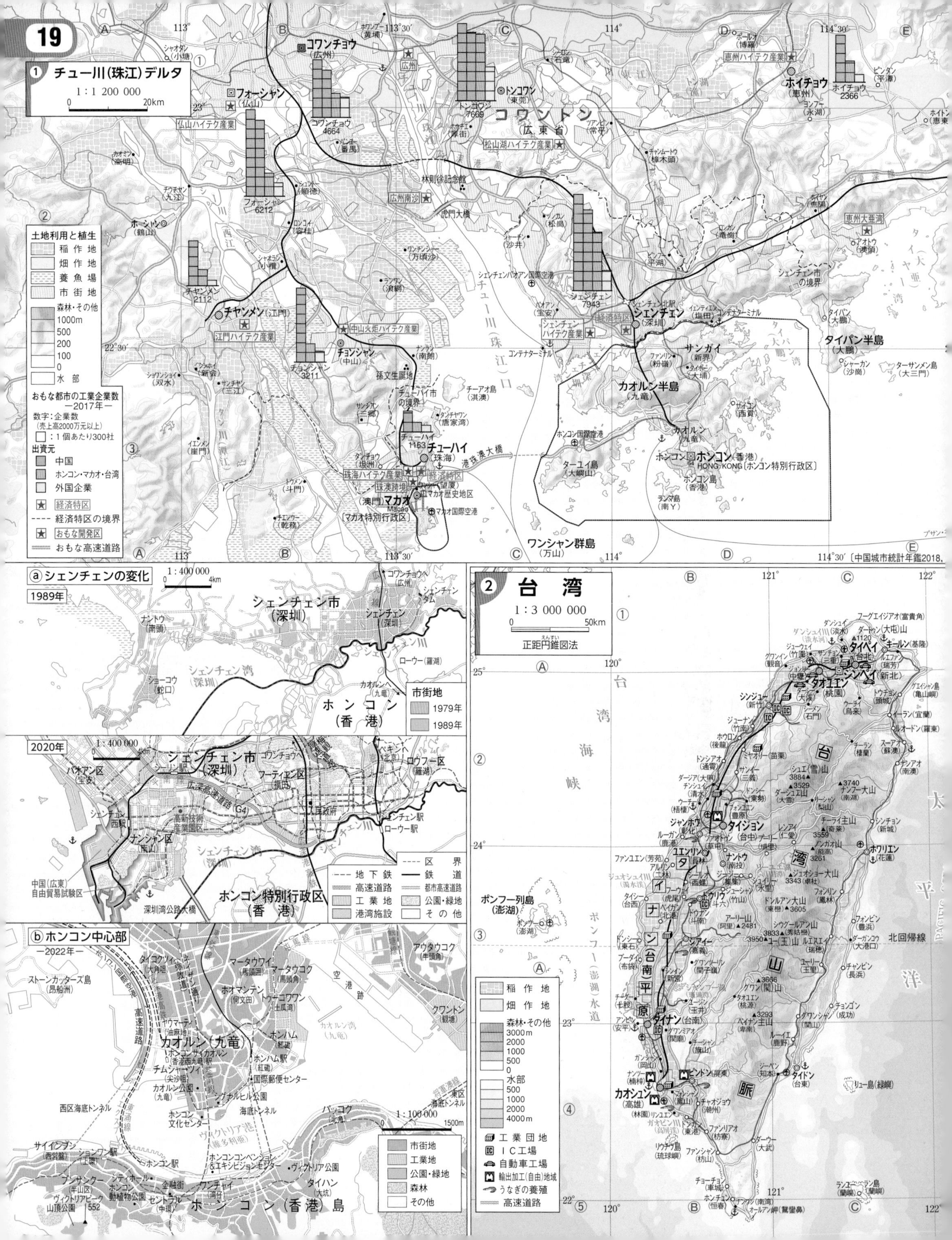
19
1 チュー川(珠江)デルタ
1:1 200 000
0 20km
土地利用と植生
稲作地
畑作地
養魚場
市街地
森林・その他
1000m
500
200
100
0
水部
おもな都市の工業企業数
ー2017年ー
数字:企業数
(売上高2000万元以上)
:1個あたり300社
出資元
中国
ホンコン・マカオ・台湾
外国企業
経済特区
経済特区の境界
おもな開発区
おもな高速道路
コワンチョウ(広州)
コワンチョウ 4664
フォーシャン(仏山)
フォーシャン 6212
仏山ハイテク産業
トンコワン(東莞)
トンコワン 7669
コワントン(広東省)
松山湖ハイテク産業
ホイチョウ(恵州)
ホイチョウ 2366
恵州ハイテク産業
恵州大亜湾
チャンメン(江門)
チャンメン 2112
江門ハイテク産業
チョンシャン(中山)
チョンシャン 3211
中山火炬ハイテク産業
シェンチェン(深圳)
シェンチェン 7943
シェンチェンハイテク産業
シェンチェン市の境界
チューハイ(珠海)
チューハイ 1163
珠海ハイテク産業
チューハイ市の境界
マカオ(澳門) Macao
[マカオ特別行政区]
マカオ歴史地区
マカオ国際空港
ホンコン(香港) HONG KONG [ホンコン特別行政区]
ホンコン国際空港
カオルン半島(九竜)
サンガイ(新界)
ターユイ島(大嶼山)
ホンコン島(香港)
ワンシャン群島(万山)
タイパン半島(大鵬)
チュー川(珠江)口
港珠澳大橋
虎門大橋
林則徐記念館
孫文生誕地
シェンチェンバオアン国際空港
113° 113°30′ 114° 114°30′ 22°30′ 23°
〔中国城市統計年鑑2018〕
a シェンチェンの変化
1:400 000
0 4km
1989年
シェンチェン市(深圳)
シェンチェン湾(深圳)
ホンコン(香港)
ショーコウ(蛇口)
ナントウ(南頭)
ローウー(羅湖)
市街地
1979年
1989年
2020年
1:400 000
シェンチェン市(深圳)
バオアン区(宝安)
ナンシャン区(南山)
フーティエン区(福田)
ローウー区(羅湖)
広深高速道路(G4)
高新技術産業園区
市政府
中国(広東)自由貿易試験区
深圳湾公路大橋
ホンコン特別行政区(香港)
区界
地下鉄
鉄道
高速道路
都市高速道路
工業地
公園・緑地
港湾施設
その他
b ホンコン中心部
ー2022年ー
ストーンカッターズ島(昂船洲)
マータウワイ(馬頭圍)
マータウコク(馬頭角)
アウタウコク(牛頭角)
空港跡
クワントン(観塘)
カオルン(九竜)
ホンハム(紅磡)
ホンハム駅
国際郵便センター
チムシャーツイ(尖沙咀)
カオルン公園(九竜)
シグナルヒル公園
西区海底トンネル
海底トンネル
東区海底トンネル
ヴィクトリア港(維多利亜)
ホンコン文化センター
ホンコンコンベンション&エキシビションセンター
ヴィクトリア公園
ワンチャイ(湾仔)
セントラル(中環)
ホンコン動植物公園
ヴィクトリアピーク山頂公園 552
ホンコン(香港)島
1:100 000
0 1500m
市街地
工業地
公園・緑地
森林
その他
2 台湾
1:3 000 000
0 50km
正距円錐図法
タイペイ(台北)
シンペイ(新北)
キールン(基隆)
タオユエン(桃園)
シンジュー(新竹)
タイジョン(台中)
タイナン(台南)
カオシュン(高雄)
ピントン(屏東)
ホワリエン(花蓮)
タイドン(台東)
ジャンホワ(彰化)
ナントウ(南投)
ユエンリン(雲林)
チアイー(嘉義)
ポンフー列島(澎湖)
ポンフー(澎湖)水道
台湾海峡
台湾山脈
タイナン平原
ユイ(玉)山 3950
シュエ(雪)山 3884
ナンフー大山 3740
北回帰線
太平洋 PACIFIC OCEAN
リュー島(緑島)
ランユー島(蘭嶼)
オールアン岬(鵝鑾鼻)
稲作地
畑作地
森林・その他
3000m
2000
1000
500
0
水部
500
1000
2000
4000m
工業団地
IC工場
自動車工場
輸出加工(自由)地域
うなぎの養殖
高速道路
120° 121° 122° 22° 23° 24° 25°

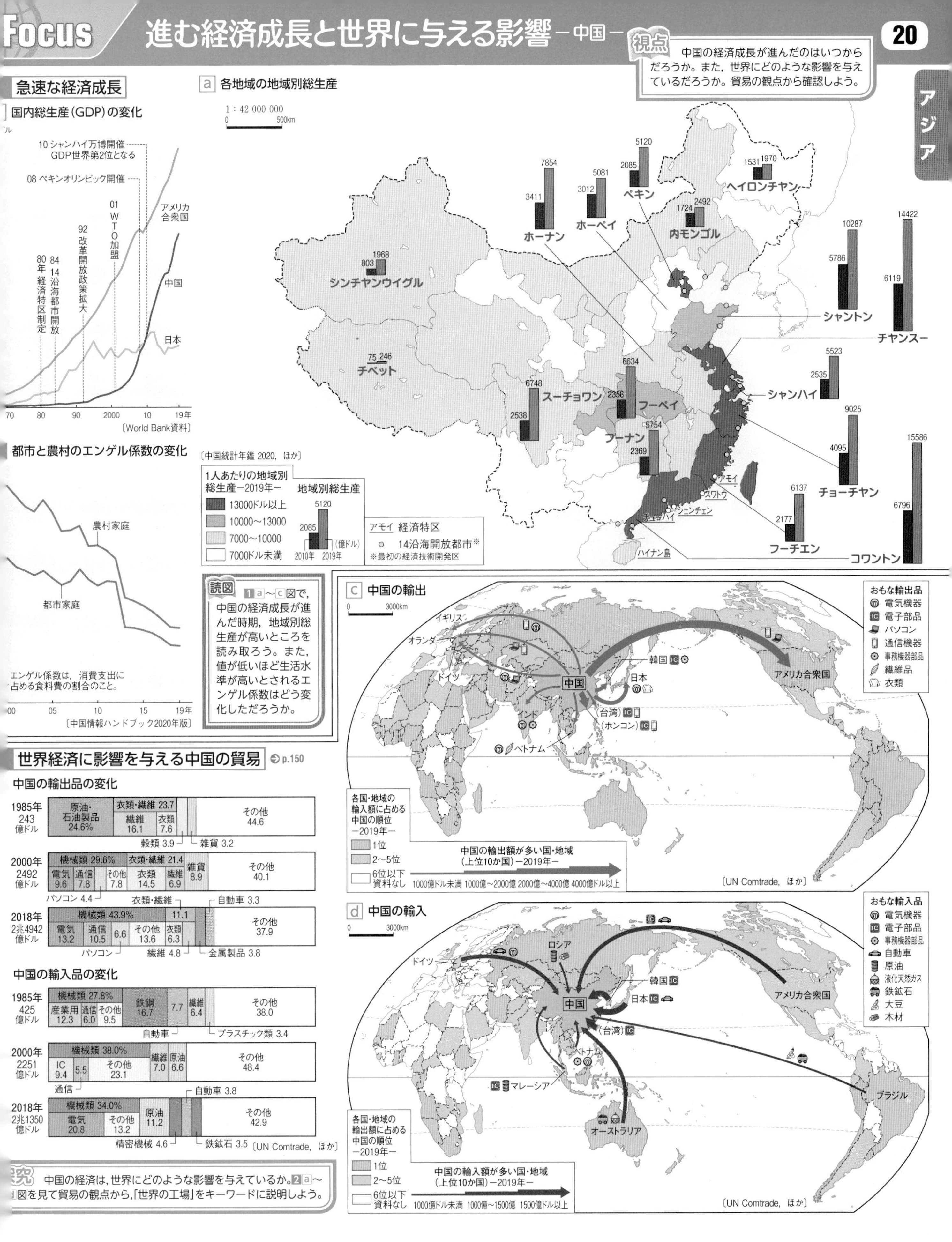
Focus
進む経済成長と世界に与える影響 ー中国ー
20
視点
中国の経済成長が進んだのはいつからだろうか。また，世界にどのような影響を与えているだろうか。貿易の観点から確認しよう。
アジア
急速な経済成長
国内総生産（GDP）の変化
10 シャンハイ万博開催 GDP世界第2位となる
08 ペキンオリンピック開催
01 WTO加盟
92 改革開放政策拡大
84 14沿海都市開放
80 年経済特区制定
アメリカ合衆国
中国
日本
70
80
90
2000
10
19年
〔World Bank資料〕
都市と農村のエンゲル係数の変化
農村家庭
都市家庭
エンゲル係数は，消費支出に占める食料費の割合のこと。
05
10
15
19年
〔中国情報ハンドブック2020年版〕
a 各地域の地域別総生産
1：42 000 000
0
500km
シンチヤンウイグル 803 1968
チベット 75 246
ホーナン 3411 7854
ホーペイ 3012 5081
ペキン 2085 5120
ヘイロンチヤン 1531 1970
内モンゴル 1724 2492
シャントン 5786 10287
チヤンスー 6119 14422
シャンハイ 2535 5523
スーチョワン 2538 6748
フーペイ 2358 6634
フーナン 2369 5754
チョーチヤン 4095 9025
フーチエン 2177 6137
コワントン 6796 15586
アモイ
スワトウ
シェンチェン
チューハイ
ハイナン島
〔中国統計年鑑 2020，ほか〕
1人あたりの地域別総生産ー2019年ー
13000ドル以上
10000〜13000
7000〜10000
7000ドル未満
地域別総生産
2085 5120
2010年 2019年
（億ドル）
アモイ 経済特区
14沿海開放都市※
※最初の経済技術開発区
読図
1 a〜c図で，中国の経済成長が進んだ時期，地域別総生産が高いところを読み取ろう。また，値が低いほど生活水準が高いとされるエンゲル係数はどう変化しただろうか。
c 中国の輸出
0 3000km
イギリス
オランダ
ドイツ
中国
インド
ベトナム
韓国
日本
（台湾）
（ホンコン）
アメリカ合衆国
おもな輸出品
電気機器
電子部品
パソコン
通信機器
事務機器部品
繊維品
衣類
各国・地域の輸入額に占める中国の順位ー2019年ー
1位
2〜5位
6位以下 資料なし
中国の輸出額が多い国・地域（上位10か国）ー2019年ー
1000億ドル未満 1000億〜2000億 2000億〜4000億 4000億ドル以上
〔UN Comtrade，ほか〕
世界経済に影響を与える中国の貿易
p.150
中国の輸出品の変化
1985年 243億ドル 原油・石油製品 24.6% 衣類・繊維 23.7 繊維 16.1 衣類 7.6 その他 44.6
穀類 3.9 雑貨 3.2
2000年 2492億ドル 機械類 29.6% 電気 9.6 通信 7.8 その他 7.8 衣類・繊維 21.4 衣類 14.5 繊維 6.9 雑貨 8.9 その他 40.1
パソコン 4.4 自動車 3.3
2018年 2兆4942億ドル 機械類 43.9% 電気 13.2 通信 10.5 6.6 その他 13.6 衣類・繊維 11.1 衣類 6.3 その他 37.9
パソコン 繊維 4.8 金属製品 3.8
中国の輸入品の変化
1985年 425億ドル 機械類 27.8% 産業用 12.3 通信 6.0 その他 9.5 鉄鋼 16.7 7.7 繊維 6.4 その他 38.0
自動車 プラスチック類 3.4
2000年 2251億ドル 機械類 38.0% IC 9.4 5.5 その他 23.1 繊維 7.0 原油 6.6 その他 48.4
通信
2018年 2兆1350億ドル 機械類 34.0% 電気 20.8 その他 13.2 原油 11.2 自動車 3.8 その他 42.9
精密機械 4.6 鉄鉱石 3.5 〔UN Comtrade，ほか〕
d 中国の輸入
0 3000km
ドイツ
ロシア
韓国
日本
中国
（台湾）
ベトナム
マレーシア
オーストラリア
アメリカ合衆国
ブラジル
おもな輸入品
電気機器
電子部品
事務機器部品
自動車
原油
液化天然ガス
鉄鉱石
大豆
木材
各国・地域の輸出額に占める中国の順位ー2019年ー
1位
2〜5位
6位以下 資料なし
中国の輸入額が多い国・地域（上位10か国）ー2019年ー
1000億ドル未満 1000億〜1500億 1500億ドル以上
〔UN Comtrade，ほか〕
究 中国の経済は，世界にどのような影響を与えているか。2 a〜d図を見て貿易の観点から，「世界の工場」をキーワードに説明しよう。

① 朝鮮半島
1：3 000 000
0 50 100km
正距円錐図法
(経線と標準緯線にそった距離が正しい。全体としてひずみが小さい。)
この図の範囲
中華人民共和国
PEOPLE'S REPUBLIC OF CHINA
ロシア連邦
RUSSIAN FEDERATION
朝鮮民主主義人民共和国
DEMOCRATIC PEOPLE'S REPUBLIC OF KOREA
イエンビエン朝鮮族自治州(延辺)
チーリン(吉林省)
リャオニン(遼寧省)
ロンガン(竜崗)山脈
ペクトゥ(白頭)山
チャンパイ(長白)山
ケマ(蓋馬)高原
ランニム(狼林)山脈
ハムギョン(咸鏡)山脈
テベク(太白)山脈
ハムギョンブクド(咸鏡北道)
ハムギョンナムド(咸鏡南道)
リャンガンド(両江道)
チャガンド(慈江道)
ピョンアンブクド(平安北道)
ピョンアンナムド(平安南道)
ファンヘブクド(黄海北道)
ファンヘナムド(黄海南道)
カンウォンド(江原道)
朝鮮半島
ピョンヤン(平壌)
ハムフン(咸興)
チョンジン(清津)
ウォンサン(元山)
ケソン(開城)
シニジュ(新義州)
ラソン(羅先)
キムチェク(金策)
ナムポ(南浦)
サリウォン(沙里院)
ヘサン(恵山)
カンゲ(江界)
トマン川(豆満江)
ソチョソン(西朝鮮)湾
トンチョソン(東朝鮮)湾
ハムフン(咸興)湾
ホド半島(虎島)
軍事境界線
統一展望台
パンムンジョム(板門店)
〈AH1〉アジアハイウェイ
地名 おもな輸出自由地域
서울 都市名のハングル表記
おもな工業
鉄鋼 金属 機械 電気機械 自動車 造船 電子機器 木材・パルプ 石油精製 化学 繊維
読図 中国と北朝鮮，北朝鮮と韓国の境界の違いは何だろう。p.3の凡例と照らし合わせて読み取ろう。
② 朝鮮半島の自然と産業
ⓐ気温と降水
1：12 000 000
0 100km
年降水量
1400mm以上
1200～1400
1000～1200
700～1000
700mm未満
年平均気温の等温線
韓国高等学校地理付図，ほか
ⓑ土地利用
1：12 000 000
0 100km
稲作地
畑作地
森林・その他
おもな工業地
Diercke Weltatlas

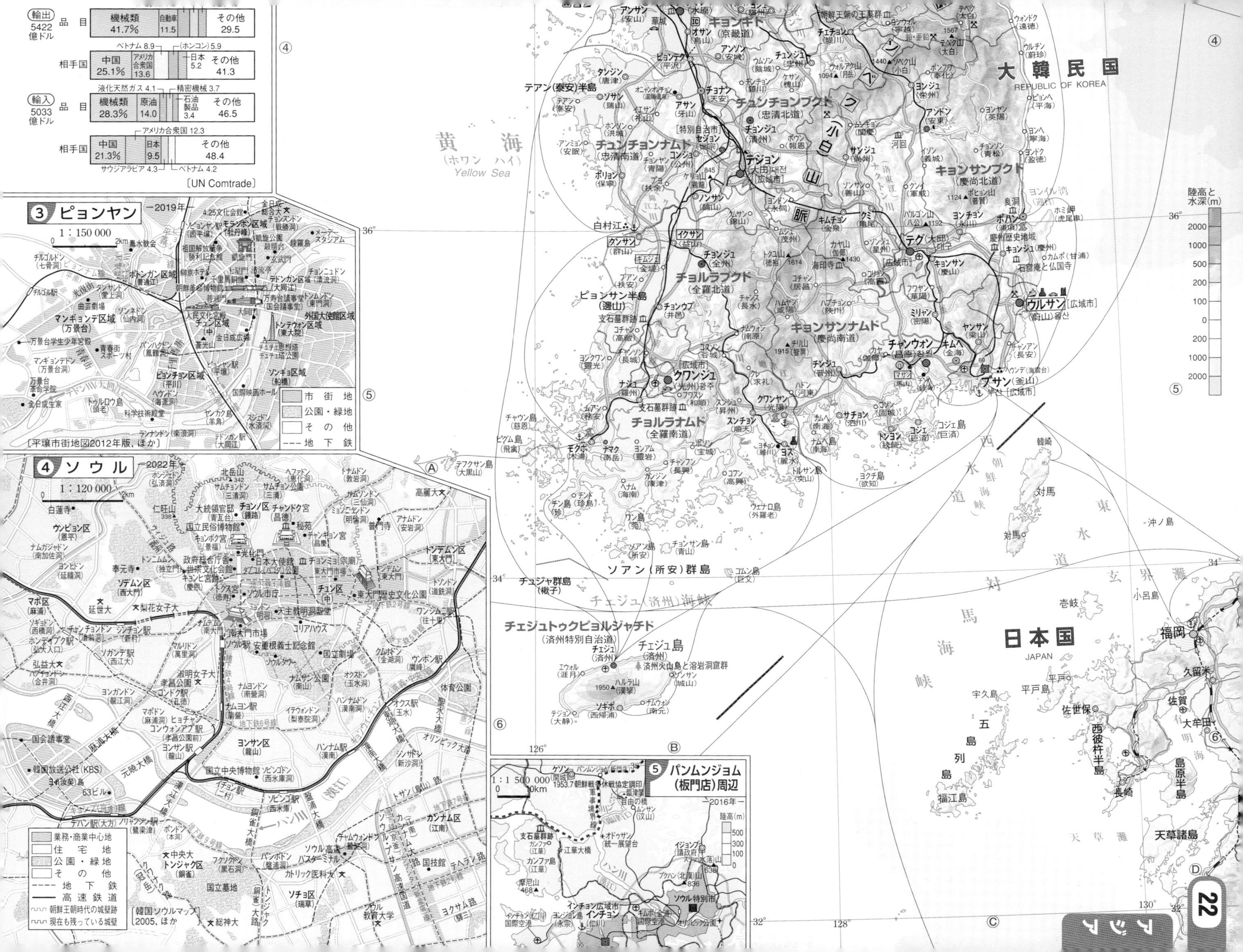
輸出 5422億ドル
品目
機械類 41.7%
自動車 11.5
その他 29.5
相手国
中国 25.1%
アメリカ合衆国 13.6
ベトナム 8.9
(ホンコン) 5.9
日本 5.2
その他 41.3
輸入 5033億ドル
品目
機械類 28.3%
原油 14.0
液化天然ガス 4.1
精密機械 3.7
石油製品 3.4
その他 46.5
相手国
中国 21.3%
アメリカ合衆国 12.3
日本 9.5
サウジアラビア 4.3
ベトナム 4.2
その他 48.4
〔UN Comtrade〕
3 ピョンヤン
2019年
1：150 000
市街地
公園・緑地
その他
地下鉄
〔平壌市街地図2012年版，ほか〕
4 ソウル
2022年
1：120 000
業務・商業中心地
住宅地
公園・緑地
その他
地下鉄
高速鉄道
朝鮮王朝時代の城壁跡
現在も残っている城壁
〔韓国ソウルマップ 2005，ほか〕
5 パンムンジョム（板門店）周辺
2016年
1：1 500 000
陸高(m)
大韓民国
REPUBLIC OF KOREA
日本国
JAPAN
黄海（ホワン ハイ）
Yellow Sea
チェジュ（済州）海峡
対馬海峡
ソアン（所安）群島
チェジュ島（済州）
チェジュトゥクピョルジャチド（済州特別自治道）
五島列島
陸高と水深(m)
2000
1000
500
200
100
0
200
1000
2000

1 東南アジア
1：20 000 000
0 200 400 600km
ランベルト正積方位図法
(面積が正しく，全体としてひずみが小さい。)
アジアハイウェイ
〈AH1〉
ミクロネシア，メラネシアの境界
読図 東南アジアで，赤道が通過している国，赤道に一番近い首都はそれぞれどこだろうか。
陸高と水深(m)
6000
5000
4000
3000
2000
1000
500
200
0
200
1000
2000
4000
6000
8000
10000
この図の範囲
中華人民共和国
PEOPLE'S REPUBLIC OF CHINA
ヒマラヤ山脈
Himalaya
ヒンドスタン平原
Hindustan
ネパール
NEPAL
カトマンズ
KATHMANDU
エヴェレスト山 8848
ティンプー
THIMPHU
ブータン王国
KINGDOM OF BHUTAN
バングラデシュ人民共和国
PEOPLE'S REPUBLIC OF BANGLADESH
ダッカ
DHAKA
インド
INDIA
デカン高原
Deccan
インド半島
東ガーツ山脈
E.Ghats
デリー
DELHI
メーラト
MEERUT
アグラ
AGRA
ジャイプル
JAIPUR
ラクナウ
LUCKNOW
グワリオル
GWALIOR
カーンプル
KANPUR
アラハバード
ALLAHABAD
ヴァラナシ
VARANASI
パトナ
PATNA
ボパール
BHOPAL
ジャバルプル
JABALPUR
ラーンチ
RANCHI
ライプル
RAIPUR
ナーグプル
NAGPUR
ハウラー
HAORA
コルカタ
KOLKATA
チッタゴン
CHITTAGONG
ハイデラバード
HYDERABAD
ヴィシャーカパトナム
VISHAKHAPATNAM
ヴィジャヤワーダ
VIJAYAWADA
チェンナイ
CHENNAI
ベンガル湾
Bay of Bengal
スリランカ民主社会主義共和国
DEMOCRATIC SOCIALIST REPUBLIC OF SRI LANKA
セイロン島 Ceylon I.
コロンボ
スリジャヤワルダナプラコッテ
SRI JAYEWARDENEPURA KOTTE
アラカン山脈
パトカイ山脈
ミャンマー連邦共和国
REPUBLIC OF THE UNION OF MYANMAR
ネーピードー
NAY PYI TAW
マンダレー
MANDALAY
ヤンゴン
YANGON
シャン高原
アンダマン諸島
アンダマン海
Andaman Sea
ニコバル諸島
スーチョワン盆地
ユンコイ高原
クンミン
チョントゥー
チョンチン
ナンリン山脈
ラオス人民民主共和国
LAO PEOPLE'S DEMOCRATIC REPUBLIC
ビエンチャン
VIENTIANE
ハノイ
HANOI
ハイフォン
タイ王国
KINGDOM OF THAILAND
コラート台地
バンコク
BANGKOK
インドシナ半島
Indo China Pen.
アンナン山脈
ベトナム社会主義共和国
SOCIALIST REPUBLIC OF VIET NAM
ダナン
カンボジア王国
KINGDOM OF CAMBODIA
プノンペン
PHNOM PENH
ホーチミン
HO CHI MINH
タイランド湾
メコン川
クラ地峡
マレー半島
Malay Pen.
マレーシア
MALAYSIA
クアラルンプール
KUALA LUMPUR
シンガポール
SINGAPORE
シンガポール共和国
REPUBLIC OF SINGAPORE
スマトラ島
Sumatra
バリサン山脈
メダン
MEDAN
パレンバン
PALEMBANG
ジャカルタ
JAKARTA
ボゴール
BOGOR
バンドン
BANDUNG
スマラン
SEMARANG
スラバヤ
SURABAYA
ジャワ島 Jawa
ジャワ海
Java Sea
大スンダ列島
Greater Sunda Is.
インド洋
INDIAN OCEAN
南シナ海
South China Sea
ブルネイ・ダルサラーム国
BRUNEI DARUSSALAM
バンダルスリブガワン
BANDAR SERI BEGAWAN
カリマンタン島
(ボルネオ)
Kalimantan (Borneo)
カプアス山脈
西沙群島
(パラセル諸島)
中沙群島
南沙群島
(スプラトリ諸島)
ハイナン島
ホンコン
(香港)
マカオ
コワンチョウ
(広州)
ナンニン
(南寧)
チャンシャー
(長沙)
ウーハン
(武漢)
ナンチャン
(南昌)

日本国
JAPAN
東シナ海
East China Sea
南西諸島
尖閣諸島
台湾
フィリピン海
Philippine Sea
太平洋
PACIFIC OCEAN
北回帰線
沖ノ鳥島
マリアナ諸島
Mariana Is.
北マリアナ諸島〔ア〕
NORTHERN MARIANA IS.
グアム島
Guam
マリアナ海溝
チャレンジャー海淵
Challenger Deep
フィリピン共和国
REPUBLIC OF THE PHILIPPINES
マニラ
MANILA
フィリピン諸島
Philippines
ミクロネシア
MICRONESIA
パラオ共和国
REPUBLIC OF PALAU
ミクロネシア連邦
FEDERATED STATES OF MICRONESIA
カロリン諸島
Caroline Is.
セレベス海
Celebes Sea
赤道
メラネシア
MELANESIA
ビスマーク諸島
Bismarck Arch.
ニューギニア島
New Guinea
パプアニューギニア独立国
INDEPENDENT STATE OF PAPUA NEW GUINEA
ポートモレスビー
PORT MORESBY
バンダ海
Banda Sea
アラフラ海
Arafura Sea
東ティモール民主共和国
THE DEMOCRATIC REPUBLIC OF TIMOR-LESTE
ティモール海
Timor Sea
オーストラリア連邦
COMMONWEALTH OF AUSTRALIA
ソロモン海
ビスマーク海
ルイジアード諸島
Louisiade Arch.

2 フィリピン
1：12 000 000
0
200km
中華人民共和国
PEOPLE'S REPUBLIC OF CHINA
スーチョワン（四川省）
ユンナン（雲南省）
コイチョウ（貴州省）
コワンシー（広西）壮族自治区
クンミン（昆明）
コイヤン（貴陽）
ナンニン（南寧）
ブータン王国
KINGDOM OF BHUTAN
インド
INDIA
ミャンマー連邦共和国
REPUBLIC OF THE UNION OF MYANMAR
マンダレー
MANDALAY
ネーピードー
NAY PYI TAW
ヤンゴン
YANGON
ラオス人民民主共和国
LAO PEOPLE'S DEMOCRATIC REPUBLIC
ビエンチャン
VIENTIANE
ベトナム社会主義共和国
SOCIALIST REPUBLIC OF VIET NAM
ハノイ
HANOI
ホーチミン
HO CHI MINH
タイ王国
KINGDOM OF THAILAND
バンコク
BANGKOK
カンボジア王国
KINGDOM OF CAMBODIA
プノンペン
PHNOM PENH
インドシナ半島
Indo China Pen.
シャン高原
Shan Plat.
コラート台地
Khorat Plat.
ボローヴェン高原
Plat. des Bolovens
ダンレック山脈
トンキン湾
G.of Tongking
タイランド湾
G.of Thailand
アンダマン海
Andaman Sea
マルタバン湾
G.of Martaban
アンダマン諸島
Andaman Is.［インド］
テンデグリー海峡
Ten Degree Ch.
ハイナン（海南）島
西沙群島（パラセル諸島）
南沙群島（スプラトリ諸島）
南シナ海
South China Sea
フィリピン共和国
REPUBLIC OF THE PHILIPPINES
フィリピン諸島
Philippines
ケソンシティ
QUEZON CITY
マニラ
MANILA
ルソン島
Luzon
ミンダナオ島
Mindanao
ダヴァオ
DAVAO
スル海
Sulu Sea
シブヤン海
Sibuyan Sea
ミンダナオ海
Mindanao Sea
モロ湾
Moro G.
パラワン島
Palawan
成層火山
p.137
太平洋
PACIFIC OCEAN

① 東南アジア要部
1：12 000 000
0 200 400km
ランベルト正積方位図法
（面積が正しく，全体としてひずみが小さい。）
＊①②図
共通凡例
土地利用と植生
稲作地
畑作地
マングローブ
アジアハイウェイ
〈AH1〉
陸高と水深（m）
森林・その他
水部
3000m
2000
1000
500
200
0
200
1000
2000
4000
6000
8000m
おもな工業
鉄鋼
化学
金属
繊維
機械
木材・パルプ
自動車
食品
石油精製
輸出加工区
読図 稲作地は，インドシナ半島ではどこに多くみられるか，川がつくる地形に着目して読み取ろう。また，インドネシアではどの島に多いだろうか。
③ シンガポール —2021年—
1：500 000
0 5km
シンガポール
SINGAPORE
マレーシア
ジョホール海峡
シンガポール海峡
自然保護地
チャンギ国際空港
ウビン島
ジュロン工業地域
ジュロン島
セントサ島
ナンヤン理工大学
業務・商業地
公共施設
工業地
公園・緑地
市街地
その他
地下鉄
高速道路
〔Diercke Weltatlas 2015，ほか〕
マレーシア
MALAYSIA
シンガポール共和国
REPUBLIC OF SINGAPORE
インドネシア共和国
REPUBLIC OF INDONESIA
ブルネイ・ダルサラーム国
BRUNEI DARUSSALAM
バンダルスリブガワン
BANDAR SERI BEGAWAN
クアラルンプール
KUALA LUMPUR
シンガポール
SINGAPORE
ジャカルタ
JAKARTA
マレー半島
スマトラ島
Sumatera
カリマンタン島（ボルネオ）
Kalimantan (Borneo)
ジャワ島
Jawa
スラウェシ島
Sulawesi
大スンダ列島
Greater Sunda Is.
小スンダ列島
Lesser Sunda Is.
ジャワ海
Java Sea
フロレス海
Flores Sea
インド洋
INDIAN OCEAN
スンダ（ジャワ）海溝
Sunda (Java) Trench
マラッカ海峡
Str. of Malacca
カリマタ海峡
Karimata Str.
マカッサル海峡
Makassar Str.
赤道
メダン
MEDAN
パレンバン
PALEMBANG
スラバヤ
SURABAYA
バンドン
BANDUNG
スマラン
SEMARANG
マカッサル
MAKASSAR
デンパサル
Denpasar
ポンティアナック
Pontianak
バリクパパン
Balikpapan
サマリンダ
Samarinda
バンジャルマシン
Banjarmasin
クチン
Kuching
パダン
Padang
プカンバル
PEKANBARU
ジャンビ
Jambi
ブンクル
Bengkulu
バンダルランプン
Bandarlampung
ボゴール
BOGOR
ヨクヤカルタ
Yogyakarta
スラカルタ
Surakarta
マラン
Malang
バンダアチェ
Banda Aceh
ジョージタウン
George Town
ペナン島
Pu.Penang
クアンタン
Kuantan
アナンバス諸島
Kep.Anambas
大ナトゥナ島
Pu.Natuna Besar
南ナトゥナ諸島
Kep.Natuna Selatan
リアウ諸島
Kep.Riau
バンカ島
Pu.Bangka
ブリトン島
Pu.Belitung
ムンタワイ諸島
Kep.Mentawai
ニアス島
Pu.Nias
バリ島
Bali
ロンボク島
Lombok
スンバワ島
Sumbawa
マドゥラ島
Madura
クリスマス島
Christmas I.
〔オー〕
2004.12.26
スマトラ沖地震震源地
バリサン山脈
Peg. Barisan
カプアス山脈
Peg. Kapuas
ミュラー山脈
Peg. Muller
イラン山脈
Peg. Iran
シュワネル山脈
Peg. Schwaner
サラワク
Sarawak
サバ
Sabah
カリマンタン
Kalimantan
カルデラ ➔p.137
100°
105°
110°
115°
95°
0°
5°
10°
15°

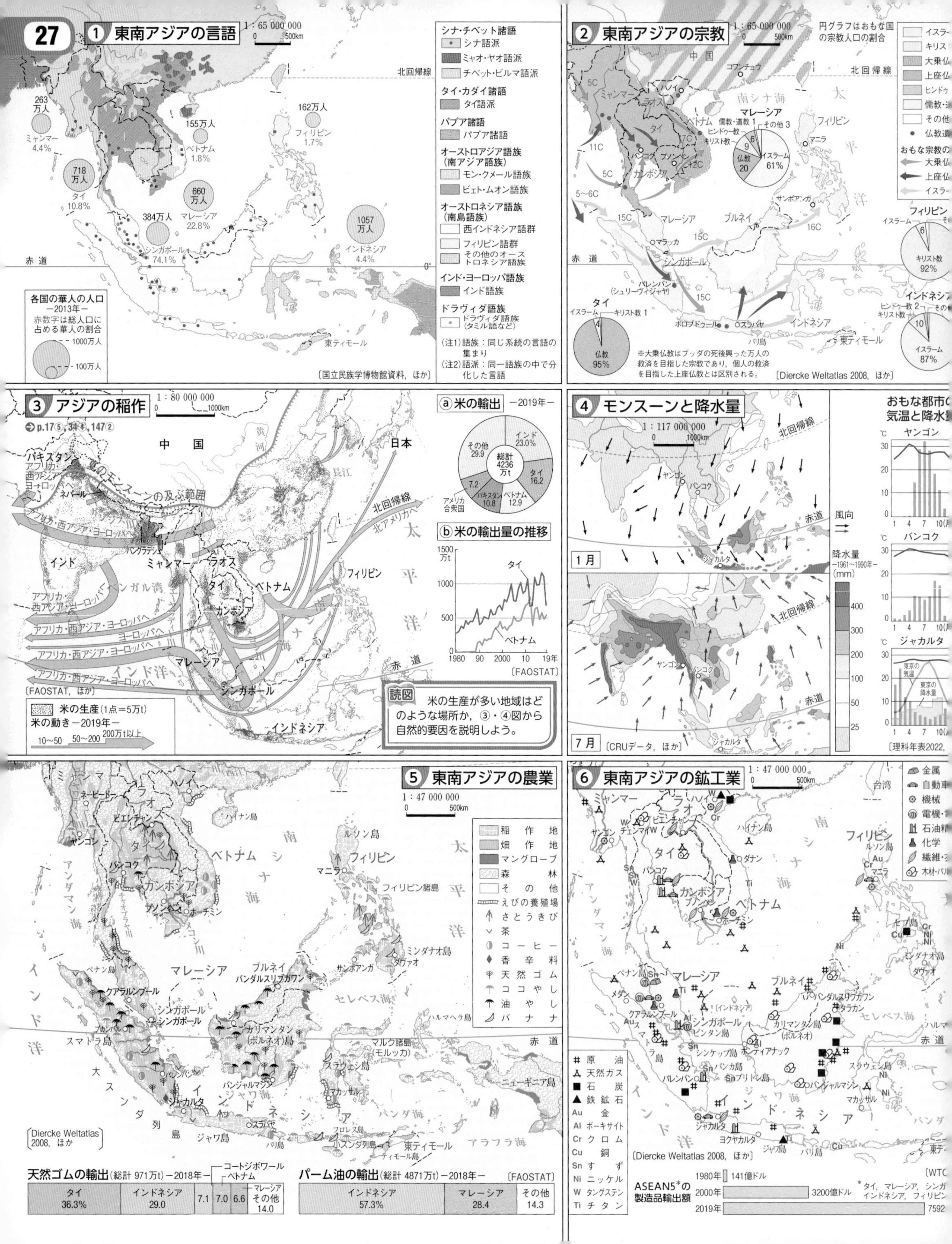

27
1 東南アジアの言語
1：65 000 000
シナ・チベット諸語
シナ語派
ミャオ・ヤオ語派
チベット・ビルマ語派
タイ・カダイ諸語
タイ語派
パプア諸語
パプア諸語
オーストロアジア語族（南アジア語族）
モン・クメール語族
ビェト・ムオン語族
オーストロネシア語族（南島語族）
西インドネシア語群
フィリピン語群
その他のオーストロネシア語族
インド・ヨーロッパ語族
インド語族
ドラヴィダ語族
ドラヴィダ語族（タミル語など）
(注1)語族：同じ系統の言語の集まり
(注2)語派：同一語族の中で分化した言語
263万人 ミャンマー 4.4%
718万人 タイ 10.8%
155万人 ベトナム 1.8%
162万人 フィリピン 1.7%
660万人 マレーシア 22.8%
384万人 シンガポール 74.1%
1057万人 インドネシア 4.4%
北回帰線
赤道
東ティモール
各国の華人の人口 －2013年－
赤数字は総人口に占める華人の割合
1000万人
100万人
〔国立民族学博物館資料，ほか〕
2 東南アジアの宗教
1：65 000 000
円グラフはおもな国の宗教人口の割合
中国
コワンチョウ
ハノイ
ミャンマー
ラオス
タイ
ベトナム
バンコク
プノンペン
カンボジア
南シナ海
フィリピン
マニラ
マレーシア
ブルネイ
サンボアンガ
マラッカ
シンガポール
パレンバン（シュリーヴィジャヤ）
ボロブドゥール
スラバヤ
バリ島
インドネシア
東ティモール
太平洋
マレーシア 儒教・道教 1 ヒンドゥー教 6 キリスト教 9 その他 3 仏教 20 イスラーム 61%
タイ イスラーム 4 キリスト教 1 仏教 95%
フィリピン イスラーム 6 キリスト教 92%
インドネシア ヒンドゥー教 2 キリスト教 10 イスラーム 87%
※大乗仏教はブッダの死後興った万人の救済を目指した宗教であり，個人の救済を目指した上座仏教とは区別される。
〔Diercke Weltatlas 2008，ほか〕
3 アジアの稲作
1：80 000 000
p.17⑤，34④，147②
中国
日本
パキスタン
ネパール
バングラデシュ
インド
ミャンマー
ラオス
タイ
ベトナム
カンボジア
フィリピン
マレーシア
シンガポール
インドネシア
ベンガル湾
インド洋
夏のモンスーンの及ぶ範囲
アフリカ・西アジア・ヨーロッパへ
ヨーロッパへ
北アメリカへ
北回帰線
赤道
〔FAOSTAT，ほか〕
米の生産（1点＝5万t）
米の動き－2019年－
10～50 50～200 200万t以上
ⓐ米の輸出 －2019年－
総計 4236万t
インド 23.0%
タイ 16.2
ベトナム 12.9
パキスタン 10.8
アメリカ合衆国 7.2
その他 29.9
ⓑ米の輸出量の推移
1500万t
1000
500
0
1980 90 2000 10 19年
タイ
ベトナム
〔FAOSTAT〕
読図 米の生産が多い地域はどのような場所か，③・④図から自然的要因を説明しよう。
4 モンスーンと降水量
1：117 000 000
北回帰線
ヤンゴン
バンコク
赤道
ジャカルタ
1月
7月
風向
降水量 －1961～1990年－ (mm)
400 300 200 100 50 25
〔CRUデータ，ほか〕
おもな都市の気温と降水量
ヤンゴン
バンコク
ジャカルタ
東京の気温
東京の降水量
〔理科年表2022，
5 東南アジアの農業
1：47 000 000
稲作地
畑作地
マングローブ
森林
その他
えびの養殖場
さとうきび
茶
コーヒー
香辛料
天然ゴム
ココやし
油やし
バナナ
ミャンマー
ネーピードー
ヤンゴン
ラオス
ハノイ
ビエンチャン
タイ
バンコク
カンボジア
プノンペン
ベトナム
ホーチミン
ハイナン島
ルソン島
フィリピン
マニラ
フィリピン諸島
ミンダナオ島
ダヴァオ
サンボアンガ
南シナ海
アンダマン海
マレーシア
クアラルンプール
ペナン島
シンガポール
ブルネイ
バンダルスリブガワン
カリマンタン（ボルネオ）島
スマトラ島
パレンバン
バンジャルマシン
セレベス海
ハルマヘラ島
マルク諸島（モルッカ）
スラウェシ島
マカッサル
ニューギニア島
インドネシア
ジャカルタ
スラバヤ
ジャワ島
ジャワ海
バンダ海
バリ島
フロレス島
小スンダ列島
ティモール島
東ティモール
アラフラ海
大スンダ列島
インド洋
赤道
〔Diercke Weltatlas 2008，ほか〕
天然ゴムの輸出（総計 971万t）－2018年－
タイ 36.3%
インドネシア 29.0
コートジボワール 7.1
ベトナム 7.0
マレーシア 6.6
その他 14.0
パーム油の輸出（総計 4871万t）－2018年－ 〔FAOSTAT〕
インドネシア 57.3%
マレーシア 28.4
その他 14.3
6 東南アジアの鉱工業
1：47 000 000
金属
自動車
機械
電機
石油精製
化学
繊維
木材・パルプ
原油
天然ガス
石炭
鉄鉱石
Au 金
Al ボーキサイト
Cr クロム
Cu 銅
Sn すず
Ni ニッケル
W タングステン
Ti チタン
ミャンマー
ラオス
ハノイ
ビエンチャン
チェンマイ
ヤンゴン
タイ
ダナン
バンコク
カンボジア
プノンペン
ベトナム
ホーチミン
ハイナン島
台湾
フィリピン
ルソン島
マニラ
セブ島
ミンダナオ島
ダヴァオ
マレーシア
ペナン島
メダン
クアラルンプール
シンガポール
ビンタン島
ブルネイ
バンダルスリブガワン
タラカン
カリマンタン島（ボルネオ）
ポンティアナック
シンケップ島
バンカ島
ブリトン島
パレンバン
バンジャルマシン
スラウェシ島
マカッサル
ジャカルタ
ヨグヤカルタ
ジャワ島
バリ島
インドネシア
セレベス海
南シナ海
アンダマン海
インド洋
赤道
〔Diercke Weltatlas 2008，ほか〕
ASEAN5*の製造品輸出額
1980年 141億ドル
2000年 3200億ドル
2019年 7592
*タイ，マレーシア，シンガ インドネシア，フィリピン
〔WTO

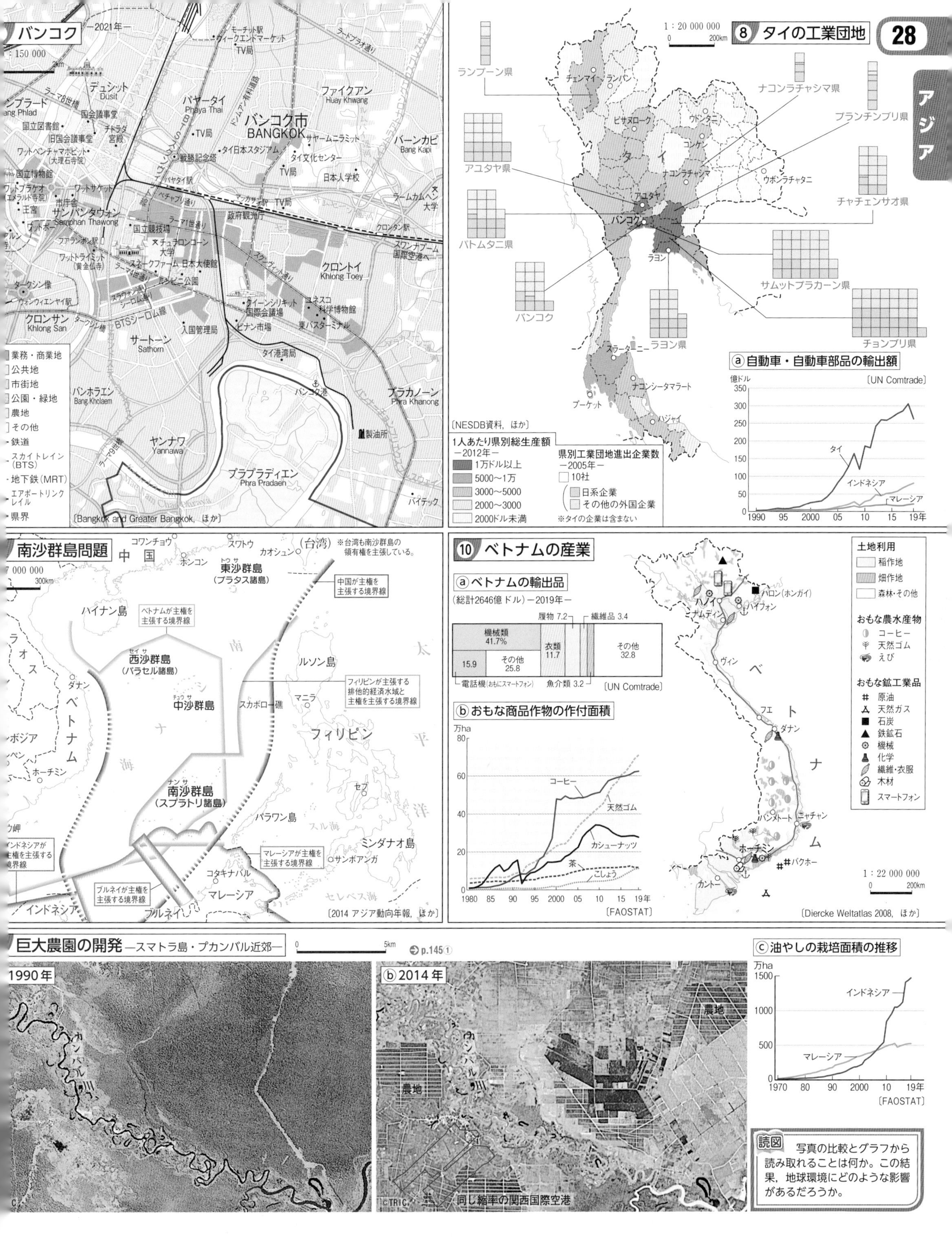
バンコク
―2021年―
1：150 000
2km
デュシット
Dusit
パヤータイ
Phaya Thai
バンコク市
BANGKOK
ファイクアン
Huay Khwang
バーンカピ
Bang Kapi
国会議事堂
国立図書館
旧国会議事堂
チトラダ宮殿
ワットベンチャマボピット（大理石寺院）
戦勝記念塔
タイ日本スタジアム
タイ文化センター
サヤームニラミット
日本人学校
国立博物館
ワットプラケオ（エメラルド寺院）
ワットサケット
市庁舎
王宮
サンパンタウォン
Samphan Thawong
ワットポー
国立競技場
チュラロンコーン大学
政府観光庁
ワットトライミット（黄金仏寺）
スネークファーム
日本大使館
ルンピニ公園
クロントイ
Khlong Toey
ラームカムヘン大学
スワンナプーム国際空港へ
クイーンシリキット国際会議場
ユネスコ
科学博物館
東バスターミナル
タークシン像
ウォンウィエンヤイ駅
クロンサン
Khlong San
BTSシーロム線
サートーン
Sathorn
入国管理局
ピナン市場
タイ港湾局
バンコク港
バンホラエン
Bang Kholaem
プラカノーン
Phra Khanong
製油所
ヤンナワ
Yannawa
プラプラディエン
Phra Pradaeng
バイテック
業務・商業地
公共地
市街地
公園・緑地
農地
その他
鉄道
スカイトレイン（BTS）
地下鉄（MRT）
エアポートリンクレイル
県界
〔Bangkok and Greater Bangkok，ほか〕
⑧ タイの工業団地
1：20 000 000
0 200km
ランプーン県
チェンマイ
ランパン
ナコンラチャシマ県
プランチンブリ県
ピサヌローク
ウドンタニ
コンケン
タ イ
ナコンラチャシマ
ウボンラチャタニ
アユタヤ県
チャチェンサオ県
アユタヤ
バンコク
パトムタニ県
ラヨン
サムットプラカーン県
バンコク
ラヨン県
チョンブリ県
スラータニ
ナコンシータマラート
プーケット
ハジャイ
〔NESDB資料，ほか〕
1人あたり県別総生産額
―2012年―
1万ドル以上
5000～1万
3000～5000
2000～3000
2000ドル未満
県別工業団地進出企業数
―2005年―
10社
日系企業
その他の外国企業
※タイの企業は含まない
ⓐ 自動車・自動車部品の輸出額
億ドル
〔UN Comtrade〕
350
300
250
200
150
100
50
0
1990 95 2000 05 10 15 19年
タイ
インドネシア
マレーシア
南沙群島問題
1：7 000 000
300km
中国
コワンチョウ
スワトウ
カオシュン
（台湾）
※台湾も南沙群島の領有権を主張している。
ホンコン
東沙群島（プラタス諸島）
中国が主権を主張する境界線
ハイナン島
ベトナムが主権を主張する境界線
ラオス
西沙群島（パラセル諸島）
ルソン島
南シナ海
太平洋
ダナン
ベトナム
中沙群島
スカボロー礁
マニラ
フィリピンが主張する排他的経済水域と主権を主張する境界線
フィリピン
カンボジア
ホーチミン
南沙群島（スプラトリ諸島）
セブ
パラワン島
スル海
ミンダナオ島
インドネシアが主権を主張する境界線
マレーシアが主権を主張する境界線
サンボアンガ
コタキナバル
ブルネイが主権を主張する境界線
マレーシア
セレベス海
インドネシア
ブルネイ
〔2014 アジア動向年報，ほか〕
⑩ ベトナムの産業
ⓐ ベトナムの輸出品
（総計2646億ドル）―2019年―
機械類 41.7%
電話機（おもにスマートフォン）15.9
その他 25.8
履物 7.2
衣類 11.7
繊維品 3.4
魚介類 3.2
その他 32.8
〔UN Comtrade〕
ⓑ おもな商品作物の作付面積
万ha
80
60
40
20
0
1980 85 90 95 2000 05 10 15 19年
コーヒー
天然ゴム
カシューナッツ
茶
こしょう
〔FAOSTAT〕
ハノイ
ナムディン
ハロン（ホンガイ）
ハイフォン
ヴィン
ベトナム
フエ
ダナン
バンメトート
ニャチャン
ホーチミン
バクホー
カントー
土地利用
稲作地
畑作地
森林・その他
おもな農水産物
コーヒー
天然ゴム
えび
おもな鉱工業品
原油
天然ガス
石炭
鉄鉱石
機械
化学
繊維・衣服
木材
スマートフォン
1：22 000 000
0 200km
〔Diercke Weltatlas 2008，ほか〕
巨大農園の開発 ―スマトラ島・プカンバル近郊―
0 5km
1990年
カンパル川
ⓑ 2014年
カンパル川
農地
農地
©TRIC
同じ縮率の関西国際空港
ⓒ 油やしの栽培面積の推移
万ha
1500
1000
500
0
1970 80 90 2000 10 19年
インドネシア
マレーシア
〔FAOSTAT〕

➔ p.145①

読図　写真の比較とグラフから読み取れることは何か。この結果，地球環境にどのような影響があるだろうか。

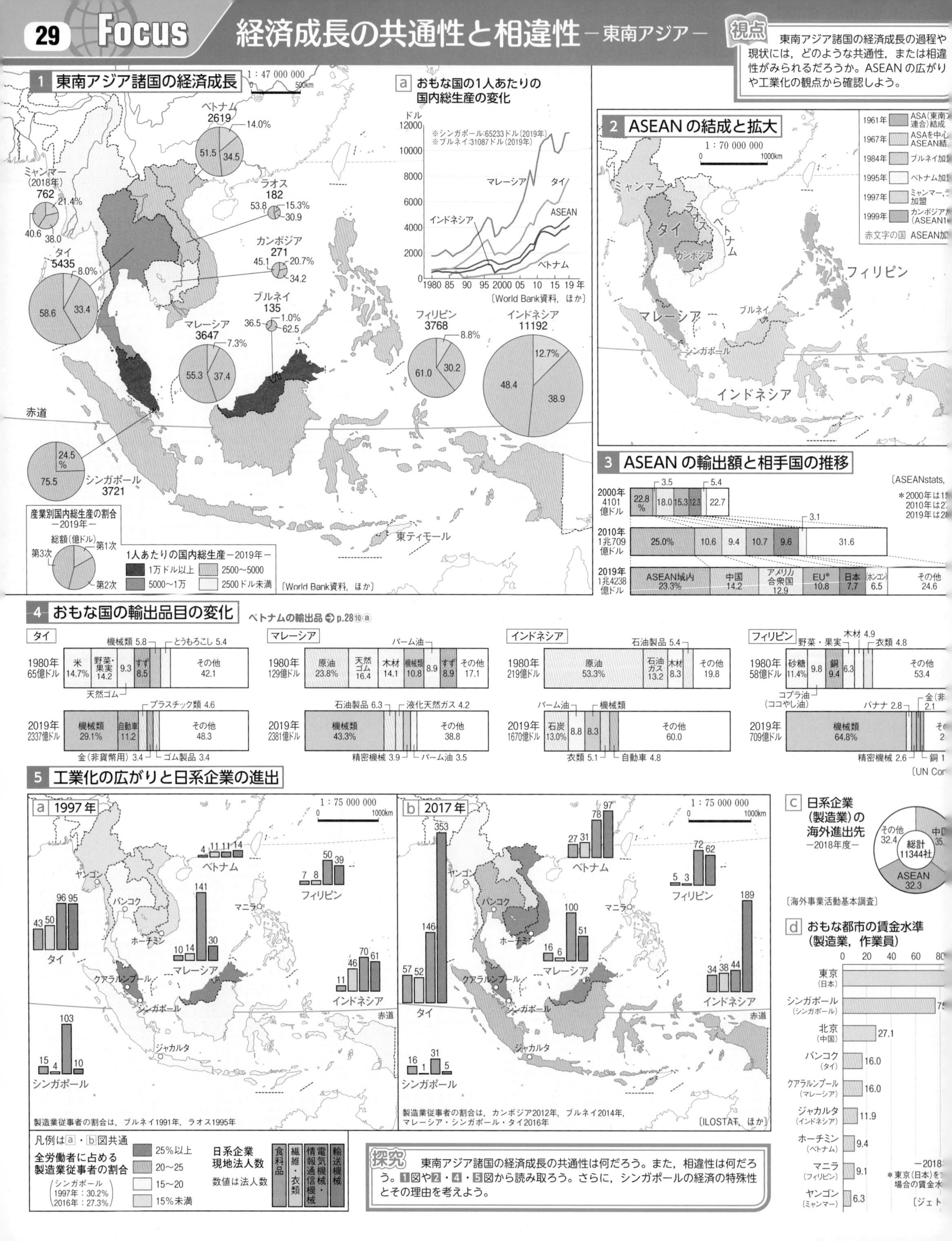

29 Focus
経済成長の共通性と相違性－東南アジア－
視点
東南アジア諸国の経済成長の過程や現状には，どのような共通性，または相違性がみられるだろうか。ASEAN の広がりや工業化の観点から確認しよう。
1 東南アジア諸国の経済成長
1：47 000 000
ベトナム 2619 14.0% 51.5 34.5
ミャンマー（2018年）762 21.4% 40.6 38.0
ラオス 182 53.8 15.3% 30.9
カンボジア 271 45.1 20.7% 34.2
タイ 5435 8.0% 58.6 33.4
ブルネイ 135 36.5 1.0% 62.5
マレーシア 3647 7.3% 55.3 37.4
フィリピン 3768 8.8% 61.0 30.2
インドネシア 11192 12.7% 48.4 38.9
シンガポール 3721 24.5% 75.5
赤道
東ティモール
産業別国内総生産の割合－2019年－
総額（億ドル）
第1次
第2次
第3次
1人あたりの国内総生産－2019年－
1万ドル以上
5000～1万
2500～5000
2500ドル未満
〔World Bank資料，ほか〕
a おもな国の1人あたりの国内総生産の変化
ドル
※シンガポール:65233ドル（2019年）
※ブルネイ:31087ドル（2019年）
マレーシア
タイ
インドネシア
ASEAN
ベトナム
1980 85 90 95 2000 05 10 15 19年
〔World Bank資料，ほか〕
2 ASEANの結成と拡大
1：70 000 000
1961年 ASA（東南アジア連合）結成
1967年 ASEANを中心にASEAN結成
1984年 ブルネイ加盟
1995年 ベトナム加盟
1997年 ミャンマー，ラオス加盟
1999年 カンボジア加盟（ASEAN10）
赤文字の国 ASEAN加盟国
ミャンマー
タイ
ラオス
ベトナム
カンボジア
フィリピン
ブルネイ
マレーシア
シンガポール
インドネシア
3 ASEANの輸出額と相手国の推移
〔ASEANstats，
2000年 4101億ドル 22.8% 3.5 18.0 15.3 12.3 5.4 22.7
2010年 1兆709億ドル 25.0% 10.6 9.4 10.7 9.6 3.1 31.6
2019年 1兆4238億ドル ASEAN域内 23.3% 中国 14.2 アメリカ合衆国 12.9 EU* 10.8 日本 7.7 ホンコン 6.5 その他 24.6
4 おもな国の輸出品目の変化
ベトナムの輸出品 ➡ p.28⑩ⓐ
タイ
1980年 65億ドル 米 14.7% 野菜・果実 14.2 9.3 すず 8.5 機械類 5.8 とうもろこし 5.4 天然ゴム その他 42.1
2019年 2337億ドル 機械類 29.1% 自動車 11.2 プラスチック類 4.6 金（非貨幣用）3.4 ゴム製品 3.4 その他 48.3
マレーシア
1980年 129億ドル 原油 23.8% 天然ゴム 16.4 木材 14.1 機械類 10.8 パーム油 8.9 すず 8.9 その他 17.1
2019年 2381億ドル 機械類 43.3% 石油製品 6.3 液化天然ガス 4.2 精密機械 3.9 パーム油 3.5 その他 38.8
インドネシア
1980年 219億ドル 原油 53.3% 石油ガス 13.2 木材 8.3 石油製品 5.4 その他 19.8
2019年 1670億ドル 石炭 13.0% パーム油 8.8 機械類 8.3 衣類 5.1 自動車 4.8 その他 60.0
フィリピン
1980年 58億ドル 砂糖 11.4% 9.8 銅 9.4 6.3 野菜・果実 木材 4.9 衣類 4.8 コプラ油（ココやし油） その他 53.4
2019年 709億ドル 機械類 64.8% バナナ 2.8 金（非 2.1 精密機械 2.6 銅 1
〔UN Com
5 工業化の広がりと日系企業の進出
a 1997年
1：75 000 000
ベトナム 4 11 11 14
フィリピン 7 8 50 39
タイ 43 50 96 95
マレーシア 10 14 141 30
インドネシア 11 46 70 61
シンガポール 15 4 103 10
ヤンゴン
バンコク
ホーチミン
マニラ
クアラルンプール
シンガポール
ジャカルタ
赤道
製造業従事者の割合は，ブルネイ1991年，ラオス1995年
b 2017年
ベトナム 27 31 78 97
フィリピン 5 3 72 62
タイ 57 52 146 353
マレーシア 16 6 100 51
インドネシア 34 38 44 189
シンガポール 16 1 31 5
製造業従事者の割合は，カンボジア2012年，ブルネイ2014年，マレーシア・シンガポール・タイ2016年
〔ILOSTAT，ほか〕
凡例はa・b図共通
全労働者に占める製造業従事者の割合
（シンガポール 1997年：30.2% 2016年：27.3%）
25%以上
20～25
15～20
15%未満
日系企業現地法人数
数値は法人数
食料品
繊維・衣類
情報通信機械・電気機械
輸送機械
探究
東南アジア諸国の経済成長の共通性は何だろう。また，相違性は何だろう。1図や2・4・5図から読み取ろう。さらに，シンガポールの経済の特殊性とその理由を考えよう。
c 日系企業（製造業）の海外進出先－2018年度－
総計 11344社
その他 32.4
中国 35.
ASEAN 32.3
〔海外事業活動基本調査〕
d おもな都市の賃金水準（製造業，作業員）
東京（日本）
シンガポール（シンガポール）75
北京（中国）27.1
バンコク（タイ）16.0
クアラルンプール（マレーシア）16.0
ジャカルタ（インドネシア）11.9
ホーチミン（ベトナム）9.4
マニラ（フィリピン）9.1
ヤンゴン（ミャンマー）6.3

成長する産業とその分布 ーインドー

視点 インドで成長している産業は何で，どのあたりに分布しているだろうか。また，これに関連して人口はどのように移動しているだろうか。

インドの鉱工業と産業

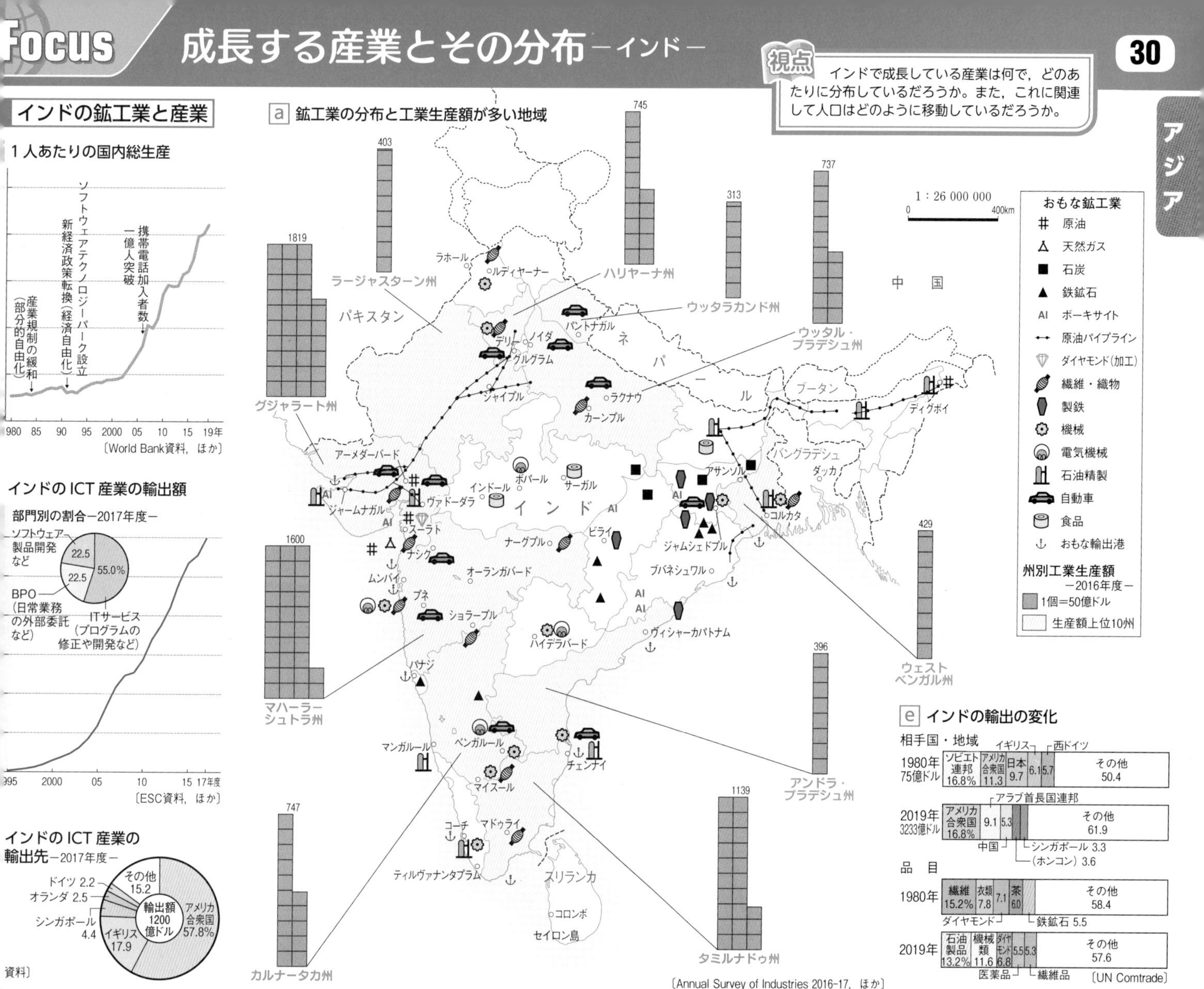

1人あたりの国内総生産
産業規制の緩和（部分的自由化）
新経済政策転換（経済自由化）
ソフトウェアテクノロジーパーク設立
携帯電話加入者数一億人突破
1980 85 90 95 2000 05 10 15 19年
〔World Bank資料，ほか〕
インドのICT産業の輸出額
部門別の割合ー2017年度ー
ソフトウェア製品開発など 22.5
BPO（日常業務の外部委託など）22.5
ITサービス（プログラムの修正や開発など）55.0%
1995 2000 05 10 15 17年度
〔ESC資料，ほか〕
インドのICT産業の輸出先ー2017年度ー
輸出額 1200億ドル
アメリカ合衆国 57.8%
イギリス 17.9
シンガポール 4.4
オランダ 2.5
ドイツ 2.2
その他 15.2
a 鉱工業の分布と工業生産額が多い地域
1：26 000 000
おもな鉱工業
原油
天然ガス
石炭
鉄鉱石
Al ボーキサイト
原油パイプライン
ダイヤモンド（加工）
繊維・織物
製鉄
機械
電気機械
石油精製
自動車
食品
おもな輸出港
州別工業生産額ー2016年度ー
1個＝50億ドル
生産額上位10州
ラージャスターン州 403
ハリヤーナ州 745
ウッタラカンド州 313
ウッタル・プラデシュ州 737
グジャラート州 1819
マハーラーシュトラ州 1600
ウェストベンガル州 429
アンドラ・プラデシュ州 396
カルナータカ州 747
タミルナドゥ州 1139
パキスタン
中国
ネパール
ブータン
バングラデシュ
スリランカ
セイロン島
インド
ラホール
ルディヤーナー
デリー
ノイダ
グルグラム
パントナガル
ラクナウ
カーンプル
ジャイプル
アーメダーバード
ジャームナガル
ヴァドーダラ
スーラト
ナシク
ムンバイ
プネ
インドール
ボパール
サーガル
ナーグプル
オーランガバード
ショラープル
パナジ
ハイデラバード
ヴィシャーカパトナム
ブバネシュワル
ビライ
ジャムシェドプル
アサンソル
コルカタ
ダッカ
ディグボイ
マンガルール
ベンガルール
チェンナイ
マイスール
コーチ
マドゥライ
ティルヴァナンタプラム
コロンボ
〔Annual Survey of Industries 2016-17，ほか〕
e インドの輸出の変化
相手国・地域
1980年 75億ドル：ソビエト連邦 16.8%，アメリカ合衆国 11.3，日本 9.7，イギリス 6.1，西ドイツ 5.7，その他 50.4
2019年 3233億ドル：アメリカ合衆国 16.8%，アラブ首長国連邦 9.1，中国 5.3，シンガポール 3.3，（ホンコン）3.6，その他 61.9
品目
1980年：繊維 15.2%，衣類 7.8，ダイヤモンド 7.1，茶 6.0，鉄鉱石 5.5，その他 58.4
2019年：石油製品 13.2%，機械類 11.6，ダイヤモンド 6.8，医薬品 5.5，繊維品 5.3，その他 57.6
〔UN Comtrade〕

産業の規模別分布と人口移動

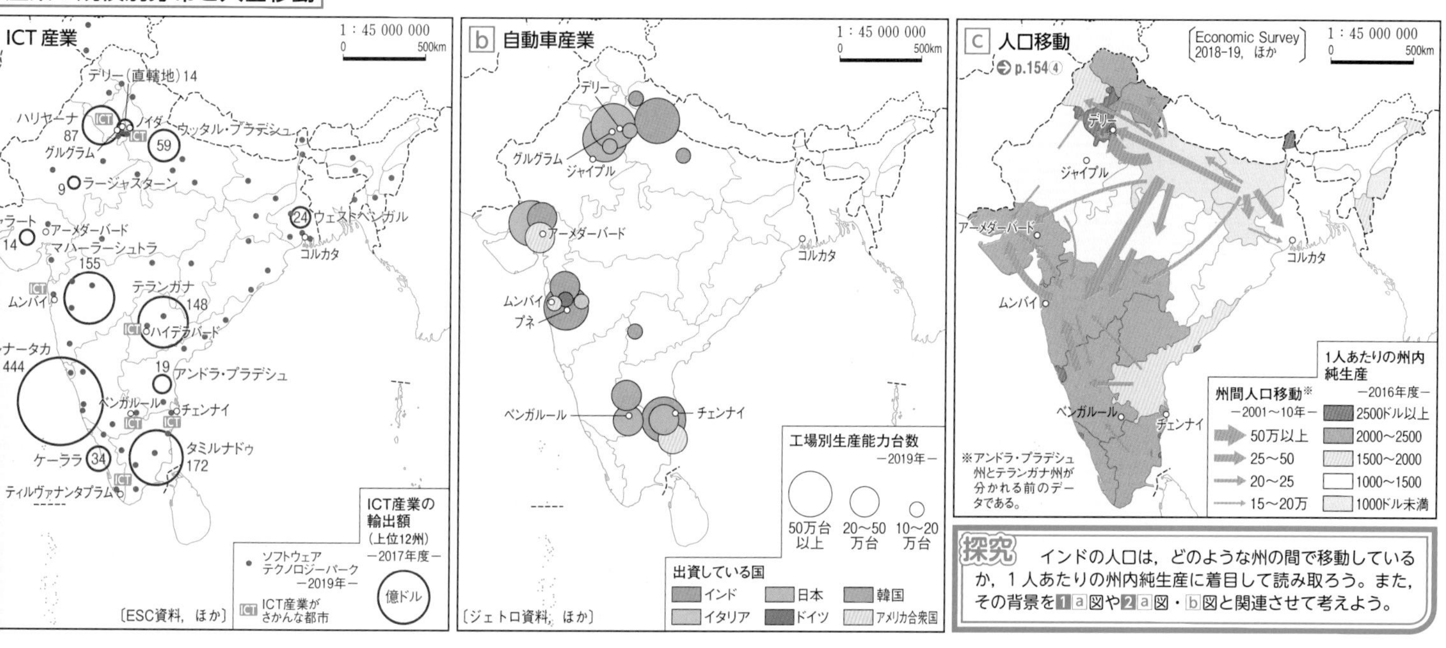

ICT産業
1：45 000 000
デリー（直轄地）14
ハリヤーナ 87
ノイダ
ウッタル・プラデシュ 59
グルグラム
ラージャスターン 9
グジャラート 14
アーメダーバード
マハーラーシュトラ 155
ムンバイ
テランガナ 148
ハイデラバード
カルナータカ 444
アンドラ・プラデシュ 19
ベンガルール
チェンナイ
ケーララ 34
タミルナドゥ 172
ティルヴァナンタプラム
ウェストベンガル 24
コルカタ
ICT産業の輸出額（上位12州）ー2017年度ー
億ドル
ソフトウェアテクノロジーパークー2019年ー
ICT産業がさかんな都市
〔ESC資料，ほか〕
b 自動車産業
1：45 000 000
デリー
グルグラム
ジャイプル
アーメダーバード
ムンバイ
プネ
コルカタ
ベンガルール
チェンナイ
工場別生産能力台数ー2019年ー
50万台以上
20～50万台
10～20万台
出資している国
インド
日本
韓国
イタリア
ドイツ
アメリカ合衆国
〔ジェトロ資料，ほか〕
c 人口移動
〔Economic Survey 2018-19，ほか〕
1：45 000 000
p.154④
デリー
ジャイプル
アーメダーバード
コルカタ
ムンバイ
ベンガルール
チェンナイ
州間人口移動※ ー2001～10年ー
50万以上
25～50
20～25
15～20万
1人あたりの州内純生産ー2016年度ー
2500ドル以上
2000～2500
1500～2000
1000～1500
1000ドル未満
※アンドラ・プラデシュ州とテランガナ州が分かれる前のデータである。

探究 インドの人口は，どのような州の間で移動しているか，1人あたりの州内純生産に着目して読み取ろう。また，その背景を1a図や2a図・b図と関連させて考えよう。

1 南アジア
1：15 000 000
0 200 400km
ランベルト正角円錐図法
(全体としてひずみが小さい。)
アジアハイウェイ
〈AH1〉
この図の範囲
陸高と水深(m)
6000
5000
4000
3000
2000
1000
500
200
0
海面下
200
1000
2000
4000
2 インドの行政区分
1：50 000 000
500km
インドが主張する国境
インド・パキスタン停戦ライン
中国が主張する国境
インドが主張する国境
パキスタンが主張する国境
中国が主張する国境
アルナーチャル・プラデシュ
マクマホンライン
ヒマーチャル・プラデシュ
パンジャブ
ウッタラカンド
ハリヤーナ
シッキム
ラージャスターン
ウッタル・プラデシュ
ビハール
アッサム
ナガランド
マニプル
メガラヤ
ジャルカンド
ウェストベンガル
ミゾラム
トリプラ
グジャラート
マッディヤ・プラデシュ
チャッティスガル
オディシャ
マハーラーシュトラ
テランガナ
アンドラ・プラデシュ
ゴア
カルナータカ
ケーララ
タミルナドゥ
直轄地
①デリー
②チャンディガル ※
③ダードラ・ナガルハヴェリ・ダマン・ディウ
④ラクシャドウィープ
⑤プドゥチェリー
⑥アンダマン・ニコバル諸島
⑦ジャンム・カシミール
⑧ラダク
※チャンディガルはハリヤーナ州とパンジャブ州の州都でもある。
読図 ヒマラヤ山脈はどうしてできたのだろうか。また，その東部で山と川が交互に並んでいるのはなぜだろうか。p.194③図と見比べて考えてみよう。
タクラマカン砂漠
Takla Makan Sha.
パミール高原
Pamir
タジキスタン共和国
REPUBLIC OF TAJIKISTAN
ドゥシャンベ
DUSHANBE
ウズベキスタン共和国
REPUBLIC OF UZBEKISTAN
トルクメニスタン
TURKMENISTAN
アシガバット
ASHGABAT
マシュハド
MASHHAD
カヴィール砂漠
Das. Kavir
イラン・イスラム共和国
ISLAMIC REPUBLIC OF IRAN
ペルシア
Persia
イラン高原
Plat. of Iran
ルート砂漠
ケルマーン
Kermān
ホラサーン
Khorāsān
アフガニスタン・イスラム共和国
ISLAMIC REPUBLIC OF AFGHANISTAN
カブール
KABUL
ヘラート
Herāt
カンダハル
Kandahār
ラジスタン
Registan
ヒンドゥークシ山脈
Hindu Kush
カラコルム山脈
Karakorum
K2(チョゴリ山)(ゴッドウィンオースティン山)
8611
ナンガパルバット
8126
クンルン(崑崙)山脈
Kunlun Shan
シンチヤンウイグル自治区
(新疆維吾爾)
チベット(西蔵)自治区
ガンディセ(岡底斯)山脈
ヒマラヤ山脈
Himalaya
ネパール
NEPAL
カトマンズ
KATHMANDU
ラダク
LADAKH
カシミール
Kashmir
スリナガル
SRINAGAR
イスラマバード
ISLAMABAD
ラワルピンディ
RAWALPINDI
ペシャーワル
PESHAWAR
ラホール
LAHORE
ファイサラーバード
FAISALABAD
ムルターン
MULTAN
パンジャブ
Punjab
スライマン山脈
Sulaiman Range
クエッタ
Quetta
パキスタン・イスラム共和国
ISLAMIC REPUBLIC OF PAKISTAN
バルーチスタン
Balūchestān
マクラン
Makrān
ハイデラバード
HYDERABAD
カラチ
KARACHI
インダス平原
インダス川
Indus
シンド
Sindh
インド(タール)大砂漠
Great Indian Des.
カッチ大湿地
Rann of Kachchh
カッチ湾
G.of Kachchh
カチャワール半島
Kāthiāwār Pen.
カンバート湾
G.of Khambhāt
アラビア海
Arabian Sea
北回帰線
オマーン国
SULTANATE OF OMAN
マスカット
MUSCAT
ドバイ
DUBAI
ハッド岬
Ra's al Hadd
デリー
DELHI
チャンディガル
Chandigarh
ジャイプル
JAIPUR
ジョドプル
JODHPUR
アーメダーバード
AHMADABAD
アグラ
AGRA
ラクナウ
LUCKNOW
カーンプル
KANPUR
ヴァラナシ(ベナレス)
VARANASI (BENARES)
パトナ
ボパール
BHOPAL
インドール
INDORE
ジャバルプル
JABALPUR
ナーグプル
NAGPUR
ライプル
RAIPUR
スーラト
SURAT
ヴァドーダラ
VADODARA
ムンバイ(ボンベイ)
MUMBAI (BOMBAY)
プネ
PUNE
オーランガバード
AURANGABAD
ハイデラバード
HYDERABAD
ヴィシャーカパトナム
VISHAKHAPATNAM
ヴィジャヤワーダ
VIJAYAWADA
チェンナイ(マドラス)
CHENNAI (MADRAS)
ベンガルール(バンガロール)
BENGALURU (BANGALORE)
マイスール
Mysuru
コインバトール
COIMBATORE
マドゥライ
MADURAI
コーチ
Kochi
ティルヴァナンタプラム
Thiruvananthapuram
インド
INDIA
ヴィンディア山脈
Vindhya Range
デカン高原
Deccan
西ガーツ山脈
W. Ghats
東ガーツ山脈
E. Ghats
インド半島
India Pen.
マラバル海岸
Malabar Coast
コロマンデル海岸
Coromandel Coast
ラッカディヴ諸島
Laccadive Is.
〔インド〕
コモリン岬
Comorin
マンナール湾
G.of Mannar
ポーク海峡
Palk Str.
スリランカ民主社会主義共和国
DEMOCRATIC SOCIALIST REPUBLIC OF SRI LANKA
セイロン島
Ceylon I.
コロンボ
Colombo
スリジャヤワルダナプラコッテ
SRI JAYEWARDENEPURA KOTTE
モルディブ諸島
Maldive Is.
モルディブ共和国
REPUBLIC OF MALDIVES
インド洋
INDIAN
アデン←2722
アデン←2894
アデン←3880→コロンボ

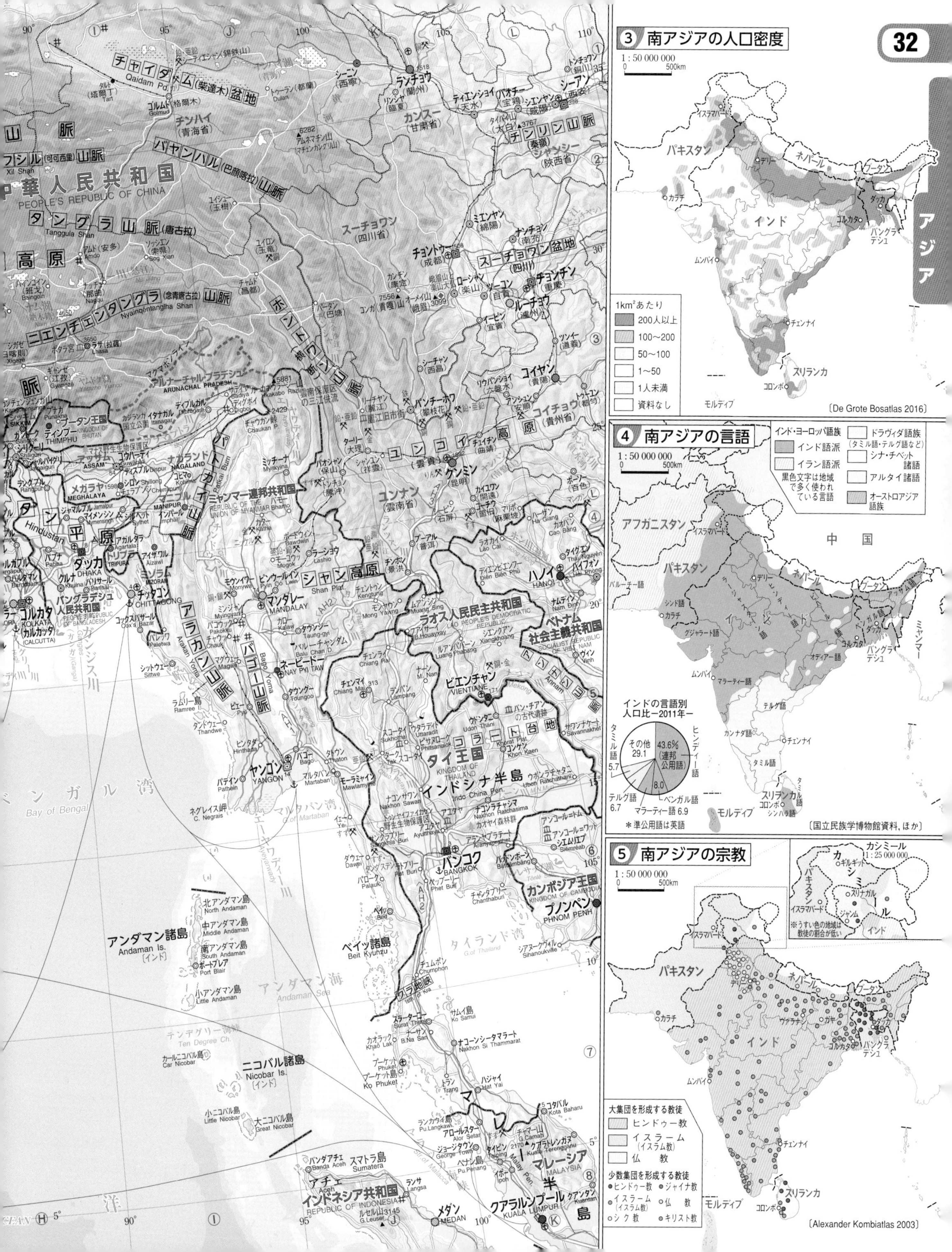
③ 南アジアの人口密度
1 : 50 000 000
0 500km
パキスタン
イスラマバード
デリー
ネパール
ブータン
カラチ
インド
ダッカ
コルカタ
バングラデシュ
ムンバイ
チェンナイ
スリランカ
コロンボ
モルディブ
1km²あたり
200人以上
100〜200
50〜100
1〜50
1人未満
資料なし
〔De Grote Bosatlas 2016〕
④ 南アジアの言語
1 : 50 000 000
0 500km
インド・ヨーロッパ語族
インド語派
イラン語派
黒色文字は地域で多く使われている言語
ドラヴィダ語族(タミル語・テルグ語など)
シナ・チベット諸語
アルタイ諸語
オーストロアジア語族
アフガニスタン
中国
パキスタン
ネパール
バルーチー語
シンド語
カラチ
デリー
ヒンディー語
グジャラート語
ベンガル語
ダッカ
コルカタ
バングラデシュ
オディアー語
マラーティー語
ムンバイ
テルグ語
カンナダ語
チェンナイ
タミル語
スリランカ
コロンボ
シンハラ語
モルディブ
ミャンマー
インドの言語別人口比−2011年−
ヒンディー語 43.6%（連邦公用語）
ベンガル語 8.0
マラーティー語 6.9
テルグ語 6.7
タミル語 5.7
その他 29.1
＊準公用語は英語
〔国立民族学博物館資料, ほか〕
⑤ 南アジアの宗教
1 : 50 000 000
0 500km
カシミール
1 : 25 000 000
ギルギット
スリナガル
ジャンム
イスラマバード
パキスタン
インド
※うすい色の地域は教徒の割合が低い
パキスタン
ネパール
ブータン
デリー
カラチ
ヴァラナシ
ガヤ
インド
コルカタ
バングラデシュ
ムンバイ
チェンナイ
スリランカ
コロンボ
モルディブ
大集団を形成する教徒
ヒンドゥー教
イスラーム（イスラム教）
仏教
少数集団を形成する教徒
ヒンドゥー教
ジャイナ教
イスラーム（イスラム教）
仏教
シク教
キリスト教
〔Alexander Kombiatlas 2003〕
チャイダム(柴達木)盆地
Qaidam Pendi
中華人民共和国
PEOPLE'S REPUBLIC OF CHINA
タングラ山脈(唐古拉)
Tanggula Shan
バヤンハル(巴顔喀拉)山脈
チンハイ(青海省)
カンスー(甘粛省)
ランチョウ(蘭州)
シーニン(西寧)
シーアン(西安)
チンリン山脈
スーチョワン(四川省)
スーチョワン盆地
チョントゥー(成都)
チョンチン(重慶)
ニエンチェンタングラ山脈
Nyainqêntanglha Shan
ラサ(拉薩)
Lhasa
ホントワン山脈(横断)
アルナーチャル・プラデシュ
ARUNACHAL PRADESH
ブータン王国
KINGDOM OF BHUTAN
ティンプー THIMPHU
ユンコイ高原
コイヤン(貴陽)
コイチョウ(貴州省)
クンミン(昆明)
ユンナン(雲南省)
パトカイ山脈
ミャンマー連邦共和国
REPUBLIC OF THE UNION OF MYANMAR
ヒンドスタン平原
Hindustan
ダッカ DHAKA
バングラデシュ人民共和国
PEOPLE'S REPUBLIC OF BANGLADESH
コルカタ KOLKATA
カルカッタ (CALCUTTA)
チッタゴン CHITTAGONG
シャン高原 Shan Plat.
マンダレー MANDALAY
ハノイ HANOI
ハイフォン
ラオス人民民主共和国
LAO PEOPLE'S DEMOCRATIC REPUBLIC
ベトナム社会主義共和国
SOCIALIST REPUBLIC OF VIET NAM
アラカン山脈 Arakan Yoma
バゴー山脈 Bago Yoma
ネーピードー NAY PYI TAW
ビエンチャン VIENTIANE
アンナン山脈
コラート台地 Khorat Plat.
タイ王国 KINGDOM OF THAILAND
インドシナ半島 Indo China Pen.
ヤンゴン YANGON
ベンガル湾 Bay of Bengal
マルタバン湾 G. of Martaban
エーヤワディー川
バンコク BANGKOK
カンボジア王国 KINGDOM OF CAMBODIA
プノンペン PHNOM PENH
タイランド湾 G. of Thailand
アンダマン諸島 Andaman Is. 〔インド〕
北アンダマン島 North Andaman
中アンダマン島 Middle Andaman
南アンダマン島 South Andaman
ポートブレア Port Blair
小アンダマン島 Little Andaman
アンダマン海 Andaman Sea
ベイッ諸島 Beit Kyunzu
クラ地峡
テンディグリー海峡 Ten Degree Ch.
ニコバル諸島 Nicobar Is. 〔インド〕
カーニコバル島 Car Nicobar
小ニコバル島 Little Nicobar
大ニコバル島 Great Nicobar
プーケット島 Ko Phuket
マレー半島 Malay Pen.
マレーシア MALAYSIA
クアラルンプール KUALA LUMPUR
スマトラ島 Sumatera
バンダアチェ Banda Aceh
インドネシア共和国 REPUBLIC OF INDONESIA
メダン MEDAN
ガンジス川
ミャンマー
ジョージタウン George Town

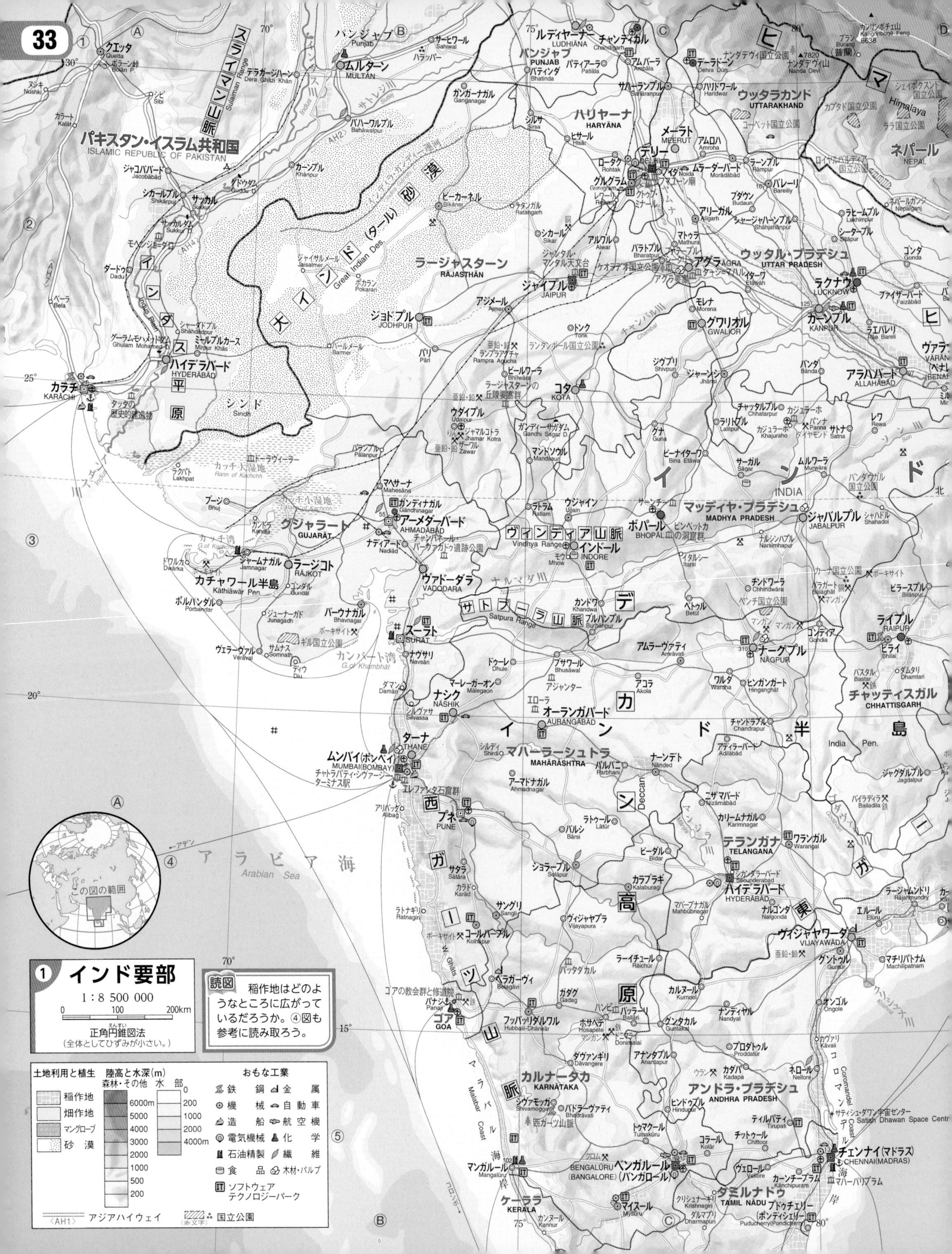

1 インド要部
1：8 500 000
0 100 200km
正角円錐図法
(全体としてひずみが小さい。)
読図 稲作地はどのようなところに広がっているだろうか。④図も参考に読み取ろう。
土地利用と植生
稲作地
畑作地
マングローブ
砂漠
陸高と水深(m)
森林・その他 水部
6000m 5000 4000 3000 2000 1000 500 200 0
200 1000 2000 4000m
おもな工業
鉄鋼 金属
機械 自動車
造船 航空機
電気機械 化学
石油精製 繊維
食品 木材・パルプ
ソフトウェアテクノロジーパーク
〈AH1〉 アジアハイウェイ
国立公園 (赤文字)
この図の範囲
パキスタン・イスラム共和国
ISLAMIC REPUBLIC OF PAKISTAN
スライマン山脈
Sulaiman Range
インダス平原
大インド(タール)砂漠
Great Indian Des.
ラージャスターン
RAJASTHĀN
パンジャブ
PUNJAB
ハリヤーナ
HARYĀNA
ウッタラカンド
UTTARAKHAND
ヒマラヤ
Himalaya
ネパール
NEPAL
ウッタル・プラデシュ
UTTAR PRADESH
マッディヤ・プラデシュ
MADHYA PRADESH
グジャラート
GUJARĀT
カチャワール半島
Kāthiāwār Pen.
ヴィンディア山脈
Vindhya Range
サトプーラ山脈
Satpura Range
デカン高原
Deccan
インド半島
India Pen.
インド
INDIA
マハーラーシュトラ
MAHĀRĀSHTRA
テランガナ
TELANGANA
チャッティスガル
CHHATTISGARH
アンドラ・プラデシュ
ANDHRA PRADESH
カルナータカ
KARNĀTAKA
ケーララ
KERALA
タミルナドゥ
TAMIL NĀDU
西ガーツ山脈
東ガーツ
アラビア海
Arabian Sea
カンバート湾
G. of Khambhāt
カッチ湾
カッチ大湿地
Rann of Kachchh
シンド
Sindh
クエッタ Quetta
ムルターン MULTĀN
カラチ KARĀCHI
ハイデラバード HYDERĀBĀD
ルディヤーナー LUDHIĀNA
チャンディガル
デリー DELHI
アグラ AGRA
ジャイプル JAIPUR
ジョドプル JODHPUR
ラクナウ LUCKNOW
カーンプル KANPUR
アラハバード ALLAHĀBĀD
グワリオル GWALIOR
コタ KOTA
ボパール BHOPĀL
インドール INDORE
ジャバルプル JABALPUR
アーメダバード AHMADĀBĀD
ガンディナガル
ラージコト RĀJKOT
ヴァドーダラ VADODARA
スーラト SURAT
ナーグプル NĀGPUR
ライプル RAIPUR
ナシク NĀSHIK
オーランガバード AURANGĀBĀD
ムンバイ(ボンベイ) MUMBAI(BOMBAY)
ターナ THANE
チャトラパティ・シヴァージーターミナス駅
エレファンタ石窟群
プネ PUNE
ハイデラバード HYDERĀBĀD
ヴィジャヤワーダ VIJAYAWĀDA
ゴア GOA
コアの教会群と修道院
ベンガルール(バンガロール) BENGALŪRU (BANGALORE)
チェンナイ(マドラス) CHENNAI(MADRAS)
マンガルール
マイスール
マラバル海岸 Malabar Coast
コロマンデル海岸 Coromandel Coast
サティシュ・ダワン宇宙センター Satish Dhawan Space Centre

中華人民共和国
PEOPLE'S REPUBLIC OF CHINA
ニエンチェンタングラ(念青唐古拉)山脈
Nyainqêntanglha Shan
ラサ(拉薩)
Lhasa
シガゼ(日喀則)
Xigazê
ヤルンツァンポ川(雅魯蔵布江)
ヒマラヤ山脈
アルナーチャル・プラデシュ
ARUNACHAL PRADESH
カトマンズ
KATHMANDU
エヴェレスト山(チョモランマ)(サガルマータ)
Mt Everest
カンチェンジュンガ山
Kangchenjunga
シッキム
SIKKIM
ティンプー
THIMPHU
ブータン王国
KINGDOM OF BHUTAN
ダージリン・ヒマラヤ鉄道
アッサム
ASSAM
メガラヤ
MEGHALAYA
カシー丘陵
ナガランド
NAGALAND
マニプル
MANIPUR
ビハール
BIHAR
パトナ
PATNA
ヒンドスタン平原
Hindustan
ジャルカンド
JHARKHAND
ラーンチ
RANCHI
ウェストベンガル
WEST BENGAL
コルカタ(カルカッタ)
KOLKATA (CALCUTTA)
ダッカ
DHAKA
バングラデシュ人民共和国
PEOPLE'S REPUBLIC OF BANGLADESH
トリプラ
TRIPURA
ミゾラム
MIZORAM
チッタゴン
CHITTAGONG
アラカン山脈
Arakan Yoma
ミャンマー
MYANMAR
三角州(デルタ)
p.139
ガンジス川(ガンガ)
Ganges (Ganga)
オディシャ
ODISHA
ブバネシュワル
Bhubaneshwar
コナーラクの太陽神寺院
ベンガル湾
Bay of Bengal
ヴィシャーカパトナム
VISHAKHAPATNAM
インド南部・スリランカ
1:8 500 000
正角円錐図法(全体としてひずみが小さい。)
カルナータカ
KARNATAKA
インド
INDIA
タミルナドゥ
TAMIL NADU
コインバトール
COIMBATORE
ケーララ
KERALA
マドゥライ
MADURAI
ティルヴァナンタプラム
Thiruvananthapuram
コモリン岬
C. Comorin
マンナール湾
G. of Mannar
アダムズブリッジ
スリランカ民主社会主義共和国
DEMOCRATIC SOCIALIST REPUBLIC OF SRI LANKA
コロンボ
Colombo
スリジャヤワルダナプラコッテ
SRI JAYEWARDENEPURA KOTTE
セイロン島
Ceylon I.
インド洋
INDIAN OCEAN
南アジアの農業
1:50 000 000
綿花の生産 —2018年— 2465万t
中国 24.8%
インド 19.3
アメリカ合衆国 16.2
ブラジル 7.8
パキスタン 6.8
その他 25.1
〔FAOSTAT〕
〔Alexander Kombiatlas 2003, ほか〕
稲作地
畑作地
放牧地
森林
非農業地
綿花
茶
ジュート
さとうきび
レグールの分布地域
※玄武岩が風化してできた肥沃な土壌
南アジアの米と小麦の生産
〔FAOSTAT, ほか〕
米 1点 10万t
小麦1点 10万t
用水による灌漑地
年降水量1000mm
※内陸のパンジャブ州などでは、収穫量の多い品種が普及し、灌漑により米と小麦の二毛作が行われるようになったため、穀物生産量は大きく増えた。
インドの食料生産の変化※
万t
米 1980年 8031
米 2019年 17765
小麦 1980年 3183
小麦 2019年 10360
インドの穀物輸出入量
(万t)
輸出
輸入
1961 70 80 90 2000 10 19年
デリー中心部
1:140 000
—2019年—
オールドデリー
レッドフォート建造物群
ジャマー・マスジッド
ニューデリー駅
パテールナガル
PATEL NAGAR
ラクシュミー・ナーラーヤン寺院
コンノートプレイス
ニューデリー行政区
インド門
国会議事堂
大統領官邸
最高裁判所
国立博物館
国立近代美術館
プラーナ・キラー(古城)
フマユーン廟
日本大使館
業務・商業地
公共施設
住宅地
公園・緑地
その他
旧市街地(オールドデリー)
ニューデリー行政区
鉄道と駅
地下鉄
ヒンドゥー寺院
Dreamland's Atlas of India 2004, ほか

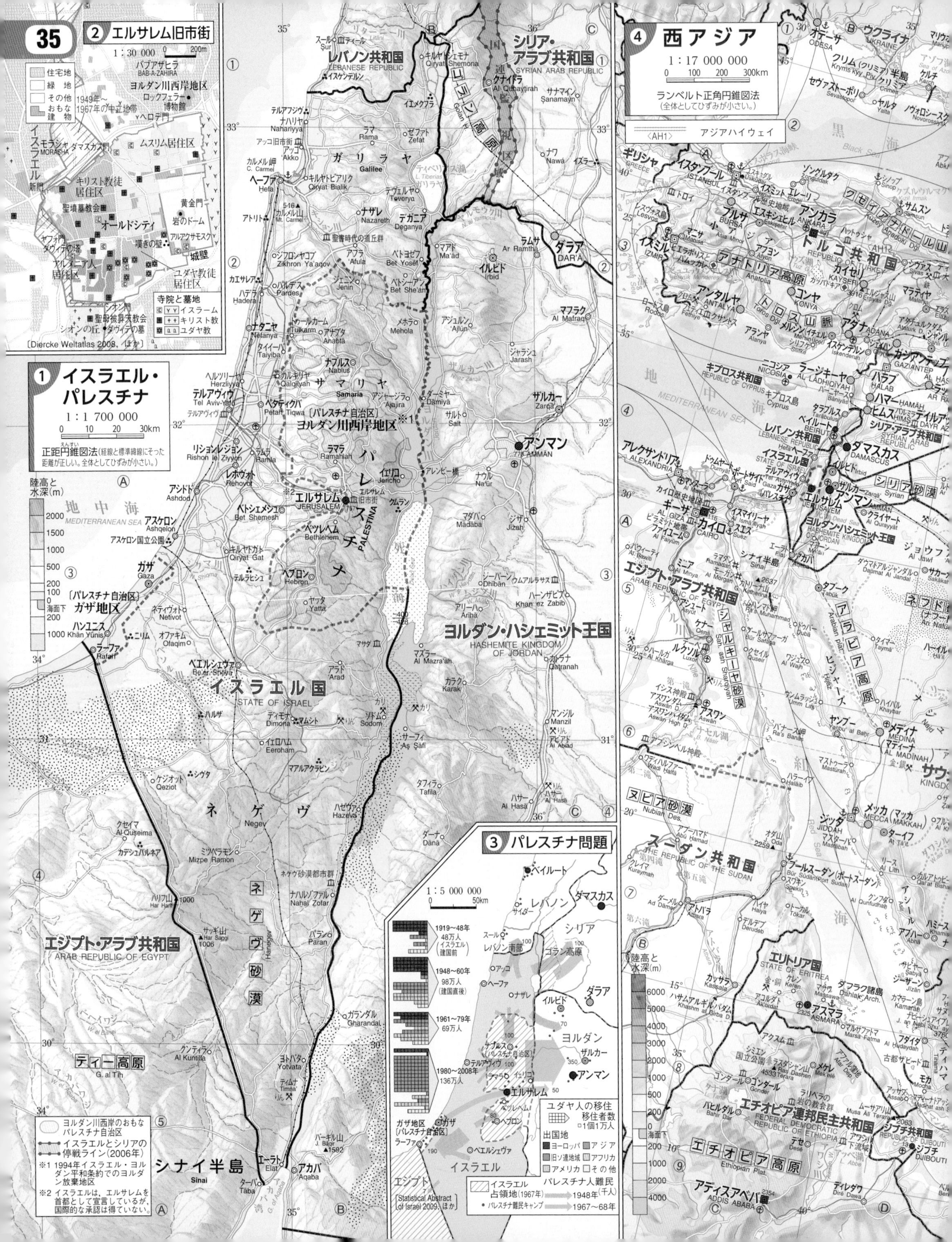

② エルサレム旧市街
1：30 000
住宅地
緑　地
その他
おもな建物
1949年～1967年の中立地帯
寺院と墓地
イスラーム
キリスト教
ユダヤ教
ムスリム居住区
キリスト教徒居住区
アルメニア人居住区
ユダヤ教徒居住区
オールドシティ
聖墳墓教会
岩のドーム
嘆きの壁
黄金門
城壁
ヨルダン川西岸地区
イスラエル
〔Diercke Weltatlas 2008，ほか〕
① イスラエル・パレスチナ
1：1 700 000
正距円錐図法（経線と標準緯線にそった距離が正しい。全体としてひずみが小さい。）
陸高と水深（m）
地中海
MEDITERRANEAN SEA
レバノン共和国
LEBANESE REPUBLIC
シリア・アラブ共和国
SYRIAN ARAB REPUBLIC
ゴラン高原
ガリラヤ
Galilee
サマリヤ
Samaria
〔パレスチナ自治区〕ヨルダン川西岸地区
パレスチナ
PALESTINA
〔パレスチナ自治区〕ガザ地区
エルサレム
JERUSALEM
アンマン
AMMAN
ヨルダン・ハシェミット王国
HASHEMITE KINGDOM OF JORDAN
イスラエル国
STATE OF ISRAEL
ネゲヴ
Negev
ネゲヴ砂漠
エジプト・アラブ共和国
ARAB REPUBLIC OF EGYPT
ティー高原
G. al Tih
シナイ半島
Sinai
ヨルダン川西岸のおもなパレスチナ自治区
イスラエルとシリアの停戦ライン（2006年）
※1 1994年イスラエル・ヨルダン平和条約でのヨルダン放棄地区
※2 イスラエルは，エルサレムを首都として宣言しているが，国際的な承認は得ていない。
③ パレスチナ問題
1：5 000 000
1919～48年 48万人（イスラエル建国前）
1948～60年 98万人（建国直後）
1961～79年 69万人
1980～2008年 136万人
ユダヤ人の移住
移住者数 □1個1万人
出国地
ヨーロッパ
アジア
旧ソ連地域
アフリカ
アメリカ
その他
イスラエル占領地（1967年）
パレスチナ難民キャンプ
パレスチナ人難民 1948年（千人） 1967～68年
〔Statistical Abstract of Israel 2009，ほか〕
④ 西アジア
1：17 000 000
ランベルト正角円錐図法（全体としてひずみが小さい。）
〈AH1〉 アジアハイウェイ
トルコ共和国
REPUBLIC OF TURKEY
アナトリア高原
トロス山脈
キプロス共和国
REPUBLIC OF CYPRUS
シリア・アラブ共和国
ヨルダン・ハシェミット王国
HASHEMITE KINGDOM OF JORDAN
エジプト・アラブ共和国
ARAB REPUBLIC OF EGYPT
アラビア高原
スーダン共和国
THE REPUBLIC OF THE SUDAN
ヌビア砂漠
Nubian Des.
エリトリア国
STATE OF ERITREA
エチオピア連邦民主共和国
FEDERAL DEMOCRATIC REPUBLIC OF ETHIOPIA
エチオピア高原
Ethiopian Plat.
ジブチ共和国
REPUBLIC OF DJIBOUTI
アディスアベバ
ADDIS ABABA
メッカ（マッカ）
MECCA（MAKKAH）
メディナ
MEDINA
黒海
Black Sea
地中海
MEDITERRANEAN SEA

読図 カスピ海沿岸のバクーから地中海に直接原油を送るパイプラインのルートをたどってみよう。

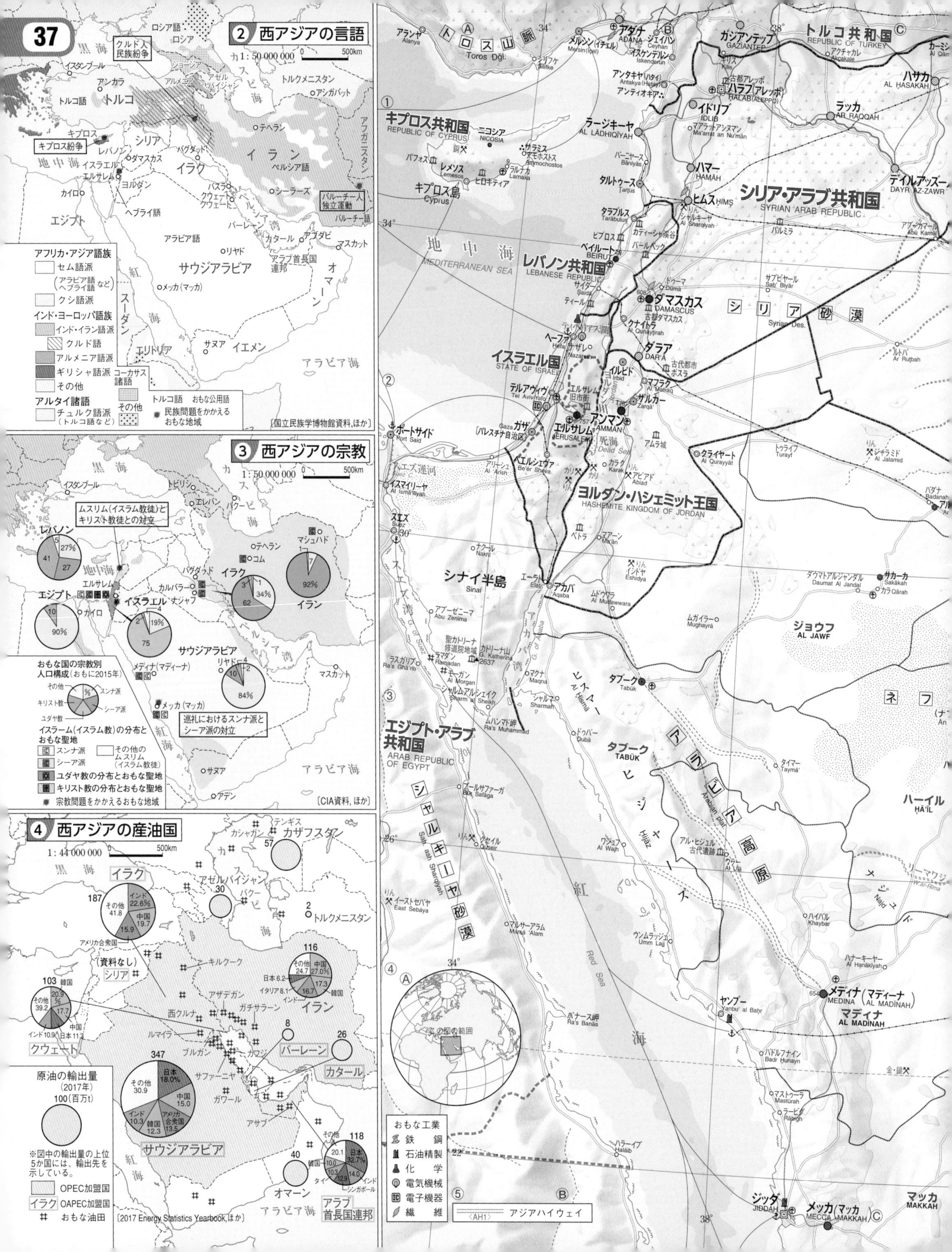

37
2 西アジアの言語
カ1:50 000 000
500km
クルド人民族紛争
キプロス紛争
バルーチー人独立運動
ロシア語
ロシア
黒海
イスタンブール
アンカラ
トルコ語
トルコ
キプロス
シリア
レバノン
ダマスカス
イスラエル
エルサレム
ヨルダン
バグダッド
イラク
テヘラン
イラン
ペルシア語
アゼルバイジャン
アルメニア
トルクメニスタン
アシガバット
アフガニスタン
地中海
カイロ
エジプト
ヘブライ語
バスラ
クウェート
シーラーズ
バルーチー語
アラビア語
バーレーン
カタール
アブダビ
マスカット
リヤド
アラブ首長国連邦
サウジアラビア
オマーン
メッカ(マッカ)
紅海
スーダン
エリトリア
サヌア
イエメン
アラビア海
アフリカ・アジア語族
セム語派
(アラビア語 ヘブライ語 など)
クシ語派
インド・ヨーロッパ語族
インド・イラン語派
クルド語
アルメニア語派
ギリシャ語派
コーカサス諸語
その他
アルタイ諸語
チュルク語派(トルコ語など)
トルコ語 おもな公用語
民族問題をかかえるおもな地域
〔国立民族学博物館資料,ほか〕
3 西アジアの宗教
1:50 000 000
500km
黒海
カスピ海
イスタンブール
トビリシ
エレバン
バクー
ムスリム(イスラム教徒)とキリスト教徒との対立
レバノン
テヘラン
マシュハド
コム
バグダッド
イラク
カルバラー
ナジャフ
エルサレム
エジプト
イスラエル
カイロ
イラン
サウジアラビア
リヤド
メディナ(マディーナ)
メッカ(マッカ)
巡礼におけるスンナ派とシーア派の対立
マスカット
サヌア
アデン
アラビア海
紅海
ペルシア湾
27%
41
27
92%
34%
62
90%
19%
75
84%
おもな国の宗教別人口構成(おもに2015年)
その他
スンナ派
キリスト教
シーア派
ユダヤ教
イスラーム(イスラム教)の分布とおもな聖地
スンナ派
シーア派
その他のムスリム(イスラム教徒)
ユダヤ教の分布とおもな聖地
キリスト教の分布とおもな聖地
宗教問題をかかえるおもな地域
〔CIA資料,ほか〕
4 西アジアの産油国
1:44 000 000
500km
黒海
テンギス
カシャガン
カザフスタン
イラク
アゼルバイジャン
バクー
トルクメニスタン
キルクーク
(資料なし)
シリア
クウェート
アザデガン
ガチサラーン
西クルナ
ルマイラ
ブルガン
カフジ
サファーニヤ
ガワール
アサブ
バーレーン
カタール
サウジアラビア
イラン
オマーン
アラブ首長国連邦
アラビア海
紅海
原油の輸出量(2017年)
100(百万t)
※図中の輸出量の上位5か国には,輸出先を示している。
OPEC加盟国
OAPEC加盟国
おもな油田
〔2017 Energy Statistics Yearbook,ほか〕
トロス山脈
Toros Dğl.
アダナ
ADANA
ジェイハン
Ceyhan
ガジアンテップ
GAZIANTEP
トルコ共和国
REPUBLIC OF TURKEY
メルシン(イチエル)
イスケンデルン
アンタキヤ(ハタイ)
アンティオキア
ハラブ(アレッポ)
HALAB (ALEPPO)
ハサカ
AL HASAKAH
イドリブ
IDLIB
ラッカ
AR RAQQAH
キプロス共和国
REPUBLIC OF CYPRUS
ニコシア
NICOSIA
ラージキーヤ
AL LĀDHIQĪYAH
パフォス
レメソス
ラルナカ
キプロス島
Cyprus
ハマー
HAMAH
タルトゥース
ヒムス HIMS
シリア・アラブ共和国
SYRIAN ARAB REPUBLIC
デイルアッズール
DAYR AZ-ZAWR
タラブルス
パルミラ
地中海
MEDITERRANEAN SEA
ベイルート
BEIRUT
レバノン共和国
LEBANESE REPUBLIC
バールベック
ダマスカス
DAMASCUS
シリア砂漠
Syrian Des.
ハイファ
ナザレ
ダラア
DAR'A
イスラエル国
STATE OF ISRAEL
イルビド
テルアヴィヴ
エルサレム
JERUSALEM
アンマン
AMMAN
ザルカー
ガザ
〔パレスチナ自治区〕
死海
Dead Sea
ポートサイド
Port Said
スエズ運河
イスマイリーヤ
ベエルシェヴァ
カラク
クライヤート
ヨルダン・ハシェミット王国
HASHEMITE KINGDOM OF JORDAN
スエズ
Suez
ペトラ
マアーン
シナイ半島
Sinai
アカバ
Aqaba
サカーカ
ジョウフ
AL JAWF
スエズ湾
アカバ湾
カトリーナ山
タブーク
Tabūk
シャルムアルシェイク
エジプト・アラブ共和国
ARAB REPUBLIC OF EGYPT
シャルキーヤ砂漠
アラビア高原
ヒジャーズ
ハーイル
HĀ'IL
アル・ヒジュル古代遺跡
ネフド
紅海
Red Sea
メディナ(マディーナ)
MEDINA (AL MADĪNAH)
ヤンブー
ジッダ
JIDDAH
メッカ(マッカ)
MECCA (MAKKAH)
おもな工業
鉄鋼
石油精製
化学
電気機械
電子機器
繊維
AH1 アジアハイウェイ
この図の範囲

① 中東要部
1:7 100 000
0 50 100km
ランベルト正積方位図法
(面積が正しく、全体としてひずみが小さい。)
土地利用と植生
畑作地
稲作地
草地・牧草地
砂漠
陸高と水深(m)
森林・その他
水部
5000
4000
3000
2000
1000
500
200
0
200
1000
2000
外来河川
イラン・イスラム共和国
ISLAMIC REPUBLIC OF IRAN
イラク共和国
REPUBLIC OF IRAQ
クウェート国
STATE OF KUWAIT
サウジアラビア王国
KINGDOM OF SAUDI ARABIA
バーレーン王国
KINGDOM OF BAHRAIN
カタール国
STATE OF QATAR
アラブ首長国連邦
UNITED ARAB EMIRATES
オマーン国
SULTANATE OF OMAN
エルブールズ山脈
ザグロス山脈
イラン高原
Plat. of Iran
ペルシア
Persia
ペルシア湾
Persian Gulf
ホルムズ海峡
Str. of Hormuz
カスピ海
Caspian Sea
ナマク湖
Dar. Namak
アラビア半島
Arabian Pen.
ルブアルハリ砂漠
Ar Rub' al Khālī
ダフナー砂漠
トゥワイク山脈
ハサー
Al Hasā'
北回帰線
テヘラン
TEHRĀN
イスファハーン
EŞFAHĀN
シーラーズ
SHĪRĀZ
コム
QOM
ハマダーン
HAMADĀN
ケルマンシャー
KERMĀNSHĀH
アフワーズ
AHVĀZ
アバダン
Ābādān
ヤズド
YAZD
ケルマーン
KERMĀN
バンダレアッバース
Bandar-e 'Abbās
ブーシェル
BŪSHEHR
バグダッド
BAGHDAD
バスラ
AL BAŞRAH
モスル
MOSUL
アルビール
ARBIL
キルクーク
Kirkūk
ナジャフ
An Najaf
カルバラー
KARBALĀ'
クウェート
KUWAIT
リヤド
RIYADH
ダンマン
Ad Dammām
ジュベイル
Al Jubayl
ダーラン
Dhahran
マナーマ
MANAMA
ドーハ
DOHA
ドバイ
DUBAYY
アブダビ
ABU DHABI
ブライダ
Buraydah
ウナイザ
'Unayzah
ホフーフ
Al Hufūf
ハルジ
Al Kharj
ペトロライン
トランスアラビアンパイプライン
(タップライン)(送油停止中)
ペルセポリス
ベヒストゥーン碑文
ダマーヴァンド山
5670
ザルドクー山
4548
シール山
4074
ディナール山
4432
サウスパース
South Pars

1 アフリカ
1：35 000 000
0 200 400 600 800 1000km
ランベルト正積方位図法
(面積が正しく,全体としてひずみが小さい。)
この図の範囲
グリーンランド〔デ〕 Greenland
グリーンランド海 Greenland Sea
スヴァールバル諸島〔ノ〕 Svalbard
北極海 ARCTIC OCEAN
バレンツ海 Barents Sea
ノヴァヤゼムリャ Novaya Zemlya
カラ海 Kara Sea
ヤマル半島
北シベリア低地
西シベリア低地 Zap. Sibirskaya Ravnina
エニセイ川 Yenisey
オビ川 Ob'
デンマーク海峡 Denmark Str.
流氷の限界
北極圏
アイスランド ICELAND
レイキャビク REYKJAVIK
ノルウェー海 Norwegian Sea
フェロー諸島〔デ〕
シェトランド諸島〔イ〕
オークニー諸島〔イ〕
グレートブリテン島
ノルウェー NORWAY
オスロ OSLO
スウェーデン SWEDEN
ストックホルム STOCKHOLM
フィンランド FINLAND
ヘルシンキ HELSINKI
ラップランド Lappland
コラ半島
ムルマンスク
アルハンゲリスク
ロシア連邦 RUSSIAN FEDERATION
ウラル山脈
東ヨーロッパ平原
サンクトペテルブルク SANKT PETERBURG
モスクワ MOSKVA
ニジニーノヴゴロド NIZHNIY NOVGOROD
エカテリンブルク YEKATERINBURG
チェリャビンスク CHELYABINSK
オムスク OMSK
ノヴォシビルスク NOVOSIBIRSK
アスタナ ASTANA
カザフステップ Kazakh Steppe
カザフスタン KAZAKHSTAN
カスピ海沿岸低地
北海 North Sea
イギリス UNITED KINGDOM
アイルランド IRELAND
ダブリン DUBLIN
ロンドン LONDON
デンマーク DENMARK
コペンハーゲン COPENHAGEN
エストニア ESTONIA
ラトビア LATVIA
リトアニア LITHUANIA
ロシア(飛地)
ベラルーシ BELARUS
ミンスク MINSK
ポーランド POLAND
ワルシャワ WARSZAWA
アムステルダム AMSTERDAM
オランダ NETHERLANDS
ドイツ GERMANY
ベルリン BERLIN
ハンブルク HAMBURG
ベルギー BELGIUM
ブリュッセル BRUXELLES
パリ PARIS
フランス FRANCE
ビスケー湾 Bay of Biscay
チェコ CZECH REPUBLIC
プラハ PRAHA
ウクライナ UKRAINE
キーウ (キエフ) KYIV
ハルキウ KHARKIV
スロバキア SLOVAKIA
ウィーン WIEN
オーストリア AUSTRIA
スイス SWITZERLAND
アルプス山脈 Alps
ミュンヘン MUNCHEN
ミラノ MILANO
ハンガリー HUNGARY
ブダペスト BUDAPEST
ルーマニア ROMANIA
ブカレスト BUCHAREST
カルパティア山脈
モルドバ MOLDOVA
オデーサ ODESA
クロアチア CROATIA
セルビア SERBIA
ベオグラード BEOGRAD
ブルガリア BULGARIA
ソフィア SOFIA
黒海 Black Sea
ロストフ ROSTOV-NA-DONU
ヴォルゴグラード VOLGOGRAD
カフカス山脈
ジョージア GEORGIA
トビリシ TBILISI
アゼルバイジャン AZERBAIJAN
バクー BAKU
アルメニア ARMENIA
エレバン YEREVAN
ウズベキスタン UZBEKISTAN
カラクーム砂漠
トルクメニスタン TURKMENISTAN
アシガバット ASHGABAT
アゾレス諸島〔ポ〕 Arq. dos Açores
ポルトガル PORTUGAL
リスボン LISBON
スペイン SPAIN
マドリード MADRID
バルセロナ BARCELONA
イタリア ITALY
ローマ ROMA
ナポリ
ティレニア海 Tyrrhenian Sea
アルバニア ALBANIA
ギリシャ GREECE
アテネ ATHINA
イスタンブール ISTANBUL
アンカラ ANKARA
トルコ TURKEY
イズミル IZMIR
キプロス CYPRUS
ニコシア NICOSIA
地中海 MEDITERRANEAN SEA
ジブラルタル海峡 Str. of Gibraltar
アルジェ ALGER
チュニス TUNIS
チュニジア共和国 REPUBLIC OF TUNISIA
マルタ MALTA
バレッタ VALLETTA
トリポリ TRIPOLI
アトラス山脈 Atlas Mts.
ラバト RABAT
カサブランカ CASABLANCA
モロッコ王国 KINGDOM OF MOROCCO
マデイラ諸島〔ポ〕 Madeira
カナリア諸島〔ス〕 Is. Canarias
西サハラ WESTERN SAHARA
アルジェリア民主人民共和国 PEOPLE'S DEMOCRATIC REPUBLIC OF ALGERIA
イギディ砂漠 Erg Iguidi
アハガル高原 Ahaggar
リビア LIBYA
リビア砂漠 Libyan Des.
フェザン Fezzan
ベンガジ
アレクサンドリア ALEXANDRIA
カイロ CAIRO
ギーザ AL GIZA
エジプト・アラブ共和国 ARAB REPUBLIC OF EGYPT
ヌビア砂漠 Nubian Des.
ティベスティ高原 Tibesti
サハラ砂漠 Sahara
モーリタニア・イスラム共和国 ISLAMIC REPUBLIC OF MAURITANIA
ヌアクショット NOUAKCHOTT
マリ共和国 REPUBLIC OF MALI
ニジェール共和国 REPUBLIC OF NIGER
チャド共和国 REPUBLIC OF CHAD
スーダン共和国 THE REPUBLIC OF THE SUDAN
ハルツーム KHARTOUM
オムドゥルマン OMDURMAN
エリトリア国 STATE OF ERITREA
アスマラ ASMARA
カーボベルデ共和国 REPUBLIC OF CABO VERDE
セネガル共和国 REPUBLIC OF SENEGAL
ダカール DAKAR
ガンビア共和国 REPUBLIC OF THE GAMBIA
バマコ BAMAKO
ニアメ NIAMEY
ブルキナファソ BURKINA FASO
ワガドゥグー
ナイジェリア
大西洋 ATLANTIC OCEAN
北回帰線
シリア SYRIA
ダマスカス DAMASCUS
レバノン LEBANON
ベイルート BEIRUT
イスラエル ISRAEL
エルサレム JERUSALEM
ヨルダン JORDAN
アンマン AMMAN
イラク IRAQ
バグダッド BAGHDAD
イラン IRAN
テヘラン TEHRAN
エルブールズ山脈
ザグロス山脈
イラン高原 Plat. of Iran
ルート砂漠
クウェート KUWAIT
バーレーン BAHRAIN
マナーマ MANAMA
カタール QATAR
ドーハ DOHA
アラブ首長国連邦 UNITED ARAB EMIRATES
アブダビ ABU DHABI
ドバイ DUBAYY
オマーン OMAN
マスカット MUSCAT
サウジアラビア SAUDI ARABIA
リヤド RIYADH
ネフド砂漠 An Nafud
ルブアルハリ砂漠 Ar Rub' al Khali
アラビア半島 Arabian Pen.
メッカ MECCA
メディナ MEDINA
ジッダ JIDDAH
イエメン YEMEN
サヌア SAN'A
アデン
ソコトラ島 Socotra

読図 アフリカ諸国の国境線の特徴を，ヨーロッパ諸国の国境線と比較して読み取ろう。また，その理由を考えてみよう。

① アフリカ北部
1：21 000 000
0 200 400 600km
ランベルト正積方位図法
(面積が正しく、全体としてひずみが小さい。)
この図の範囲
北回帰線
アルジェリア民主人民共和国
PEOPLE'S DEMOCRATIC REPUBLIC OF ALGERIA
モロッコ王国
KINGDOM OF MOROCCO
チュニジア共和国
REPUBLIC OF TUNISIA
西サハラ
WESTERN SAHARA
モーリタニア・イスラム共和国
ISLAMIC REPUBLIC OF MAURITANIA
マリ共和国
REPUBLIC OF MALI
ニジェール共和国
REPUBLIC OF NIGER
カーボベルデ共和国
REPUBLIC OF CABO VERDE
セネガル共和国
REPUBLIC OF SENEGAL
ガンビア共和国
REPUBLIC OF THE GAMBIA
ギニアビサウ共和国
REPUBLIC OF GUINEA-BISSAU
ギニア共和国
REPUBLIC OF GUINEA
シエラレオネ共和国
REPUBLIC OF SIERRA LEONE
リベリア共和国
REPUBLIC OF LIBERIA
コートジボワール共和国
REPUBLIC OF CÔTE D'IVOIRE
ブルキナファソ
BURKINA FASO
ガーナ共和国
REPUBLIC OF GHANA
トーゴ共和国
REPUBLIC OF TOGO
ベナン共和国
REPUBLIC OF BENIN
ナイジェリア連邦共和国
FEDERAL REPUBLIC OF NIGERIA
カメルーン共和国
REPUBLIC OF CAMEROON
赤道ギニア共和国
REPUBLIC OF EQUATORIAL GUINEA
サントメ・プリンシペ民主共和国
DEMOCRATIC REPUBLIC OF SÃO TOMÉ AND PRÍNCIPE
ガボン共和国
GABONESE REPUBLIC
アンゴラ共和国
REPUBLIC OF ANGOLA
サハラ
アトラス山脈
マグレブ
ギニア湾
Gulf of Guinea
大西洋
ギニア湾岸平野
水深(m)
0
200
1000
2000
4000
読図 耕地が広がっている地域は、どのような気候だろうか、p.141 ①図と比較して読み取ろう。
土地利用と植生
耕地
草地
サバナ
熱帯林
その他の森林
マングローブ
砂漠
国立公園
(赤文字)
地名 ヨーロッパ人が名づけたおもな地域名
おもな工業
金属
機械
化学
石油精製
繊維
木材・パルプ
食品
自動車
② サヘルの砂漠化と人口集中
サハラ砂漠
干ばつの危険のある地域
サヘル
ヌアクショット
ダカール
バマコ
マリ
ワガドゥグー
ブルキナファソ
ニアメ
カノ
ナイジェリア
アブジャ
コナクリ
フリータウン
モンロビア
アビジャン
アクラ
ロメ
ラゴス
ヤウンデ
ギニア湾
1：50 000 000
0 500km
砂漠化の進行
非常に進行
進行
中程度
おもな都市(赤記号は首都)
50万～100万人
100万～300万人
300万人以上
[Seydlitz Weltatlas]

ギリシャ
GREECE
アテネ
ATHINA
イズミル
IZMIR
トルコ
TURKEY
コンヤ
KONYA
ガジアンテップ
GAZIANTEP
アンタルヤ
ANTALYA
アダナ
ADANA
ハラブ(アレッポ)
HALAB (ALEPPO)
モスル
MOSUL
キルクーク
Kirkuk
タブリーズ
TABRIZ
エルブールズ山脈
テヘラン
TEHRAN
カラジ
KARAJ
マシュハド
MASHHAD
ヘラート
Herat
イラクリオン
Irakleio
ロードス島
Rodos
クレタ島
Kriti
キプロス
CYPRUS
ニコシア
NICOSIA
シリア
SYRIA
パルミラ
レバノン
LEBANON
ベイルート
BEIRUT
ダマスカス
DAMASCUS
メソポタミア
Mesopotamia
ユーフラテス川
Euphrates
バグダッド
BAGHDAD
イラク
IRAQ
ヒッラ
Hillah
コム
QOM
ケルマンシャー
Kermanshah
イラン
IRAN
イスファハーン
ESFAHAN
イマーム広場
ペルシア
Persia
イラン高原
Plat. of Iran
ヤズド
Yazd
ケルマーン
Kerman
ビールジャンド
Birjand
地中海
MEDITERRANEAN SEA
ベイダー
Al Bayda'
ダルナ
Darnah
ベンガジ
Banghazi
クーリナの古代遺跡
トブルク
Tubruq
サッルーム
As Sallum
シドラ湾
Khalij Surt
アジュダービヤー
Ajdabiya
シドラ
As Sidrah
キレナイカ
Cyrenaica
アマル
Amal
アレクサンドリア
ALEXANDRIA
ポートサイド
Port Said
イスラエル
ISRAEL
エルサレム
JERUSALEM
パレスチナ
アンマン
AMMAN
シリア砂漠
Syrian Des.
ヨルダン
JORDAN
ジョウフ
Al Jawf
ナーシリーヤ
An Nasiriyah
バスラ
AL BASRAH
アフワーズ
AHVAZ
アバダン
Abadan
ザグロス山脈
シーラーズ
SHIRAZ
ペルセポリス
リビア高地
Libyan Plat.
カイロ
CAIRO
ギーザ
AL GIZA
カッタラ窪地
Qattara Dep.
スエズ
Suez
スエズ運河
シナイ半島
Sinai
カトリーナ山
G. Katherina
アカバ
Aqaba
サカーカ
Sakakah
クウェート
KUWAIT
ブーシェル
Bushehr
ペルシア湾
バンダレアッバース
Bandar-e Abbas
ジャグブーブ
Al Jaghbub
ファイユーム
Al Faiyum
ピラミッド地帯
ネフド砂漠
(ナフード)
An Nafud
バハリーヤ
Bahriyah
ミニア
Al Minya
ゼルテン
Zaltan
サマ
Samah
サリール
Sarir
リビア砂漠
Libyan Des.
アシュート
Asyut
ドゥバー
Duba
アラビア高原
Arabian Plat.
ヒジャーズ
ハーイル
Ha'il
ブライダ
Buraydah
ウナイザ
Unayzah
バーレーン
BAHRAIN
マナーマ
MANAMA
ダンマーム
Ad Dammam
カタール
QATAR
ドーハ
DOHA
ドバイ
DUBAYY
オマーン(飛地)
アブダビ
ABU DHABI
アラブ首長国連邦
UNITED ARAB EMIRATES
マスカット
MUSCAT
イブリー
Ibri
アル・アインの古代遺跡群
リビア
LIBYA
エジプト・アラブ共和国
ARAB REPUBLIC OF EGYPT
ケナー
Qena
カルナック神殿
ルクソル
Luxor
クサイル
Quseir
リヤド
RIYADH
ホフーフ
Al Hufuf
ハラド
Harad
クフラオアシス
Al Kufrah Oasis
ジャウフ
Al Jawf
アスワン
Aswan
アスワンハイダム
Aswan High D.
ナセル湖
L. Nasser
イシス神殿
ヤンブー
Yanbu' al Bahr
メディナ(マディーナ)
MEDINA (AL MADINAH)
サウジアラビア
SAUDI ARABIA
ダフナー砂漠
ライラー
Layla
砂漠
漠
北回帰線
ウェイナット山
J. Uweinat
1893
アブシンベル神殿
ワディハルファ
Wadi Halfa
メッカ(マッカ)
MECCA (MAKKAH)
ジッダ
JIDDAH
ターイフ
At Ta'if
ルブアルハリ砂漠
Ar Rub' al Khali
ティベスティ高原
Tibesti
エミクシ山
Emi Koussi
3415
ヌビア砂漠
Nubian Des.
オダ山
J. Oda
2259
ポートスーダン
Bur Sudan (Port Sudan)
アラビア半島
Arabian Pen.
オマーン
OMAN
アブー・ハマド
Abu Hamad
ドンゴラ
Dongola
ゲベルバルカルとナパタ遺跡
クレイマ
Kurayman
紅海
Red Sea
アブハー
Abha
ハミースムシャイト
Khamis Mushayt
サビヤ
Sabya
ジーザーン
Jizan
ズファール
Zufar
サラーラ
Salalah
ファヤ ラルジョー
Faya Largeau
スーダン共和国
THE REPUBLIC OF THE SUDAN
アトバラ
Atbara
ダーメル
Ad Damer
ハイヤ
Haiya
ダフラク諸島
Dahlak Arch.
ハドラマウト
Hadhramaut
エネディ高原
Massif Ennedi
エリトリア国
STATE OF ERITREA
マッサワ
Massawa
ナビーシュアイブ山
J. an Nabi Shu'ayb
3760
サヌア
SAN'A
シバームの旧城壁都市
タリーム
Tarim
ファルタク岬
Ra's Fartak
キシン
Qishn
チャド共和国
REPUBLIC OF CHAD
オムドゥルマン
OMDURMAN
ハルツーム
KHARTOUM
ホワイトナイル川
White Nile
カッサラ
Kassala
アスマラ
ASMARA
2325
カマラーン島
Kamaran
フダイダ
Al Hudaydah
イエメン
YEMEN
ムカッラー
Al Mukalla
ダールフール
Darfur
ファーシル
Al Fashir
ゲジラ
Al Gezira
ワドメダニ
Wad Medani
センナール
Sennar
アクスム
シミエン国立公園
メケレ
Mek'ele
ソコトラ島
Socotra
グワルダフイ岬
Cape Guardafui
マッラ山
J. Marra
3042
アベシェ
Abeche
オベイド
Al Obeid
ラスダシャン山
Ras Dashen
4533
アファル低地
Afar Dep.
アッサブ
Assab
モカ
Mocha
アデン
Aden
アデン湾
G. of Aden
アブドゥルクーリー島
Abd al Kuri
ナフード
An Nahud
コスティ
Kosti
ゴンダール
Gonder
ラリベラの岩の教会群
タナ湖
L. Tana
ジブチ共和国
REPUBLIC OF DJIBOUTI
ジブチ
DJIBOUTI
バブエルマンデブ海峡
ニャラ
Nyala
ブルーナイル川
Blue Nile
エチオピア連邦民主共和国
FEDERAL DEMOCRATIC REPUBLIC OF ETHIOPIA
アワシュ川下流域
デセ
Dese
ベルベラ
Berbera
ソマリア半島
Somalia Pen.
ハーフーン岬
Raas Xaafuun
アムティマン
Am Timan
ビラオ
Birao
アビエイ
Abyei
マノヴォグンダサンフローリス国立公園
サール
Sarh
マラカル
Malakal
スッド
Sudd
ジョングレイ運河
アディスアベバ
ADDIS ABABA
2354
ディレダワ
Dire Dawa
ハラール
Harer
ハルゲイサ
Hargeysa
ヌガル
Nugaal
エチオピア高原
Ethiopian Plat.
バミンギバンゴラン国立公園
ワウ
Wau
カッファ
Kaffa
オガデン
Ogaden
ブリア
Bria
ボッサンゴア
Bossangoa
中央アフリカ共和国
CENTRAL AFRICAN REPUBLIC
ルンベック
Rumbek
南スーダン共和国
THE REPUBLIC OF SOUTH SUDAN
ホブヨ
Hobyo
バンバリ
Bambari
バンガスー
Bangassou
ジュバ
JUBA
460
オモ川下流域
ドロオド
Dolo Odo
ベレドウェイネ
Beledweyne
ソマリア連邦共和国
FEDERAL REPUBLIC OF SOMALIA
バンギ
BANGUI
ウエレ川
Uele
ガランバ国立公園
トゥルカナ湖
L. Turkana
トゥルカナ湖国立公園
ゲメナ
Gemena
ボンド
Bondo
ウガンダ共和国
REPUBLIC OF UGANDA
マルサビット
Marsabit
キバリ
Kibali
アケティ
Aketi
ブンバ
Bumba
オカピ野生生物保護区
ムンベレ
コンゴ川
Congo
イトゥリの森
Ituri Forest
ルウェンゾリ山地国立公園
エルゴン山
Mt. Elgon
4321
ケニア共和国
REPUBLIC OF KENYA
モガディシュ
MOGADISHU
インド洋
INDIAN OCEAN
キサンガニ
Kisangani
ヴィルンガ国立公園
カンパラ
KAMPALA
オーウェンフォールズダム
Owen Falls D.
ナクル
Nakuru
キリニャガ(ケニア)山
Kirinyaga (Mt. Kenya)
5199
ムバンダカ
Mbandaka
ボヨマ滝
Boyoma Falls
(スタンリー)
エンテベ
Entebbe
キスム
Kisumu
1134
-84
ヴィクトリア湖
L. Victoria
ケニア山国立公園
赤道
キスマヨ
Kismaayo
コンゴ盆地
Congo Basin
カフジビエガ国立公園
マサイマラ国立保護区
ナイロビ
NAIROBI
1624
ゴマ
Goma
キヴ湖
L. Kivu
キガリ
KIGALI
ルワンダ共和国
REPUBLIC OF RWANDA
セレンゲティ国立公園
ラム旧市街
マインドンベ湖
L. Mai-Ndombe
サロンガ国立公園
キンドゥ
Kindu
ブカヴ
Bukavu
ブルンジ共和国
REPUBLIC OF BURUNDI
ブジュンブラ
BUJUMBURA
ムワンザ
Mwanza
ゲイタ
Geita
ンゴロンゴロ保全地域
オルドバイ渓谷
メルー山
Mt. Meru
4565
アルーシャ
Arusha
キリマンジャロ山
Kilimanjaro
キリマンジャロ国立公園
モシ
Moshi
マリンディ
Malindi
モンバサ
Mombasa
セーシェル共和国
REPUBLIC OF SEYCHELLES
マーエ島
Mahe
ビクトリア
VICTORIA
カサイ川
Kasai
イレボ
Ilebo
キクウィット
Kikwit
518
コンゴ民主共和国
DEMOCRATIC REPUBLIC OF THE CONGO
シニャンガ
Shinyanga
タンガニーカ湖
L. Tanganyika
キゴマ
Kigoma
マサイ草原
Masai Steppe
ペンバ島
Pemba I.
タンガ
Tanga
ザンジバル島
Zanzibar I.
ザンジバル
Zanzibar
カナンガ
Kananga
633
ムブジマイ
MBUJI MAYI
チカパ
Tshikapa
コンゴロ
Kongolo
カバロ
Kabalo
カレミエ
Kalemie
タボラ
Tabora
ムパンダ
Mpanda
ドドマ
Dodoma
1119
タンザニア連合共和国
UNITED REPUBLIC OF TANZANIA
ダルエスサラーム
DAR ES SALAAM
アミラント諸島
Amirante Is.
セーシェル諸島
Seychelles
ダンドロ
Dundo
カタンガ(シャバ)
Katanga (Shaba)
カミナ
Kamina
ムウェル湖
Mweru
ルクワ湖
L. Rukwa
773
1471
セルース鳥獣保護区
マフィア島
Mafia I.
キルワキシワニ遺跡
大地溝帯
20°
30°
40°
50°
60°
10°
0°
F
G
H
I
J
①
②
③
④
⑤

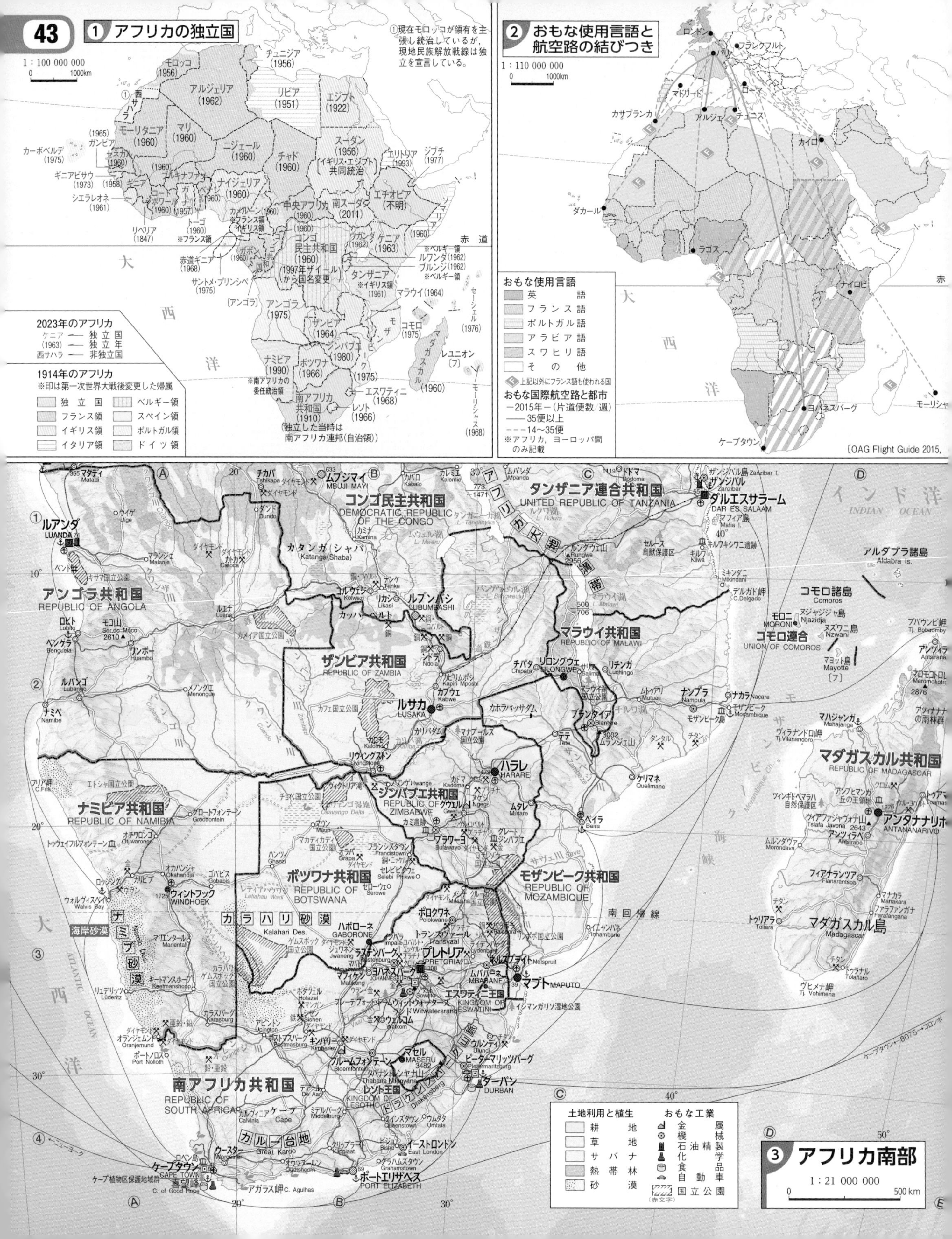

43
① アフリカの独立国
1：100 000 000
0 1000km
①現在モロッコが領有を主張し統治しているが，現地民族解放戦線は独立を宣言している。
チュニジア (1956)
モロッコ (1956)
アルジェリア (1962)
リビア (1951)
エジプト (1922)
西サハラ
モーリタニア (1960)
マリ (1960)
ニジェール (1960)
チャド (1960)
スーダン (1956) (イギリス・エジプト共同統治)
エリトリア (1993)
ジブチ (1977)
カーボベルデ (1975)
(1965) ガンビア
セネガル (1960)
ギニアビサウ (1973)
ギニア (1958)
ブルキナファソ (1960)
ナイジェリア (1960)
エチオピア (不明)
シエラレオネ (1961)
コートジボワール (1960)
ガーナ (1957)
ベナン (1960)
リベリア (1847)
トーゴ (1960) ※フランス領
カメルーン (1960) ※フランス領 ※イギリス領
中央アフリカ (1960)
南スーダン (2011)
ソマリア (1960)
赤道
赤道ギニア (1968)
ガボン (1960)
コンゴ民主共和国 (1960) (1997年ザイールから国名変更)
ウガンダ (1962)
ケニア (1963)
※ベルギー領 ルワンダ (1962)
ブルンジ (1962) ※ベルギー領
サントメ・プリンシペ (1975)
タンザニア ※イギリス領 (1961)
大西洋
〔アンゴラ〕
アンゴラ (1975)
マラウイ (1964)
セーシェル (1976)
ザンビア (1964)
モザンビーク (1975)
コモロ (1975)
マダガスカル (1960)
ジンバブエ (1980)
ナミビア (1990) ※南アフリカの委任統治領
ボツワナ (1966)
レユニオン〔フ〕
南アフリカ共和国 (1910)
エスワティニ (1968)
レソト (1966)
(独立した当時は南アフリカ連邦(自治領))
モーリシャス (1968)
2023年のアフリカ
ケニア — 独立国
(1963) — 独立年
西サハラ — 非独立国
1914年のアフリカ
※印は第一次世界大戦後変更した帰属
独立国 / ベルギー領
フランス領 / スペイン領
イギリス領 / ポルトガル領
イタリア領 / ドイツ領
② おもな使用言語と航空路の結びつき
1：110 000 000
0 1000km
ロンドン
フランクフルト
パリ
マドリード
ローマ
カサブランカ
アルジェ
チュニス
カイロ
ダカール
ラゴス
ナイロビ
ヨハネスバーグ
ケープタウン
モーリシャス
大西洋
赤
おもな使用言語
英語
フランス語
ポルトガル語
アラビア語
スワヒリ語
その他
上記以外にフランス語も使われる国
おもな国際航空路と都市
－2015年－(片道便数/週)
35便以上
14～35便
※アフリカ，ヨーロッパ間のみ記載
〔OAG Flight Guide 2015，
③ アフリカ南部
1：21 000 000
0 500km
コンゴ民主共和国 DEMOCRATIC REPUBLIC OF THE CONGO
タンザニア連合共和国 UNITED REPUBLIC OF TANZANIA
アフリカ大地溝帯
インド洋 INDIAN OCEAN
アンゴラ共和国 REPUBLIC OF ANGOLA
ザンビア共和国 REPUBLIC OF ZAMBIA
マラウイ共和国 REPUBLIC OF MALAWI
コモロ連合 UNION OF COMOROS
モザンビーク共和国 REPUBLIC OF MOZAMBIQUE
ジンバブエ共和国 REPUBLIC OF ZIMBABWE
ナミビア共和国 REPUBLIC OF NAMIBIA
ボツワナ共和国 REPUBLIC OF BOTSWANA
マダガスカル共和国 REPUBLIC OF MADAGASCAR
マダガスカル島 Madagascar
カラハリ砂漠 Kalahari Des.
ナミブ砂漠
海岸砂漠
南アフリカ共和国 REPUBLIC OF SOUTH AFRICA
エスワティニ王国 KINGDOM OF ESWATINI
レソト王国 KINGDOM OF LESOTHO
ドラケンスバーグ山脈 Drakensberg
カルー台地 Great Karoo
モザンビーク海峡 Mozambique Ch.
大西洋 ATLANTIC OCEAN
南回帰線
ルアンダ LUANDA
ルブンバシ LUBUMBASHI
ルサカ LUSAKA
ダルエスサラーム DAR ES SALAAM
リロングウェ LILONGWE
ハラレ HARARE
モロニ MORONI
アンタナナリボ ANTANANARIVO
ウィントフック WINDHOEK
ハボローネ GABORONE
プレトリア PRETORIA
ヨハネスバーグ JOHANNESBURG
マプト MAPUTO
ムババーネ MBABANE
マセル MASERU
ブルームフォンテーン Bloemfontein
ダーバン DURBAN
ケープタウン CAPE TOWN
ポートエリザベス PORT ELIZABETH
イーストロンドン East London
喜望峰 C. of Good Hope
アガラス岬 C. Agulhas
ケープ植物区保護地域群
ザンジバル Zanzibar
キルワキシワニ遺跡
セルース鳥獣保護区
キリマンジャロ
ヴィクトリア滝
オカヴァンゴ湿地 Okavango Delta
ザンベジ川 Zambezi
リンポポ川 Limpopo
オレンジ川 Orange
アルダブラ諸島 Aldabra Is.
コモロ諸島 Comoros
マヨット島 Mayotte〔フ〕
土地利用と植生
耕地
草地
サバナ
熱帯林
砂漠
おもな工業
金属
機械
石油精製
化学
食品
自動車
国立公園 (赤文字)

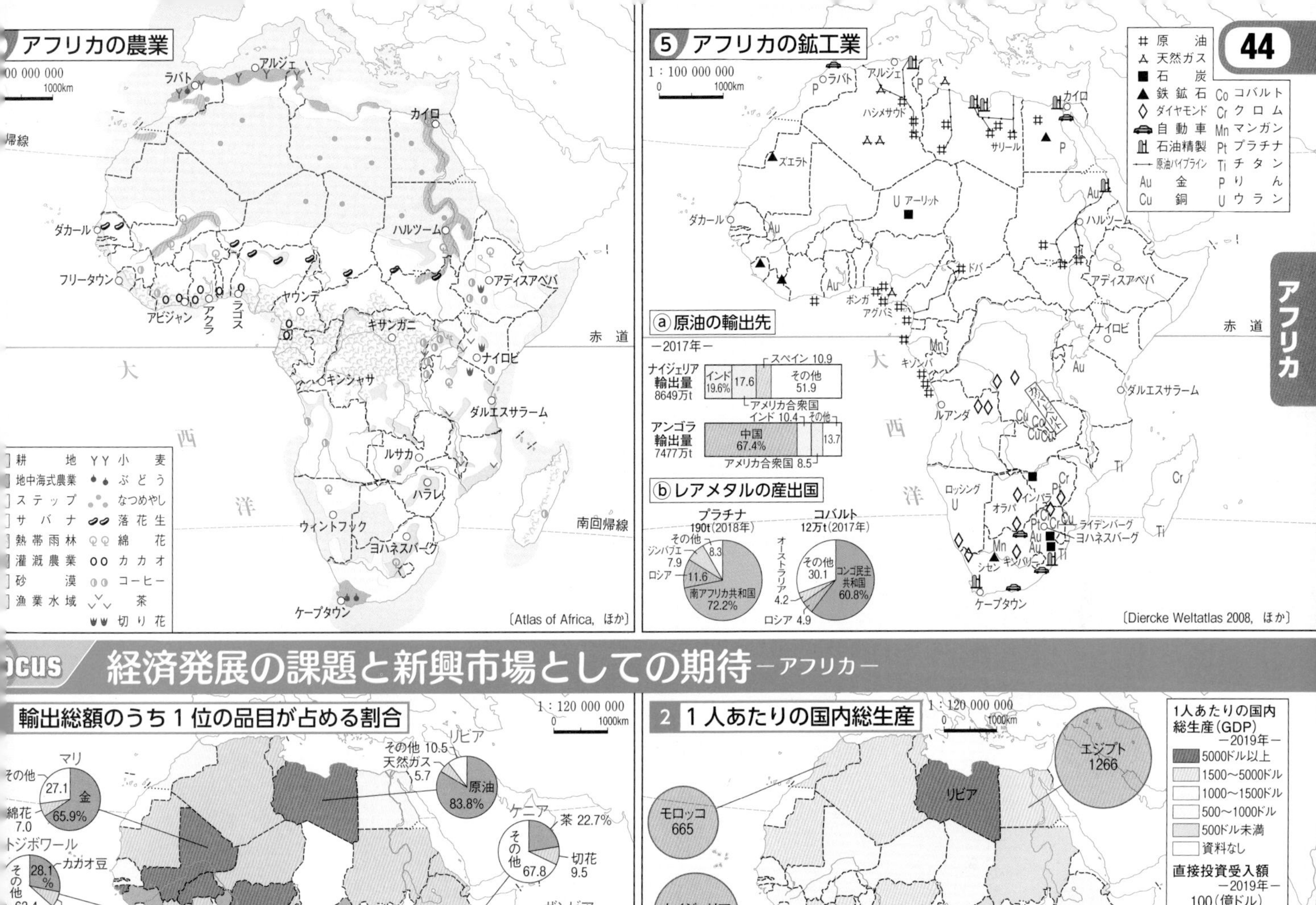
アフリカの農業
1：100 000 000
1000km
ラバト
アルジェ
カイロ
回帰線
ダカール
ハルツーム
フリータウン
アディスアベバ
ヤウンデ
アビジャン
アクラ
ラゴス
キサンガニ
赤道
ナイロビ
キンシャサ
ダルエスサラーム
大
西
洋
ルサカ
ハラレ
ウィントフック
ヨハネスバーグ
南回帰線
ケープタウン
耕地
地中海式農業
ステップ
サバナ
熱帯雨林
灌漑農業
砂漠
漁業水域
小麦
ぶどう
なつめやし
落花生
綿花
カカオ
コーヒー
茶
切り花
〔Atlas of Africa，ほか〕
5 アフリカの鉱工業
1：100 000 000
1000km
原油
天然ガス
石炭
鉄鉱石
ダイヤモンド
自動車
石油精製
原油パイプライン
Au 金
Cu 銅
Co コバルト
Cr クロム
Mn マンガン
Pt プラチナ
Ti チタン
P りん
U ウラン
ラバト
アルジェ
ハシメサウド
カイロ
サリール
ズエラト
アーリット
ダカール
ハルツーム
ドバ
アディスアベバ
ボンガ
アグバミ
ナイロビ
キソンバ
ダルエスサラーム
ルアンダ
カッパーベルト
ロッシング
オラパ
インパラ
ライデンバーグ
ヨハネスバーグ
シセン
キンバリー
ケープタウン
ⓐ原油の輸出先
－2017年－
ナイジェリア輸出量 8649万t
インド 19.6%
17.6
スペイン 10.9
その他 51.9
アメリカ合衆国
アンゴラ輸出量 7477万t
中国 67.4%
インド 10.4
その他 13.7
アメリカ合衆国 8.5
ⓑレアメタルの産出国
プラチナ 190t(2018年)
その他 8.3
ジンバブエ 7.9
ロシア 11.6
南アフリカ共和国 72.2%
コバルト 12万t(2017年)
その他 30.1
コンゴ民主共和国 60.8%
オーストラリア 4.2
ロシア 4.9
〔Diercke Weltatlas 2008，ほか〕

Focus 経済発展の課題と新興市場としての期待－アフリカ－

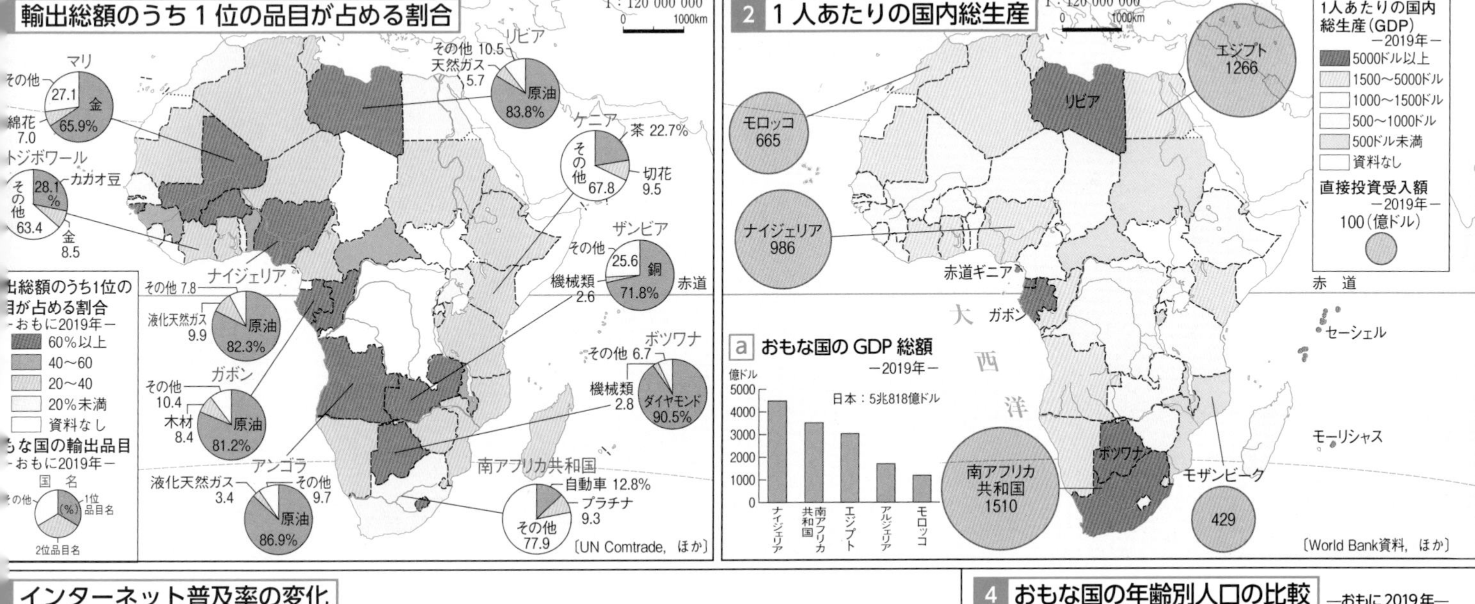
1 輸出総額のうち1位の品目が占める割合
1：120 000 000
1000km
マリ
その他 27.1
金 65.9%
綿花 7.0
コートジボワール
カカオ豆 28.1%
その他 63.4
金 8.5
リビア
その他 10.5
天然ガス 5.7
原油 83.8%
ケニア
茶 22.7%
その他 67.8
切花 9.5
ザンビア
その他 25.6
銅 71.8%
機械類 2.6
ナイジェリア
その他 7.8
液化天然ガス 9.9
原油 82.3%
ガボン
その他 10.4
木材 8.4
原油 81.2%
ボツワナ
その他 6.7
機械類 2.8
ダイヤモンド 90.5%
アンゴラ
液化天然ガス 3.4
その他 9.7
原油 86.9%
南アフリカ共和国
自動車 12.8%
プラチナ 9.3
その他 77.9
赤道
輸出総額のうち1位の品目が占める割合 －おもに2019年－
60%以上
40～60
20～40
20%未満
資料なし
おもな国の輸出品目 －おもに2019年－
国名
その他
1位品目名
(%)
2位品目名
〔UN Comtrade，ほか〕
2 1人あたりの国内総生産
1：120 000 000
1000km
モロッコ 665
エジプト 1266
リビア
ナイジェリア 986
赤道ギニア
ガボン
セーシェル
モーリシャス
ボツワナ
南アフリカ共和国 1510
モザンビーク 429
1人あたりの国内総生産(GDP) －2019年－
5000ドル以上
1500～5000ドル
1000～1500ドル
500～1000ドル
500ドル未満
資料なし
直接投資受入額 －2019年－
100(億ドル)
a おもな国のGDP総額 －2019年－
億ドル
日本：5兆818億ドル
ナイジェリア
南アフリカ共和国
エジプト
アルジェリア
モロッコ
〔World Bank資料，ほか〕

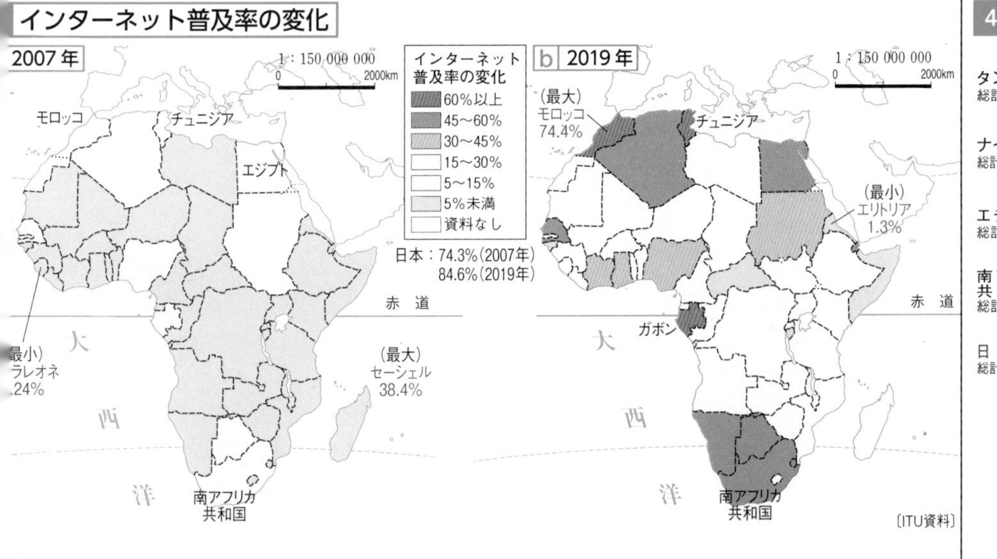
3 インターネット普及率の変化
a 2007年
1：150 000 000
2000km
モロッコ
チュニジア
エジプト
(最小) シエラレオネ 0.24%
(最大) セーシェル 38.4%
南アフリカ共和国
赤道
インターネット普及率の変化
60%以上
45～60%
30～45%
15～30%
5～15%
5%未満
資料なし
日本：74.3%(2007年) 84.6%(2019年)
b 2019年
(最大) モロッコ 74.4%
チュニジア
(最小) エリトリア 1.3%
ガボン
南アフリカ共和国
〔ITU資料〕

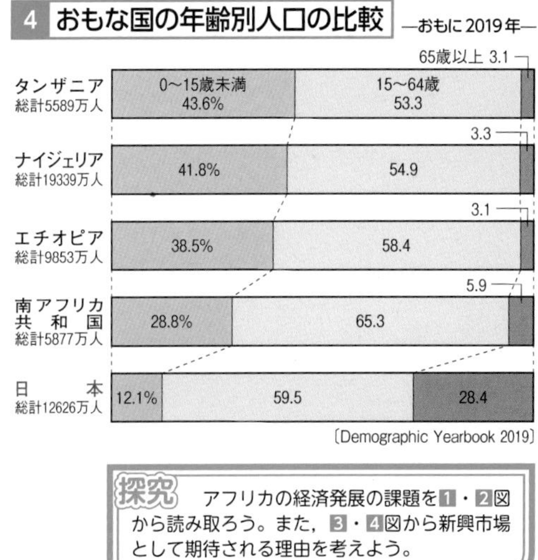
4 おもな国の年齢別人口の比較 －おもに2019年－
65歳以上 3.1
タンザニア 総計5589万人
0～15歳未満 43.6%
15～64歳 53.3
ナイジェリア 総計19339万人
41.8%
54.9
3.3
エチオピア 総計9853万人
38.5%
58.4
3.1
南アフリカ共和国 総計5877万人
28.8%
65.3
5.9
日本 総計12626万人
12.1%
59.5
28.4
〔Demographic Yearbook 2019〕

探究 アフリカの経済発展の課題を1・2図から読み取ろう。また，3・4図から新興市場として期待される理由を考えよう。

45
1 ヨーロッパ
1：16 000 000
0 100 200 300 400km
正距円錐図法
（経線と標準緯線にそった距離が正しい。全体としてひずみが小さい。）
読図 ヨーロッパの国々は，およそ緯度何度から何度の間に位置しているだろうか。
※図中のA Bはp.47②の断面図に対応。
オランダ NETHERLANDS EU加盟国
北海の境界※
※経済的資源を管理する権利などに関する国際的な境界。
2 ヨーロッパの国境の変遷
1：60 000 000
0 1000km
ⓐ 第一次世界大戦前（1914年）
ⓑ 第一次世界大戦後（1938年）
ⓒ 第二次世界大戦後（1949年）
*ⓐ～ⓒ図共通凡例
(共)：共和国
(王)：王国
(公)：公国
(Putzger Historischer Weltatlas)
陸高と水深（m）
4000
3000
2000
1000
500
200
海面下
200
1000
2000
4000
同緯度同縮尺の日本
この図の範囲
大西洋
ATLANTIC OCEAN
ノルウェー海
北海 North Sea
ビスケー湾
地中海 MEDITERRANEAN SEA
リヨン湾
ティレニア海
アイスランド ICELAND
レイキャビク REYKJAVIK
イギリス UNITED KINGDOM
アイルランド IRELAND
ダブリン DUBLIN
ロンドン LONDON
バーミンガム BIRMINGHAM
グレートブリテン島
フランス FRANCE
パリ PARIS
ベルギー BELGIUM
ブリュッセル BRUXELLES
オランダ NETHERLANDS
アムステルダム AMSTERDAM
ルクセンブルク LUXEMBOURG
ドイツ GERMANY
ハンブルク HAMBURG
デンマーク DENMARK
コペンハーゲン COPENHAGEN
ノルウェー NORWAY
オスロ OSLO
スイス SWITZERLAND
ベルン BERN
リヒテンシュタイン
アルプス山脈 Alps
イタリア ITALY
ローマ ROMA
バチカン VATICAN
サンマリノ SAN MARINO
モナコ MONACO
スペイン SPAIN
マドリード MADRID
バルセロナ BARCELONA
アンドラ ANDORRA
ポルトガル PORTUGAL
リスボン LISBON
イベリア半島 Pen. Iberica
ピレネー山脈 Pyrenees
サントラル高地 Massif Central
モロッコ MOROCCO
ラバト RABAT
アルジェリア ALGERIA
アルジェ ALGER
チュニジア TUNISIA
チュニス TUNIS
アトラス山脈 Atlas Mts.
マルタ バレッタ MALTA VALLETTA
サルデーニャ島 Sardegna
コルス島 Corse
シチリア島 Sicilia
バレアレス諸島
フェロー諸島 Føroyar
シェトランド諸島 Shetland Is.
オークニー諸島
ヘブリディーズ諸島
カナリア諸島
マデイラ諸島
ジブラルタル海峡
イギリス海峡
ドーヴァー海峡

バレンツ海
カニン半島
コラ半島
白海
ラップランド
Lappland
スカンディナヴィア山脈
フィンランド
FINLAND
スウェーデン
SWEDEN
ボスニア湾
ヘルシンキ
HELSINKI
ストックホルム
STOCKHOLM
タリン
TALLINN
エストニア
ESTONIA
リガ
RIGA
ラトビア
LATVIA
リトアニア
LITHUANIA
ヴィリニュス
VILNIUS
ロシア連邦
カリーニングラード
ポーランド
POLAND
ワルシャワ
WARSZAWA
ミンスク
MINSK
ベラルーシ
BELARUS
東ヨーロッパ平原
サンクトペテルブルク
SANKT PETERBURG
ムルマンスク
アルハンゲリスク
カレリア共和国
ペトロザヴォーツク
ヴァルダイ丘陵
北ウヴァルイ丘陵
北極圏
ネネツ自治管区
コミ共和国
ウラル山脈
ロシア連邦
RUSSIAN FEDERATION
モスクワ
MOSKVA
ニジニーノヴゴロド
NIZHNIY NOVGOROD
カザン
KAZAN
ペルミ
PERM
エカテリンブルク
YEKATERINBURG
チェリャビンスク
CHELYABINSK
ウファ
UFA
サマーラ
SAMARA
オレンブルク
西シベリア低地
Zap. Sibirskaya Ravnina
オムスク
OMSK
カザフステップ
Kazakh Steppe
カザフスタン
KAZAKHSTAN
中央アジア
Central Asia
ウスチュルト台地
ウズベキスタン
UZBEKISTAN
アラル海
Aral'skoye More
カスピ海沿岸低地
カスピ海
Caspian Sea
アストラハン
ヴォルゴグラード
VOLGOGRAD
プリヴォルガ高地
中央ロシア高地
ヴォロネジ
VORONEZH
ハルキウ
KHARKIV
キーウ（キエフ）
KYIV
ウクライナ
UKRAINE
ドニプロ
DNIPRO
ロストフ
ROSTOV-NA-DONU
オデーサ
ODESA
黒海沿岸低地
アゾフ海
クリム（クリミア）半島
モルドバ
MOLDOVA
キシナウ
CHISINAU
ルーマニア
ROMANIA
ブカレスト
BUCHAREST
カルパティア山脈
トランシルヴァニア山脈
ルーマニア平原
ハンガリー
HUNGARY
ブダペスト
BUDAPEST
ハンガリー平原
スロバキア
SLOVAKIA
ブラチスラバ
BRATISLAVA
クロアチア
CROATIA
セルビア
SERBIA
ベオグラード
BEOGRAD
バルカン半島
Balkan Pen.
ブルガリア
BULGARIA
ソフィア
SOFIA
スターラ山脈
モンテネグロ
MONTENEGRO
コソボ
KOSOVO
北マケドニア
NORTH MACEDONIA
アルバニア
ALBANIA
ギリシャ
GREECE
アテネ
ATHINA
ペロポネソス半島
キクラデス諸島
イオニア海
黒海
Black Sea
イスタンブール
ISTANBUL
アンカラ
ANKARA
トルコ
TURKEY
アナトリア高原
小アジア
Asia Minor
トロス山脈
イズミル
IZMIR
アンタルヤ
ANTALYA
キプロス
CYPRUS
ニコシア
NICOSIA
シリア
SYRIA
ハラブ
HALAB
イラク
IRAQ
バグダッド
BAGHDAD
モスル
MOSUL
ジョージア
GEORGIA
トビリシ
TBILISI
アルメニア
ARMENIA
エレバン
YEREVAN
アゼルバイジャン
AZERBAIJAN
バクー
BAKU
カフカス山脈
Bol'shoy Kavkaz
エルブールズ山脈
イラン
IRAN
テヘラン
TEHRAN
タブリーズ
TABRIZ
イスファハーン
ESFAHAN
トルクメニスタン
TURKMENISTAN
クルディスタン
Kurdistan
ユーフラテス川
Euphrates
ドン川
ヴォルガ川
Volga
ウラル川

① ヨーロッパの鳥瞰図

89 おもな都市の標高

② p.45-46Ⓐ―Ⓑ間の断面図

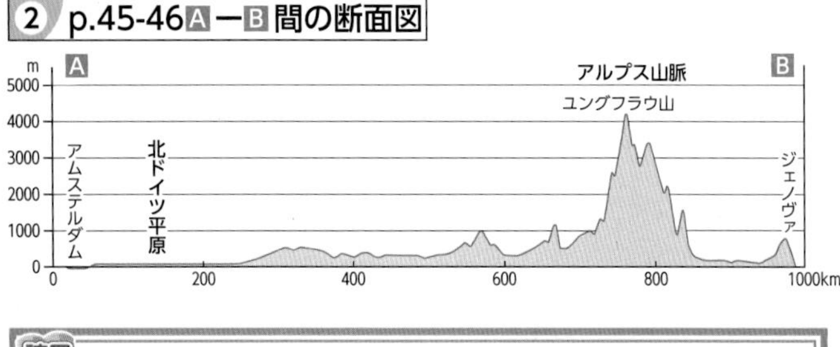

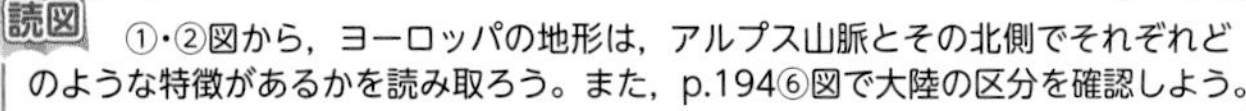
読図 ①・②図から，ヨーロッパの地形は，アルプス山脈とその北側でそれぞれどのような特徴があるかを読み取ろう。また，p.194⑥図で大陸の区分を確認しよう。

③ おもな都市の気温と降水量

T：年平均気温　P：年降水量　〔理科年表 2022〕

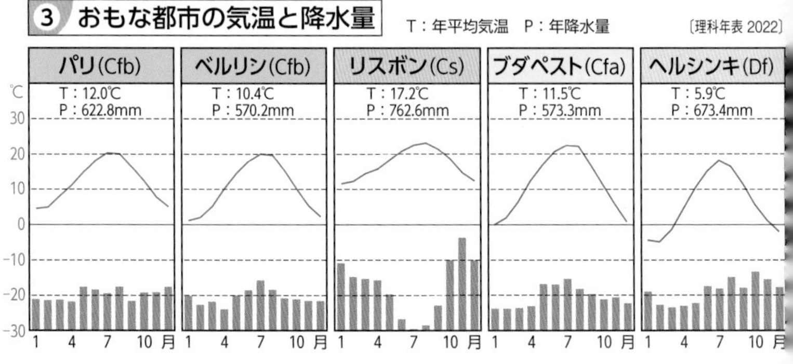

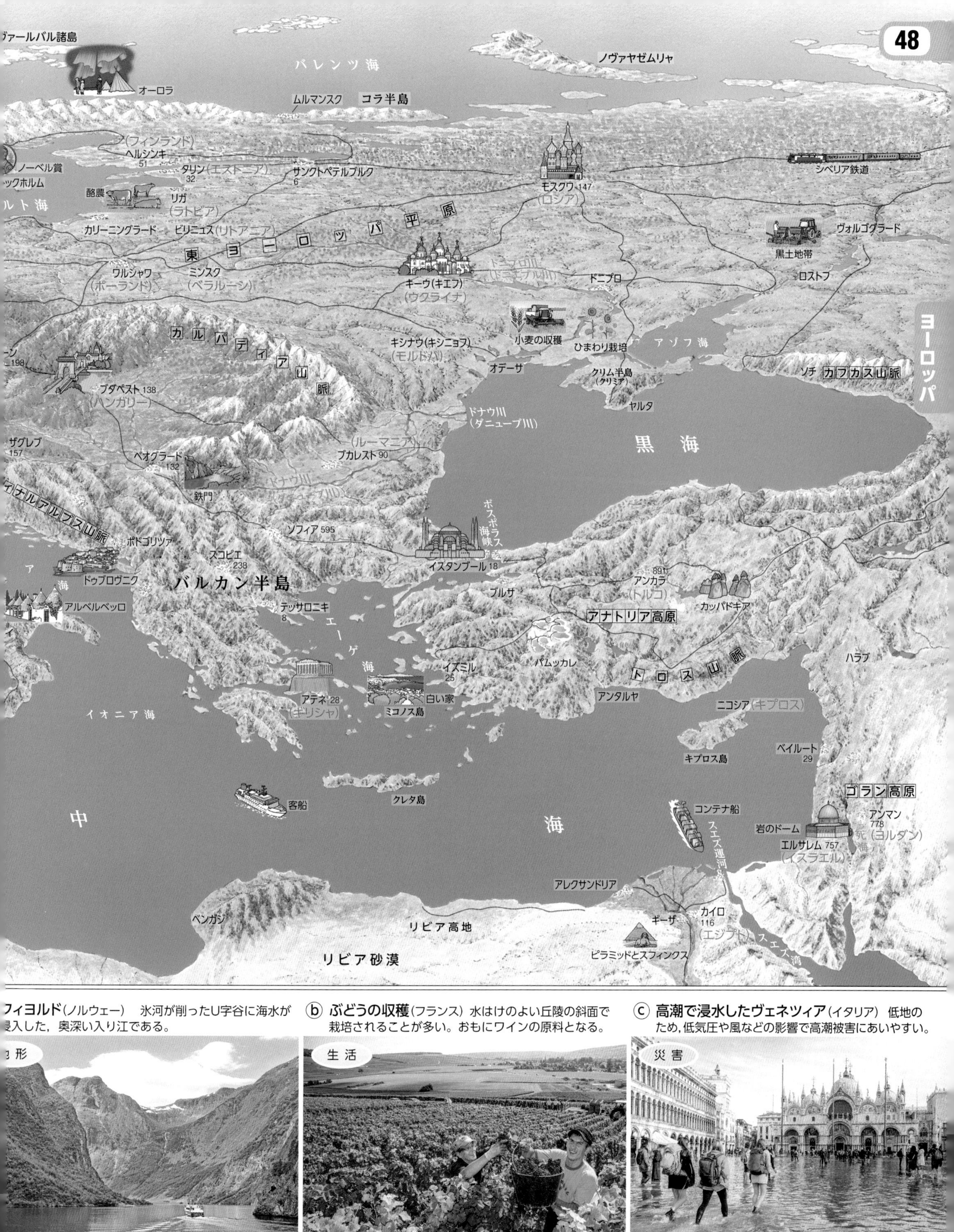

フィヨルド（ノルウェー）　氷河が削ったU字谷に海水が浸入した，奥深い入り江である。

ⓑ ぶどうの収穫（フランス）　水はけのよい丘陵の斜面で栽培されることが多い。おもにワインの原料となる。

ⓒ 高潮で浸水したヴェネツィア（イタリア）　低地のため，低気圧や風などの影響で高潮被害にあいやすい。

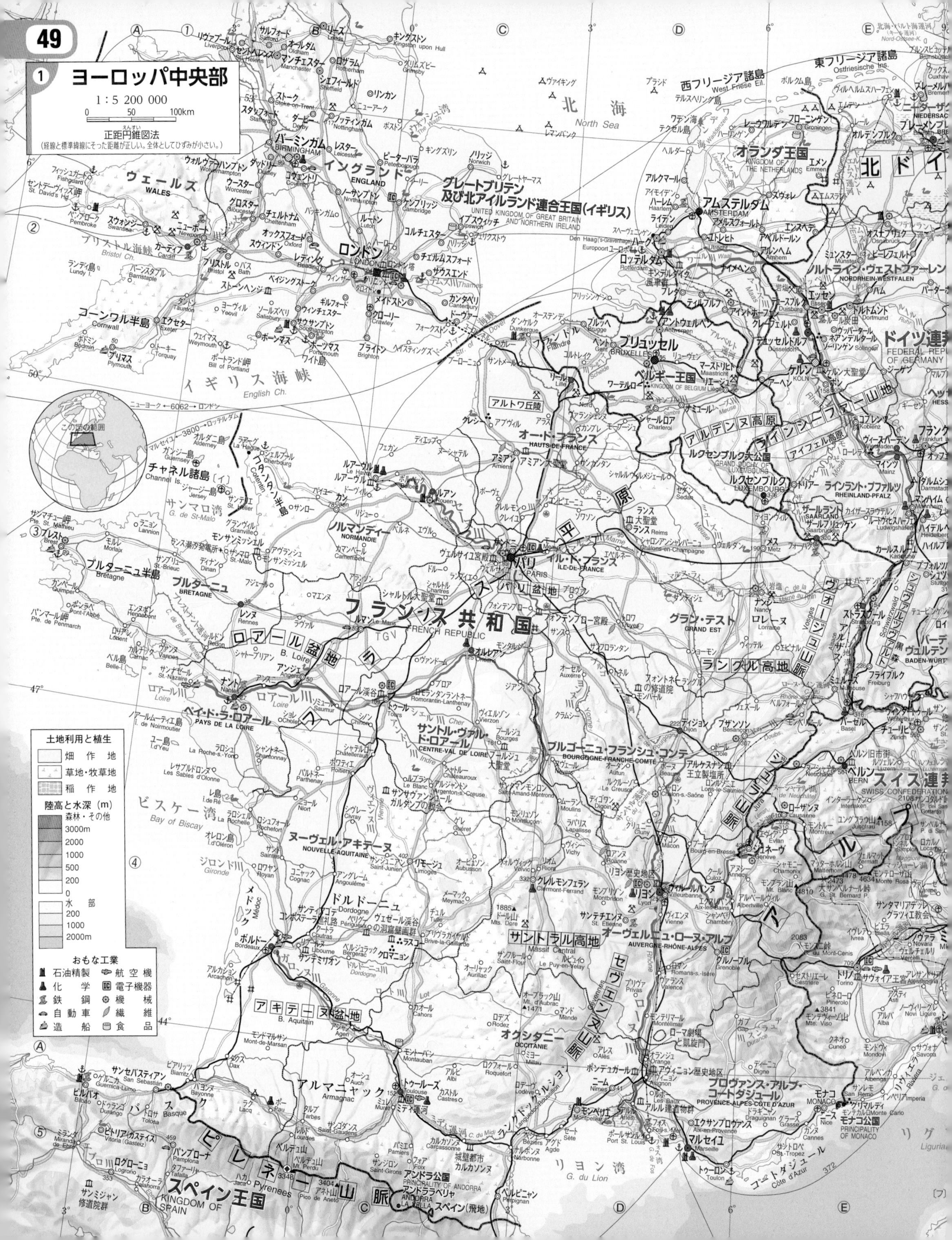
49
1 ヨーロッパ中央部
1：5 200 000
0 50 100km
正距円錐図法
（経線と標準緯線にそった距離が正しい。全体としてひずみが小さい。）
土地利用と植生
畑作地
草地・牧草地
稲作地
陸高と水深（m）
森林・その他
3000m
2000
1000
500
200
0
水部
200
1000
2000m
おもな工業
石油精製
航空機
化学
電子機器
鉄鋼
機械
自動車
繊維
造船
食品
この図の範囲
北海
North Sea
イギリス海峡
English Ch.
ビスケー湾
Bay of Biscay
リヨン湾
G. du Lion
グレートブリテン及び北アイルランド連合王国（イギリス）
UNITED KINGDOM OF GREAT BRITAIN AND NORTHERN IRELAND
イングランド
ENGLAND
ウェールズ
WALES
ロンドン
LONDON
オランダ王国
KINGDOM OF THE NETHERLANDS
アムステルダム
AMSTERDAM
ベルギー王国
KINGDOM OF BELGIUM
ブリュッセル
BRUXELLES
ルクセンブルク大公国
GRAND DUCHY OF LUXEMBOURG
ドイツ連邦
FEDERAL REPUBLIC OF GERMANY
フランス共和国
FRENCH REPUBLIC
パリ
PARIS
パリ盆地
ロアール盆地
アキテーヌ盆地
サントラル高地
Massif Central
ヴォージュ山脈
ジュラ山脈
セヴェンヌ山脈
ピレネー山脈
アルプス山脈
スイス連邦
SWISS CONFEDERATION
ベルン
BERN
スペイン王国
KINGDOM OF SPAIN
アンドラ公国
PRINCIPALITY OF ANDORRA
モナコ公国
PRINCIPALITY OF MONACO
チャネル諸島（イ）
Channel Is.
ブルターニュ半島
コーンワル半島
コタンタン半島
アルデンヌ高原
ラングル高地
アルトワ丘陵
ルアーヴル
リヨン
マルセイユ
ボルドー
トゥールーズ
ナント
ストラスブール
プロヴァンス・アルプ・コートダジュール
オーヴェルニュ・ローヌ・アルプ
ヌーヴェル・アキテーヌ
オクシタニー
ブルゴーニュ・フランシュ・コンテ
グラン・テスト
オー・ド・フランス
イル・ド・フランス
ノルマンディー
ブルターニュ
ペイ・ド・ラ・ロアール
サントル・ヴァル・ド・ロアール

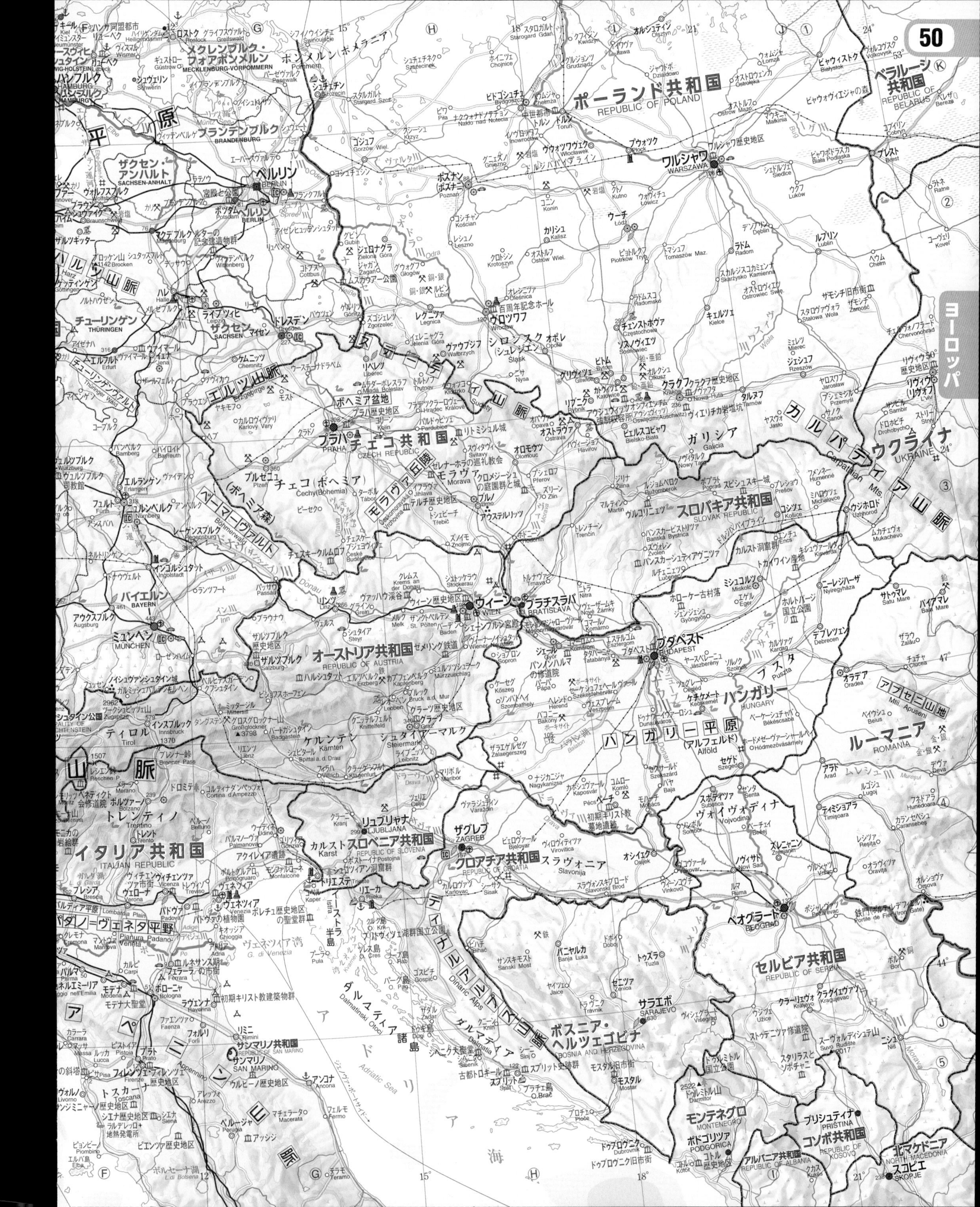
ポーランド共和国
REPUBLIC OF POLAND
ワルシャワ
WARSZAWA
ベラルーシ共和国
REPUBLIC OF BELARUS
メクレンブルク・フォアポンメルン
MECKLENBURG-VORPOMMERN
ポンメルン(ポメラニア)
ブランデンブルク
BRANDENBURG
ザクセン・アンハルト
SACHSEN-ANHALT
ベルリン
BERLIN
ハンブルク
HAMBURG
ロストク
Rostock
シュチェチン
Szczecin
ポズナン
Poznań
ビドゴシュチュ
Bydgoszcz
トルン
Toruń
ウーチ
Łódź
ブレスト
Brest
ルブリン
Lublin
ヴロツワフ
Wrocław
ドレスデン
Dresden
ライプツィヒ
Leipzig
ザクセン
SACHSEN
チューリンゲン
THÜRINGEN
ハルツ山脈
エルツ山脈
ズデーテン山脈
シロンスク(シュレジエン)
Śląsk
クラクフ
Kraków
カトヴィツェ
Katowice
カルパティア山脈
ガリシア
Galicia
ウクライナ
UKRAINE
リヴィウ(リヴォフ)
ボヘミア盆地
プラハ
PRAHA
チェコ共和国
CZECH REPUBLIC
チェコ(ボヘミア)
Čechy(Bohemia)
モラヴァ
Morava
モラヴィア丘陵
ブルノ
Brno
オストラヴァ
Ostrava
ベーマーヴァルト(ボヘミア森)
バイエルン
BAYERN
ミュンヘン
MÜNCHEN
ニュルンベルク
Nürnberg
アウクスブルク
Augsburg
スロバキア共和国
SLOVAK REPUBLIC
ブラチスラバ
BRATISLAVA
コシツェ
Košice
ウィーン
WIEN
オーストリア共和国
REPUBLIC OF AUSTRIA
ザルツブルク
Salzburg
インスブルック
Innsbruck
ティロル
Tirol
ケルンテン
Kärnten
シュタイアーマルク
Steiermark
グラーツ
Graz
ハンガリー
HUNGARY
ブダペスト
BUDAPEST
ハンガリー平原(アルフェルド)
Alföld
プスタ
Puszta
バラトン湖
セゲド
Szeged
デブレツェン
Debrecen
ルーマニア
ROMANIA
アプセニ山地
Mtii. Apuseni
スロベニア共和国
REPUBLIC OF SLOVENIA
リュブリャナ
LJUBLJANA
クロアチア共和国
REPUBLIC OF CROATIA
ザグレブ
ZAGREB
スラヴォニア
Slavonija
ヴォイヴォディナ
Vojvodina
ノヴィサド
Novi Sad
ベオグラード
BEOGRAD
セルビア共和国
REPUBLIC OF SERBIA
ボスニア・ヘルツェゴビナ
BOSNIA AND HERZEGOVINA
サラエボ
SARAJEVO
モスタル
Mostar
ディナルアルプス山脈
Dinaric Alps
ダルマティア諸島
ダルマティア
Dalmatia
スプリット
Split
ドゥブロヴニク
Dubrovnik
モンテネグロ
MONTENEGRO
ポドゴリツァ
PODGORICA
コソボ共和国
REPUBLIC OF KOSOVO
プリシュティナ
PRISTINA
北マケドニア
NORTH MACEDONIA
スコピエ
SKOPJE
アルバニア共和国
REPUBLIC OF ALBANIA
イタリア共和国
ITALIAN REPUBLIC
アルプス山脈
トレンティノ
Trentino
ヴェネツィア
Venezia
パダノ=ヴェネタ平野
ヴェネツィア湾
G. di Venezia
トリエステ
Trieste
カルスト
Karst
イストラ半島
Istra
リエーカ
Rijeka
アドリア海
Adriatic Sea
ボローニャ
Bologna
ラヴェンナ
Ravenna
サンマリノ共和国
REPUBLIC OF SAN MARINO
フィレンツェ
Firenze
トスカーナ
Toscana
アペニン山脈
アンコナ
Ancona
ペルージャ
Perugia
鉄門(ポルティ・デ・フィエル)
Porțile de Fier(Iron Gate)
15°
18°
21°
24°
47°
44°
50°
53°

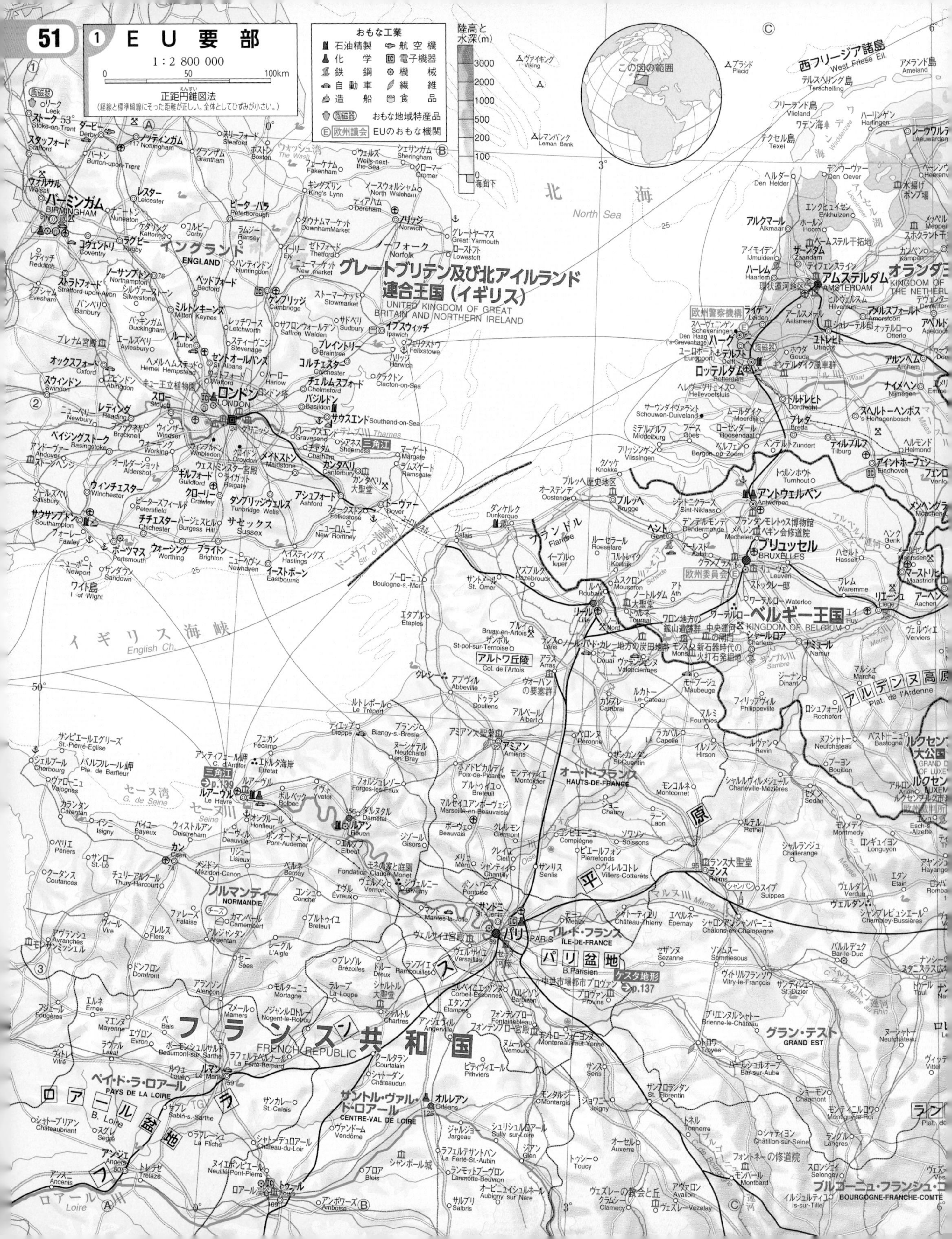

① E U 要 部
1：2 800 000
0 50 100km
正距円錐図法
(経線と標準緯線に沿った距離が正しい。全体としてひずみが小さい。)
おもな工業
石油精製
航空機
化学
電子機器
鉄鋼
機械
自動車
繊維
造船
食品
陶磁器 おもな地域特産品
欧州議会 EUのおもな機関
陸高と水深(m)
3000
2000
1000
500
200
100
0
海面下
この図の範囲
北海
North Sea
西フリージア諸島
West Friese Eil.
グレートブリテン及び北アイルランド連合王国(イギリス)
UNITED KINGDOM OF GREAT BRITAIN AND NORTHERN IRELAND
イングランド
ENGLAND
バーミンガム
BIRMINGHAM
ロンドン
LONDON
ノッティンガム
Nottingham
ストーク
Stoke-on-Trent
レスター
Leicester
コヴェントリ
Coventry
ケンブリッジ
Cambridge
オックスフォード
Oxford
ノリッジ
Norwich
イプスウィッチ
Ipswich
コルチェスター
Colchester
サウスエンド
Southend-on-Sea
カンタベリ
Canterbury
ドーヴァー
Dover
フォークストン
Folkestone
ブライトン
Brighton
ポーツマス
Portsmouth
サウサンプトン
Southampton
ワイト島
I. of Wight
ウォッシュ湾
The Wash
テムズ川
Thames
ドーヴァー海峡
Str. of Dover
イギリス海峡
English Ch.
オランダ
KINGDOM OF THE NETHERLANDS
アムステルダム
AMSTERDAM
ハーグ
Den Haag
ロッテルダム
Rotterdam
ユーロポート
Europoort
ユトレヒト
Utrecht
アイントホーフェン
Eindhoven
欧州警察機構
ベルギー王国
KINGDOM OF BELGIUM
ブリュッセル
BRUXELLES
欧州委員会
アントウェルペン
Antwerpen
ブルッヘ
Brugge
ヘント
Gent
リエージュ
Liège
マーストリヒト
Maastricht
フランドル
Flandre
アルデンヌ高原
Plat. de l'Ardenne
ルクセンブルク大公国
欧州裁判所
フランス共和国
FRENCH REPUBLIC
パリ
PARIS
イル・ド・フランス
ÎLE-DE-FRANCE
パリ盆地
B.Parisien
ケスタ地形
p.137
オー・ド・フランス
HAUTS-DE-FRANCE
ノルマンディー
NORMANDIE
ル・アーヴル
Le Havre
三角江
p.139
ルアン
Rouen
カン
Caen
リール
Lille
カレー
Calais
ダンケルク
Dunkerque
アミアン
Amiens
ランス
Reims
ランス大聖堂
ヴェルサイユ宮殿
オルレアン
Orléans
サントル・ヴァル・ド・ロアール
CENTRE-VAL DE LOIRE
ペイ・ド・ラ・ロアール
PAYS DE LA LOIRE
ロアール盆地
B. Loire
ロアール川
Loire
アンジェ
Angers
トゥール
Tours
ル・マン
Le Mans
シャンボール城
グラン・テスト
GRAND EST
ブルゴーニュ・フランシュ・コンテ
BOURGOGNE-FRANCHE-COMTÉ
セーヌ湾
G. de Seine
セーヌ川
Seine
マルヌ川
Marne
シェルブール
Cherbourg
アルトワ丘陵
Col. de l'Artois
モンサンミッシェル
ヴェズレーの教会と丘
フォンテネーの修道院
50°
0°
3°
6°

北ドイツ平原
ドイツ連邦共和国
FEDERAL REPUBLIC OF GERMANY
ポーランド
POLAND
チェコ共和国
CZECH REPUBLIC
オーストリア
AUSTRIA
スイス
SWITZERLAND
ハンブルク
HAMBURG
メクレンブルク・フォアポンメルン
MECKLENBURG-VORPOMMERN
ブランデンブルク
BRANDENBURG
ニーダーザクセン
NIEDERSACHSEN
ザクセン・アンハルト
SACHSEN-ANHALT
ベルリン
BERLIN
ブレーメン
BREMEN
ノルトライン・ヴェストファーレン
NORDRHEIN-WESTFALEN
ハルツ山脈
ヘッセン
HESSEN
チューリンゲン
THÜRINGEN
ザクセン
SACHSEN
エルツ山脈
チューリンゲンヴァルト
ラインラント・プファルツ
RHEINLAND-PFALZ
ザールラント
SAARLAND
バーデン・ヴュルテンベルク
BADEN-WÜRTTEMBERG
バイエルン
BAYERN
ボーマーヴァルト（ボヘミア森）
シュヴァルツヴァルト（黒森）
ヴォージュ山脈
アルザス
フンスリュック山地
アイフェル高原
ハノーファー
Hannover
ドルトムント
Dortmund
ケルン
フランクフルト
Frankfurt am Main
ライプツィヒ
Leipzig
ドレスデン
Dresden
ニュルンベルク
Nürnberg
シュトゥットガルト
Stuttgart
ミュンヘン
MÜNCHEN
プラハ
PRAHA
ストラスブール
Strasbourg
チューリヒ
Zürich
バーゼル
Basel
ザルツブルク
Salzburg
マクデブルク
Magdeburg
エルフルト
Erfurt
カッセル
Kassel
ヴュルツブルク
Würzburg
アウクスブルク
Augsburg
レーゲンスブルク
Regensburg
ハイデルベルク
Heidelberg
マンハイム
Mannheim
カールスルーエ
Karlsruhe
フライブルク
Freiburg
ウルム
Ulm
ポツダム
Potsdam
ハレ
Halle
ケムニッツ
Chemnitz
プルゼニュ（ピルゼン）
Plzeň
チェコ（ボヘミア）
Čechy(Bohemia)
欧州中央銀行
欧州議会

1 地中海地方
1：10 000 000
0 100 200km
正距円錐図法
(経線と標準緯線にそった距離が正しい。全体としてひずみが小さい。)
この図の範囲
フランス共和国
FRENCH REPUBLIC
ドイツ連邦共和国
FEDERAL REPUBLIC OF GERMANY
スイス連邦
SWISS CONFEDERATION
アルプス山脈
ジュラ山脈
ブルターニュ半島
ロアール盆地
サントラル高地
アキテーヌ盆地
ビスケー湾
Bay of Biscay
ピレネー山脈
Pyrenees
アンドラ公国
モナコ公国
イベリア半島
Pen. Iberica
カンタブリカ山脈
グアダラマ山脈
イベリア高原
シエラモレナ山脈
シエラネバダ山脈
アンダルシア平原
スペイン王国
KINGDOM OF SPAIN
ポルトガル共和国
PORTUGUESE REPUBLIC
マドリード
MADRID
リスボン
LISBON
バルセロナ
BARCELONA
パリ
PARIS
ローマ
ROMA
バチカン市国
カスプ状三角州 → p.139
リヨン湾
G. du Lion
リグリア海
Ligurian Sea
コルス島 Corse
サルデーニャ島 Sardegna
バレアレス諸島 Is. Baleares
イタリア
ITALIAN REPU
ティレニア海
Tyrrhenian Sea
地
ジブラルタル海峡
アルジェ
ALGER
チュニス
TUNIS
ラバト
RABAT
カサブランカ
CASABLANCA
モロッコ王国
KINGDOM OF MOROCCO
アルジェリア民主人民共和国
PEOPLE'S DEMOCRATIC REPUBLIC OF ALGERIA
チュニジア共和国
REPUBLIC OF TUNISIA
アトラス山脈
Atlas Mts.
リスボン ← 4102 → ポートサイド
2 ローマ
1：60 000
0 1km
—2019年—
[Diercke Weltatlas 2008, ほか]
バチカン市国
STATE OF THE CITY OF VATICAN
業務・商業中心地
住宅地
公園・緑地
おもな建物
ローマ時代の遺構
その他
地下鉄
現在も市街に残る城壁
コロッセオ 世界文化遺産
+ おもな教会
陸高と水深(m)
4000 3000 2000 1000 500 200 0 海面下 200 1000 2000 4000
おもな工業
鉄鋼 金属
機械 自動車
造船 航空機
電気機械 電子機器
石油精製 化学
食品 繊維
地名 おもな保養地
読図 円弧状三角州の代表ナイル川の河口と，カスプ状三角州の代表テヴェレ川の河口の大きさを比べてみよう。

ヨーロッパ
ポーランド共和国
REPUBLIC OF POLAND
スロバキア共和国
SLOVAK REPUBLIC
ウクライナ
UKRAINE
ロシア連邦
RUSSIAN FEDERATION
モルドバ共和国
REPUBLIC OF MOLDOVA
キシナウ
(キシニョフ)
CHIŞINĂU
オデーサ
ODESA
ウィーン
WIEN
ブラチスラバ
BRATISLAVA
ブダペスト
BUDAPEST
ハンガリー平原
ハンガリー
HUNGARY
ルーマニア
ROMANIA
カルパティア山脈
Carpathian Mts.
トランシルヴァニア
Transylvania
トランシルヴァニア山脈
Transylvanian Alps
ブカレスト
BUCHAREST
ルーマニア平原
Romania Plain
黒海
Black Sea
アゾフ海
Sea of Azov
黒海沿岸低地
クリム半島(クリミア半島)
Krymsʹkyy Piv. (Crimea Pen.)
セヴァストーポリ
Sevastopol'
クロアチア共和国
REPUBLIC OF CROATIA
ザグレブ
ZAGREB
ボスニア・ヘルツェゴビナ
BOSNIA AND HERZEGOVINA
サラエボ
SARAJEVO
ディナルアルプス山脈
Dinaric Alps
セルビア共和国
REPUBLIC OF SERBIA
ベオグラード
BEOGRAD
モンテネグロ
MONTENEGRO
コソボ共和国
プリシュティナ
PRISTINA
ポドゴリツァ
PODGORICA
ブルガリア共和国
REPUBLIC OF BULGARIA
ソフィア
SOFIA
スターラ山脈
Stara Pla.
バルカン半島
Balkan Pen.
ロドピ山脈
Rodopi Pla.
スコピエ
SKOPJE
北マケドニア共和国
NORTH MACEDONIA
ティラナ
TIRANË
アルバニア共和国
REPUBLIC OF ALBANIA
ピンドス山脈
Pindos
イオニア海
Ionian Sea
イオニア諸島
Nissia Ionia
エーゲ海
Aegean Sea
アテネ
ATHINA
ペロポネソス半島
Peloponissos
キクラデス諸島
Kiklades
ギリシャ共和国
HELLENIC REPUBLIC
クレタ島
Kriti
イスタンブール
İSTANBUL
マルマラ海
Marmara Denizi
アンカラ
ANKARA
トルコ共和国
REPUBLIC OF TURKEY
クゼイアナドール山脈
Kuzey Anadolu Dağ.
小アジア
Asia Minor
アナトリア高原
Anatolia
トロス山脈
Toros Dağ.
カッパドキア
Cappadocia
イズミル
İZMİR
ロードス島
Rodos
キプロス共和国
REPUBLIC OF CYPRUS
ニコシア
NICOSIA
キプロス島
Cyprus
シリア
SYRIA
レバノン共和国
LEBANESE REPUBLIC
ベイルート
BEIRUT
ダマスカス
DAMASCUS
イスラエル国
STATE OF ISRAEL
エルサレム
JERUSALEM
(パレスチナ自治区)
ガザ
Gaza
シチリア島
Sicilia
中海
MEDITERRANEAN SEA
マルセイユ←2800→ポートサイド
バルセロナ←2728→アレクサンドリア
イスタンブール←1456→ポートサイド
ピレウス←1098→ポートサイド
円弧状三角州
➔p.139
ポートサイド
Port Said
アレクサンドリア
ALEXANDRIA
カイロ
CAIRO
ギーザ
AL GIZA
スエズ運河
シナイ半島
Sinai
エジプト・アラブ共和国
ARAB REPUBLIC OF EGYPT
リビア高地
Libyan Plat.
リビア砂漠
Libyan Des.
カルビーヤ砂漠
シャルキーヤ砂漠
ナイル川
Nile
カッタラ窪地
Qattâra Dep.
-133
ベンガジ
Banghāzī
スルト湾
Khalīj Surt
キレナイカ
Cyrenaica
リビア
LIBYA
マルタ共和国
REPUBLIC OF MALTA

① イベリア半島
1：5 200 000
0 50 100km
正距円錐図法（経線と標準緯線にそった距離が正しい。全体としてひずみが小さい。）
ビスケー湾
Bay of Biscay
フランス共和国
FRENCH REPUBLIC
ヌーヴェル・アキテーヌ
NOUVELLE-AQUITAINE
アキテーヌ盆地
B. Aquitain
オクシタニー
OCCITANIE
ボルドー
Bordeaux
トゥールーズ
Toulouse
ピレネー山脈
Pyrenees
アンドラ公国
PRINCIPALITY OF ANDORRA
カンタブリカ山脈
Cord. Cantabrica
アストゥリアス
ASTURIAS
カンタブリア
CANTABRIA
バイス・バスコ
PAIS VASCO
ガリシア
GALICIA
ナバラ
NAVARRA
ラ・リオハ
LA RIOJA
カスティリャ・レオン
CASTILLA-Y-LEON
カタルーニャ
CATALUÑA
アラゴン
ARAGON
イベリア半島
Pen. Iberica
イベリア高原
Iberian Plat.
グアダラマ山脈
Sier. de Guadarrama
グアダルペ山脈
スペイン王国
KINGDOM OF SPAIN
マドリード
MADRID
バルセロナ
BARCELONA
サラゴサ
Zaragoza
バレンシア
VALENCIA
バレンシア湾
G. de Valencia
ポルトガル共和国
PORTUGUESE REPUBLIC
リスボン
LISBON
ポルト
Porto
エストレマドゥラ
EXTREMADURA
カスティリャ・ラマンチャ
CASTILLA-LA MANCHA
モレーナ山脈
Sierra Morena
マドロナ山脈
Sierra Madrona
セグラ山脈
Sierra de Segura
アンダルシア平原
アンダルシア
ANDALUCIA
ムルシア
MURCIA
ネバダ山脈
Sierra Nevada
セビリア
Sevilla
コルドバ
Córdoba
グラナダ
Granada
マラガ
Málaga
カディス
Cádiz
カディス湾
G. de Cádiz
コスタデルソル
Costa del Sol
ジブラルタル[イ]
Gibraltar
ジブラルタル海峡
アルボラン島
Alborán
リアス海岸
→p.139
大西洋
ATLANTIC OCEAN
地中海
MEDITERRANEAN SEA
モロッコ王国
KINGDOM OF MOROCCO
ラバト
RABAT
カサブランカ
CASABLANCA
フェス
FES
メクネス
Meknès
タンジール
Tanger
アルジェリア民主人民共和国
PEOPLE'S DEMOCRATIC REPUBLIC OF ALGERIA
オラン
Oran
①図の範囲
②図の範囲
土地利用と植生
畑作地
草地・牧草地
稲作地
砂漠
陸高と水深(m)
森林・その他
水部
3000m
2000
1000
500
200
0
200
1000
2000
4000m
おもな工業
鉄鋼
金属
機械
自動車
造船
航空機
電気機械
電子機器
石油精製
化学
食品
繊維

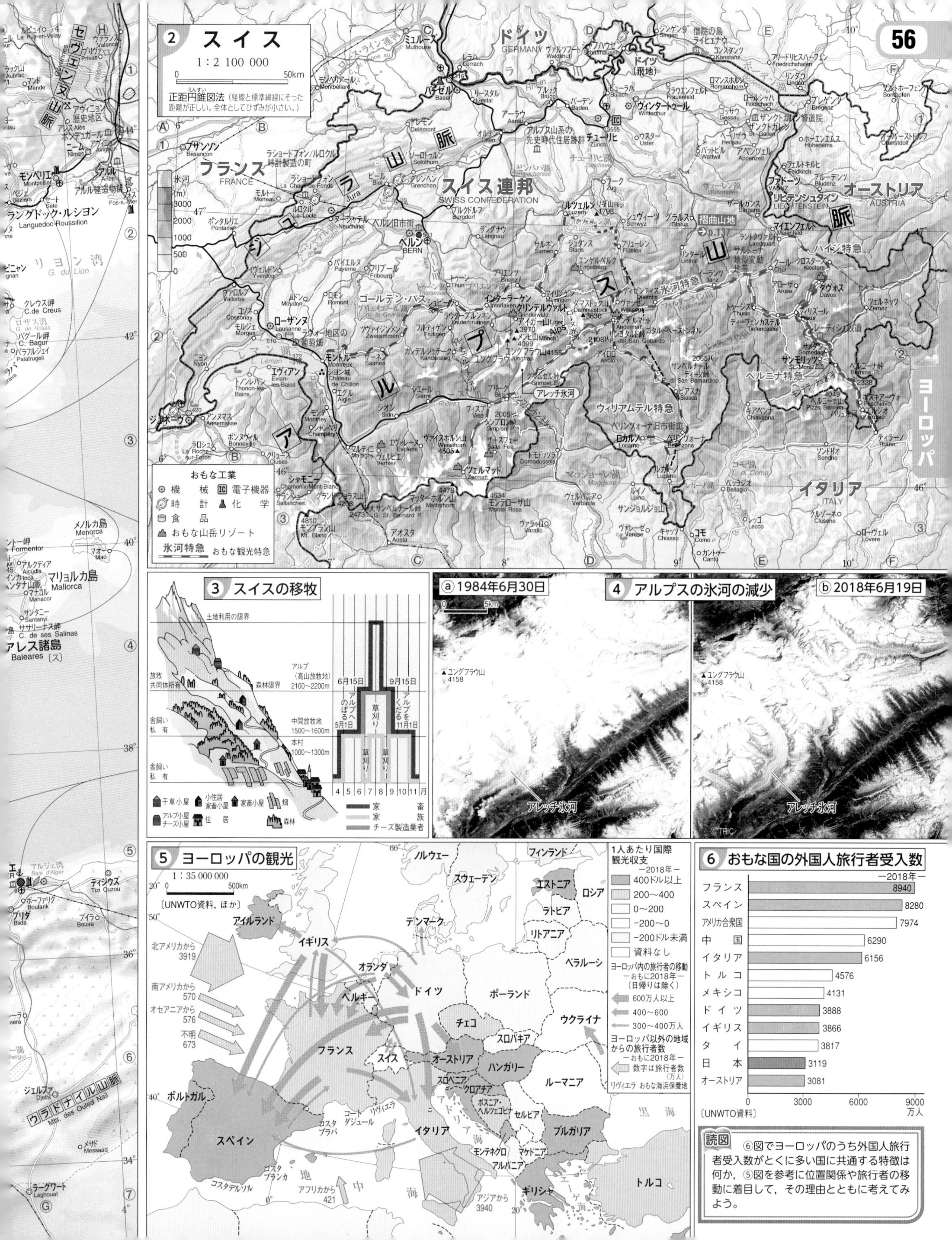
2 スイス
1：2 100 000
0 50km
正距円錐図法（経線と標準緯線にそった距離が正しい。全体としてひずみが小さい。）
ドイツ GERMANY
フランス FRANCE
スイス連邦 SWISS CONFEDERATION
オーストリア AUSTRIA
リヒテンシュタイン LIECHTENSTEIN
イタリア ITALY
ジュラ山脈 Jura
アルプス山脈 Alps
チューリヒ Zürich
ベルン BERN
バーゼル Basel
ジュネーヴ Genève
ローザンヌ Lausanne
ルツェルン Luzern
ヴィンタートゥール Winterthur
ザンクトガレン St. Gallen
ラショードフォン/ルロクル 時計製造の町
ラヴォー地区の葡萄畑
アルプス山系の先史時代住居跡群
ザンクトガレン修道院
ベルン旧市街
ベリンツォーナ旧市街
褶曲山地 p.137
ユングフラウ山 4158
アイガー山 3970
メンヒ山 4099
マッターホルン山 4478
モンテローザ山 4634
モンブラン山 4810
ヴァイスホルン山 4505
アレッチ氷河
ボーデン湖
レマン湖 L. Léman
マッジョーレ湖
コモ湖
ゴールデン・パス・ラインスイス
氷河特急
ベルニナ特急
ウィリアムテル特急
ハイジ特急
ゴッタルドベーストンネル
おもな工業
機械
電子機器
時計
化学
食品
おもな山岳リゾート
氷河特急 おもな観光特急
3 スイスの移牧
土地利用の限界
アルプ（高山放牧地）2100～2200m
森林限界
中間放牧地 1500～1600m
本村 1000～1300m
放牧共同体所有
舎飼い私有
6月15日
9月15日
5月1日
11月1日
アルプへのぼる
アルプをくだる
草刈り
4 5 6 7 8 9 10 11 月
干草小屋
小住居家畜小屋
家畜小屋
畑
アルプ小屋チーズ小屋
住居
森林
家畜
家族
チーズ製造業者
4 アルプスの氷河の減少
ⓐ 1984年6月30日
ⓑ 2018年6月19日
0 5km
ユングフラウ山 4158
アレッチ氷河
©TRIC
5 ヨーロッパの観光
1：35 000 000
0 500km
〔UNWTO資料，ほか〕
1人あたり国際観光収支 －2018年－
400ドル以上
200～400
0～200
－200～0
－200ドル未満
資料なし
ヨーロッパ内の旅行者の移動 －おもに2018年－（日帰りは除く）
600万人以上
400～600
300～400万人
ヨーロッパ以外の地域からの旅行者数 －おもに2018年－
数字は旅行者数（万人）
リヴィエラ おもな海浜保養地
北アメリカから 3919
南アメリカから 570
オセアニアから 576
不明 673
アフリカから 421
アジアから 3940
アイルランド
イギリス
フランス
スペイン
ポルトガル
イタリア
ドイツ
オランダ
ベルギー
スイス
オーストリア
ノルウェー
スウェーデン
フィンランド
デンマーク
エストニア
ラトビア
リトアニア
ロシア
ベラルーシ
ポーランド
チェコ
スロバキア
ハンガリー
ウクライナ
ルーマニア
スロベニア
クロアチア
ボスニア・ヘルツェゴビナ
セルビア
モンテネグロ
マケドニア
アルバニア
ブルガリア
ギリシャ
トルコ
コスタブラバ
コートダジュール
リヴィエラ
コスタブランカ
コスタデルソル
6 おもな国の外国人旅行者受入数 －2018年－
フランス 8940
スペイン 8280
アメリカ合衆国 7974
中国 6290
イタリア 6156
トルコ 4576
メキシコ 4131
ドイツ 3888
イギリス 3866
タイ 3817
日本 3119
オーストリア 3081
0 3000 6000 9000 万人
〔UNWTO資料〕
読図 ⑥図でヨーロッパのうち外国人旅行者受入数がとくに多い国に共通する特徴は何か，⑤図を参考に位置関係や旅行者の移動に着目して，その理由とともに考えてみよう。

57
1 イタリア半島・バルカン半島
1：5 200 000
0 50 100km
正距円錐図法（経線と標準緯線にそった距離が正しい。全体としてひずみが小さい。）
読図 イタリアで稲作地が分布しているのはどの川の流域だろうか。
土地利用と植生
畑作地
草地・牧草地
稲作地
砂漠
陸高と水深(m)
森林・その他
水
3000m
2000
1000
500
200
0
この図の範囲
アルプス山脈
スイス連邦
SWISS CONFEDERATION
オーストリア共和国
REPUBLIC OF AUSTRIA
スロベニア共和国
REPUBLIC OF SLOVENIA
カルスト地形 p.140
リュブリャナ
LJUBLJANA
クロアチア共和国
REPUBLIC OF CROATIA
ザグレブ
ZAGREB
ボスニア・ヘルツェゴビナ
BOSNIA AND HERZEGOVINA
ディナルアルプス山脈
Dinaric Alps
フランス共和国
FRENCH REPUBLIC
オーヴェルニュ・ローヌ・アルプ
AUVERGNE-RHÔNE-ALPES
プロヴァンス・アルプ・コートダジュール
PROVENCE-ALPES-CÔTE D'AZUR
モナコ公国
PRINCIPALITY OF MONACO
コートダジュール
Côte d'Azur
マルセイユ
Marseille
リヨン
Lyon
ジュネーヴ
Geneva
モンブラン山
Mt. Blanc
4810
マッターホルン山
Matterhorn
4478
トリノ
Torino
ミラノ
MILANO
パダノ＝ヴェネタ平野
ポー川
ヴェネツィア
Venezia
ヴェネツィア湾
G. di Venezia
トリエステ
Trieste
ジェノヴァ
Genova
ボローニャ
Bologna
フィレンツェ
Firenze
サンマリノ共和国
REPUBLIC OF SAN MARINO
リグリア海
Ligurian Sea
アドリア海
Adriatic Sea
アペニン山脈
Appennino
トスカーナ
Toscana
イタリア半島
バチカン市国
STATE OF THE CITY OF VATICAN
ローマ
ROMA
テヴェレ川
Tevere
イタリア共和国
ITALIAN REPUBLIC
ナポリ
Napoli
ヴェズヴィオ山
Vesuvio
1281
カンパーニャ
Campania
プーリア
Puglia
バーリ
Bari
タラント
Taranto
カラブリア
Calabria
コルス島
Corse
（コルシカ島）
（フ）
アジャクシオ
Ajaccio
ボニファシオ海峡
Strait of Bonifacio
サルデーニャ島
Sardegna
（イタリア）
カリャリ
Cagliari
ティレニア海
Tyrrhenian Sea
リパリ諸島
Is. Lipari
ストロンボリ山
Vol. Stromboli
924
シチリア島
Sicilia
パレルモ
Palermo
エトナ山
Mt. Etna
3330
カターニア
Catania
シラクーザ
Siracusa
メッシナ
Messina
メッシナ海峡
地中海
MEDITERRANEAN SEA
アルジェリア民主人民共和国
PEOPLE'S DEMOCRATIC REPUBLIC OF ALGERIA
チュニジア共和国
REPUBLIC OF TUNISIA
チュニス
TUNIS
マルタ共和国
REPUBLIC OF MALTA
バレッタ
VALLETTA
マルタ島
Malta
ゴゾ島
Gozo
ダルマティア諸島
Dalmatinski Otoci
スプリット
Split
モスタル
Mostar
ドゥブロヴニク

ハンガリー
HUNGARY
ルーマニア
ROMANIA
トランシルヴァニア山脈
Transylvanian Alps
ワラキア
Walachia
ルーマニア平原
Romania Plain
ブカレスト
BUCHAREST
コンスタンツァ
Constanța
モルドバ共和国
REPUBLIC OF MOLDOVA
ウクライナ
UKRAINE
セルビア共和国
REPUBLIC OF SERBIA
ベオグラード
BEOGRAD
ドナウ(ダニューブ)川
Donau
ブルガリア共和国
REPUBLIC OF BULGARIA
ソフィア
SOFIA
スターラ山脈
Stara Pla.(バルカン)
ロドピ山脈
Rodopi Pla.
ヴァルナ
Varna
ブールガス
Burgas
プロヴディフ
Plovdiv
黒海
Black Sea
モンテネグロ
MONTENEGRO
ポドゴリツァ
PODGORICA
コソボ共和国
REPUBLIC OF KOSOVO
プリシュティナ
PRIŠTINA
バルカン半島
Balkan Pen.
スコピエ
SKOPJE
北マケドニア共和国
REPUBLIC OF NORTH MACEDONIA
アルバニア共和国
REPUBLIC OF ALBANIA
ティラナ
TIRANË
ピンドス山脈
Pindos
オトラント海峡
Str. of Otranto
ギリシャ共和国
HELLENIC REPUBLIC
アテネ
ATHINA
テッサロニキ
Thessaloniki
ペロポニソス半島
Peloponissos
イオニア諸島
Nissia Ionioi
イオニア海
Ionian Sea
エーゲ海
Aegean Sea
スポラデス諸島
Sporades
キクラデス諸島
Kiklades
ドデカニサ諸島
Dodekanisa
クレタ島
Kriti
クレタ海
Kritiko Pel.
トラキ海
Thrakiko P.
イスタンブール
ISTANBUL
マルマラ海
Marmara Denizi
ボスポラス海峡
Bosporus
ダーダネルス海峡
Dardanelles
ブルサ
BURSA
イズミル
IZMIR
トルコ共和国
REPUBLIC OF TURKEY
小アジア
Asia Minor
アナトリア高原
Anatolia
ロードス島
Rodos
多島海
おもな工業
鋼 金属
械 自動車
船 航空機
機械 電子機器
精製 化学
品 繊維
20°
22°
24°
26°
28°
30°
36°
38°
40°
42°
44°
46°

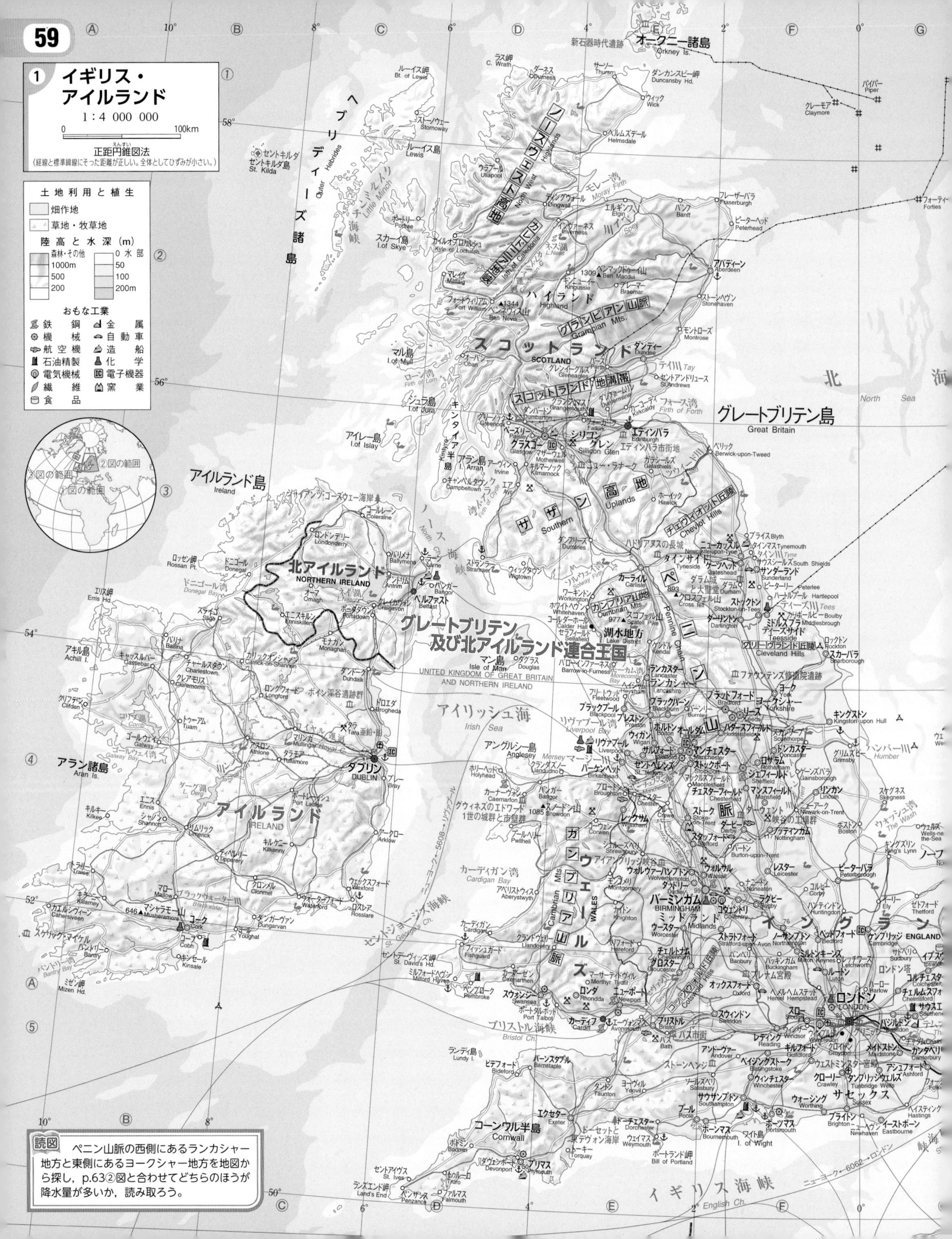

読図　ペニン山脈の西側にあるランカシャー地方と東側にあるヨークシャー地方を地図から探し，p.63②図と合わせてどちらのほうが降水量が多いか，読み取ろう。

アイスランド
1：8 500 000
0 100km
アイスランド
ICELAND
アイスランド島
Iceland
レイキャビク
REYKJAVIK
ヴァートナ氷河
Vatnajökull
ホーフス氷河
Hofsjökull
ラウング氷河
Langjökull
シングヴェトリル国立公園
ヘクラ山
Hekla
1491
エイヤフィヤトラ氷河
Eyjafjallajökull
エイヤフィヤトラヨークトル山
1666
スルツェイ島
Surtsey
ヴィーク
Vík
ノルウェー海
Norwegian Sea
北極圏
ホットン岬
Horn
リフスタンギ岬
Rifstangi
2 スカンディナヴィア半島
1：8 500 000
0 100 200km
正距円錐図法
（経線と標準緯線にそった距離が正しい。全体としてひずみが小さい。）
ノルウェー王国
KINGDOM OF NORWAY
スウェーデン王国
KINGDOM OF SWEDEN
フィンランド共和国
REPUBLIC OF FINLAND
ロシア連邦
RUSSIAN FEDERATION
エストニア共和国
REPUBLIC OF ESTONIA
ラトビア共和国
REPUBLIC OF LATVIA
リトアニア共和国
REPUBLIC OF LITHUANIA
ベラルーシ共和国
REPUBLIC OF BELARUS
ポーランド共和国
REPUBLIC OF POLAND
ドイツ連邦共和国
FEDERAL REPUBLIC OF GERMANY
デンマーク王国
KINGDOM OF DENMARK
オランダ王国
KINGDOM OF THE NETHERLANDS
カレリア共和国
KARELIA
スカンディナヴィア山脈
スカンディナヴィア半島
Scandinavian Pen.
ラップランド
Lapland
ボスニア湾
G. of Bothnia
フィンランド湾
G. of Finland
リガ湾
G. of Riga
バルト海
Baltic Sea
バレンツ海
Barents Sea
スカゲラク海峡
Skagerrak
カテガット海峡
Kattegat
ユーラン半島（ユトランド半島）
Jylland
ロフォーテン諸島
Lofoten
ヴェステローレン諸島
Vesterålen
オーランド諸島
Åland
ゴトランド島
Gotland
エーランド島
Öland
ボルンホルム島
Bornholm
ヨトゥンヘイメン高原
Jotunheimen
ガルヘピゲン山
Galdhøpiggen
2470
グリッターティンデン山
Glittertinden
2465
ケブネカイセ山
Kebnekaise
2114
サレクチョッコ山
Sarektjåkkå
2090
スリチェルマ山
Sulitelma
1907
ゲウスタ山
Gausta
1883
ロナネ山
Rondane
2178
フィヨルド群
フィヨルド
p.139
氷河湖
p.140
オスロ
OSLO
ストックホルム
STOCKHOLM
ヘルシンキ
HELSINKI
コペンハーゲン
COPENHAGEN
タリン
TALLINN
リガ
RIGA
ビリニュス
VILNIUS
ミンスク
MINSK
ワルシャワ
WARSZAWA
ベルリン
BERLIN
ハンブルク
HAMBURG
サンクトペテルブルク
SANKT PETERBURG
ムルマンスク
Murmansk
ベルゲン
Bergen
トロンヘイム
Trondheim
スタヴァンゲル
Stavanger
ナルヴィク
Narvik
トロムセ
Tromsø
キルナ
Kiruna
イェリヴァレ
Gällivare
ヨーテボリ
Göteborg
マルメ
Malmö
ウプサラ
Uppsala
ウメオ
Umeå
オウル
Oulu
タンペレ
Tampere
トゥルク
Turku
ロヴァニエミ
Rovaniemi
カリーニングラード
Kaliningrad
ロシア連邦 飛地
クルシュー砂州
カンメルスタードの教会街
ペタヤヴェシの古い教会
ラウマ旧市街
サンマルラハデンマキの石塚墳
ヴェルラ砕木・板紙工場
スオメンリンナの要塞群
タリン歴史地区
リガ歴史地区
ハンザ同盟都市ヴィスビュ
ドロットニングホルムの王領地
スクーグスシルコゴーデン
ビルカとホーヴゴーデン
エンゲルスベリの製鉄所
ファルンの大銅山地域
ターヌムの岩絵
アルタの岩絵
レーロース鉱山都市
ウルネスの木造教会
サーミの地域
カールスクルーナの軍港
ロスキレ大聖堂
ハンザ同盟都市リューベク
シュトラルズント及びヴィスマルの歴史地区
マルボルクのドイツ騎士団の城
中世都市トルン
北フリージア諸島
東フリージア諸島
北海・バルト海運河
Nord-Ostsee-Kanal
ヴェーネルン湖
Vänern
ヴェッテルン湖
Vättern
ペイプス湖
Peipus
ラドガ湖
ロッカ湖
イナリ湖
Inari
サイマー湖
Saimaa
ダーラルナ
Dalarna
アルトワ丘陵
Col. de l'Artois
ロンドン←3152→ムルマンスク
キール←1437→サンクトペテルブルク
陸高と水深（m）
※2〜3図共通凡例
2000
1000
500
200
0
海面下
200
1000
2000
おもな工業
鉄鋼
金属
機械
自動車
航空機
造船
石油精製
化学
電気機械
木材・パルプ
繊維
電子機器

61
1 ロンドン
ⓑロンドン中心部 1：54 000
ーー2022年ー
ⓐロンドン首都圏
1：1 900 000
ー2019年ー
〔Diercke Weltatlas 2008，ほか〕
〔Diercke International Atlas 2010，ほか〕
大ロンドン GREATER LONDON
シティ City
ドックランズ
ヒースロー空港
キューガーデン
グリニッジ天文台
ウィンブルドン
レッチワース Letchworth
スティーヴニジ Stevenage
ウェリンガーデンシティ Welwyn Garden city
ハットフィールド Hatfield
ハーロー Harlow
チェルムズフォード Chelmsford
バジルドン Basildon
キャンヴェイアイランド Canvey Island
ロチェスター Rochester
メイドストーン Maidstone
エデンブリッジ Edenbridge
クローリー Crawley
ギルフォード Guildford
カンバーリー Camberley
ブラックネル Bracknell
ハイウィカム High Wycombe
エイルズベリ Aylesbury
ヘメルヘムステッド Hemel Hempstead
ルートン Luton
中心地
市街地
緑地帯
ニュータウン
再開発都市
1888～1965年の市界 (Inner London)
大ロンドンの境界
首都圏の外縁
※ロンドンの人口の変化(※Inner London)
1931 489万
1951 368万
1971 306万
1991 260万
2017年 354万
ショーディッチ Shoreditch
ベスナルグリーン Bethnal Green
フィンズベリ Finsbury
ブルームズベリ Bloomsbury
シティ City of London
ハムレッツ Hamlets
メリルボーン Marylebone
ホルボーン Holborn
ステップニー Stepney
ソーホー Soho
ホワイトチャペル Whitechapel
メイフェア Mayfair
ワッピング Wapping
サザーク Southwark
バーモンジー Bermondsey
ベルグレイヴィア Belgravia
ウェストミンスター Westminster
ニューイントン Newington
ランベス Lambeth
テムズ川 Thames
BTタワー
大英博物館
セントポール寺院
イングランド銀行
ロンドン塔
タワーブリッジ
テートモダン
国会議事堂
バッキンガム宮殿
トラファルガー広場
首相官邸
日本大使館
シティの範囲
官公庁地区
業務・商業中心地
住宅地
工業・鉄道用地
大学・文化地区
公園
2 パリ
ⓐパリ周辺
ー2019年ー
1：620 000
ⓑパリ中心部 1：54 000
ー2020年ー
ヴァル・ドアーズ Val-d'Oise
シャルル・ド・ゴール空港
ブールジェ空港
ナンテール Nanterre
ラ・デファンス
パリ PARIS
セーヌ・サンドニ Seine-St.Denis
オー・ド・セーヌ Hauts-de-Seine
ヴェルサイユ宮殿
ヴァル・ド・マルヌ Val-de-Marne
オルリー空港
エソンヌ Essonne
1700年頃の市街地
現在の市街地
工業・空港用地
農地・森林・その他
市界(20区)
再開発地域
フランスの外国人人口の内訳の変化
1975年(344万) ヨーロッパ 60.7% アフリカ 34.6 アジア 3.0 その他 1.7
1990年(360万) 40.6 45.4 11.8 2.2
2012年(398万) 39.6 40.2 13.9 6.3
( )は外国人人口(人)
凱旋門
エリゼ Elysée
エリゼ宮(大統領官邸)
オペラ座
コンコルド広場
エッフェル塔
ルーヴル美術館
オルセー美術館
アンヴァリッド
サンジェルマン デプレ St.Germain de Prés
カルティエラタン Quartier Latin
レアル Les Halle
マレ Marais
ノートルダム寺院
シテ島
ヴォージラール Vaugirard
リュクサンブール Luxembourg
パンテオン Panthéon
モンパルナスタワー
北駅
東駅
3 ベルリン
ⓐベルリン周辺
1：620 000
ー2020年ー
ⓑベルリン中心部 1：54 000
ー2021年ー
[旧西ベルリン地区]
[旧東ベルリン地区]
中央駅
シャルロッテンブルク Charlottenburg
ティアガルテン Tiergarten
ブランデンブルク門
連邦議会
大統領官邸
6月17日通り
ウンター・デン・リンデン
ミッテ Mitte
ポツダム広場
チャーリー検問所跡
ベルリンの壁博物館
カイザー・ヴィルヘルム記念教会
ツォーローギッシャーガルテン駅
テンペルホーフ空港跡
ベルリンを東西に分けていたかつての壁
シェーネフェルト
ブランデンブルク空港
市街地
工業地
公園・森林
その他
かつての分割管理区界
アウトバーン
第二次世界大戦後のベルリンの分割管理
(1945～1990年)
西ベルリン
東ベルリン
イギリス
フランス
アメリカ
ソビエト連邦
官公庁地区
住宅地
大学・文化地区
おもな建物
ベルリンの壁があったところ
業務・商業中心地
工業・鉄道用地
公園・緑地
地下鉄

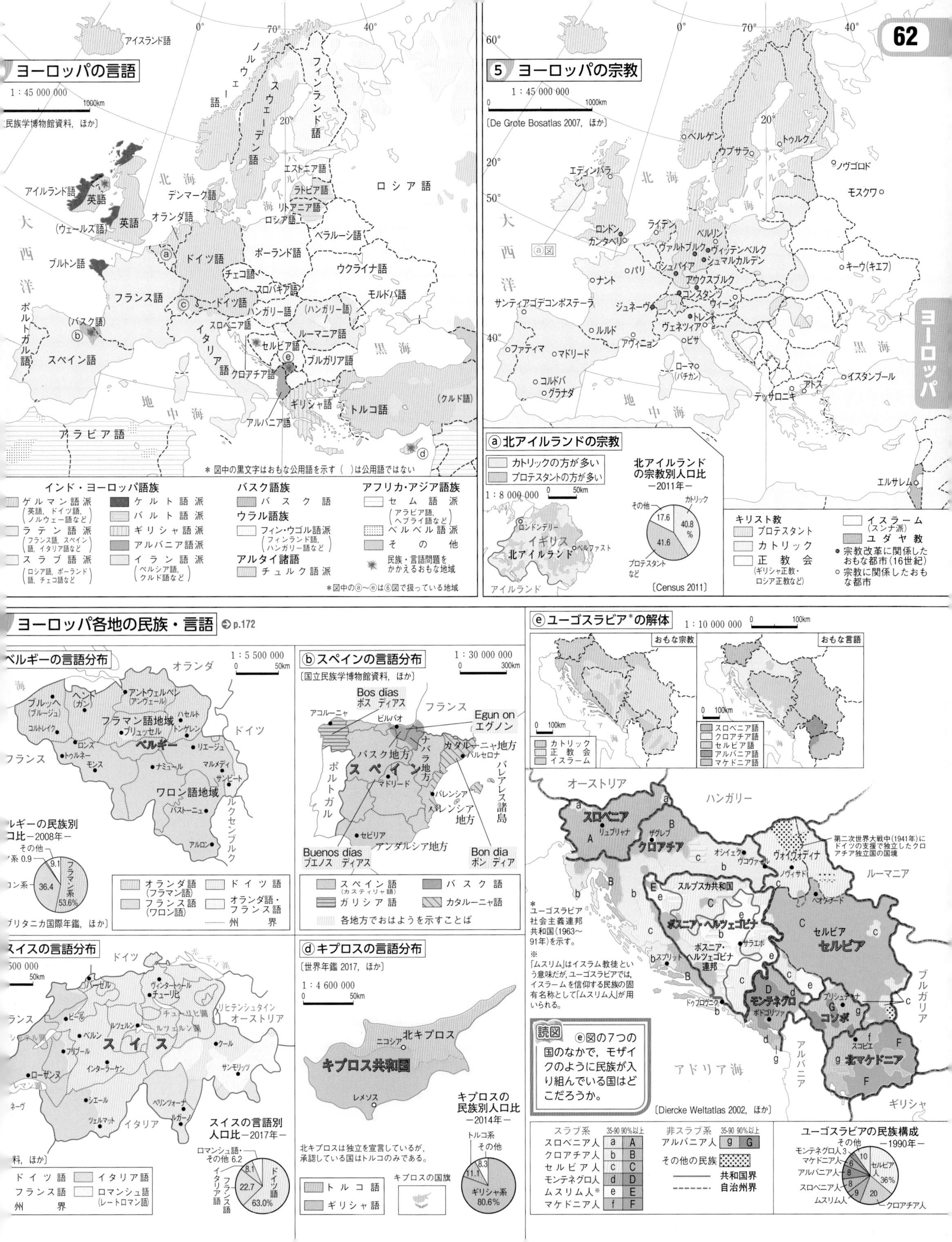

62
ヨーロッパ
ヨーロッパの言語
1：45 000 000
1000km
民族学博物館資料，ほか〕
アイスランド語
ノルウェー語
スウェーデン語
フィンランド語
エストニア語
ラトビア語
リトアニア語
ロシア語
ロシア語
アイルランド語
英語
英語
（ウェールズ語）
デンマーク語
オランダ語
ドイツ語
ポーランド語
ベラルーシ語
ウクライナ語
ブルトン語
チェコ語
スロバキア語
モルドバ語
フランス語
ドイツ語
ハンガリー語
（ハンガリー語）
ルーマニア語
ポルトガル語
（バスク語）
スペイン語
スロベニア語
イタリア語
セルビア語
クロアチア語
ブルガリア語
アルバニア語
ギリシャ語
トルコ語
（クルド語）
アラビア語
北海
大西洋
黒海
地中海
＊ 図中の黒文字はおもな公用語を示す（ ）は公用語ではない
インド・ヨーロッパ語族
ゲルマン語派（英語，ドイツ語，ノルウェー語など）
ラテン語派（フランス語，スペイン語，イタリア語など）
スラブ語派（ロシア語，ポーランド語，チェコ語など）
ケルト語派
バルト語派
ギリシャ語派
アルバニア語派
イラン語派（ペルシア語，クルド語など）
バスク語族
バスク語
ウラル語族
フィン・ウゴル語派（フィンランド語，ハンガリー語など）
アルタイ諸語
チュルク語派
アフリカ・アジア語族
セム語派（アラビア語，ヘブライ語など）
ベルベル語派
その他
民族・言語問題をかかえるおもな地域
＊図中のⓐ～ⓔは⑥図で扱っている地域
5 ヨーロッパの宗教
1：45 000 000
1000km
〔De Grote Bosatlas 2007，ほか〕
ベルゲン
ウプサラ
トゥルク
ノヴゴロド
モスクワ
エディンバラ
ロンドン
カンタベリ
ライデン
ベルリン
ヴァルトブルク
ヴィッテンベルク
シュマルカルデン
シュパイア
アウクスブルク
コンスタンツ
ヴィーン
キーウ(キエフ)
パリ
ナント
サンティアゴデコンポステーラ
ジュネーヴ
トレント
ヴェネツィア
ピサ
ルルド
アヴィニョン
ファティマ
マドリード
ローマ（バチカン）
コルドバ
グラナダ
イスタンブール
アトス
テッサロニキ
エルサレム
ⓐ図
ⓐ北アイルランドの宗教
カトリックの方が多い
プロテスタントの方が多い
1：8 000 000
50km
ロンドンデリー
イギリス
北アイルランド
ベルファスト
アイルランド
北アイルランドの宗教別人口比 ─2011年─
カトリック 40.8%
プロテスタントなど 41.6
その他 17.6
〔Census 2011〕
キリスト教
プロテスタント
カトリック
正教会（ギリシャ正教・ロシア正教など）
イスラーム（スンナ派）
ユダヤ教
● 宗教改革に関係したおもな都市（16世紀）
○ 宗教に関係したおもな都市
ヨーロッパ各地の民族・言語 p.172
ベルギーの言語分布
1：5 500 000
50km
オランダ
ドイツ
フランス
ブルッヘ（ブルージュ）
ヘント（ガン）
アントウェルペン（アンヴェール）
ハセルト
トンゲレン
コルトレイク
フラマン語地域
ブリュッセル
ベルギー
ロンス
リエージュ
トゥルネー
モンス
ナミュール
マルメディ
サンビート
ワロン語地域
バストーニュ
アルロン
ルクセンブルク
ルギーの民族別口比─2008年─
フラマン系 53.6%
ワロン系 36.4
その他 9.1
系 0.9
オランダ語（フラマン語）
フランス語（ワロン語）
ドイツ語
オランダ語・フランス語
州界
ブリタニカ国際年鑑，ほか〕
ⓑスペインの言語分布
1：30 000 000
300km
〔国立民族学博物館資料，ほか〕
Bos días ボス ディアス
Egun on エグノン
アコルーニャ
ビルバオ
フランス
バスク地方
ナバラ地方
カタルーニャ地方
バルセロナ
ポルトガル
スペイン
マドリード
バレンシア
バレンシア地方
バレアレス諸島
セビリア
アンダルシア地方
Buenos días ブエノス ディアス
Bon dia ボン ディア
スペイン語（カスティリャ語）
ガリシア語
バスク語
カタルーニャ語
各地方でおはようを示すことば
スイスの言語分布
500 000
50km
ドイツ
ボーデン湖
フランス
バーゼル
ヴィンタートゥール
チューリヒ
リヒテンシュタイン
オーストリア
ビール
ルツェルン
ベルン
スイス
フリブール
インターラーケン
クール
サンモリッツ
ローザンヌ
レマン湖
シエール
ヴェリンツォーナ
ツェルマット
ルガーノ
イタリア
スイスの言語別人口比─2017年─
ドイツ語 63.0%
フランス語 22.7
イタリア語 8.1
ロマンシュ語・その他 6.2
ドイツ語
フランス語
イタリア語
ロマンシュ語（レートロマン語）
州界
ⓓキプロスの言語分布
〔世界年鑑 2017，ほか〕
1：4 600 000
50km
北キプロス
ニコシア
キプロス共和国
レメソス
北キプロスは独立を宣言しているが，承認している国はトルコのみである。
トルコ語
ギリシャ語
キプロスの国旗
キプロスの民族別人口比─2014年─
ギリシャ系 80.6%
トルコ系 11.1
その他 8.3
ⓔユーゴスラビア＊の解体
1：10 000 000
100km
おもな宗教
おもな言語
カトリック
正教会
イスラーム
スロベニア語
クロアチア語
セルビア語
アルバニア語
マケドニア語
オーストリア
ハンガリー
スロベニア
リュブリャナ
ザグレブ
クロアチア
オシエク
ヴコヴァル
ヴォイヴォディナ
ノヴィサド
ルーマニア
第二次世界大戦中(1941年)にドイツの支援で独立したクロアチア独立国の国境
ベオグラード
スルプスカ共和国
ボスニア・ヘルツェゴビナ
サラエボ
ボスニア・ヘルツェゴビナ連邦
スプリット
セルビア
ブルガリア
モンテネグロ
ポドゴリツァ
ドゥブロヴニク
プリシュティナ
コソボ
スコピエ
北マケドニア
アルバニア
アドリア海
ギリシャ
＊ユーゴスラビア社会主義連邦共和国(1963～91年)を示す。
※「ムスリム」はイスラム教徒という意味だが，ユーゴスラビアでは，イスラームを信仰する民族の固有名称として「ムスリム人」が用いられる。
読図 ⓔ図の7つの国のなかで，モザイクのように民族が入り組んでいる国はどこだろうか。
〔Diercke Weltatlas 2002，ほか〕
スラブ系 35-90 90%以上
スロベニア人 a A
クロアチア人 b B
セルビア人 c C
モンテネグロ人 d D
ムスリム人※ e E
マケドニア人 f F
非スラブ系 35-90 90%以上
アルバニア人 g G
その他の民族
共和国界
自治州界
ユーゴスラビアの民族構成 ─1990年─
セルビア人 36%
クロアチア人 20
ムスリム人 9
スロベニア人 8
アルバニア人 8
マケドニア人 6
モンテネグロ人 3
その他 10

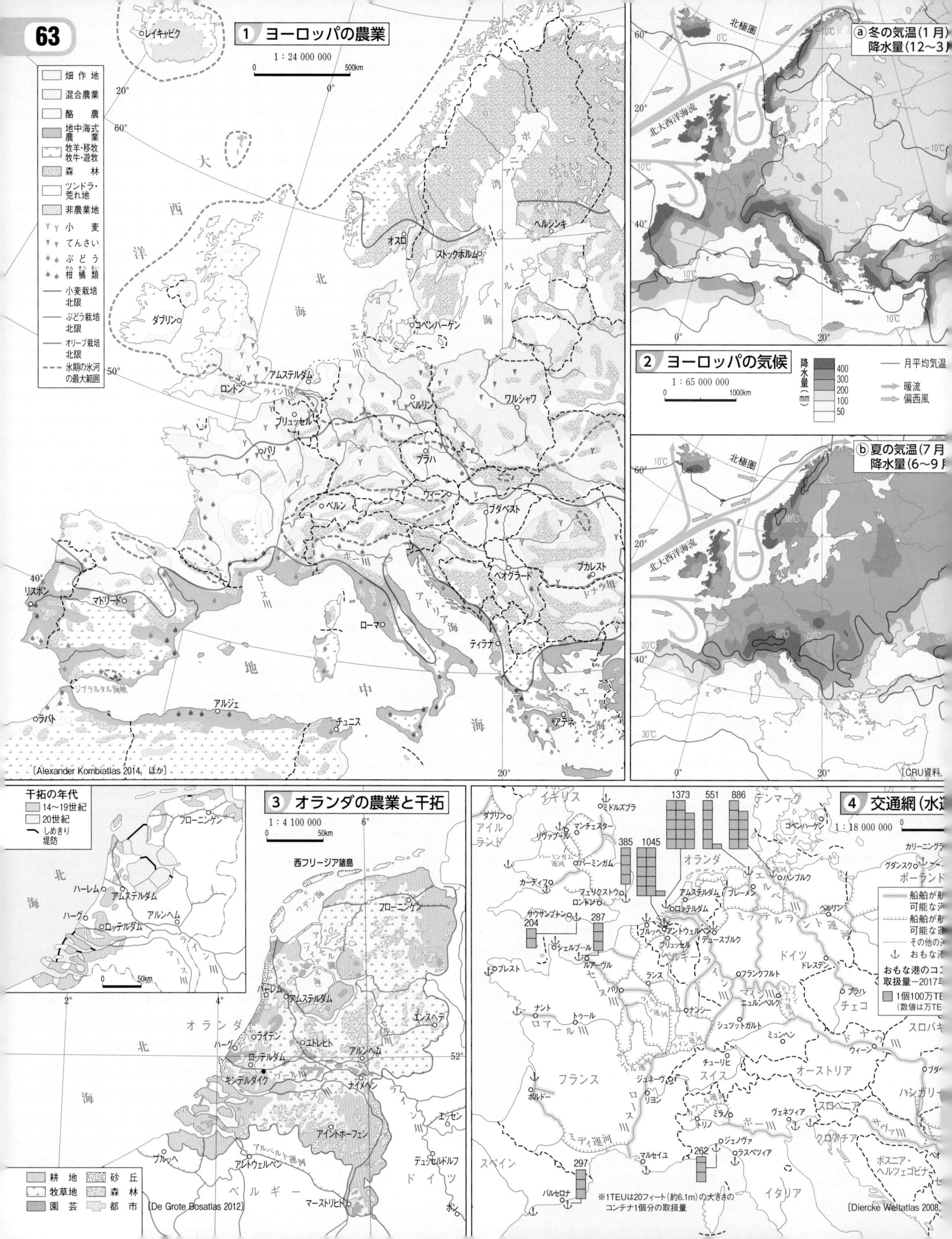

1 ヨーロッパの農業
1：24 000 000
0 500km
畑作地
混合農業
酪農
地中海式農業
牧羊・移牧 牧牛・遊牧
森林
ツンドラ・荒れ地
非農業地
小麦
てんさい
ぶどう
柑橘類
小麦栽培北限
ぶどう栽培北限
オリーブ栽培北限
氷期の氷河の最大範囲
レイキャビク
大西洋
北海
ボスニア湾
バルト海
ヘルシンキ
オスロ
ストックホルム
ダブリン
コペンハーゲン
エルベ川
アムステルダム
ロンドン
ライン川
ベルリン
ワルシャワ
ブリュッセル
パリ
プラハ
ウィーン
ベルン
ブダペスト
ポー川
ブカレスト
ベオグラード
ドナウ川
ローヌ川
リスボン
マドリード
ローマ
アドリア海
ティラナ
地中海
ジブラルタル海峡
アルジェ
ラバト
チュニス
エーゲ海
アテネ
〔Alexander Kombiatlas 2014，ほか〕
2 ヨーロッパの気候
1：65 000 000
0 1000km
降水量(mm)
400
300
200
100
50
月平均気温
暖流
偏西風
ⓐ冬の気温（1月）降水量（12～3月）
ⓑ夏の気温（7月）降水量（6～9月）
北極圏
北大西洋海流
〔CRU資料，
3 オランダの農業と干拓
1：4 100 000
0 50km
干拓の年代
14～19世紀
20世紀
しめきり堤防
フローニンゲン
ハーレム
アムステルダム
ハーグ
ロッテルダム
アルンヘム
ライン川
マース川
北海
西フリージア諸島
ワデン海
アイセル湖
エンスヘデ
オランダ
ライデン
ユトレヒト
アルンヘム
キンデルダイク
ワール川
ナイメヘン
エッセン
アイントホーフェン
アルベルト運河
アントウェルペン
ブルッヘ
デュッセルドルフ
ベルギー
ドイツ
マーストリヒト
ボン
耕地
牧草地
園芸
砂丘
森林
都市
〔De Grote Bosatlas 2012〕
4 交通網（水運）
1：18 000 000
イギリス
デンマーク
1373
551
886
385
1045
204
287
297
262
ミドルズブラ
ダブリン
アイルランド
マンチェスター
リヴァプール
バーミンガム
カーディフ
フェリクストウ
ロンドン
サウサンプトン
シェルブール
ル・アーヴル
ブレスト
オランダ
アムステルダム
ブレーメン
ハンブルク
ロッテルダム
ブルッヘ
アントウェルペン
ブリュッセル
デュースブルク
ベルギー
ミッテルラント運河
ドイツ
ドレスデン
ベルリン
コペンハーゲン
グダンスク
カリーニングラード
ポーランド
船舶が航行可能な河川
船舶が航行可能な運河
その他の河川
おもな港
おもな港のコンテナ取扱量－2017年
1個100万TEU（数値は万TEU）
ランス
パリ
セーヌ川
フランクフルト
マイン川
ニュルンベルク
プラハ
チェコ
ナンシー
ナント
トゥール
ロアール川
シュツットガルト
ミュンヘン
スロバキア
ウィーン
ドナウ川
チューリヒ
スイス
オーストリア
フランス
ジュネーヴ
リヨン
ブダペスト
ハンガリー
ボルドー
ローヌ川
トリノ
ミラノ
ヴェネツィア
スロベニア
ポー川
サヴァ川
クロアチア
ミディ運河
ジェノヴァ
ラスペツィア
マルセイユ
スペイン
バルセロナ
ボスニア・ヘルツェゴビナ
イタリア
※1TEUは20フィート（約6.1m）の大きさのコンテナ1個分の取扱量
〔Diercke Weltatlas 2008，

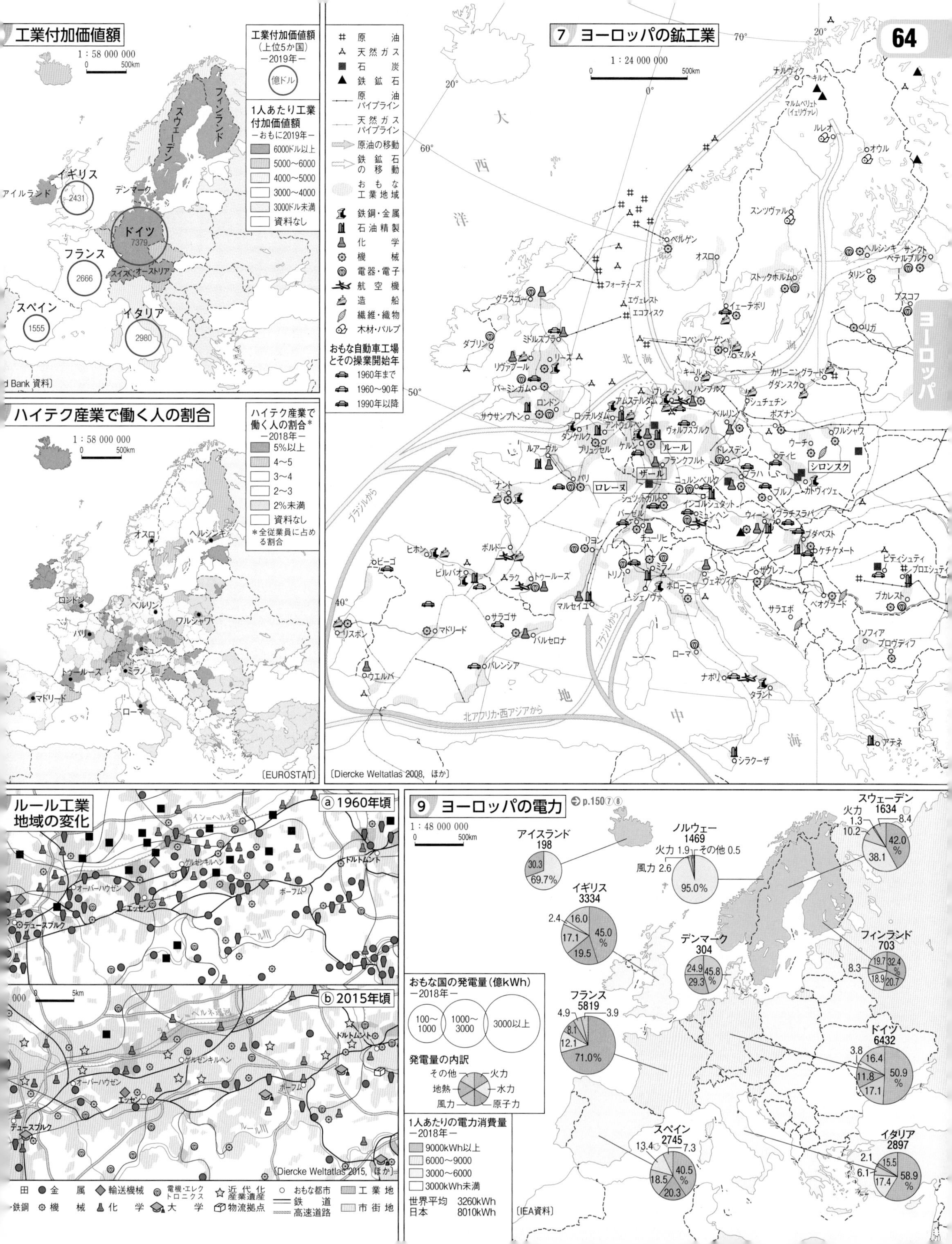

64
ヨーロッパ
工業付加価値額
1：58 000 000
0 500km
工業付加価値額（上位5か国）－2019年－
億ドル
1人あたり工業付加価値額 －おもに2019年－
6000ドル以上
5000～6000
4000～5000
3000～4000
3000ドル未満
資料なし
イギリス 2431
アイルランド
デンマーク
ドイツ 7379
フランス 2666
スイス
オーストリア
スペイン 1555
イタリア 2980
スウェーデン
フィンランド
d Bank 資料〕
ハイテク産業で働く人の割合
1：58 000 000
0 500km
ハイテク産業で働く人の割合* －2018年－
5%以上
4～5
3～4
2～3
2%未満
資料なし
*全従業員に占める割合
オスロ
ヘルシンキ
ロンドン
ベルリン
ワルシャワ
パリ
ミュンヘン
トゥールーズ
ミラノ
マドリード
ローマ
〔EUROSTAT〕
7 ヨーロッパの鉱工業
1：24 000 000
0 500km
原油
天然ガス
石炭
鉄鉱石
原油パイプライン
天然ガスパイプライン
原油の移動
鉄鉱石の移動
おもな工業地域
鉄鋼・金属
石油精製
化学
機械
電器・電子
航空機
造船
繊維・織物
木材・パルプ
おもな自動車工場とその操業開始年
1960年まで
1960～90年
1990年以降
大西洋
北海
地中海
バルト海
ブラジルから
北アフリカ・西アジアから
ナルヴィク
キルナ
マルムベリェト（イェリヴァレ）
ルレオ
オウル
スンツヴァル
ベルゲン
オスロ
ヘルシンキ
サンクトペテルブルク
ストックホルム
タリン
フォーティーズ
エヴェレスト
エコフィスク
イェーテボリ
プスコフ
リガ
グラスゴー
ミドルスブラ
ダブリン
リーズ
リヴァプール
バーミンガム
コペンハーゲン
マルメ
カリーニングラード
グダンスク
キール
ハンブルク
ブレーメン
アムステルダム
ロッテルダム
アントウェルペン
シュチェチン
ロンドン
サウサンプトン
ダンケルク
ブリュッセル
ルアーヴル
ヴォルフスブルク
ベルリン
ポズナン
ワルシャワ
ケルン
ルール
フランクフルト
ドレスデン
ウーチ
ティヒ
シロンスク
カトヴィツェ
パリ
ロレーヌ
ザール
ニュルンベルク
プラハ
ブルノ
ナント
シュツットガルト
インゴルシュタット
ミュンヘン
ウィーン
ブラチスラバ
バーゼル
チューリヒ
ブダペスト
ケチケメート
リヨン
ミラノ
トリノ
ジェノヴァ
ボローニャ
ヴェネツィア
ザグレブ
ピティシュティ
プロエシュティ
ブカレスト
ベオグラード
サラエボ
ソフィア
プロヴディフ
ビーゴ
ヒホン
ビルバオ
ボルドー
ラク
トゥールーズ
マルセイユ
サラゴサ
マドリード
バルセロナ
リスボン
バレンシア
ウエルバ
ローマ
ナポリ
タラント
アテネ
シラクーザ
〔Diercke Weltatlas 2008，ほか〕
ルール工業地域の変化
ⓐ 1960年頃
ⓑ 2015年頃
0 5km
ライン＝ヘルネ運河
ドルトムント
ゲルゼンキルヘン
オーバーハウゼン
ボーフム
エッセン
デュースブルク
ルール川
〔Diercke Weltatlas 2015，ほか〕
鉄鋼
金属
輸送機械
電機・エレクトロニクス
近代化産業遺産
おもな都市
工業地
機械
化学
大学
物流拠点
鉄道
高速道路
市街地
9 ヨーロッパの電力
p.150 ⑦⑧
1：48 000 000
0 500km
アイスランド 198
30.3
69.7%
ノルウェー 1469
火力 1.9
その他 0.5
風力 2.6
95.0%
スウェーデン 1634
火力
1.3
8.4
10.2
42.0 %
38.1
イギリス 3334
2.4
16.0
17.1
45.0 %
19.5
デンマーク 304
24.9
45.8 %
29.3
フィンランド 703
19.7
32.4 %
8.3
18.9
20.7
フランス 5819
4.9
3.9
8.1
12.1
71.0%
ドイツ 6432
3.8
16.4
11.8
50.9 %
17.1
スペイン 2745
13.4
7.3
40.5 %
18.5
20.3
イタリア 2897
2.1
15.5
6.1
17.4
58.9 %
おもな国の発電量（億kWh） －2018年－
100～1000
1000～3000
3000以上
発電量の内訳
その他
火力
地熱
水力
風力
原子力
1人あたりの電力消費量 －2018年－
9000kWh以上
6000～9000
3000～6000
3000kWh未満
世界平均 3260kWh
日本 8010kWh
〔IEA資料〕

EUの域内格差とその影響 －ヨーロッパ－

視点 EUの拡大に伴って域内の経済格差は，どのように変化しているか，またその影響は，貿易や人の移動にどう表れているだろうか。

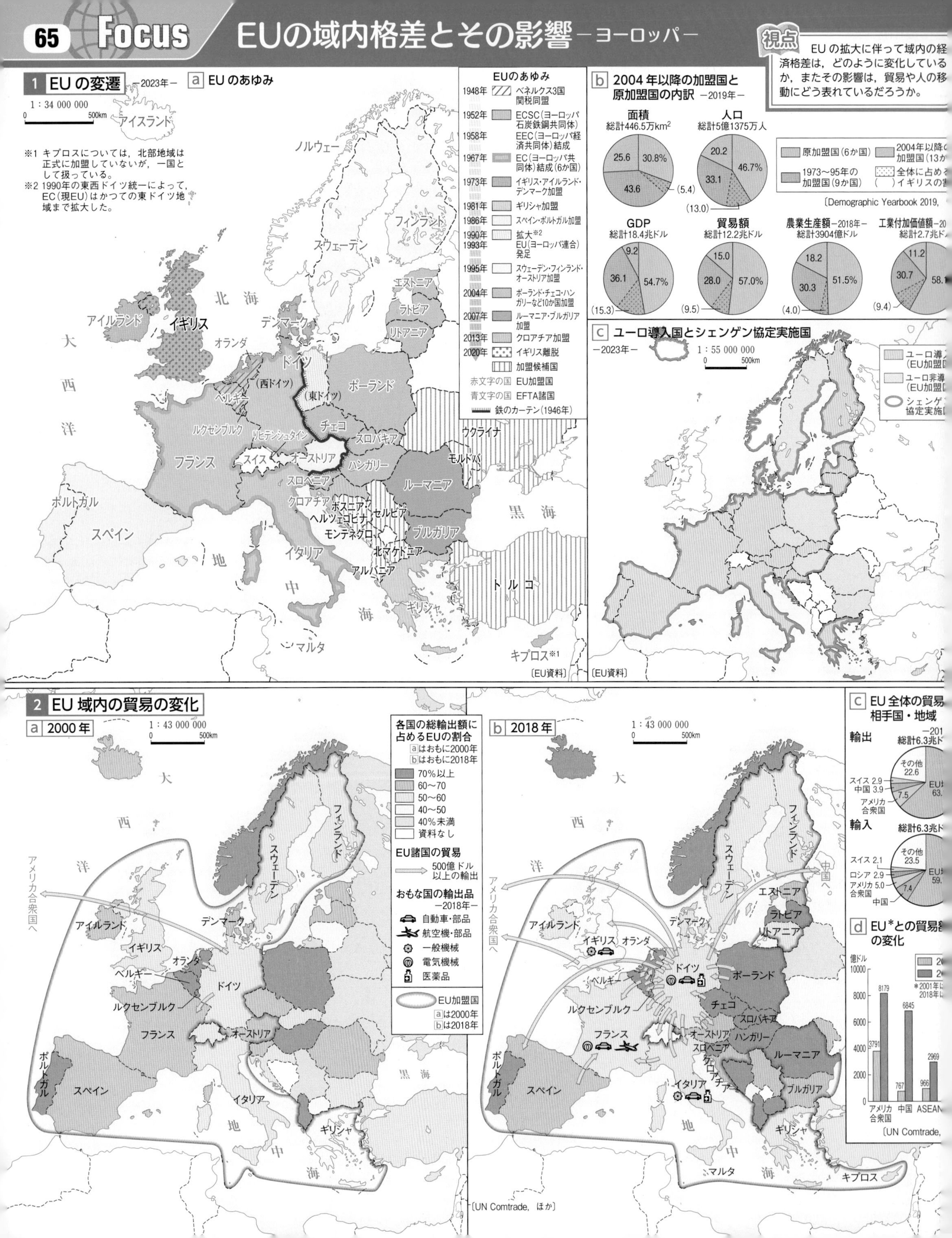

1 EUの変遷 －2023年－
a EUのあゆみ
1：34 000 000
0 500km
アイスランド
ノルウェー
フィンランド
スウェーデン
エストニア
ラトビア
リトアニア
北海
デンマーク
アイルランド
イギリス
オランダ
ドイツ
（西ドイツ）
（東ドイツ）
ベルギー
ポーランド
ルクセンブルク
チェコ
リヒテンシュタイン
スロバキア
ウクライナ
モルドバ
スイス
オーストリア
ハンガリー
フランス
スロベニア
ルーマニア
クロアチア
ボスニア・ヘルツェゴビナ
セルビア
黒海
ポルトガル
スペイン
モンテネグロ
ブルガリア
北マケドニア
イタリア
アルバニア
トルコ
ギリシャ
大西洋
地中海
マルタ
キプロス※1
〔EU資料〕
※1 キプロスについては，北部地域は正式に加盟していないが，一国として扱っている。
※2 1990年の東西ドイツ統一によって，EC(現EU)はかつての東ドイツ地域まで拡大した。
EUのあゆみ
1948年 ベネルクス3国関税同盟
1952年 ECSC(ヨーロッパ石炭鉄鋼共同体)
1958年 EEC(ヨーロッパ経済共同体)結成
1967年 EC(ヨーロッパ共同体)結成(6か国)
1973年 イギリス・アイルランド・デンマーク加盟
1981年 ギリシャ加盟
1986年 スペイン・ポルトガル加盟
1990年 拡大※2
1993年 EU(ヨーロッパ連合)発足
1995年 スウェーデン・フィンランド・オーストリア加盟
2004年 ポーランド・チェコ・ハンガリーなど10か国加盟
2007年 ルーマニア・ブルガリア加盟
2013年 クロアチア加盟
2020年 イギリス離脱
加盟候補国
赤文字の国 EU加盟国
青文字の国 EFTA諸国
鉄のカーテン(1946年)
b 2004年以降の加盟国と原加盟国の内訳 －2019年－
面積 総計446.5万km2
25.6 30.8% 43.6 (5.4)
人口 総計5億1375万人
20.2 46.7% 33.1 (13.0)
原加盟国(6か国)
2004年以降の加盟国(13か
1973～95年の加盟国(9か国)
全体に占め
( )イギリスの
〔Demographic Yearbook 2019,
GDP 総計18.4兆ドル
9.2 36.1 54.7% (15.3)
貿易額 総計12.2兆ドル
15.0 28.0 57.0% (9.5)
農業生産額 －2018年－ 総計3904億ドル
18.2 30.3 51.5% (4.0)
工業付加価値額 －20
総計2.7兆ド
11.2 30.7 58. (9.4)
c ユーロ導入国とシェンゲン協定実施国
－2023年－
1：55 000 000
0 500km
ユーロ導入
(EU加盟
ユーロ非導
(EU加盟
シェンゲ
協定実施
〔EU資料〕
2 EU域内の貿易の変化
a 2000年
1：43 000 000
0 500km
大西洋
アメリカ合衆国へ
フィンランド
スウェーデン
アイルランド
デンマーク
イギリス
オランダ
ベルギー
ドイツ
ルクセンブルク
フランス
オーストリア
ポルトガル
スペイン
イタリア
黒海
ギリシャ
地中海
各国の総輸出額に占めるEUの割合
aはおもに2000年
bはおもに2018年
70%以上
60～70
50～60
40～50
40%未満
資料なし
EU諸国の貿易
500億ドル以上の輸出
おもな国の輸出品 －2018年－
自動車・部品
航空機・部品
一般機械
電気機械
医薬品
EU加盟国
aは2000年
bは2018年
〔UN Comtrade, ほか〕
b 2018年
1：43 000 000
0 500km
大西洋
アメリカ合衆国へ
中国へ
フィンランド
スウェーデン
エストニア
ラトビア
リトアニア
アイルランド
デンマーク
イギリス
オランダ
ドイツ
ポーランド
ベルギー
ルクセンブルク
チェコ
スロバキア
フランス
オーストリア
ハンガリー
スロベニア
ルーマニア
クロアチア
ポルトガル
スペイン
イタリア
ブルガリア
ギリシャ
地中海
マルタ
キプロス
c EU全体の貿易相手国・地域
輸出 －201
総計6.3兆ド
その他 22.6
EU 63.
スイス 2.9
中国 3.9
アメリカ合衆国 7.5
輸入 総計6.3兆ド
その他 23.5
EU 59.
スイス 2.1
ロシア 2.9
アメリカ合衆国 5.0
中国 7.4
d EU*との貿易額の変化
億ドル
10000
8000
6000
4000
2000
0
3791 8179
767 6845
966 2969
アメリカ合衆国
中国
ASEAN
*2001年は
2018年は
〔UN Comtrade,

EU域内の地域格差

a 1人あたりの域内総生産とEU予算

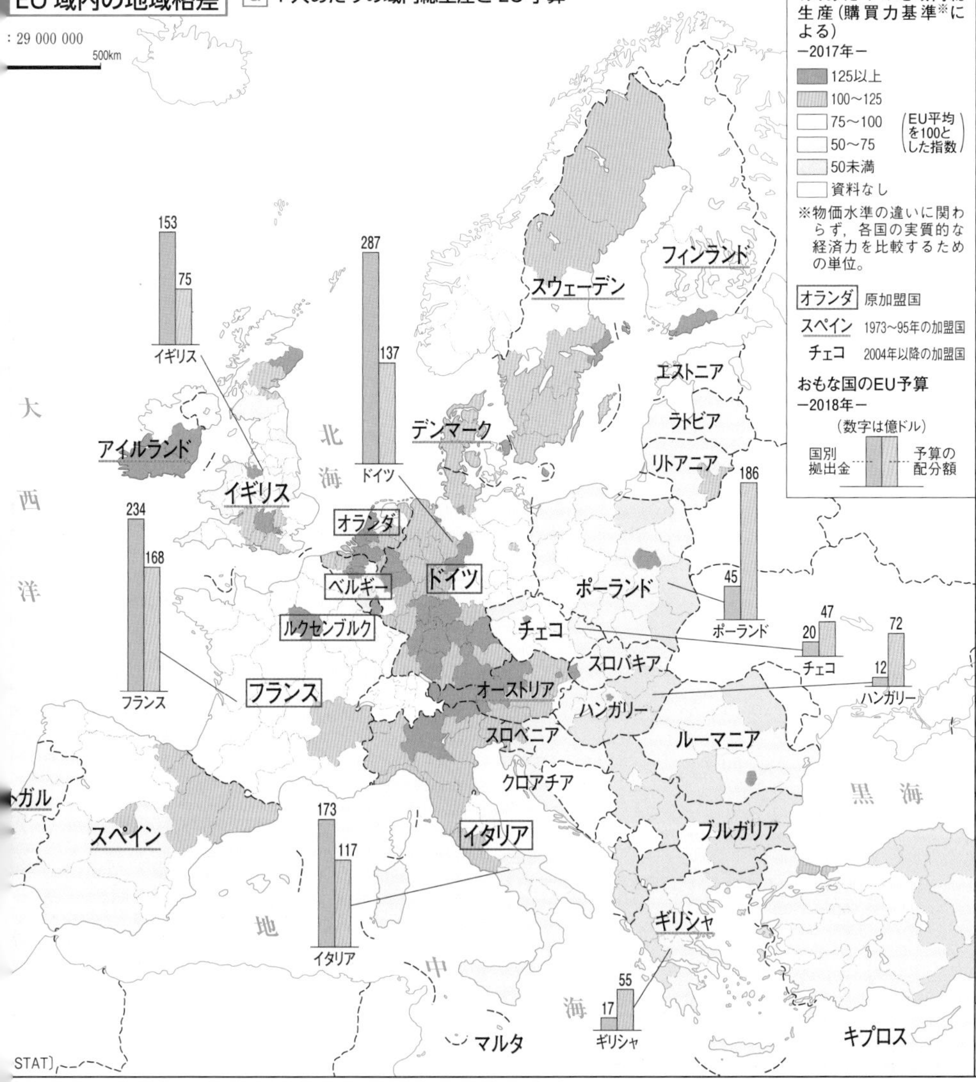

探究
1995年以前とそれ以後の拡大で，地域的な経済格差がどのように変化したかを，1 a図と3 a図を比較して読み取ろう。

b おもな国のGDP総額 －2019年－

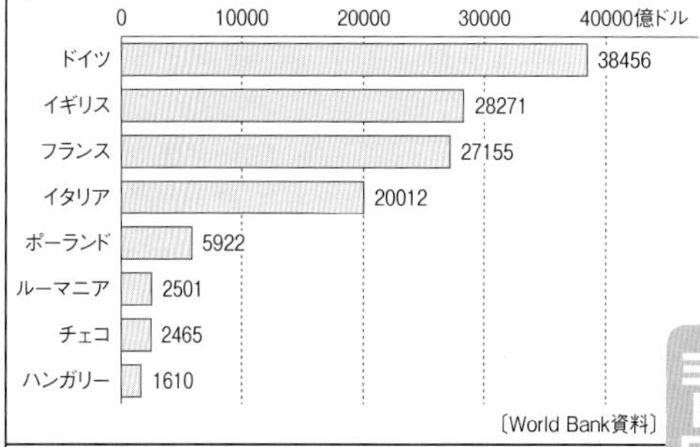

国	億ドル
ドイツ	38456
イギリス	28271
フランス	27155
イタリア	20012
ポーランド	5922
ルーマニア	2501
チェコ	2465
ハンガリー	1610

〔World Bank資料〕

c 各国の年間平均賃金 －2018年－

在留外国人の出身国の変化

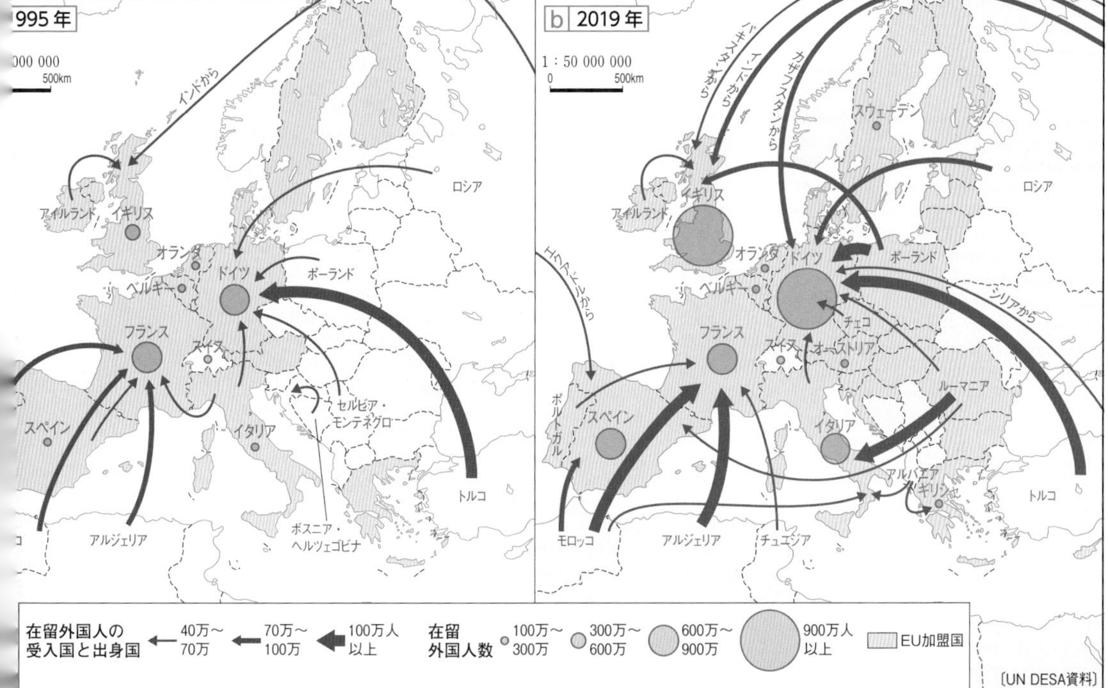

a 1995年

b 2019年

c 若年層(15～24歳)の失業率 －2019年－

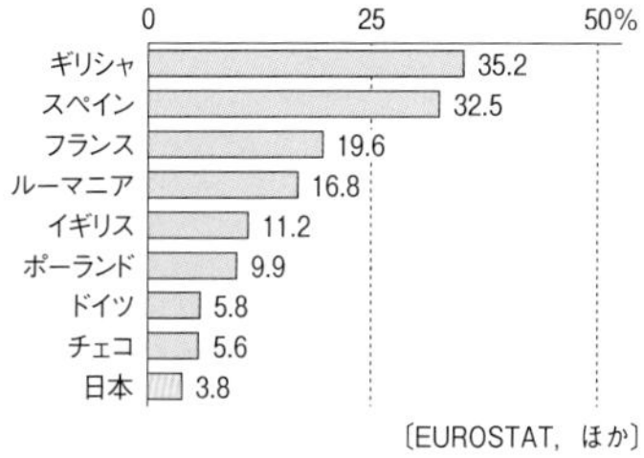

国	%
ギリシャ	35.2
スペイン	32.5
フランス	19.6
ルーマニア	16.8
イギリス	11.2
ポーランド	9.9
ドイツ	5.8
チェコ	5.6
日本	3.8

〔EUROSTAT，ほか〕

d EUへの難民申請者数と申請結果

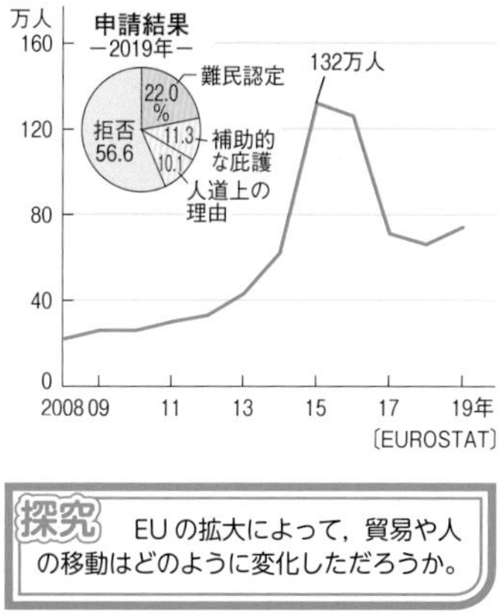

探究
EUの拡大によって，貿易や人の移動はどのように変化しただろうか。

共和国
自治州
自治管区
州・地方
共和国界
自治州界
自治管区界
カスピ海周辺の共和国
p.70
1 アドゥイゲ
2 カラチャイ・チェルケス
3 カバルダ・バルカル
4 北オセチア・アラニヤ
5 イングシェチア
6 チェチェン
2 ロシア連邦の行政区分
1：110 000 000
1000km
ロシア連邦
サハ
カレリア
ネネツ
コミ
チュヴァシ
マリ・エル
モルドヴァ
タタールスタン
ウドムルト
ヤマロ・ネネツ
ハンティ・マンシ
バシコルトスタン
カルムイキア
ダゲスタン
ハカシヤ
アルタイ
トゥーヴァ
ブリヤート
ユダヤ
チュコト
スヴァールバル諸島
Svalbard
ゼムリャフランツァヨシファ
バレンツ海
Barents Sea
流氷の限界
ノヴァヤゼムリャ
Novaya Zemlya
カラ海
Kara Sea
ノルウェー
スウェーデン
フィンランド
ムルマンスク
コラ半島
カレリア共和国
カニン半島
ヘルシンキ
タリン
エストニア
ラトビア
リガ
リトアニア
ビリニュス
サンクトペテルブルク
アルハンゲリスク
東ヨーロッパ平原
モスクワ
ポーランド
ワルシャワ
ベラルーシ
ミンスク
ウクライナ
キーウ
スロバキア
ハンガリー
ブダペスト
ルーマニア
ブカレスト
モルドバ
キシナウ
ブルガリア
ソフィア
セルビア
ベオグラード
イスタンブール
アンカラ
トルコ
黒海
ロストフ
ヴォルゴグラード
カスピ海沿岸低地
ニジニーノヴゴロド
カザン
サマーラ
ウファ
ペルミ
エカテリンブルク
チェリャビンスク
ウラル山脈
ネネツ自治管区
ヤマル半島
ギダン半島
ヤマロ・ネネツ自治管区
ハンティ・マンシ自治管区
西シベリア低地
チュメニ
オムスク
ノヴォシビルスク
ロシア
カザフステップ
Kazakh Steppe
カザフスタン
アスタナ
カラガンダ
カザフ高原
バルハシ湖
アルマティ
ビシュケク
キルギス
タシケント
ウズベキスタン
キジルクーム砂漠
トルクメニスタン
カラクーム砂漠
アシガバット
タジキスタン
ドゥシャンベ
パミール高原
ヒンドゥークシ山脈
カブール
アフガニスタン
イスラマバード
パキスタン
カラコルム峠
クンルン山脈
タリム盆地
タクラマカン砂漠
テンシャン山脈
ウルムチ
トゥルファン盆地
ジュンガル盆地
アルタイ山脈
中華
バクー
エレバン
トビリシ
カフカス山脈
シリア
イラク
バグダッド
イラン
テヘラン
エルブールズ山脈
イスファハーン
ザグロス山脈
イラン高原
ルート砂漠
カヴィール砂漠
マシュハド
バーレーン
マナーマ
ドーハ
アブダビ
ドバイ
アラブ首長国連邦
サウジアラビア
クウェート

① ユーラシア北部
1：23 000 000
0 200 400 600 800km
ランベルト正積方位図法
(面積が正しく、全体としてひずみが小さい。)
共和国界
自治共和国界
自治州界
自治管区界
シベリア鉄道のルート
アジアハイウェイ
〈AH1〉
〈ロシア連邦の共和国〉
1 アドゥイゲ共和国
2 カラチャイ・チェルケス共和国
3 カバルダ・バルカル共和国
4 北オセチア・アラニヤ共和国
5 イングシェチア共和国
6 チェチェン共和国
北極点
North Pole
ARCTIC OCEAN
セーヴェルナヤゼムリャ
Severnaya Zemlya
ノヴォシビルスク諸島
Novosibirskiye Os.
アンジュ諸島
ラプテフ海
Laptev Sea
東シベリア海
East Siberian Sea
年間氷結している範囲
タイミル半島
Pol. Taymyr
チェリュスキン岬
Mys Chelyuskin
シベリア低地
Sibirskaya Nizm.
中央シベリア高原
Sredne Sibirskoye Plosk.
ヴェルホヤンスク山脈
チェルスキー山脈
チュコト山脈
チュコト自治管区
コルイマ山脈
コリヤーク山脈
サハ共和国
SAKHA
ヤクーツク盆地
ヤクーツク
Yakutsk
アルダン高原
Aldanskoye Nagorye
スタノヴォイ山脈
ブリヤート共和国
BURYAT
ヤブロノヴイ山脈
イルクーツク
ウランウデ
チタ
ハバロフスク
Khabarovsk
シホテアリン山脈
ウラジオストク
Vladivostok
オホーツク海
Sea of Okhotsk
ベーリング海
Bering Sea
ベーリング海峡
アラスカ
ALASKA
アメリカ合衆国
UNITED STATES OF AMERICA
セントローレンス島
St. Lawrence I.
プリビロフ諸島
アリューシャン列島
Aleutian Is.
日付変更線
コマンドル諸島
Komandorskiye Os.
カムチャツカ半島
Kamchatka
ペトロパヴロフスク・カムチャツキー
マガダン
Magadan
シャンタル諸島
Shantarskiye Os.
樺太(サハリン)
Sakhalin
千島(クリル)列島
Kuril'skiye Os.
千島・カムチャツカ海溝
太平洋
PACIFIC OCEAN
日本海
Japan Sea
日本海溝
伊豆・小笠原海溝
伊豆諸島
日本国
札幌
仙台
東京
横浜
名古屋
京都
大阪
神戸
広島
福岡
北九州
熊本
新潟
金沢
竹島
朝鮮民主主義人民共和国
DEMOCRATIC PEOPLE'S REPUBLIC OF KOREA
ピョンヤン
大韓民国
REPUBLIC OF KOREA
ソウル
プサン
モンゴル国
MONGOLIA
ウランバートル
ULAN BATOR
モンゴル高原
Mongolia
ゴビ砂漠
Gobi
中華人民共和国
PEOPLE'S REPUBLIC OF CHINA
ペキン
テンチン
ターリエン
ハルビン
チチハル
チャンチュン
シェンヤン
大シンアンリン山脈
小シンアンリン山脈
渤海
Bohai
黄海
Yellow Sea
ロシア連邦
シベリア
Siberia
レナ川
Lena
アムール川
Amur
陸高と水深(m)
6000 5000 4000 3000 2000 1000 500 200 0 海面下 200 1000 2000 4000 6000 8000
ヨーロッパ

1 東ヨーロッパ・ロシア連邦要部
1：9 500 000
0 100 200 300km
ランベルト正積方位図法
（面積が正しく、全体としてひずみが小さい。）
シベリア鉄道のルート
アジアハイウェイ
AH1
ストックホルム
STOCKHOLM
スウェーデン
SWEDEN
ヘルシンキ
HELSINKI
フィンランド
FINLAND
サンクトペテルブルク
SANKT PETERBURG
タリン
TALLINN
エストニア共和国
REPUBLIC OF ESTONIA
リガ
RIGA
ラトビア共和国
REPUBLIC OF LATVIA
リトアニア共和国
REPUBLIC OF LITHUANIA
ビリニュス
VILNIUS
ロシア連邦（飛地）
RUSSIAN FEDERATION
カリーニングラード
ベラルーシ共和国
REPUBLIC OF BELARUS
ミンスク
MINSK
モスクワ
MOSKVA
ドイツ
GERMANY
ベルリン
BERLIN
ポーランド共和国
REPUBLIC OF POLAND
ワルシャワ
WARSZAWA
プラハ
PRAHA
チェコ共和国
CZECH REPUBLIC
ウィーン
WIEN
オーストリア
AUSTRIA
スロバキア共和国
SLOVAK REPUBLIC
ブラチスラバ
BRATISLAVA
ブダペスト
BUDAPEST
ハンガリー
HUNGARY
ハンガリー平原
ザグレブ
ZAGREB
クロアチア共和国
REPUBLIC OF CROATIA
ウクライナ
UKRAINE
キーウ（キエフ）
KYIV
ハルキウ
KHARKIV
オデーサ
ODESA
ドニプロ
DNIPRO
ドネツク
モルドバ共和国
REPUBLIC OF MOLDOVA
キシナウ（キシニョフ）
CHISINAU
ルーマニア
ROMANIA
ブカレスト
BUCHAREST
トランシルヴァニア山脈
ルーマニア平原
ベオグラード
BEOGRAD
セルビア共和国
REPUBLIC OF SERBIA
サラエボ
SARAJEVO
モンテネグロ
MONTENEGRO
ポドゴリツァ
PODGORICA
コソボ共和国
REPUBLIC OF KOSOVO
プリシュティナ
PRISTINA
ソフィア
SOFIA
ブルガリア共和国
REPUBLIC OF BULGARIA
バルカン半島
Balkan Pen.
スコピエ
SKOPJE
北マケドニア共和国
ティラナ
TIRANE
アルバニア共和国
REPUBLIC OF ALBANIA
イタリア
ITALY
ギリシャ共和国
HELLENIC REPUBLIC
イスタンブール
ISTANBUL
アンカラ
ANKARA
トルコ共和国
REPUBLIC OF TURKEY
黒海
Black Sea
アゾフ海
Sea of Azov
クリム半島（クリミア半島）
バルト海
Baltic Sea
アドリア海
Adriatic Sea
イオニア海
Ionian Sea
エーゲ海
Aegean Sea
東ヨーロッパ平原
中央ロシア高地
ヴァルダイ丘陵
カルパティア山脈
ロドピ山脈
ディナルアルプス山脈
ドネツ丘陵
黒海沿岸低地
北アナトリア山脈

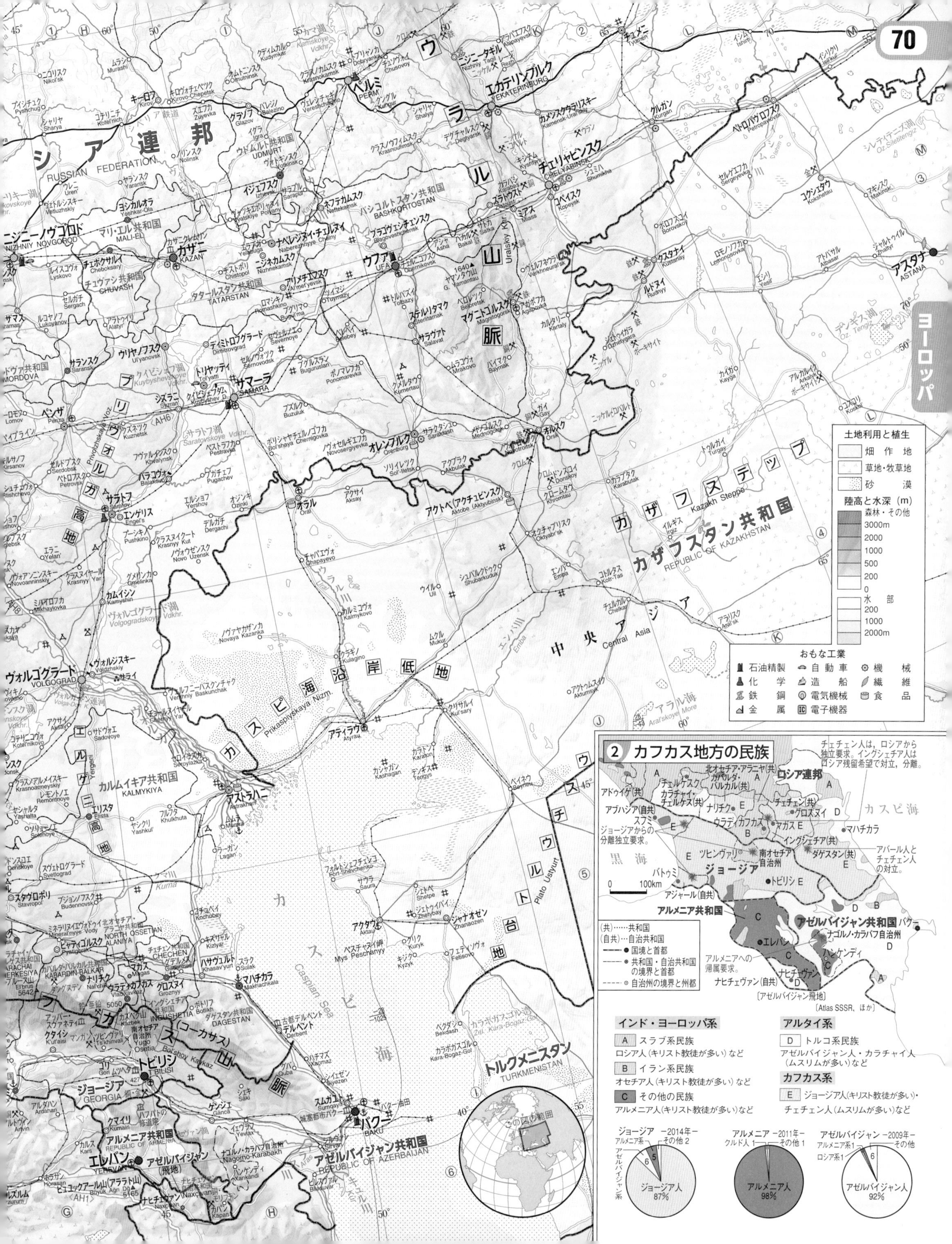

ロシア連邦
RUSSIAN FEDERATION
ウラル山脈
プリヴォルガ高地
エルゲニ高地
カスピ海沿岸低地
Prikaspiyskaya Nizm.
カザフステップ
Kazakh Steppe
カザフスタン共和国
REPUBLIC OF KAZAKHSTAN
中央アジア
Central Asia
ウスチウルト台地
Plato Ustyurt
カスピ海
Caspian Sea
カフカス（コーカサス）山脈
トルクメニスタン
TURKMENISTAN
ジョージア
GEORGIA
アルメニア共和国
REPUBLIC OF ARMENIA
アゼルバイジャン共和国
REPUBLIC OF AZERBAIJAN
ペルミ
PERM'
エカテリンブルク
YEKATERINBURG
チェリャビンスク
CHELYABINSK
ニジニーノヴゴロド
NIZHNIY NOVGOROD
カザニ
KAZAN'
ウファ
UFA
サマーラ
SAMARA
オレンブルク
Orenburg
マグニトゴルスク
Magnitogorsk
サラトフ
ヴォルゴグラード
VOLGOGRAD
アストラハン
Astrakhan
アティラウ
Atyrau
アクタウ
Aktau
アスタナ
ASTANA
トビリシ
TBILISI
エレバン
YEREVAN
バクー
BAKU
マハチカラ
Makhachkala
グロズヌイ
Groznyy
ウラル川
ヴォルガ川
アラル海
Aral'skoye More
土地利用と植生
畑作地
草地・牧草地
砂漠
陸高と水深（m）
森林・その他
3000m
2000
1000
500
200
0
水部
200
1000
2000m
おもな工業
石油精製
自動車
機械
化学
造船
繊維
鉄鋼
電気機械
食品
金属
電子機器
この図の範囲
2 カフカス地方の民族
チェチェン人は，ロシアから独立要求。イングシェチア人はロシア残留希望で対立，分離。
ロシア連邦
カスピ海
黒海
北オセチア・アラニヤ(共)
カバルダ・バルカル(共)
アドゥイゲ(共)
チェルケスク
カラチャイ・チェルケス(共)
アブハジア(自共)
スフミ
ナリチク
ウラディカフカス
マガス
チェチェン(共)
グロズヌイ
イングシェチア(共)
マハチカラ
ダゲスタン(共)
ジョージアからの分離独立要求。
ツヒンヴァリ
南オセチア自治州
バトゥミ
ジョージア
トビリシ
アジャール(自共)
アバール人とチェチェン人の対立。
アルメニア共和国
アゼルバイジャン共和国
バクー
ナゴルノ・カラバフ自治州
エレバン
ステパナケルト
アルメニアへの帰属要求。
ナヒチェヴァン
ナヒチェヴァン(自共)
〔アゼルバイジャン飛地〕
0 100km
(共)……共和国
(自共)…自治共和国
国境と首都
共和国・自治共和国の境界と首都
自治州の境界と州都
〔Atlas SSSR，ほか〕
インド・ヨーロッパ系
A スラブ系民族
ロシア人（キリスト教徒が多い）など
B イラン系民族
オセチア人（キリスト教徒が多い）など
C その他の民族
アルメニア人（キリスト教徒が多い）など
アルタイ系
D トルコ系民族
アゼルバイジャン人・カラチャイ人（ムスリムが多い）など
カフカス系
E ジョージア人（キリスト教徒が多い）・チェチェン人（ムスリムが多い）など
ジョージア −2014年−
アルメニア系
その他 2
アゼルバイジャン系
ジョージア人 87%
アルメニア −2011年−
クルド人 1
その他 1
アルメニア人 98%
アゼルバイジャン −2009年−
アルメニア系 1
その他
ロシア系 1
アゼルバイジャン人 92%

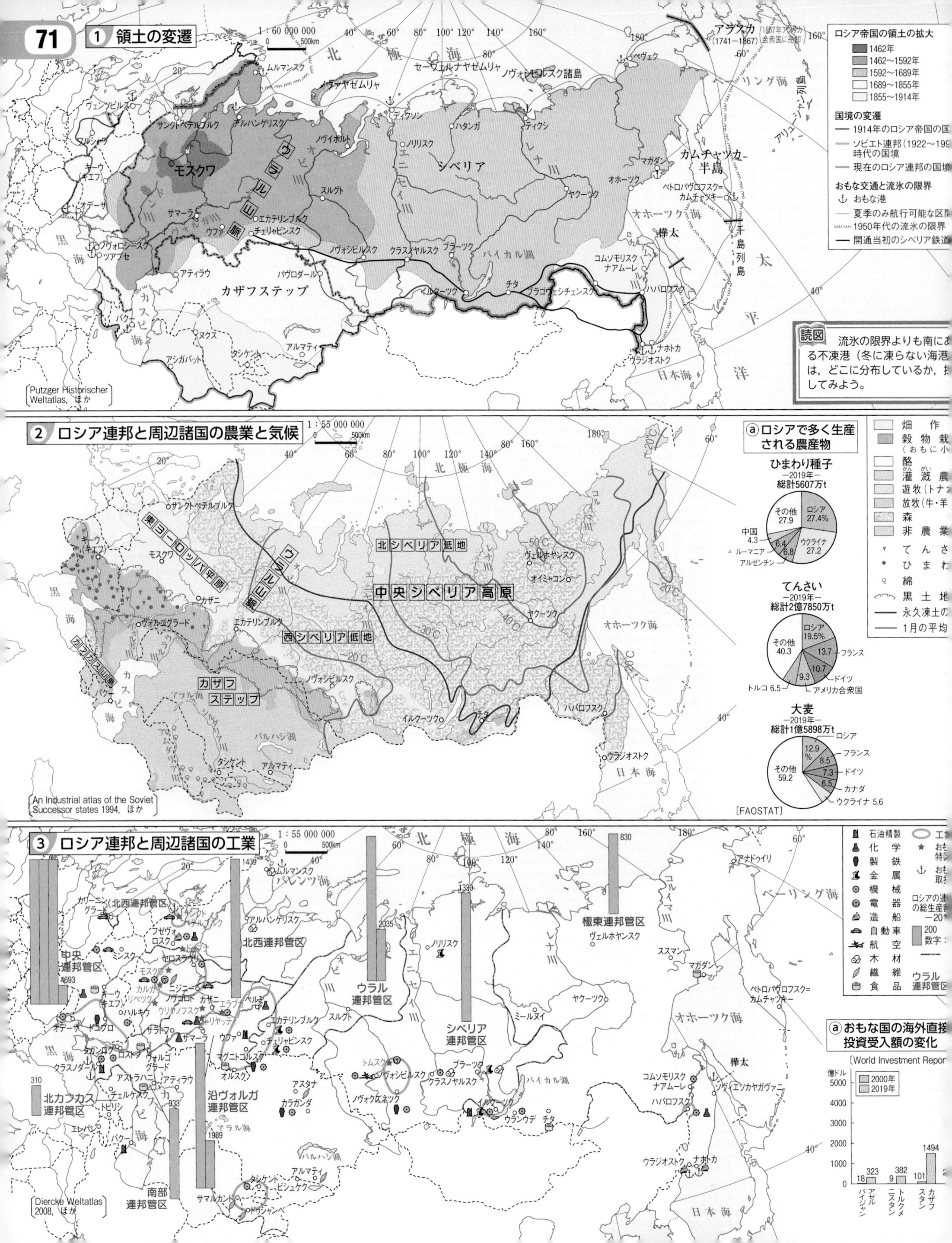
71
1 領土の変遷
1：60 000 000
500km
ロシア帝国の領土の拡大
1462年
1462～1592年
1592～1689年
1689～1855年
1855～1914年
国境の変遷
1914年のロシア帝国の国境
ソビエト連邦（1922～1991）時代の国境
現在のロシア連邦の国境
おもな交通と流氷の限界
おもな港
夏季のみ航行可能な区間
1950年代の流氷の限界
開通当初のシベリア鉄道
アラスカ（1741－1867）（1867年アメリカ合衆国に売却）
北極海
ムルマンスク
セーヴェルナヤゼムリャ
ノヴォシビルスク諸島
ノヴァヤゼムリャ
ベヴェク
ベーリング海
アリューシャン列島
ヴェンツピルス
サンクトペテルブルク
アルハンゲリスク
ディクソン
ハタンガ
ティクシ
モスクワ
ウラル山脈
ノリリスク
シベリア
マガダン
カムチャツカ半島
オホーツク
ペトロパヴロフスク＝カムチャツキー
ヤクーツク
スルグト
サマーラ
エカテリンブルク
ウファ
チェリャビンスク
オデーサ
黒海
ノヴォロシースク
ツアプセ
ノヴォシビルスク
クラスノヤルスク
ブラーツク
バイカル湖
オホーツク海
樺太
千島列島
太平洋
コムソモリスク＝ナアムーレ
アティラウ
パヴロダール
カザフステップ
カスピ海
バクー
ヌクス
タシケント
アルマティ
アシガバット
イルクーツク
チタ
ブラゴヴェシチェンスク
ハバロフスク
ナホトカ
ウラジオストク
日本海
読図 流氷の限界よりも南にある不凍港（冬に凍らない海港）は，どこに分布しているか，探してみよう。
Putzger Historischer Weltatlas，ほか
2 ロシア連邦と周辺諸国の農業と気候
1：55 000 000
500km
ⓐロシアで多く生産される農産物
ひまわり種子 －2019年－ 総計5607万t
ロシア 27.4%
ウクライナ 27.2
アルゼンチン 6.8
ルーマニア 6.4
中国 4.3
その他 27.9
てんさい －2019年－ 総計2億7850万t
ロシア 19.5%
フランス 13.7
ドイツ 10.7
アメリカ合衆国 9.3
トルコ 6.5
その他 40.3
大麦 －2019年－ 総計1億5898万t
ロシア 12.9%
フランス 8.5
ドイツ 7.3
カナダ 6.5
ウクライナ 5.6
その他 59.2
〔FAOSTAT〕
畑作
穀物栽培
酪農
灌漑農業
遊牧
放牧
森林
非農業
てんさい
ひまわり
綿
黒土地帯
永久凍土の南限
1月の平均気温
サンクトペテルブルク
東ヨーロッパ平原
キーウ（キエフ）
モスクワ
カザニ
ヴォルゴグラード
カフカス山脈
北シベリア低地
中央シベリア高原
西シベリア低地
ヴェルホヤンスク
オイミャコン
ヤクーツク
エカテリンブルク
ノヴォシビルスク
カザフステップ
バルハシ湖
タシケント
アルマティ
イルクーツク
チタ
ハバロフスク
ウラジオストク
オホーツク海
日本海
－50℃
－40℃
－30℃
－20℃
An Industrial atlas of the Soviet Successor states 1994，ほか
3 ロシア連邦と周辺諸国の工業
1：55 000 000
500km
石油精製
化学
製鉄
金属
機械
電器
造船
自動車
航空
木材
繊維
食品
ロシアの連邦管区別の総生産額 －2019年－
中央連邦管区 4693
北西連邦管区 1439
ウラル連邦管区 2035
シベリア連邦管区 1330
極東連邦管区 830
北カフカス連邦管区 310
南部連邦管区 933
沿ヴォルガ連邦管区 1989
ムルマンスク
バレンツ海
北極海
カリーニングラード
アルハンゲリスク
ノリリスク
ヴェルホヤンスク
アナドゥイリ
ベーリング海
マガダン
スースマン
ペトロパヴロフスク＝カムチャツキー
オホーツク海
ヤクーツク
ミールヌイ
ミンスク
モスクワ
ニジニーノヴゴロド
カザニ
キーウ（キエフ）
ハルキウ
オデーサ
ロストフ
ヴォルゴグラード
サマーラ
ウファ
エカテリンブルク
チェリャビンスク
マグニトゴルスク
オルスク
スルグト
トムスク
ノヴォシビルスク
ノヴォクズネツク
クラスノヤルスク
ブラーツク
バイカル湖
イルクーツク
ウランウデ
チタ
アスタナ
カラガンダ
アルマティ
ビシュケク
タシケント
サマルカンド
ドゥシャンベ
バルハシ湖
アラル海
黒海
カスピ海
トビリシ
エレバン
バクー
アストラハン
アティラウ
クラスノダール
コムソモリスク＝ナアムーレ
ソヴィエツカヤガヴァニ
ハバロフスク
ウラジオストク
ナホトカ
樺太
日本海
ⓐおもな国の海外直接投資受入額の変化
〔World Investment Report〕
億ドル
2000年
2019年
アゼルバイジャン 18 323
トルクメニスタン 9 382
カザフスタン 101 1494
Diercke Weltatlas 2008，ほか

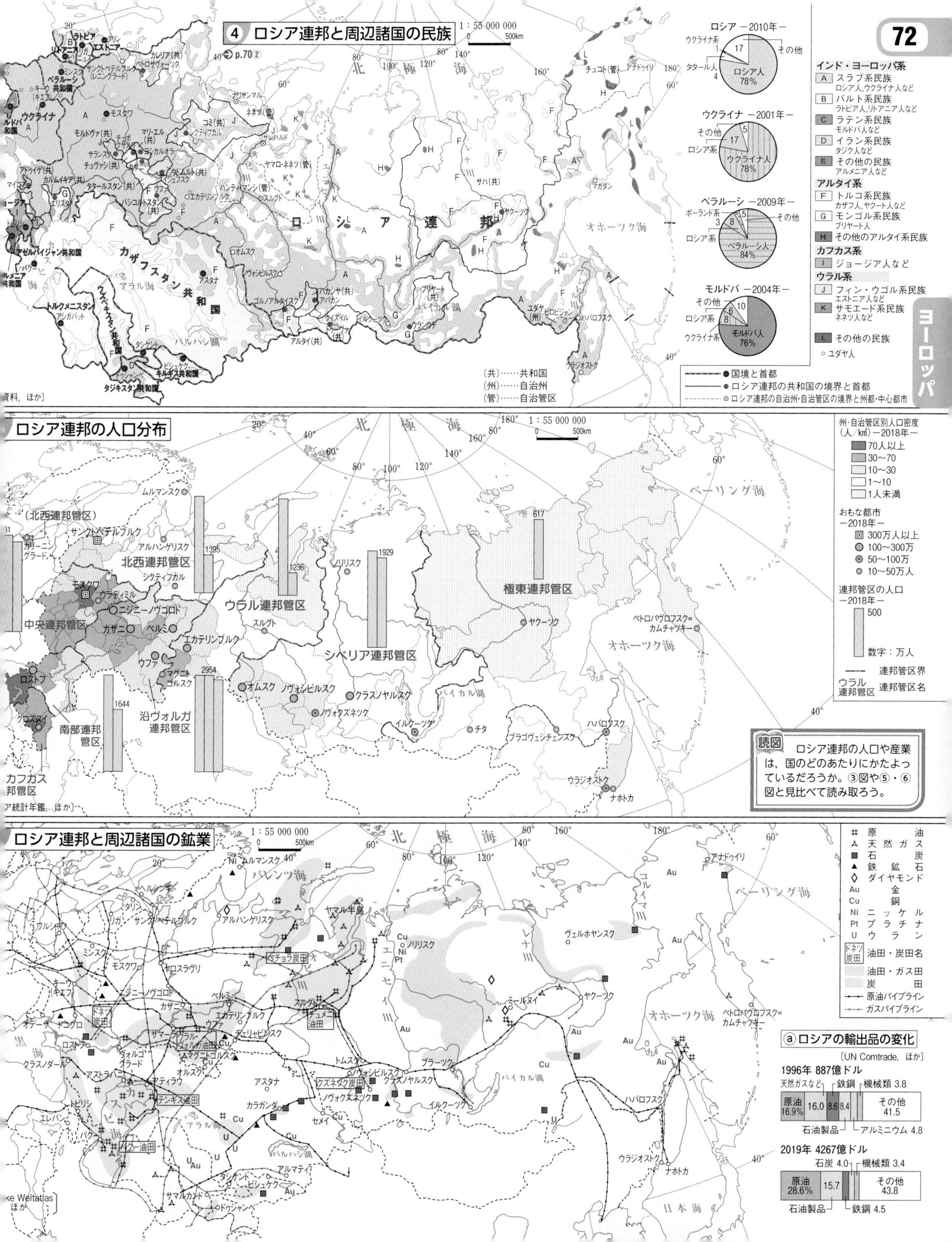
④ ロシア連邦と周辺諸国の民族
1：55 000 000
0 500km
p.70②
ロシア －2010年－
ウクライナ系 1
タタール人系 4
17
その他
ロシア人 78%
ウクライナ －2001年－
その他 17
5
ロシア系
ウクライナ人 78%
ベラルーシ －2009年－
ポーランド系 3
8
5
その他
ロシア系
ベラルーシ人 84%
モルドバ －2004年－
その他 6
10
ロシア系 8
ウクライナ系
モルドバ人 76%
インド・ヨーロッパ系
A スラブ系民族 ロシア人,ウクライナ人など
B バルト系民族 ラトビア人,リトアニア人など
C ラテン系民族 モルドバ人など
D イラン系民族 タジク人など
E その他の民族 アルメニア人など
アルタイ系
F トルコ系民族 カザフ人,ヤクート人など
G モンゴル系民族 ブリヤート人
H その他のアルタイ系民族
カフカス系
I ジョージア人など
ウラル系
J フィン・ウゴル系民族 エストニア人など
K サモエード系民族 ネネツ人など
L その他の民族
☆ユダヤ人
国境と首都
ロシア連邦の共和国の境界と首都
ロシア連邦の自治州・自治管区の境界と州都・中心都市
(共)……共和国
(州)……自治州
(管)……自治管区
ロシア連邦
カザフスタン共和国
ウクライナ
ベラルーシ共和国
トルクメニスタン
ウズベキスタン共和国
キルギス共和国
タジキスタン共和国
アゼルバイジャン共和国
北極海
オホーツク海
ヨーロッパ
ロシア連邦の人口分布
1：55 000 000
0 500km
州・自治管区別人口密度（人/km²）－2018年－
70人以上
30～70
10～30
1～10
1人未満
おもな都市 －2018年－
300万人以上
100～300万
50～100万
10～50万人
連邦管区の人口 －2018年－
500
数字：万人
連邦管区界
ウラル連邦管区 連邦管区名
北西連邦管区
中央連邦管区
南部連邦管区
沿ヴォルガ連邦管区
ウラル連邦管区
シベリア連邦管区
極東連邦管区
1395
1236
1929
617
2954
1644
ベーリング海
読図 ロシア連邦の人口や産業は，国のどのあたりにかたよっているだろうか。③図や⑤・⑥図と見比べて読み取ろう。
ロシア連邦と周辺諸国の鉱業
1：55 000 000
0 500km
♯ 原油
天然ガス
■ 石炭
▲ 鉄鉱石
◇ ダイヤモンド
Au 金
Cu 銅
Ni ニッケル
Pt プラチナ
U ウラン
油田・炭田名
油田・ガス田
炭田
原油パイプライン
ガスパイプライン
ペチョラ炭田
チュメニ油田
ヴォルガ油田
クズネツク炭田
テンギス油田
バクー油田
ドネツ炭田
ⓐロシアの輸出品の変化
〔UN Comtrade，ほか〕
1996年 887億ドル
原油 16.9%
天然ガスなど 16.0
鉄鋼 8.6
8.4
機械類 3.8
その他 41.5
石油製品
アルミニウム 4.8
2019年 4267億ドル
原油 28.6%
15.7
石炭 4.0
機械類 3.4
その他 43.8
石油製品
鉄鋼 4.5

① 北アメリカ

1：30 000 000

0 300 600 900km

ランベルト正積方位図法
（面積が正しく、全体としてひずみが小さい。）

メキシコ
アメリカ合衆国
UNITED STATES OF AMERICA
メキシコシティ
MEXICO CITY
メキシコ湾
Gulf of Mexico
ユカタン半島
Yucatan Pen.
カリブ海
Caribbean Sea
大アンティル諸島
Greater Antilles
西インド諸島
West Indies
バハマ諸島
The Bahamas
キューバ
CUBA
ハバナ
HAVANA
ジャマイカ
JAMAICA
キングストン
KINGSTON
ハイチ
HAITI
ポルトープランス
PORT-AU-PRINCE
ドミニカ共和国
サントドミンゴ
SANTO DOMINGO
グアテマラ
GUATEMALA
グアテマラシティ
GUATEMALA CITY
ベリーズ
BELIZE
ベルモパン
BELMOPAN
ホンジュラス
HONDURAS
テグシガルパ
TEGUCIGALPA
エルサルバドル
EL SALVADOR
サンサルバドル
SAN SALVADOR
ニカラグア
NICARAGUA
マナグア
MANAGUA
コスタリカ
COSTA RICA
サンホセ
SAN JOSE
パナマ
PANAMA
パナマシティ
PANAMA CITY
コロンビア
COLOMBIA
ボゴタ
BOGOTA
ベネズエラ
VENEZUELA
カラカス
CARACAS
エクアドル
ECUADOR
キト
QUITO
ペルー
PERU
リマ
LIMA
ブラジル
BRAZIL
チリ
CHILE
ラパス
LA PAZ
ガラパゴス諸島［エクアドル］
赤道
北回帰線
パンアメリカンハイウェイ
陸高と水深(m)
6000
5000
4000
3000
2000
1000
500
200
0
海面下
200
1000
2000
4000
6000
8000
この図の範囲
2 ハワイ諸島
1：7 500 000
0 100km
アメリカ合衆国
UNITED STATES OF AMERICA
ハワイ
HAWAII
ホノルル
Honolulu
ハワイ島
Hawaii
マウイ島
Maui
オアフ島
Oahu
カウアイ島
Kauai
大平洋
PACIFIC OCEAN
楯状火山
p.137
3 北アメリカの住民
1：80 000 000
0 1000km
〔U.S. Census Bureau, ほか〕
カナダ(言語) −2016年−
英語 56.0%
フランス語 20.6
中国語 3.6
その他 19.8
アメリカ合衆国(言語) −2016年−
英語 78.4%
スペイン語 13.3
中国語 1.1
その他 7.2
イギリス系
アイルランド系
ドイツ系
フランス系
スペイン系
アフリカ系
中国系
アメリカインディアン
イヌイット(エスキモー)
混血(メスチーソ・ムラートなど)
読図 グリーンランドやアラスカの大きさを，正積図法ではないp.2の地図と見比べてみよう。
北アメリカ

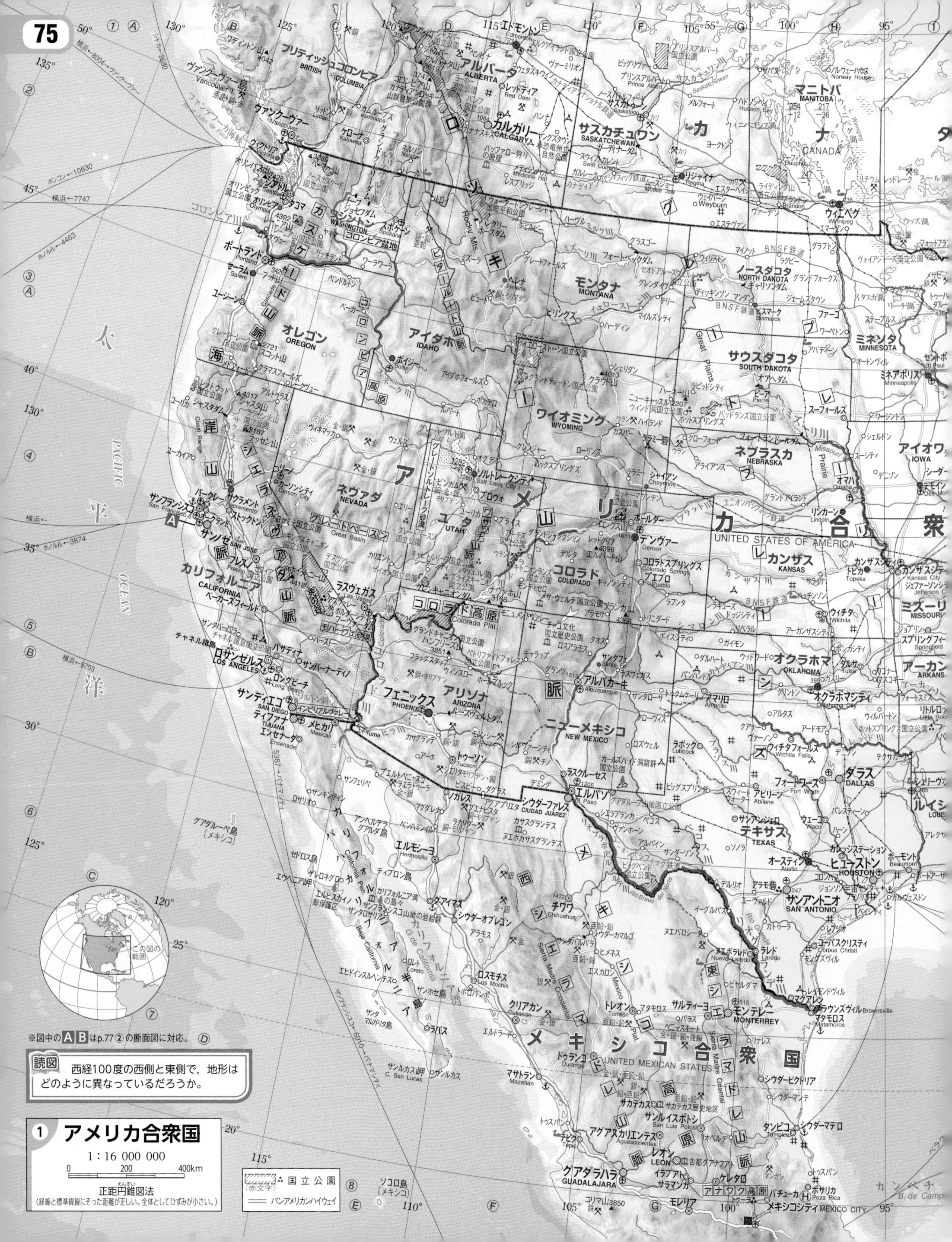
1 アメリカ合衆国
1：16 000 000
0 200 400km
正距円錐図法
(経線と標準緯線にそった距離が正しい。全体としてひずみが小さい。)
国立公園
(赤文字)
パンアメリカンハイウェイ
※図中のA Bはp.77②の断面図に対応。
読図 西経100度の西側と東側で，地形はどのように異なっているだろうか。
この図の範囲
アメリカ合衆国
UNITED STATES OF AMERICA
メキシコ合衆国
UNITED MEXICAN STATES
カナダ
CANADA
太平洋
PACIFIC OCEAN
ロッキー山脈
Rocky Mts.
グレートプレーンズ
Great Plains
グレートベースン
Great Basin
コロラド高原
Colorado Plat.
コロンビア高原
シエラネヴァダ山脈
カスケード山脈
海岸山脈
Coast Range
ワサッチ山脈
ビタールート山脈
西シエラマドレ山脈
Sierra Madre Occidental
東シエラマドレ山脈
Sierra Madre Oriental
メキシコ高原
カリフォルニア半島
Baja California
カリフォルニア湾
G. de California
アナワク高原
ブリティッシュコロンビア
BRITISH COLUMBIA
アルバータ
ALBERTA
サスカチュワン
SASKATCHEWAN
マニトバ
MANITOBA
ワシントン
WASHINGTON
オレゴン
OREGON
カリフォルニア
CALIFORNIA
ネヴァダ
NEVADA
アイダホ
IDAHO
モンタナ
MONTANA
ワイオミング
WYOMING
ユタ
UTAH
アリゾナ
ARIZONA
コロラド
COLORADO
ニューメキシコ
NEW MEXICO
ノースダコタ
NORTH DAKOTA
サウスダコタ
SOUTH DAKOTA
ネブラスカ
NEBRASKA
カンザス
KANSAS
オクラホマ
OKLAHOMA
テキサス
TEXAS
ミネソタ
MINNESOTA
アイオワ
IOWA
ミズーリ
MISSOURI
アーカンソー
ARKANSAS
ルイジアナ
LOUISIANA
ヴァンクーヴァー
Vancouver
シアトル
ポートランド
Portland
サンフランシスコ
San Francisco
サンノゼ
SAN JOSE
ロサンゼルス
LOS ANGELES
サンディエゴ
SAN DIEGO
ラスヴェガス
Las Vegas
ソルトレークシティ
Salt Lake City
フェニックス
PHOENIX
デンヴァー
Denver
アルバカーキ
Albuquerque
エルパソ
シウダーフアレス
CIUDAD JUÁREZ
ダラス
DALLAS
ヒューストン
HOUSTON
サンアントニオ
SAN ANTONIO
オクラホマシティ
Oklahoma City
カンザスシティ
Kansas City
ミネアポリス
Minneapolis
エドモントン
Edmonton
カルガリー
CALGARY
ウィニペグ
Winnipeg
モンテレー
MONTERREY
グアダラハラ
GUADALAJARA
メキシコシティ
MEXICO CITY
ティフアナ
TIJUANA
イエローストーン国立公園
グランドキャニオン国立公園
ヨセミテ国立公園
メサ・ヴェルデ国立公園
グレートソルトレーク砂漠
コロンビア川
ミズーリ川
リオグランデ川
Rio Bravo del Norte
カンペチェ湾
B. de Campeche
横浜←8004→ヴァンクーヴァー
横浜←7747
横浜←8703
ホノルル←3874
ホノルル←4463
ホンコン←10630
サンフランシスコ←8010→パナマシティ
5387→パナマシティ

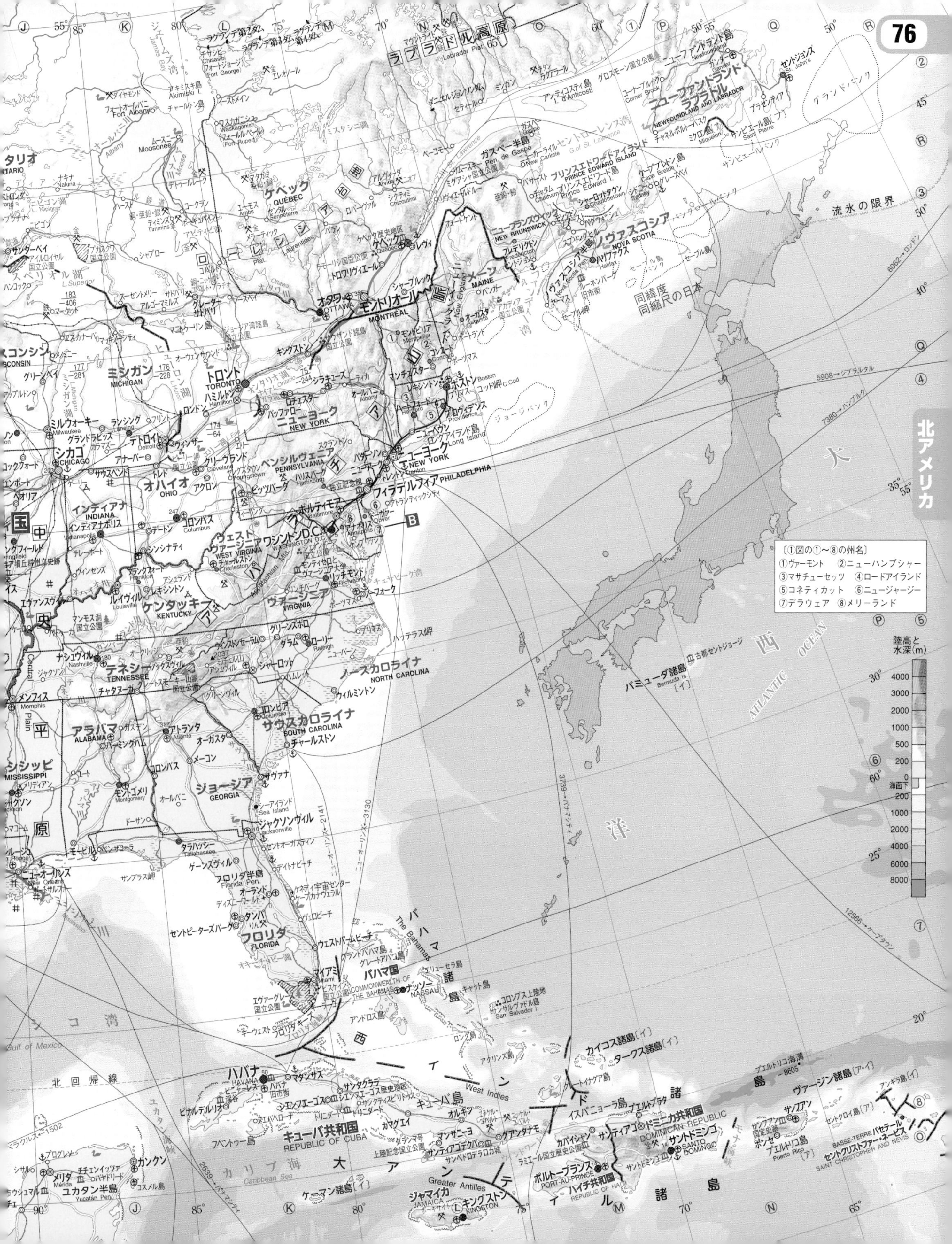
ラブラドル高原
Labrador Plat.
ニューファンドランド島
Newfoundland
セントジョンズ
St. John's
グランドバンク
ニューファンドランド・ラブラドル
NEWFOUNDLAND AND LABRADOR
サンピエール島〔フ〕
Saint Pierre
ミクロン島〔フ〕
Miquelon
アンティコスティ島
I. d'Anticosti
グロスモーン国立公園
コーナーブルック
Corner Brook
ガンダー
Gander
プラセンシア
ガスペー半島
Pen. de Gaspé
セントローレンス湾
G. of St. Lawrence
プリンスエドワードアイランド
PRINCE EDWARD ISLAND
プリンスエドワード島
Prince Edward I.
シャーロットタウン
Charlottetown
ケープブレトン島
Cape Breton I.
シドニー
Sydney
ニューブランズウィック
NEW BRUNSWICK
フレデリクトン
Fredericton
ノヴァスコシア
NOVA SCOTIA
ハリファックス
Halifax
ノヴァスコシア半島
Nova Scotia Pen.
セーブル島
セーブル岬
流氷の限界
同緯度
同縮尺の日本
ケベック
QUÉBEC
ケベック
Québec
レヴィ
ロレンシア台地
Laurentides Plat.
シクティミ
Chicoutimi
オタワ
OTTAWA
モントリオール
MONTREAL
シャーブルック
メーン
MAINE
バンガー
オーガスタ
Augusta
アカディア国立公園
ポートランド
ニューイングランド
New England
アパラチア山脈
Appalachian Mts.
モンペリア
Montpelier
コンコード
Concord
ポーツマス
ボストン
Boston
コッド岬
C. Cod
プロヴィデンス
Providence
ハートフォード
Hartford
ニューヘヴン
ロングアイランド島
Long Island
ジョージバンク
ニューヨーク
NEW YORK
ニューヨーク
NEW YORK
オールバニー
Albany
シラキューズ
ロチェスター
バッファロー
Buffalo
トロント
TORONTO
ハミルトン
Hamilton
オンタリオ湖
L. Ontario
ヒューロン湖
L. Huron
エリー湖
L. Erie
ミシガン湖
L. Michigan
スペリオル湖
L. Superior
ミシガン
MICHIGAN
デトロイト
Detroit
ウィンザー
ランシング
Lansing
グランドラピッズ
ミルウォーキー
Milwaukee
シカゴ
CHICAGO
ウィスコンシン
WISCONSIN
グリーンベイ
アップルトン
ペンシルヴェニア
PENNSYLVANIA
ハリスバーグ
Harrisburg
スクラントン
ピッツバーグ
クリーヴランド
Cleveland
アクロン
オハイオ
OHIO
コロンバス
Columbus
デートン
シンシナティ
インディアナ
INDIANA
インディアナポリス
Indianapolis
フィラデルフィア
PHILADELPHIA
トレントン
Trenton
ニューアーク
アトランティックシティ
ドーヴァー
Dover
ボルティモア
Baltimore
アナポリス
Annapolis
ワシントンD.C.
WASHINGTON D.C.
ウェストヴァージニア
WEST VIRGINIA
チャールストン
Charleston
ヴァージニア
VIRGINIA
リッチモンド
Richmond
ノーフォーク
チェサピーク湾
ケンタッキー
KENTUCKY
ルイヴィル
Louisville
レキシントン
フランクフォート
Frankfort
テネシー
TENNESSEE
ナシュヴィル
Nashville
チャタヌーガ
ノックスヴィル
メンフィス
Memphis
ノースカロライナ
NORTH CAROLINA
ローリー
Raleigh
グリーンズボロ
シャーロット
ウィルミントン
ハッテラス岬
サウスカロライナ
SOUTH CAROLINA
コロンビア
Columbia
チャールストン
アラバマ
ALABAMA
バーミングハム
モントゴメリ
Montgomery
アトランタ
Atlanta
ジョージア
GEORGIA
オーガスタ
メーコン
サヴァナ
シーアイランド
Sea Island
ジャクソンヴィル
Jacksonville
タラハッシー
Tallahassee
モービル
ペンサコーラ
ミシシッピ
MISSISSIPPI
ジャクソン
ニューオーリンズ
New Orleans
メキシコ湾
Gulf of Mexico
フロリダ半島
Florida Pen.
フロリダ
FLORIDA
オーランド
タンパ
セントピーターズバーグ
ゲーンズヴィル
セントオーガスティン
デイトナビーチ
ケネディ宇宙センター
ウェストパームビーチ
マイアミ
Miami
エヴァーグレーズ国立公園
フロリダキーズ
キーウェスト
バハマ
The Bahamas
バハマ国
COMMONWEALTH OF THE BAHAMAS
ナッソー
NASSAU
グランドバハマ島
アンドロス島
キャット島
サンサルバドル島
San Salvador I.
コロンブス上陸地
ハバナ
HAVANA
キューバ島
キューバ共和国
REPUBLIC OF CUBA
西インド諸島
West Indies
大アンティル諸島
Greater Antilles
カリブ海
Caribbean Sea
ジャマイカ
JAMAICA
キングストン
KINGSTON
ケーマン諸島〔イ〕
イスパニョーラ島
ハイチ共和国
REPUBLIC OF HAITI
ポルトープランス
PORT-AU-PRINCE
ドミニカ共和国
DOMINICAN REPUBLIC
サントドミンゴ
SANTO DOMINGO
サンティアゴ
プエルトリコ島
Puerto Rico〔ア〕
サンファン
ポンセ
ヴァージン諸島〔ア・イ〕
セントクリストファー・ネービス
SAINT CHRISTOPHER AND NEVIS
バセテール
BASSE-TERRE
カイコス諸島〔イ〕
タークス諸島〔イ〕
バミューダ諸島
Bermuda Is.
〔イ〕
大西洋
ATLANTIC OCEAN
ユカタン半島
Yucatán Pen.
ユカタン海峡
カンクン
メリダ
北回帰線
〔①図の①～⑧の州名〕
①ヴァーモント
②ニューハンプシャー
③マサチューセッツ
④ロードアイランド
⑤コネティカット
⑥ニュージャージー
⑦デラウェア
⑧メリーランド
陸高と水深(m)
4000
3000
2000
1000
500
200
0
海面下
200
1000
2000
4000
6000
8000
5908→ジブラルタル
7380→ハンブルク
6062→ロンドン
12566→ケープタウン
3739→パナマシティ
ニューオーリンズ→3130
ジャクソンヴィル→2141
2639→パナマシティ
ベラクルス→1502

① 北アメリカの鳥瞰図

② p.75-76 A－B 間の断面図

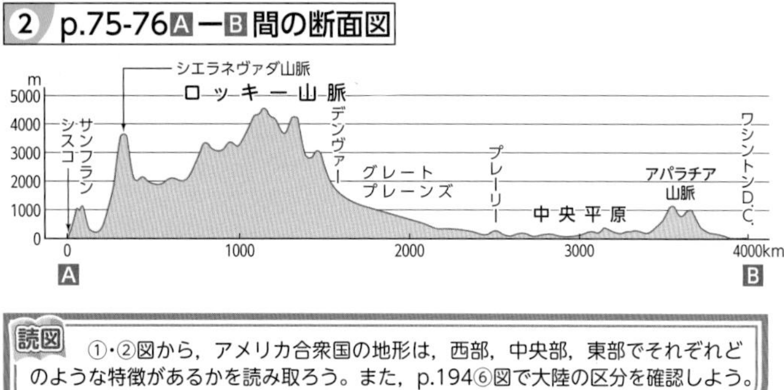

読図 ①・②図から，アメリカ合衆国の地形は，西部，中央部，東部でそれぞれどのような特徴があるかを読み取ろう。また，p.194⑥図で大陸の区分を確認しよう。

③ おもな都市の気温と降水量

T：年平均気温　P：年降水量　〔理科年表 2022〕

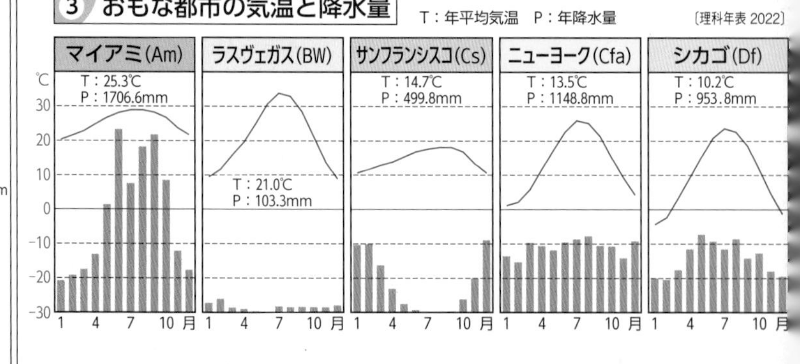

ロッキー山脈とバンフ国立公園(カナダ) ロッキー山脈には，南北約5000kmにわたって急峻な山々が連なっている。

地形

ⓑ センターピボット(テキサス州) 地下水をくみ上げ，回転スプリンクラーで円形に散水する灌漑方式である。

ⓒ 住宅を襲う竜巻(オクラホマ州) アメリカ合衆国中部では，竜巻避難シェルターが設置されている住宅も多い。

1 アメリカ合衆国
中央部・東部
1：10 000 000
0 100 200km
正距円錐図法
(経線と標準緯線にそった距離が正しい。全体としてひずみが小さい。)
おもな工業
石油精製
化学
鉄鋼
金属
自動車
造船
航空・宇宙
電子機器
機
繊
食
木材・パ
(赤文字) 国立公園
ロッキー山脈
グレートプレーンズ
中央平原
アメリカ合衆国
UNITED STATES OF AMERICA
オザーク高原
エドワーズ高原
Edwards Plat.
メキシコ湾
Gulf of Mexico
メキシコ高原
Mexico Plat.
西シエラマドレ山脈
Sierra Madre Occidental
東シエラマドレ山脈
Sierra Madre Oriental
メキシコ合衆国
UNITED MEXICAN STATES
ミシシッピデルタ
Mississippi Delta
鳥趾状三角州 p.139
沿岸州
モンタナ
MONTANA
ノースダコタ
NORTH DAKOTA
サウスダコタ
SOUTH DAKOTA
ミネソタ
MINNESOTA
ウィスコンシン
WISCONSIN
ワイオミング
WYOMING
ネブラスカ
NEBRASKA
アイオワ
IOWA
イリノイ
ILLINOIS
ユタ
UTAH
コロラド
COLORADO
カンザス
KANSAS
ミズーリ
MISSOURI
オクラホマ
OKLAHOMA
アーカンソー
ARKANSAS
ニューメキシコ
NEW MEXICO
テキサス
TEXAS
ルイジアナ
LOUISIANA
ミシシッピ
MISSISSIPPI
アラバマ
ALABAMA
スペリオル湖
L.Superior
デンヴァー
Denver
シカゴ
CHICAGO
ミネアポリス
Minneapolis
セントポール
St.Paul
セントルイス
St. Louis
カンザスシティ
Kansas City
オクラホマシティ
Oklahoma City
ダラス
DALLAS
フォートワース
Fort Worth
ヒューストン
HOUSTON
サンアントニオ
SAN ANTONIO
オースティン
Austin
ニューオーリンズ
New Orleans
メンフィス
Memphis
ナシュヴィル
Nashville
インディアナポリス
Indianapolis
ミルウォーキー
Milwaukee
モンテレー
MONTERREY
エルパソ
El Paso
シウダーファレス
CIUDAD JUAREZ
アルバカーキ
Albuquerque

ローレンシア台地
Plat. Laurentides
カナダ
CANADA
ケベック
QUEBEC
オンタリオ
ONTARIO
モントリオール
MONTREAL
オタワ
OTTAWA
トロント
TORONTO
オンタリオ湖
エリー湖
ハミルトン
Hamilton
キッチナー
Kitchener
ロンドン
London
デトロイト
Detroit
ウィンザー
Windsor
クリーヴランド
Cleveland
アクロン
Akron
オハイオ
OHIO
コロンバス
Columbus
ピッツバーグ
Pittsburgh
アパラチア山脈
Appalachian Mts.
アルゲニー台地
ペンシルヴェニア
PENNSYLVANIA
アディロンダク山地
ニューヨーク
NEW YORK
ヴァーモント
VERMONT
ニューハンプシャー
NEW HAMPSHIRE
メーン
MAINE
ニューイングランド
マサチューセッツ
MASSACHUSETTS
ボストン
Boston
コネティカット
CONNECTICUT
ロードアイランド
RHODE ISLAND
プロヴィデンス
Providence
ハートフォード
Hartford
ニューヘヴン
New Haven
ロングアイランド島 Long Island
ニューヨーク
NEW YORK
ジャージーシティ
ニューアーク
フィラデルフィア
PHILADELPHIA
ボルティモア
Baltimore
ワシントンD.C.
WASHINGTON D.C.
アナポリス
Annapolis
デラウェア
DELAWARE
メリーランド
MARYLAND
ニュージャージー
NEW JERSEY
ウェストヴァージニア
WEST VIRGINIA
ヴァージニア
VIRGINIA
リッチモンド
Richmond
ノーフォーク
Norfolk
ノースカロライナ
NORTH CAROLINA
ローリー
Raleigh
シャーロット
Charlotte
サウスカロライナ
SOUTH CAROLINA
コロンビア
Columbia
チャールストン
Charleston
ジョージア
GEORGIA
アトランタ
Atlanta
オーガスタ
Augusta
サヴァナ
Savannah
ジャクソンヴィル
Jacksonville
フロリダ
FLORIDA
フロリダ半島
Florida Pen.
オーランド
Orlando
ケネディ宇宙センター
John F. Kennedy Space Center
ケープカナヴェラル
Cape Canaveral
タンパ
Tampa
セントピーターズバーグ
St. Petersburg
マイアミ
Miami
キーラーゴ
Key Largo
バハマ国
COMMONWEALTH OF THE BAHAMAS
バハマ諸島
The Bahamas
ナッソー
NASSAU
アンドロス島
Andros I.
グランドバハマ島
Grand Bahama I.
ピードモント台地
海岸平野
p.139
ハッテラス岬
C.Hatteras
ラグーン
砂嘴
コッド岬
C.Cod
ジョージバンク
Georges Bank
ニューブランズウィック
NEW BRUNSWICK
ノヴァスコシア
NOVA SCOTIA
ノヴァスコシア半島
Nova Scotia Pen.
ハリファクス
Halifax
セーブル島バンク
Sable Island Bank
セーブル島
Sable I.
流氷の限界
大西洋
ATLANTIC OCEAN
土地利用と植生
畑作地
稲作地
草地・放牧地
砂漠
亜寒帯林
陸高と水深(m)
森林・その他
3000m
2000
1000
500
200
0
水部
200
1000
2000
4000m
この図の範囲
2 ニューヨーク周辺
2019年
1:500 000
0
10km
ブロンクス区
Bronx
マンハッタン区
Manhattan
ニュージャージー
NEW JERSEY
ニューヨーク
NEW YORK
ニューヨーク市
New York
クイーンズ区
Queens
ブルックリン区
Brooklyn
スタテンアイランド区
Staten Island
ロングアイランド島
ジョン・F・ケネディ空港
ラガーディア空港
中心地
市街地
工業地
公園・緑地
その他
高速道路
〔Diercke Weltatlas 2008, ほか〕
3 ニューヨーク中心部
2019年
1:65 000
0
1km
金融中心地
業務・商業中心地
公共施設
住宅地
工業地・港湾施設
公園・緑地
高速道路
鉄道
地下鉄
セントラルパーク
メトロポリタン美術館
リンカンセンター
タイムズスクエア
エンパイアステートビル
国連本部
グランドセントラルステーション
ミッドタウン
ガーメントディストリクト
チェルシー
グラマシーパーク
ウェストサイド
イーストサイド
グレニッチヴィレッジ
ソーホー
チャイナタウン
リトルイタリー
イーストヴィレッジ
マンハッタン区
MANHATTAN
ハドソン川
Hudson
イースト川
East
ホランドトンネル
リンカーントンネル
ワンワールドトレードセンタービル
9.11メモリアル・ミュージアム
ニューヨーク証券取引所
ウォール街
バッテリー公園
ブルックリン橋
マンハッタン橋
ウィリアムズバーグ橋
ブルックリン区
BROOKLYN
〔Diercke Weltatlas 2008, ほか〕
北アメリカ

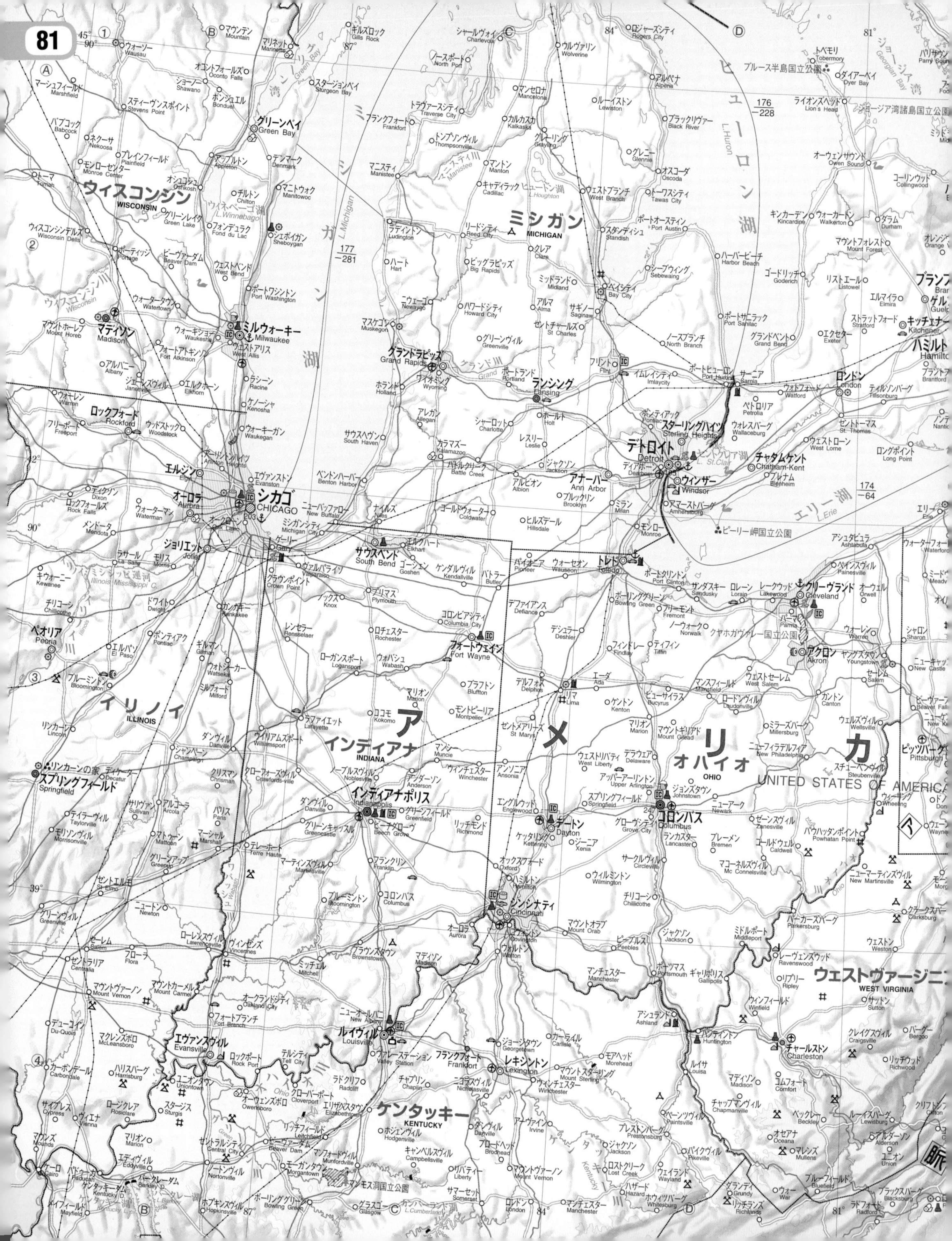
ウィスコンシン
WISCONSIN
ミシガン
MICHIGAN
イリノイ
ILLINOIS
インディアナ
INDIANA
オハイオ
OHIO
ケンタッキー
KENTUCKY
ウェストヴァージニア
WEST VIRGINIA
アメリカ
UNITED STATES OF AMERICA
ミシガン湖
L.Michigan
ヒューロン湖
L.Huron
エリー湖
L.Erie
ジョージア湾
Georgian Bay
グリーン湾
Green Bay
ミルウォーキー
Milwaukee
シカゴ
CHICAGO
マディソン
Madison
グリーンベイ
Green Bay
ロックフォード
Rockford
エルジン
Elgin
オーロラ
Aurora
ジョリエット
Joliet
ペオリア
Peoria
スプリングフィールド
Springfield
リンカーンの家
グランドラピッズ
Grand Rapids
ランシング
Lansing
デトロイト
Detroit
ウィンザー
Windsor
スターリングハイツ
Sterling Heights
アナーバー
Ann Arbor
フリント
Flint
サウスベンド
South Bend
トレド
Toledo
フォートウェイン
Fort Wayne
インディアナポリス
Indianapolis
クリーヴランド
Cleveland
アクロン
Akron
コロンバス
Columbus
デートン
Dayton
シンシナティ
Cincinnati
ルイヴィル
Louisville
レキシントン
Lexington
フランクフォート
Frankfort
エヴァンズヴィル
Evansville
チャールストン
Charleston
ピッツバーグ
Pittsburgh
ロンドン
London
キッチナー
Kitchener
ハミルトン
Hamilton
チャタムケント
Chatham-Kent
ブルース半島国立公園
ジョージア湾諸島国立公園
ピーリー岬国立公園
クヤホガヴァレー国立公園
マンモス洞国立公園
177/−281
176/−228
174/−64
45°
42°
39°
90°
87°
84°
81°

オンタリオ
ONTARIO
カ ナ ダ
CANADA
オタワ
OTTAWA
モントリオール
MONTREAL
ケベック
QUEBEC
ヴァーモント
VERMONT
グリーン山脈
Green Mts.
ニューハンプシャー
NEW HAMPSHIRE
メーン
MAINE
オーガスタ
Augusta
ホワイト山脈
White Mts.
ニューイングランド
New England
アディロンダク山地
Adirondack Mts.
ニューヨーク
NEW YORK
トロント
TORONTO
オンタリオ湖
L.Ontario
キングストン
Kingston
セントローレンス海路
St. Lawrence Seaway
サウザンド諸島国立公園
ロチェスター
Rochester
バッファロー
Buffalo
シラキューズ
Syracuse
オールバニ
Albany
マサチューセッツ
MASSACHUSETTS
ボストン
Boston
ケンブリッジ
Cambridge
ウースター
Worcester
スプリングフィールド
Springfield
プロヴィデンス
Providence
ロードアイランド
RHODE ISLAND
コネティカット
CONNECTICUT
ハートフォード
Hartford
ニューヘヴン
New Haven
ブリッジポート
Bridgeport
マンチェスター
Manchester
ポーツマス条約締結地
コッド岬
C.Cod
清教徒上陸地
ナンタケット島
Nantucket I.
マーサズヴィンヤード島
Martha's Vineyard
ロングアイランド島 Long Island
ニューヨーク NEW YORK
自由の女神像
ヨンカーズ
Yonkers
ニューアーク
Newark
ジャージーシティ
Jersey City
パターソン
Paterson
ペンシルヴェニア
PENNSYLVANIA
アパラチア山脈
Appalachian Mts.
Allegheny Plat.
アメリカ合衆国
フィラデルフィア
PHILADELPHIA
独立記念館
ピッツバーグ
ハリスバーグ
Harrisburg
スリーマイル島
Three Mile I.
アレンタウン
Allentown
ニュージャージー
NEW JERSEY
トレントン
Trenton
プリンストン
Princeton
アトランティックシティ
Atlantic City
デラウェア
DELAWARE
ドーヴァー
Dover
デラウェア湾
Delaware Bay
ボルティモア
Baltimore
ワシントンD.C.
WASHINGTON D.C.
アナポリス
Annapolis
メリーランド
MARYLAND
アーリントン
Arlington
アレクサンドリア
Alexandria
ヴァージニア
VIRGINIA
リッチモンド
Richmond
チェサピーク湾
Chesapeake Bay
ヴァージニア植民地史跡
ケープチャールズ
Cape Charles
大西洋
ATLANTIC OCEAN
同縮尺の日本(部分)
東京
横浜
名古屋
大阪
ジョージバンク
Georges Bank
6062→ロンドン
5908→ジブラルタル
12566→ケープタウン
3739→パナマシティ
ニューオーリンズ→3130
75°
72°
78°
69°
45°
42°
39°
陸高と水深(m)
1000
500
200
100
0
200
1000
2000
4000
P.83の範囲
この図の範囲
おもな工業
石油精製
自動車
繊維
化学
オートバイ
食品
タイヤ
造船
ビール
鉄鋼
電子機器
バーボン
金属
機械
たばこ
航空・宇宙
携帯電話
木材・パルプ
国立公園(赤文字)
アメリカ独立戦争のおもな戦場
アイビーリーグに所属する大学
① アメリカ合衆国北東部
1:4 000 000
0 50 100km
アルベルス正積円錐図法
(経線と標準緯線にそった距離が正しい。全体としてひずみが小さい。)

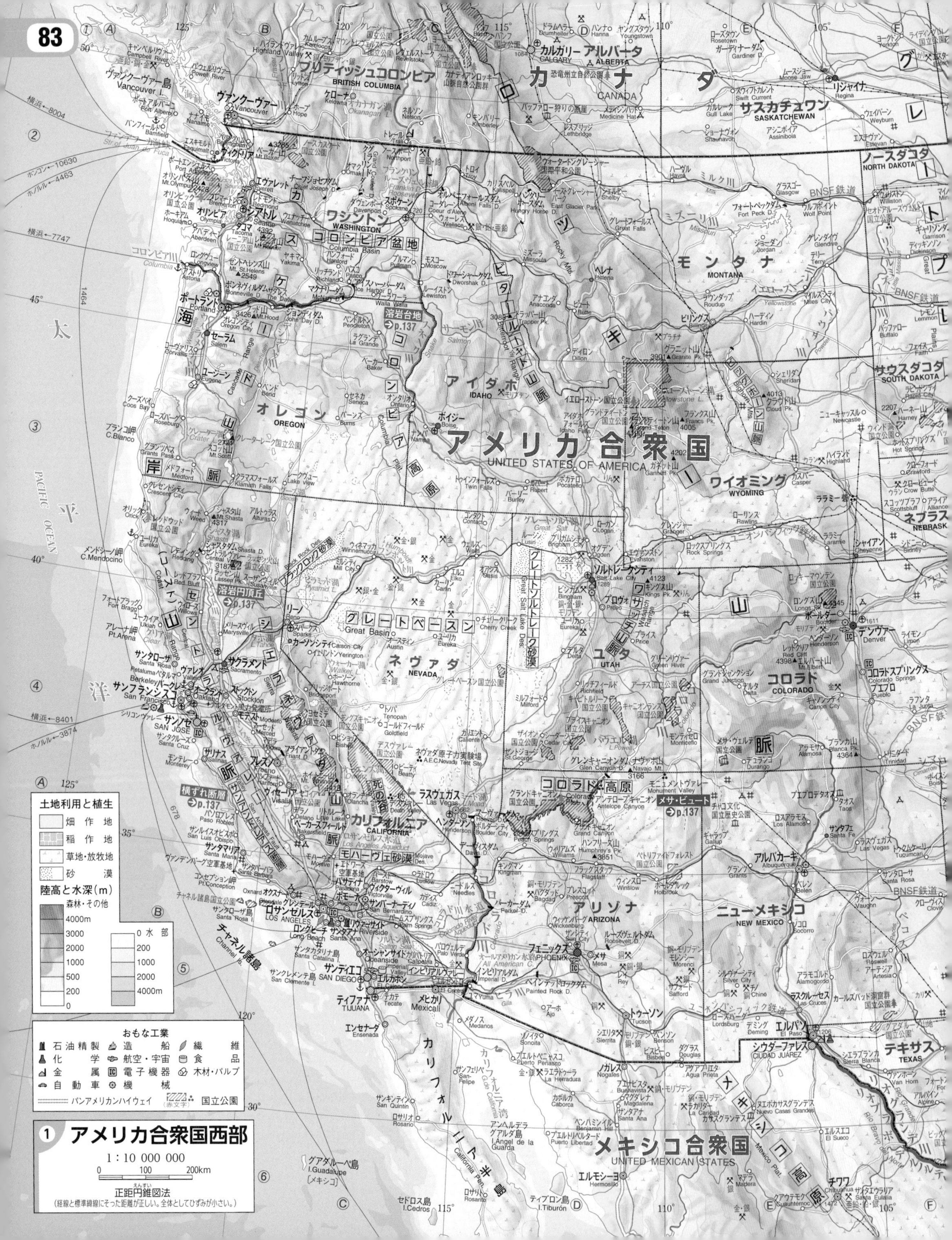

1 アメリカ合衆国西部
1：10 000 000
0 100 200km
正距円錐図法
(経線と標準緯線にそった距離が正しい。全体としてひずみが小さい。)
土地利用と植生
畑作地
稲作地
草地・放牧地
砂漠
陸高と水深(m)
森林・その他
4000m
3000
2000
1000
500
200
0
0 水部
200
1000
2000
4000m
おもな工業
石油精製
造船
繊維
化学
航空・宇宙
食品
金属
電子機器
木材・パルプ
自動車
機械
パンアメリカンハイウェイ
(赤文字)
国立公園
アメリカ合衆国
UNITED STATES OF AMERICA
カナダ
CANADA
メキシコ合衆国
UNITED MEXICAN STATES
太平洋
PACIFIC OCEAN
ブリティッシュコロンビア
BRITISH COLUMBIA
アルバータ
ALBERTA
サスカチュワン
SASKATCHEWAN
ワシントン
WASHINGTON
オレゴン
OREGON
アイダホ
IDAHO
モンタナ
MONTANA
ワイオミング
WYOMING
ノースダコタ
NORTH DAKOTA
サウスダコタ
SOUTH DAKOTA
ネブラスカ
NEBRASKA
カリフォルニア
CALIFORNIA
ネヴァダ
NEVADA
ユタ
UTAH
コロラド
COLORADO
アリゾナ
ARIZONA
ニューメキシコ
NEW MEXICO
テキサス
TEXAS
ロッキー山脈
グレートプレーンズ
カスケード山脈
海岸山脈
シエラネヴァダ山脈
コロンビア盆地
コロンビア高原
グレートベースン
Great Basin
グレートソルトレーク砂漠
ワサッチ山脈
コロラド高原
メキシコ高原
カリフォルニア半島
カリフォルニア湾
チャネル諸島
ブラックロック砂漠
モハーヴェ砂漠
死の谷
溶岩台地 p.137
溶岩円頂丘 p.137
横ずれ断層 p.137
メサ・ビュート p.137
ヴァンクーヴァー
Vancouver
ヴィクトリア
シアトル
Seattle
タコマ
ポートランド
Portland
セーラム
ユージーン
サクラメント
Sacramento
サンフランシスコ
San Francisco
オークランド
サンノゼ
SAN JOSE
フレズノ
ロサンゼルス
LOS ANGELES
ロングビーチ
サンディエゴ
SAN DIEGO
ティファナ
TIJUANA
メヒカリ
Mexicali
ラスヴェガス
Las Vegas
フェニックス
PHOENIX
トゥーソン
Tucson
アルバカーキ
Albuquerque
サンタフェ
エルパソ
El Paso
シウダーファレス
CIUDAD JUÁREZ
デンヴァー
Denver
ボールダー
コロラドスプリングス
ソルトレークシティ
Salt Lake City
ボイジー
Boise
スポケーン
Spokane
カルガリー
CALGARY
リジャイナ
Regina
エルモシーヨ
Hermosillo
チワワ
横浜←8004
ホンコン←10630
ホノルル←4463
横浜←7747
横浜←8401
ホノルル←3874
BNSF鉄道
ユニオンパシフィック鉄道

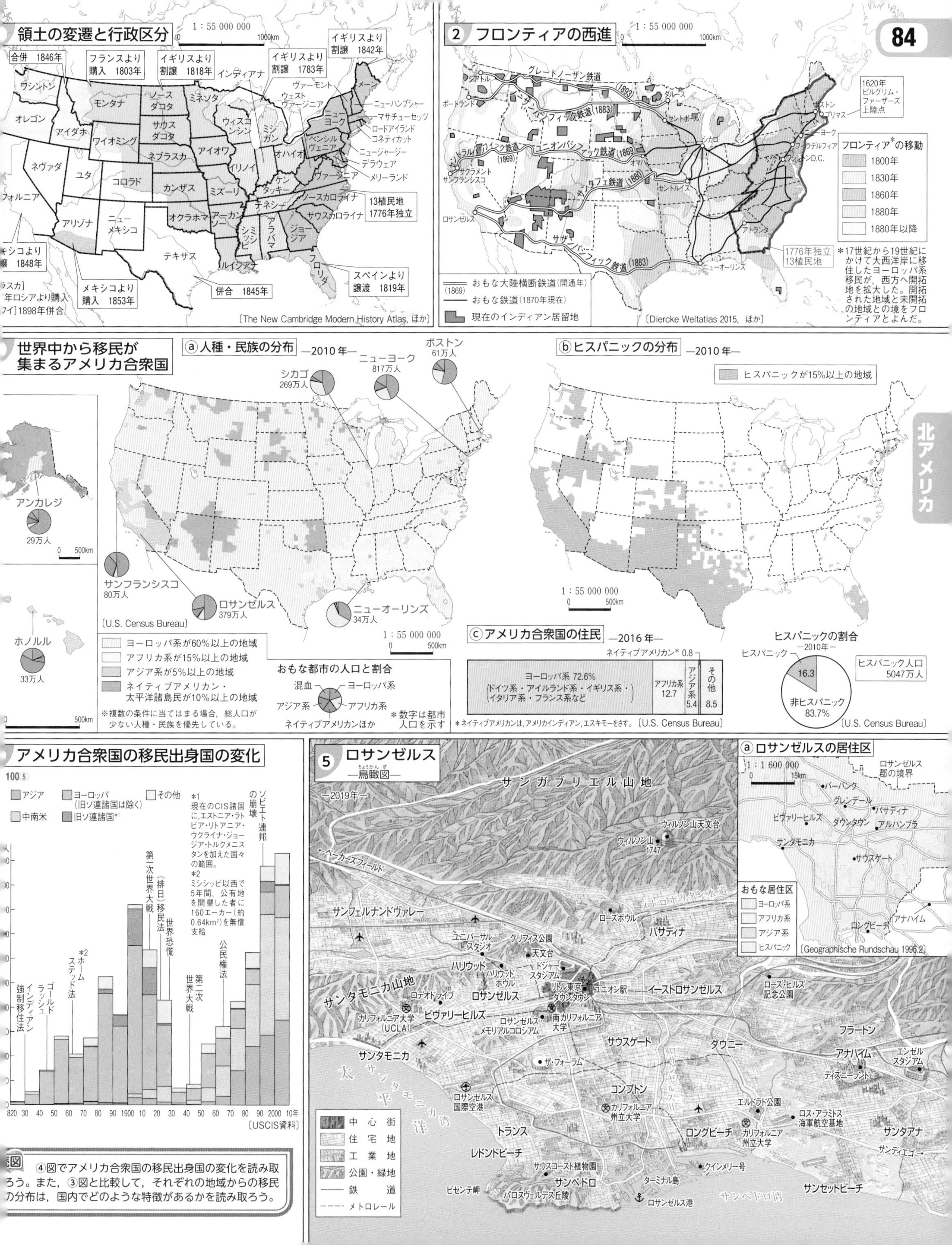

84
北アメリカ
領土の変遷と行政区分
1：55 000 000
1000km
合併 1846年
フランスより 購入 1803年
イギリスより 割譲 1818年
イギリスより 割譲 1783年
イギリスより 割譲 1842年
ワシントン
モンタナ
ノースダコタ
ミネソタ
インディアナ
ヴァーモント
メーン
ウェストヴァージニア
ニューハンプシャー
マサチューセッツ
ロードアイランド
コネティカット
ニューヨーク
オレゴン
アイダホ
ワイオミング
サウスダコタ
ウィスコンシン
ミシガン
ペンシルヴェニア
ニュージャージー
デラウェア
メリーランド
ネヴァダ
ユタ
コロラド
ネブラスカ
アイオワ
イリノイ
オハイオ
カンザス
ミズーリ
ケンタッキー
ヴァージニア
ノースカロライナ
テネシー
13植民地 1776年独立
アリゾナ
ニューメキシコ
オクラホマ
アーカンソー
サウスカロライナ
ミシシッピ
アラバマ
ジョージア
テキサス
ルイジアナ
フロリダ
スペインより 譲渡 1819年
メキシコより 購入 1853年
併合 1845年
〔The New Cambridge Modern History Atlas, ほか〕
2 フロンティアの西進
1：55 000 000
1000km
グレートノーザン鉄道
シアトル
ポートランド
ノーザンパシフィック鉄道(1883)
(1893)
ダルース
セントポール
1620年 ピルグリム・ファーザーズ上陸点
ボストン
プリマス
ニューヨーク
フィラデルフィア
ワシントンD.C.
セントラルパシフィック鉄道(1869)
ユニオンパシフィック鉄道(1869)
サクラメント
サンフランシスコ
オマハ
シカゴ
サンタフェ鉄道(1880)
セントルイス
ロサンゼルス
サザンパシフィック鉄道(1883)
アトランタ
ニューオーリンズ
1776年独立 13植民地
フロンティア*の移動
1800年
1830年
1860年
1880年
1880年以降
＊17世紀から19世紀にかけて大西洋岸に移住したヨーロッパ系移民が，西方へ開拓地を拡大した。開拓された地域と未開拓の地域との境をフロンティアとよんだ。
(1869) おもな大陸横断鉄道(開通年)
おもな鉄道(1870年現在)
現在のインディアン居留地
〔Diercke Weltatlas 2015，ほか〕
世界中から移民が集まるアメリカ合衆国
ⓐ人種・民族の分布 —2010年—
ボストン 61万人
ニューヨーク 817万人
シカゴ 269万人
アンカレジ 29万人
サンフランシスコ 80万人
ロサンゼルス 379万人
ニューオーリンズ 34万人
ホノルル 33万人
〔U.S. Census Bureau〕
1：55 000 000
500km
ヨーロッパ系が60%以上の地域
アフリカ系が15%以上の地域
アジア系が5%以上の地域
ネイティブアメリカン・太平洋諸島民が10%以上の地域
※複数の条件に当てはまる場合，総人口が少ない人種・民族を優先している。
おもな都市の人口と割合
混血
ヨーロッパ系
アジア系
アフリカ系
ネイティブアメリカンほか
＊数字は都市人口を示す
ⓑヒスパニックの分布 —2010年—
ヒスパニックが15%以上の地域
1：55 000 000
500km
ⓒアメリカ合衆国の住民 —2016年—
ネイティブアメリカン* 0.8
ヨーロッパ系 72.6% (ドイツ系・アイルランド系・イギリス系・イタリア系・フランス系など)
アフリカ系 12.7
アジア系 5.4
その他 8.5
＊ネイティブアメリカンは，アメリカインディアン，エスキモーをさす。〔U.S. Census Bureau〕
ヒスパニックの割合 —2010年—
ヒスパニック 16.3
非ヒスパニック 83.7%
ヒスパニック人口 5047万人
〔U.S. Census Bureau〕
アメリカ合衆国の移民出身国の変化
アジア
ヨーロッパ (旧ソ連諸国は除く)
その他
中南米
旧ソ連諸国*1
＊1 現在のCIS諸国に，エストニア・ラトビア・リトアニア・ウクライナ・ジョージア・トルクメニスタンを加えた国々の範囲。
＊2 ミシシッピ以西で5年間，公有地を開墾した者に160エーカー(約0.64km²)を無償支給
インディアン強制移住法
ゴールドラッシュ
*2 ホームステッド法
第一次世界大戦
(排日)移民法
世界恐慌
第二次世界大戦
公民権法
ソビエト連邦の崩壊
30 40 50 60 70 80 90 1900 10 20 30 40 50 60 70 80 90 2000 10年
〔USCIS資料〕
④図でアメリカ合衆国の移民出身国の変化を読み取ろう。また，③図と比較して，それぞれの地域からの移民の分布は，国内でどのような特徴があるかを読み取ろう。
5 ロサンゼルス —鳥瞰図—
—2019年—
サンガブリエル山地
ウィルソン山天文台
ウィルソン山 1747
ベーカーズフィールド
メトロポリタン水道
サンフェルナンドヴァレー
ローズボウル
パサディナ
ユニバーサルスタジオ
グリフィス公園
天文台
ハリウッド
ハリウッドボウル
ドジャースタジアム
リトル東京
ダウンタウン
ユニオン駅
イーストロサンゼルス
ローズ・ヒルズ記念公園
サンタモニカ山地
ロデオドライブ
ロサンゼルス
カリフォルニア大学(UCLA)
ビヴァリーヒルズ
ロサンゼルスメモリアルコロシアム
南カリフォルニア大学
サウスゲート
ダウニー
フラートン
サンタモニカ
ザ・フォーラム
アナハイム
エンゼルスタジアム
ディズニーランド
太平洋
サンタモニカ湾
ロサンゼルス国際空港
コンプトン
カリフォルニア州立大学
ロサンゼルス川
エルドラド公園
ロス・アラミトス海軍航空基地
トランス
ロングビーチ
カリフォルニア州立大学
サンタアナ
レドンドビーチ
サンディエゴへ
サウスコースト植物園
クインメリー号
サンペドロ
ターミナル島
ビセンテ岬
パロスヴェルデス丘陵
ロサンゼルス港
サンペドロ湾
サンセットビーチ
中心街
住宅地
工業地
公園・緑地
鉄道
メトロレール
ⓐロサンゼルスの居住区
1：1 600 000
15km
ロサンゼルス郡の境界
バーバンク
グレンデール
パサディナ
ビヴァリーヒルズ
ダウンタウン
アルハンブラ
サンタモニカ
サウスゲート
アナハイム
ロングビーチ
おもな居住区
ヨーロッパ系
アフリカ系
アジア系
ヒスパニック
〔Geographische Rundschau 1996.2〕

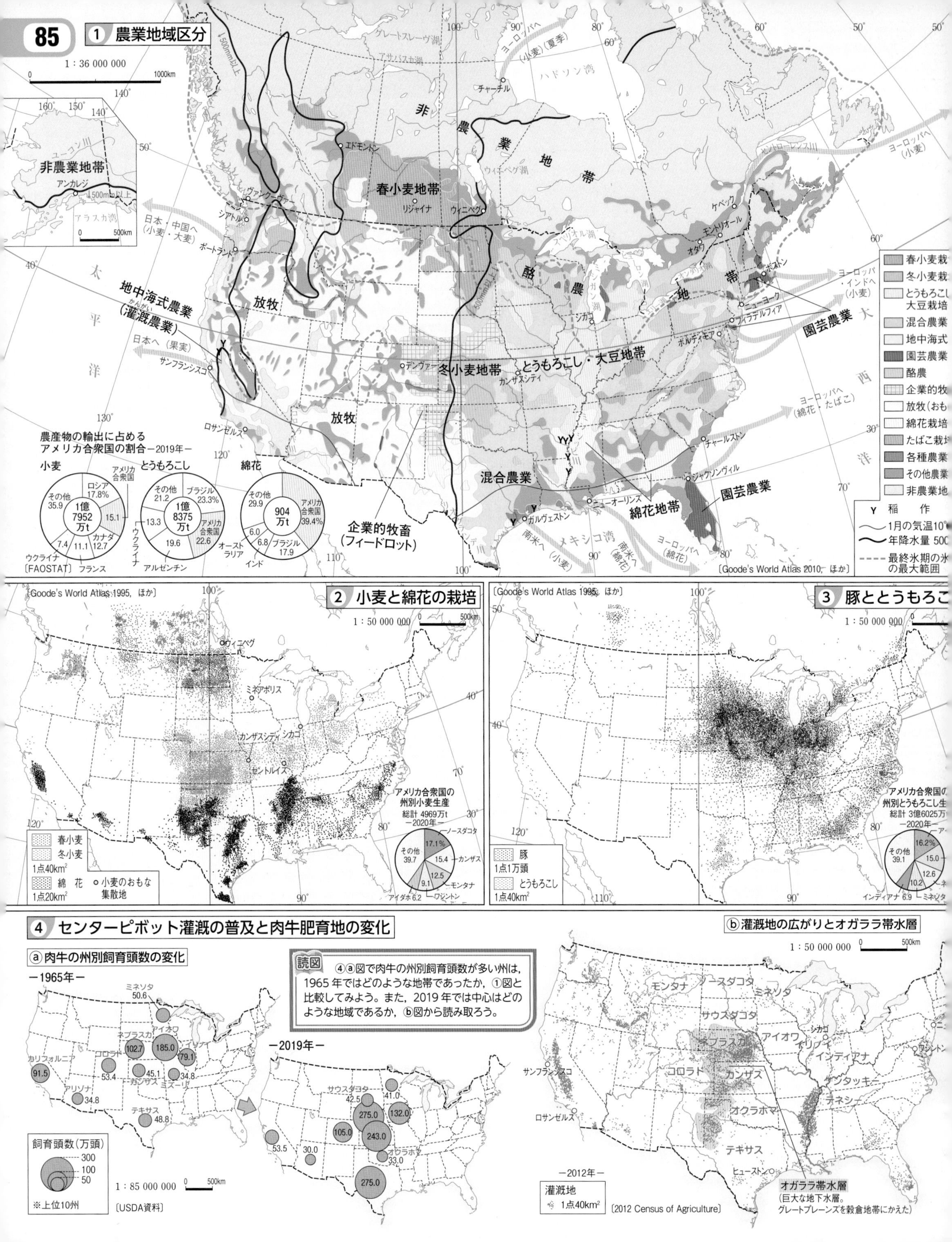

85
① 農業地域区分
1：36 000 000
0
1000km
非農業地帯
アンカレジ
アラスカ湾
ユーコン川
0
500km
グレートスレーヴ湖
アサバスカ湖
ハドソン湾
チャーチル
ヨーロッパへ（小麦）（夏季）
非
農
業
地
帯
エドモントン
ウィニペグ湖
春小麦地帯
リジャイナ
ウィニペグ
ヴァンクーヴァー
シアトル
日本・中国へ（小麦・大麦）
ポートランド
ケベック
モントリオール
オタワ
ヨーロッパへ（小麦）
ボストン
ニューヨーク
フィラデルフィア
ボルティモア
ヨーロッパ・インドへ（小麦）
太
平
洋
地中海式農業
（灌漑農業）
日本へ（果実）
サンフランシスコ
放牧
酪
農
地
帯
シカゴ
デンヴァー
冬小麦地帯
とうもろこし・大豆地帯
カンザスシティ
園芸農業
大
西
洋
放牧
ロサンゼルス
ヨーロッパへ（綿花・たばこ）
チャールストン
混合農業
ジャクソンヴィル
ニューオーリンズ
ガルヴェストン
綿花地帯
園芸農業
メキシコ湾
南米へ（小麦）
南米へ（綿花）
ヨーロッパへ（綿花）
企業的牧畜
（フィードロット）
農産物の輸出に占める
アメリカ合衆国の割合－2019年－
小麦
1億7952万t
ロシア 17.8%
アメリカ合衆国 15.1
カナダ 12.7
フランス 11.1
ウクライナ 7.4
その他 35.9
〔FAOSTAT〕
とうもろこし
1億8375万t
ブラジル 23.3%
アメリカ合衆国 22.6
アルゼンチン 19.6
ウクライナ 13.3
その他 21.2
綿花
904万t
アメリカ合衆国 39.4%
ブラジル 17.9
インド 6.8
オーストラリア 6.0
その他 29.9
春小麦栽
冬小麦栽
とうもろこし大豆栽培
混合農業
地中海式
園芸農業
酪農
企業的牧
放牧（おも
綿花栽培
たばこ栽培
各種農業
その他農業
非農業地
Y 稲作
1月の気温10°
年降水量 500
最終氷期の氷の最大範囲
〔Goode's World Atlas 2010，ほか〕
② 小麦と綿花の栽培
〔Goode's World Atlas 1995，ほか〕
1：50 000 000
0
500km
ウィニペグ
ミネアポリス
カンザスシティ
シカゴ
セントルイス
アメリカ合衆国の州別小麦生産
総計 4969万t
－2020年－
ノースダコタ 17.1%
カンザス 15.4
モンタナ 12.5
ワシントン 9.1
アイダホ 6.2
その他 39.7
春小麦
冬小麦
1点40km²
綿花
1点20km²
小麦のおもな集散地
③ 豚ととうもろこ
〔Goode's World Atlas 1995，ほか〕
1：50 000 000
アメリカ合衆国の州別とうもろこし生
総計 3億6025万
－2020年－
16.2%
15.0
12.6
10.2
インディアナ 6.9
ミネソタ
その他 39.1
豚
1点1万頭
とうもろこし
1点40km²
④ センターピボット灌漑の普及と肉牛肥育地の変化
ⓐ 肉牛の州別飼育頭数の変化
－1965年－
ミネソタ 50.6
アイオワ 185.0
ネブラスカ 102.7
イリノイ 79.1
カリフォルニア 91.5
コロラド 53.4
カンザス 45.1
ミズーリ 34.8
アリゾナ 34.8
テキサス 48.8
飼育頭数（万頭）
300
100
50
※上位10州
1：85 000 000
0
500km
〔USDA資料〕
－2019年－
サウスダコタ 42.5
41.0
132.0
275.0
105.0
243.0
53.5
30.0
オクラホマ 33.0
275.0
読図 ④ⓐ図で肉牛の州別飼育頭数が多い州は，1965年ではどのような地帯であったか，①図と比較してみよう。また，2019年では中心はどのような地域であるか，ⓑ図から読み取ろう。
ⓑ 灌漑地の広がりとオガララ帯水層
1：50 000 000
0
500km
モンタナ
ノースダコタ
ミネソタ
サウスダコタ
ネブラスカ
アイオワ
シカゴ
イリノイ
インディアナ
ワシントン
サンフランシスコ
コロラド
カンザス
ケンタッキー
テネシー
ロサンゼルス
オクラホマ
テキサス
ヒューストン
－2012年－
灌漑地
1点40km²
〔2012 Census of Agriculture〕
オガララ帯水層
（巨大な地下水層。グレートプレーンズを穀倉地帯にかえた）

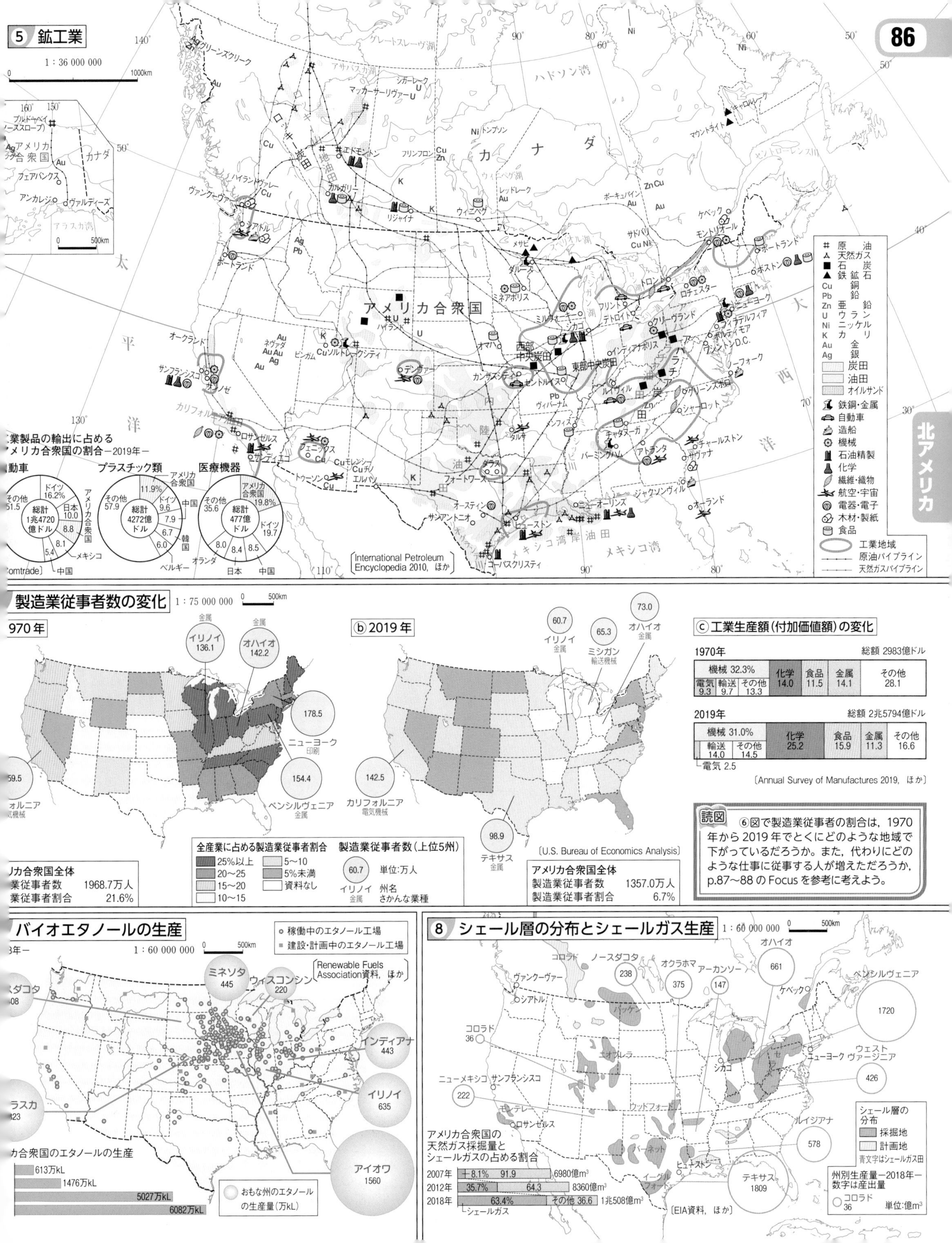
5 鉱工業
1：36 000 000
0 1000km
アメリカ合衆国
カナダ
フェアバンクス
アンカレジ
ヴァルディーズ
プルドーベイ(ノーススロープ)
アラスカ湾
グリーンズクリーク
グレートスレーヴ湖
アサバスカ湖
シガーレーク
マッカーサーリヴァー
ハドソン湾
ロッキー山脈
エドモントン
カルガリー
フリンフロン
トンプソン
ウィニペグ湖
レッドレーク
ボーキュパイン
ヴァンクーヴァー
ハイランドヴァレー
リジャイナ
ウィニペグ
ケベック
モントリオール
サドバリ
キャロルレーク
マウントライト
セントローレンス川
シアトル
ポートランド
メサビ
ダルース
スペリオル湖
ミネアポリス
ミルウォーキー
シカゴ
フリント
デトロイト
トロント
ロチェスター
ボストン
ニューヨーク
フィラデルフィア
ボルティモア
ワシントンD.C.
ノーフォーク
クリーヴランド
ピッツバーグ
インディアナポリス
オマハ
ハイランド
ビンガム
ソルトレークシティ
ネヴァダ
オークランド
サンフランシスコ
サンノゼ
デンヴァー
カンザスシティ
セントルイス
西部中央炭田
東部中央炭田
アパラチア炭田
ルイヴィル
ヴィバーナム
メンフィス
グリーンズボロ
シャーロット
チャタヌーガ
アトランタ
バーミングハム
チャールストン
サヴァナ
ジャクソンヴィル
オーランド
ニューオーリンズ
ヒューストン
オースティン
サンアントニオ
コーパスクリスティ
ダラス
フォートワース
タルサ
内陸油田
メキシコ湾岸油田
メキシコ湾
ロサンゼルス
サンディエゴ
フェニックス
トゥーソン
エルパソ
モレンシー
チノ
カリフォルニア油田
太平洋
大西洋
原油
天然ガス
石炭
鉄鉱石
Cu 銅
Pb 鉛
Zn 亜鉛
U ウラン
Ni ニッケル
K カリ
Au 金
Ag 銀
炭田
油田
オイルサンド
鉄鋼・金属
自動車
造船
機械
石油精製
化学
繊維・織物
航空・宇宙
電器・電子
木材・製紙
食品
工業地域
原油パイプライン
天然ガスパイプライン
〔International Petroleum Encyclopedia 2010，ほか〕
工業製品の輸出に占めるアメリカ合衆国の割合－2019年－
自動車
総計 1兆4720億ドル
ドイツ 16.2%
日本 10.0
アメリカ合衆国 8.8
メキシコ 8.1
中国 5.4
その他 51.5
プラスチック類
総計 4272億ドル
アメリカ合衆国 11.9%
ドイツ 9.6
中国 7.9
韓国 6.7
ベルギー 6.0
その他 57.9
医療機器
総計 477億ドル
アメリカ合衆国 19.8%
ドイツ 19.7
中国 8.5
日本 8.4
オランダ 8.0
その他 35.6
〔Comtrade〕
6 製造業従事者数の変化
1：75 000 000
0 500km
ⓐ 1970年
イリノイ 136.1 金属
オハイオ 142.2 金属
ニューヨーク 178.5 印刷
ペンシルヴェニア 154.4 金属
カリフォルニア 159.5 電気機械
ⓑ 2019年
イリノイ 60.7 金属
ミシガン 65.3 輸送機械
オハイオ 73.0 金属
カリフォルニア 142.5 電気機械
テキサス 98.9 金属
全産業に占める製造業従事者割合
25%以上
20～25
15～20
10～15
5～10
5%未満
資料なし
製造業従事者数(上位5州)
単位:万人
イリノイ 州名
金属 さかんな業種
アメリカ合衆国全体
製造業従事者数 1968.7万人
製造業従事者割合 21.6%
アメリカ合衆国全体
製造業従事者数 1357.0万人
製造業従事者割合 6.7%
〔U.S. Bureau of Economics Analysis〕
ⓒ 工業生産額(付加価値額)の変化
1970年 総額 2983億ドル
機械 32.3%
電気 9.3
輸送 9.7
その他 13.3
化学 14.0
食品 11.5
金属 14.1
その他 28.1
2019年 総額 2兆5794億ドル
機械 31.0%
電気 2.5
輸送 14.0
その他 14.5
化学 25.2
食品 15.9
金属 11.3
その他 16.6
〔Annual Survey of Manufactures 2019，ほか〕
読図
⑥図で製造業従事者の割合は，1970年から2019年でとくにどのような地域で下がっているだろうか。また，代わりにどのような仕事に従事する人が増えただろうか，p.87～88のFocusを参考に考えよう。
7 バイオエタノールの生産
－2018年－
1：60 000 000
0 500km
稼働中のエタノール工場
建設・計画中のエタノール工場
〔Renewable Fuels Association資料，ほか〕
ノースダコタ 508
ミネソタ 445
ウィスコンシン 220
インディアナ 443
イリノイ 635
ネブラスカ 823
アイオワ 1560
アメリカ合衆国のエタノールの生産
613万kL
1476万kL
5027万kL
6082万kL
おもな州のエタノールの生産量(万kL)
8 シェール層の分布とシェールガス生産
1：60 000 000
0 500km
ヴァンクーヴァー
シアトル
ノースダコタ 238
オクラホマ 375
アーカンソー 147
オハイオ 661
ペンシルヴェニア 1720
ウェストヴァージニア 426
ルイジアナ 578
テキサス 1809
コロラド 36
ニューメキシコ 222
バッケン
ニオブララ
ウッドフォード
マーセラス
バーネット
イーグルフォード
ヘインズヴィル
モンテレー
サンフランシスコ
ロサンゼルス
シカゴ
ニューヨーク
ヒューストン
アメリカ合衆国の天然ガス採掘量とシェールガスの占める割合
2007年 8.1% 91.9 6980億m^3
2012年 35.7% 64.3 8360億m^3
2018年 63.4% その他 36.6 1兆508億m^3
シェールガス
シェール層の分布
採掘地
計画地
青文字はシェールガス田
州別生産量－2018年－
数字は産出量
コロラド 36
単位:億m^3
〔EIA資料，ほか〕

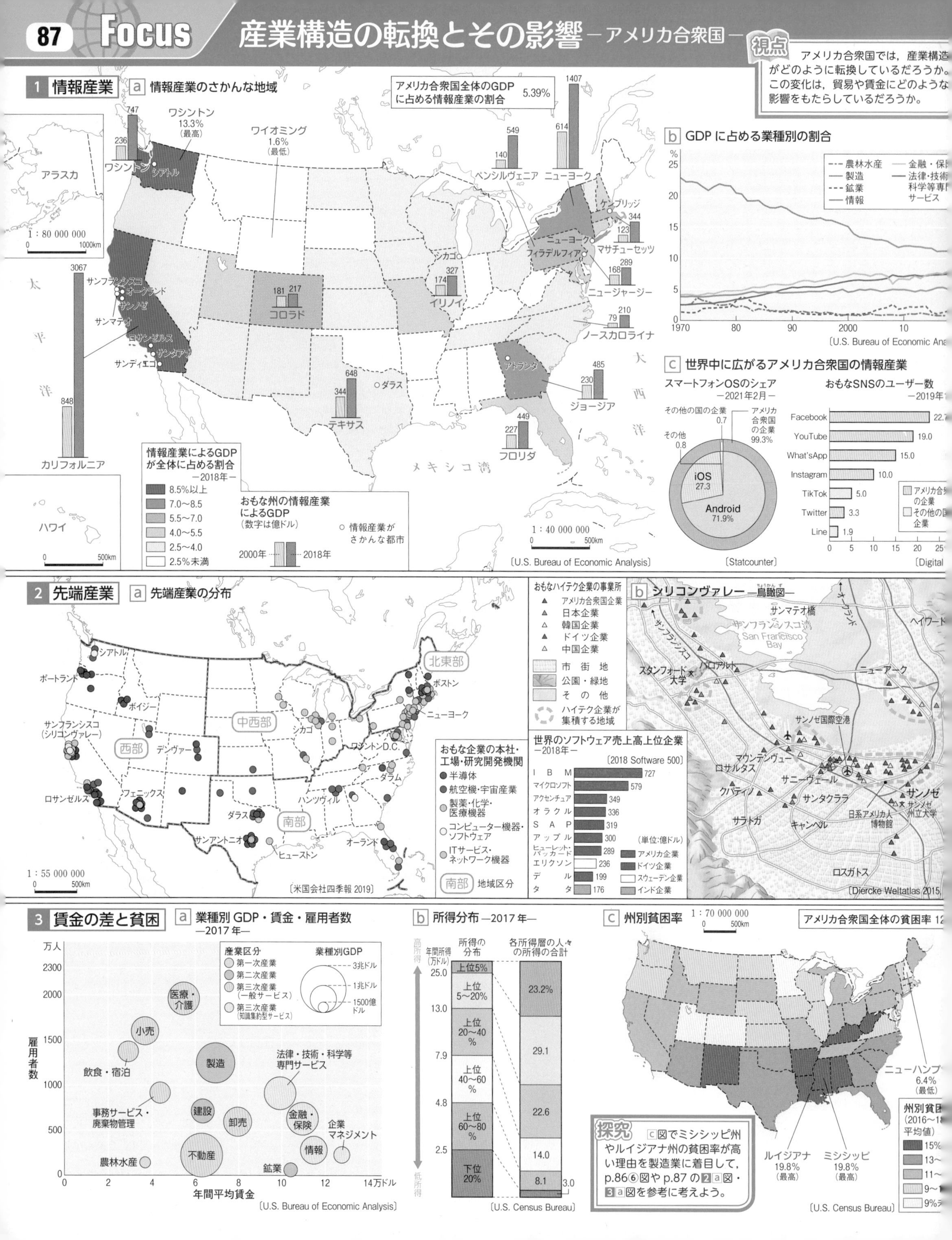

87
Focus
産業構造の転換とその影響 ―アメリカ合衆国―
視点
アメリカ合衆国では，産業構造がどのように転換しているだろうか。この変化は，貿易や賃金にどのような影響をもたらしているだろうか。
1 情報産業
a 情報産業のさかんな地域
アメリカ合衆国全体のGDPに占める情報産業の割合 5.39%
ワシントン 13.3%（最高）
ワイオミング 1.6%（最低）
ワシントン 236 747
シアトル
アラスカ
1：80 000 000
0 1000km
ペンシルヴェニア 140 549
ニューヨーク 614 1407
ケンブリッジ
マサチューセッツ 123 344
ニューヨーク
フィラデルフィア
ニュージャージー 168 289
シカゴ
イリノイ 174 327
コロラド 181 217
ノースカロライナ 79 210
サンフランシスコ
オークランド
サンノゼ
サンマテオ
ロサンゼルス
サンタアナ
サンディエゴ
カリフォルニア 848 3067
太平洋
大西洋
アトランタ
ジョージア 230 485
ダラス
テキサス 344 648
フロリダ 227 449
メキシコ湾
ハワイ
0 500km
情報産業によるGDPが全体に占める割合 ―2018年―
8.5%以上
7.0～8.5
5.5～7.0
4.0～5.5
2.5～4.0
2.5%未満
おもな州の情報産業によるGDP（数字は億ドル）
2000年 2018年
○ 情報産業がさかんな都市
1：40 000 000
0 500km
〔U.S. Bureau of Economic Analysis〕
b GDPに占める業種別の割合
%
25 20 15 10 5 0
1970 80 90 2000 10
農林水産
製造
鉱業
情報
金融・保険
法律・技術・科学等専門サービス
〔U.S. Bureau of Economic Analysis〕
c 世界中に広がるアメリカ合衆国の情報産業
スマートフォンOSのシェア ―2021年2月―
その他の国の企業 0.7
アメリカ合衆国の企業 99.3%
その他 0.8
iOS 27.3
Android 71.9%
〔Statcounter〕
おもなSNSのユーザー数 ―2019年―
Facebook 22.7
YouTube 19.0
What'sApp 15.0
Instagram 10.0
TikTok 5.0
Twitter 3.3
Line 1.9
0 5 10 15 20 25
アメリカ合衆国の企業
その他の国の企業
〔Digital〕
2 先端産業
a 先端産業の分布
シアトル
ポートランド
ボイジー
サンフランシスコ（シリコンヴァレー）
西部
デンヴァー
中西部
シカゴ
北東部
ボストン
ニューヨーク
ワシントンD.C.
ロサンゼルス
フェニックス
ダラス
南部
ダラム
ハンツヴィル
サンアントニオ
ヒューストン
オーランド
1：55 000 000
0 500km
おもな企業の本社・工場・研究開発機関
半導体
航空機・宇宙産業
製薬・化学・医療機器
コンピューター機器・ソフトウェア
ITサービス・ネットワーク機器
南部 地域区分
〔米国会社四季報 2019〕
おもなハイテク企業の事業所
アメリカ合衆国企業
日本企業
韓国企業
ドイツ企業
中国企業
市街地
公園・緑地
その他
ハイテク企業が集積する地域
b シリコンヴァレー ―鳥瞰図―
サンマテオ橋
オークランド
ヘイワード
サンフランシスコ
サンフランシスコ湾 San Francisco Bay
スタンフォード大学
パロアルト
ニューアーク
サンノゼ国際空港
マウンテンヴュー
ロサルタス
サニーヴェール
クパティノ
サンタクララ
サンノゼ
サンノゼ州立大学
日系アメリカ人博物館
サラトガ
キャンベル
ロスガトス
〔Diercke Weltatlas 2015〕
世界のソフトウェア売上高上位企業 ―2018年―
〔2018 Software 500〕
IBM 727
マイクロソフト 579
アクセンチュア 349
オラクル 336
SAP 319
アップル 300
ヒューレット・パッカード 289
エリクソン 236
デル 199
タタ 176
（単位:億ドル）
アメリカ企業
ドイツ企業
スウェーデン企業
インド企業
3 賃金の差と貧困
a 業種別GDP・賃金・雇用者数 ―2017年―
万人
2300 2000 1500 1000 500 0
雇用者数
0 2 4 6 8 10 12 14万ドル
年間平均賃金
産業区分
第一次産業
第二次産業
第三次産業（一般サービス）
第三次産業（知識集約型サービス）
業種別GDP
3兆ドル
1兆ドル
1500億ドル
医療・介護
小売
飲食・宿泊
製造
法律・技術・科学等専門サービス
事務サービス・廃棄物管理
建設
卸売
金融・保険
企業マネジメント
情報
不動産
農林水産
鉱業
〔U.S. Bureau of Economic Analysis〕
b 所得分布 ―2017年―
高所得
低所得
年間所得（万ドル）
所得の分布
各所得層の人々の所得の合計
25.0 13.0 7.9 4.8 2.5
上位5%
上位5～20%
上位20～40%
上位40～60%
上位60～80%
下位20%
23.2%
29.1
22.6
14.0
8.1
3.0
〔U.S. Census Bureau〕
c 州別貧困率
1：70 000 000
0 500km
アメリカ合衆国全体の貧困率 12
ニューハンプシャー 6.4%（最低）
ルイジアナ 19.8%（最高）
ミシシッピ 19.8%（最高）
州別貧困率（2016～18平均値）
15%
13～
11～
9～
9%
〔U.S. Census Bureau〕
探究
c図でミシシッピ州やルイジアナ州の貧困率が高い理由を製造業に着目して，p.86⑥図やp.87の2a図・3a図を参考に考えよう。

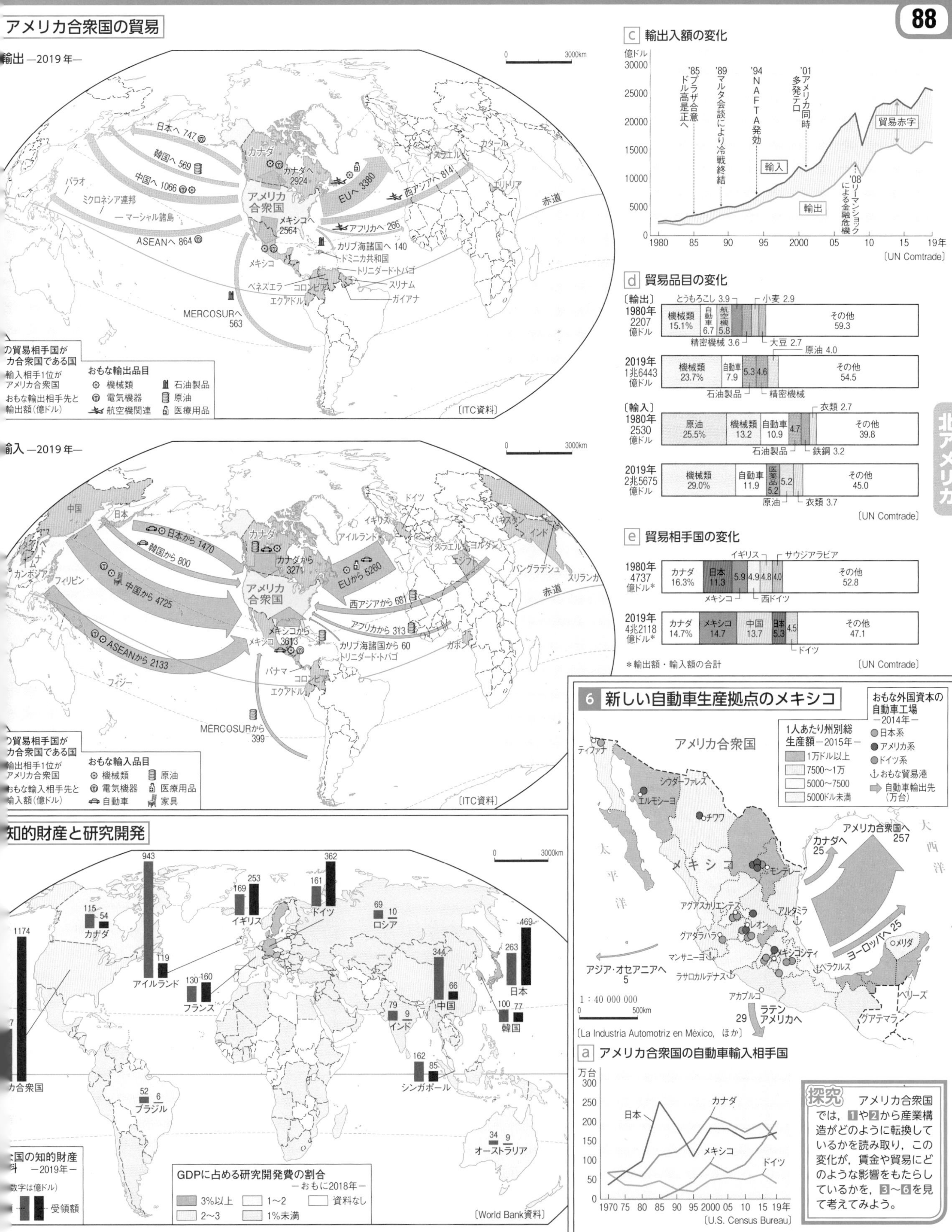

アメリカ合衆国の貿易
輸出 —2019年—
日本へ 747
韓国へ 569
中国へ 1066
カナダ
カナダへ 2924
アメリカ合衆国
EUへ 3380
西アジアへ 814
メキシコへ 2564
アフリカへ 266
ASEANへ 864
パラオ
ミクロネシア連邦
マーシャル諸島
カリブ海諸国へ 140
ドミニカ共和国
トリニダード・トバゴ
スリナム
ガイアナ
ベネズエラ
コロンビア
エクアドル
メキシコ
MERCOSURへ 563
カタール
イスラエル
エリトリア
赤道
おもな輸出品目
機械類
電気機器
航空機関連
石油製品
原油
医療用品
〔ITC資料〕
輸入 —2019年—
中国
日本
日本から 1470
韓国から 800
中国から 4725
ASEANから 2133
カナダ
カナダから 3271
EUから 5260
西アジアから 681
アフリカから 313
メキシコから 3613
カリブ海諸国から 60
トリニダード・トバゴ
パナマ
コロンビア
エクアドル
MERCOSURから 399
フィジー
フィリピン
カンボジア
ドイツ
イギリス
アイルランド
イスラエル
ヨルダン
エジプト
パキスタン
インド
バングラデシュ
スリランカ
ガボン
おもな輸入品目
機械類
電気機器
自動車
原油
医療用品
家具
〔ITC資料〕
c 輸出入額の変化
億ドル
'85 プラザ合意 ドル高是正へ
'89 マルタ会談により冷戦終結
'94 NAFTA発効
'01 アメリカ同時多発テロ
'08 リーマンショックによる金融危機
貿易赤字
輸入
輸出
〔UN Comtrade〕
d 貿易品目の変化
〔輸出〕 1980年 2207億ドル: 機械類 15.1% 自動車 6.7 航空機 5.8 とうもろこし 3.9 小麦 2.9 精密機械 3.6 大豆 2.7 その他 59.3
2019年 1兆6443億ドル: 機械類 23.7% 自動車 7.9 5.3 4.6 原油 4.0 石油製品 精密機械 その他 54.5
〔輸入〕 1980年 2530億ドル: 原油 25.5% 機械類 13.2 自動車 10.9 4.7 衣類 2.7 石油製品 鉄鋼 3.2 その他 39.8
2019年 2兆5675億ドル: 機械類 29.0% 自動車 11.9 医薬品 5.2 5.2 原油 衣類 3.7 その他 45.0
〔UN Comtrade〕
e 貿易相手国の変化
1980年 4737億ドル*: カナダ 16.3% 日本 11.3 5.9 4.9 4.8 4.0 イギリス サウジアラビア メキシコ 西ドイツ その他 52.8
2019年 4兆2118億ドル*: カナダ 14.7% メキシコ 14.7 中国 13.7 日本 5.3 4.5 ドイツ その他 47.1
＊輸出額・輸入額の合計
〔UN Comtrade〕
北アメリカ
6 新しい自動車生産拠点のメキシコ
おもな外国資本の自動車工場 —2014年—
日本系
アメリカ系
ドイツ系
おもな貿易港
自動車輸出先（万台）
1人あたり州別総生産額 —2015年—
1万ドル以上
7500〜1万
5000〜7500
5000ドル未満
アメリカ合衆国
ティファナ
シウダーファレス
エルモシーヨ
チワワ
メキシコ
モンテレー
アグアスカリエンテス
アルタミラ
レオン
グアダラハラ
マンサニーヨ
メキシコシティ
ベラクルス
ラサロカルデナス
アカプルコ
メリダ
ベリーズ
グアテマラ
太平洋
大西洋
アメリカ合衆国へ 257
カナダへ 25
ヨーロッパへ 25
アジア・オセアニアへ 5
ラテンアメリカへ 29
1：40 000 000
〔La Industria Automotriz en México, ほか〕
a アメリカ合衆国の自動車輸入相手国
万台
日本
カナダ
メキシコ
ドイツ
〔U.S. Census Bureau〕
探究 アメリカ合衆国では，1や2から産業構造がどのように転換しているかを読み取り，この変化が，賃金や貿易にどのような影響をもたらしているかを，3〜6を見て考えてみよう。
知的財産と研究開発
カナダ 115 54
アイルランド 943 119
イギリス 169 253
フランス 130 160
ドイツ 161 362
ロシア 69 10
中国 344 66
日本 263 469
韓国 100 77
インド 79 9
シンガポール 162 85
ブラジル 52 6
オーストラリア 34 9
アメリカ合衆国 1174
国の知的財産 —2019年—
数字は億ドル
受領額
GDPに占める研究開発費の割合 —おもに2018年—
3%以上
2〜3
1〜2
1%未満
資料なし
〔World Bank資料〕

1 中央アメリカ
1：15 000 000
0 200 400km
ランベルト正積方位図法
（面積が正しく，全体としてひずみが小さい。）
この図の範囲
アメリカ合衆国
UNITED STATES OF AMERICA
メキシコ合衆国
UNITED MEXICAN STATES
メキシコ高原
西シエラマドレ山脈
Sierra Madre Occidental
東シエラマドレ山脈
Sierra Madre Oriental
南シエラマドレ山脈
Sierra Madre del Sur
カリフォルニア半島
Baja California
カリフォルニア湾
メキシコ湾
Gulf of Mexico
カンペチェ湾
B. de Campeche
ユカタン半島
Yucatán Pen.
テワンテペク湾
G. de Tehuantepec
太平洋
PACIFIC OCEAN
北回帰線
メキシコシティ
MEXICO CITY
グアダラハラ
GUADALAJARA
モンテレー
MONTERREY
プエブラ
PUEBLA
グアテマラ共和国
REPUBLIC OF GUATEMALA
グアテマラシティ
GUATEMALA CITY
エルサルバドル共和国
REPUBLIC OF EL SALVADOR
サンサルバドル
SAN SALVADOR
ホンジュラス
テグシガルパ
TEGUCIGALPA
ベリーズ
ベルモパン
BELMOPAN
テキサス
TEXAS
ニューメキシコ
NEW MEXICO
アリゾナ
ARIZONA
オクラホマ
OKLAHOMA
アーカンソー
ARKANSAS
ルイジアナ
LOUISIANA
ミシシッピ
MISSISSIPPI
ヒューストン
HOUSTON
サンアントニオ
SAN ANTONIO
ダラス
DALLAS
フェニックス
PHOENIX
エルパソ
シウダーフアレス
CIUDAD JUAREZ
ティファナ
TIJUANA
ニューオーリンズ
New Orleans
2 メキシコシティ ―2011年―
1：800 000
0 5 10km
シウダーロペスマテオス
Ciudad López Mateos
ナウカルパンデフアレス
Naucalpan de Juárez
エカテペック
Ecatepec
テスココ
Texcoco
チマルワカン
Chimalhuacán
ネツァワルコヨトル
Nezahualcoyotl
イスタパルカ
Ixtapaluca
ソチミルコ
Xochimilco
チャルコ
Chalco
アメカメカ
Amecameca
ラスクルーセス山地
ネバダ山地
アフスコ山地
陸高（m）
4000
3500
3000
2500
2000
〔Diercke Weltatlas 2008,ほか〕
高級住宅地
一般住宅地
スラム
商業地
工業地
高速道路
おもなバスターミナル
1500年頃のテスココ湖の湖岸線
メキシコシティに卓越する風向き
3 パナマ運河 ―鳥瞰図―
パナマ
カリブ海
コロン
ヌエボコロン
サンファン
マッデンダム
カイミティリョ
パナマシティ
アグアクララ閘門
ガンボア
ペドロミゲル閘門
ミラフロレス閘門
ガトゥン閘門
ガトゥンダム
ガトゥン湖
ココリ閘門
アライハン
2016年に水路拡張工事が完了。
従来と比べて最大積載能力が約3倍の
大型船も通過が可能になった。
ココリ閘門 新水路に作られた閘門
運河断面図
カリブ海
ガトゥン閘門
運河水面海抜26m
ガトゥン湖
ペドロミゲル閘門
ミラフロレス閘門
ミラフロレス湖
0 10 20 30 40 50 60

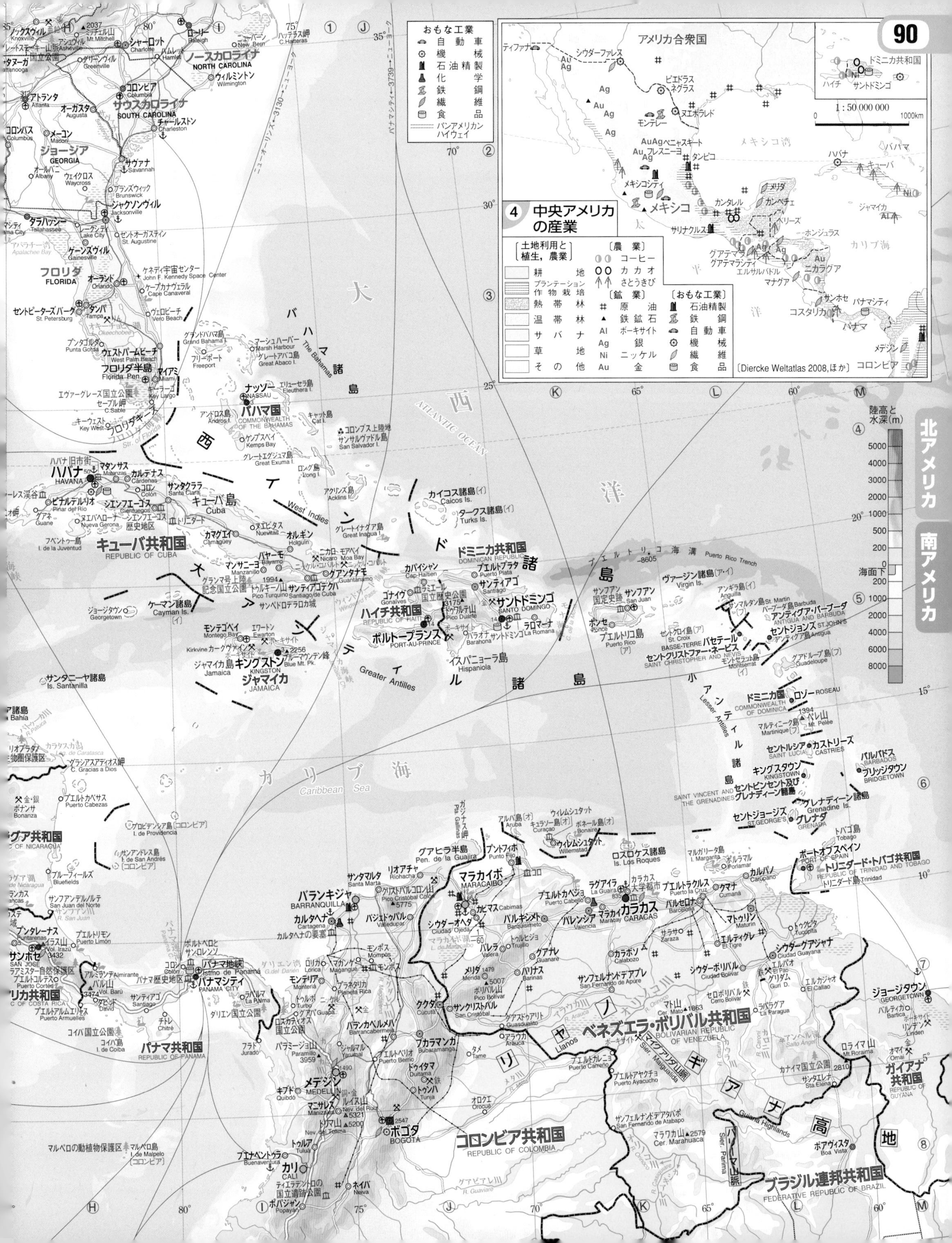

おもな工業
自動車
機械
石油精製
化学
鉄鋼
繊維
食品
パンアメリカンハイウェイ
4 中央アメリカの産業
〔土地利用と植生，農業〕
耕地
プランテーション作物栽培
熱帯林
温帯林
サバナ
草地
その他
〔農業〕
コーヒー
カカオ
さとうきび
〔鉱業〕
原油
鉄鉱石
ボーキサイト
銀
ニッケル
金
〔おもな工業〕
石油精製
鉄鋼
自動車
機械
繊維
食品
〔Diercke Weltatlas 2008,ほか〕
1：50 000 000
1000km
アメリカ合衆国
ティフアナ
シウダーファレス
ピエドラスネグラス
モンテレー
ヌエボラレド
ベニャスキート
フレスニーヨ
タンピコ
メキシコ湾
メキシコシティ
メキシコ
カンタレル
サリナクルス
メリダ
カンペチェ
ベリーズ
ホンジュラス
グアテマラ
グアテマラシティ
エルサルバドル
マナグア
ニカラグア
サンホセ
コスタリカ
パナマシティ
パナマ
メデジン
コロンビア
ハバナ
キューバ
ジャマイカ
ドミニカ共和国
ハイチ
サントドミンゴ
カリブ海
陸高と水深(m)
5000
4000
3000
2000
1000
500
200
0
海面下
200
1000
2000
4000
6000
8000
北アメリカ
南アメリカ
ノースカロライナ
NORTH CAROLINA
サウスカロライナ
SOUTH CAROLINA
ジョージア
GEORGIA
フロリダ
FLORIDA
ノックスヴィル
Knoxville
アシュヴィル
Asheville
シャーロット
Charlotte
ローリー
Raleigh
ウィルミントン
Wilmington
アトランタ
Atlanta
コロンビア
Columbia
オーガスタ
Augusta
チャールストン
Charleston
メーコン
Macon
サヴァナ
Savannah
オールバニ
Albany
ジャクソンヴィル
Jacksonville
タラハシー
Tallahassee
ゲーンズヴィル
Gainesville
セントオーガスティン
St. Augustine
ケネディ宇宙センター
John F. Kennedy Space Center
オーランド
Orlando
ケープカナヴェラル
Cape Canaveral
セントピーターズバーグ
St. Petersburg
タンパ
Tampa
ウェストパームビーチ
West Palm Beach
フロリダ半島
Florida Pen.
マイアミ
Miami
エヴァーグレーズ国立公園
キーウェスト
Key West
フロリダ海峡
Str. of Florida
バハマ諸島
The Bahamas
グランドバハマ島
Grand Bahama I.
フリーポート
Freeport
グレートアバコ島
Great Abaco I.
ナッソー
NASSAU
バハマ国
COMMONWEALTH OF THE BAHAMAS
エリューセラ島
Eleuthera I.
アンドロス島
Andros I.
キャット島
Cat I.
コロンブス上陸地
サンサルヴァドル島
San Salvador I.
グレートエグズマ島
Great Exuma I.
ロング島
Long I.
アクリンズ島
Acklins I.
カイコス諸島〔イ〕
Caicos Is.
タークス諸島〔イ〕
Turks Is.
グレートイナグア島
Great Inagua I.
大西洋
ATLANTIC OCEAN
西インド諸島
West Indies
ハバナ旧市街
ハバナ
HAVANA
マタンサス
Matanzas
カルデナス
Cárdenas
サンタクララ
Santa Clara
シエンフエーゴス
Cienfuegos
ピナルデルリオ
Pinar del Rio
キューバ島
Cuba
トリニダー
ヌエバヘローナ
Nueva Gerona
フベントゥー島
I. de la Juventud
キューバ共和国
REPUBLIC OF CUBA
カマグエイ
Camagüey
ヌエビタス
Nuevitas
オルギン
Holguín
バヤーモ
Bayamo
マンサニーヨ
Manzanillo
グアンタナモ
Guantánamo
サンティアゴデクバ
Santiago de Cuba
トルキーノ山
Pico Turquino
グランマ号上陸記念国立公園
サンペドロデラロカ城
モアベイ
Moa Bay
ニカロ
Nicaro
ケーマン諸島
Cayman Is.
ジョージタウン
Georgetown
大アンティル諸島
Greater Antilles
ウィンドワード海峡
Windward Pass.
カパイシャン
Cap-Haïtien
ゴナイヴ
Gonaïves
ハイチ共和国
REPUBLIC OF HAITI
ポルトープランス
PORT-AU-PRINCE
ドミニカ共和国
DOMINICAN REPUBLIC
プエルトプラタ
Puerto Plata
サンティアゴ
Santiago
ドゥアルテ山
Pico Duarte
サントドミンゴ
SANTO DOMINGO
ラロマーナ
La Romana
バラオナ
Barahona
イスパニョーラ島
Hispaniola
モンテゴベイ
Montego Bay
エワートン
Ewarton
ブルーマウンテン峰
Blue Mt. Pk.
ジャマイカ島
Jamaica
キングストン
KINGSTON
ジャマイカ
JAMAICA
プエルトリコ海溝
Puerto Rico Trench
サンフアン
San Juan
サンフアン国定史跡
ポンセ
Ponce
プエルトリコ島
Puerto Rico
ヴァージン諸島
Virgin Is.
アンギラ島
Anguilla
アンティグア・バーブーダ
ANTIGUA AND BARBUDA
セントジョンズ
ST. JOHN'S
セントクリストファー・ネービス
SAINT CHRISTOPHER AND NEVIS
バセテール
BASSE-TERRE
モントセラト島
Montserrat
グアドループ島
Guadeloupe
ドミニカ国
COMMONWEALTH OF DOMINICA
ロゾー
ROSEAU
プレ山
Mt. Pelée
マルティニーク島
Martinique
小アンティル諸島
Lesser Antilles
セントルシア
SAINT LUCIA
カストリーズ
CASTRIES
バルバドス
BARBADOS
ブリッジタウン
BRIDGETOWN
キングスタウン
KINGSTOWN
セントビンセント及びグレナディーン諸島
SAINT VINCENT AND THE GRENADINES
グレナディーン諸島
Grenadine Is.
セントジョージズ
ST. GEORGE'S
グレナダ
GRENADA
トバゴ島
Tobago
ポートオブスペイン
PORT OF SPAIN
トリニダード・トバゴ共和国
REPUBLIC OF TRINIDAD AND TOBAGO
トリニダード島
Trinidad
カリブ海
Caribbean Sea
サンタニーヤ諸島
Is. Santanilla
プエルトカベサス
Puerto Cabezas
プロビデンシア島〔コロンビア〕
I. de Providencia
サンアンドレス島
I. de San Andrés
ブルーフィールズ
Bluefields
サンフアンデルノルテ
San Juan del Norte
ボナンサ
Bonanza
プンタレーナス
Puntarenas
イラス山
Vol. Irazú
サンホセ
SAN JOSE
プエルトリモン
Puerto Limón
ラアミスタ国際自然保護区
プエルトコルテス
Puerto Cortés
コスタリカ共和国
REPUBLIC OF COSTA RICA
バル火山
Vol. Barú
ダビド
David
プエルトアルムエリェス
Puerto Armuelles
コイバ国立公園
コイバ島
I. de Coiba
ポルトベロとサンロレンソ
パナマ地峡
Istmo de Panamá
パナマ歴史地区
パナマシティ
PANAMA CITY
パナマ共和国
REPUBLIC OF PANAMA
ダリエン国立公園
ダリエン湾
G. del Darién
マルペロの動植物保護区
マルペロ島
I. de Malpelo
〔コロンビア〕
アルバ島〔オ〕
Aruba
キュラソー島〔オ〕
Curaçao
ボネール島〔オ〕
Bonaire
ウィレムシュタット
Willemstad
ロスロケス諸島
Is. Los Roques
グアヒラ半島
Pen. de la Guajira
ガジナス岬
Pta. Gallinas
プントフィホ
Punto Fijo
サンタマルタ
Santa Marta
リオアチャ
Riohacha
クリストバルコロン山
Pico Cristóbal Colón
5775
バランキジャ
BARRANQUILLA
カルタヘナ
Cartagena
バジェドゥパル
Valledupar
マラカイボ
MARACAIBO
カビマス
Cabimas
マラカイボ湖
L. de Maracaibo
シウダーオヘダ
Ciudad Ojeda
バルキシメト
Barquisimeto
プエルトカベジョ
Puerto Cabello
バレンシア
Valencia
マラカイ
Maracay
ラグアイラ
La Guaira
カラカス
CARACAS
カラカス大学都市
バルセロナ
Barcelona
プエルトラクルス
Puerto la Cruz
クマナ
Cumaná
カルパノ
Carúpano
マルガリータ島
I. Margarita
ポルラマル
Porlamar
マトゥリン
Maturín
エルティグレ
El Tigre
サラサ
Zaraza
カラボソ
Calabozo
グアナレ
Guanare
バリナス
Barinas
メリダ
Mérida
ボリバル山
Pico Bolívar
5007
バレラ
Valera
トルヒジョ
Trujillo
ククタ
Cúcuta
サンクリストバル
San Cristóbal
グアスドゥアリト
Guasdualito
サンフェルナンドデアプレ
San Fernando de Apure
シウダーボリバル
Ciudad Bolívar
シウダーグアジャナ
Ciudad Guayana
エルカジャオ
El Callao
トゥクピタ
Tucupita
ベネズエラ・ボリバル共和国
BOLIVARIAN REPUBLIC OF VENEZUELA
リャノ
Llanos
オリノコ川
R. Orinoco
アプレ川
R. Apure
アラウカ
Arauca
エンジェルフォール
Salto Angel
カナイマ国立公園
ロライマ山
Mt. Roraima
2810
マイクアリダ山脈
Sier. Maiguálida
プエルトアヤクチョ
Puerto Ayacucho
プエルトカレーニョ
Puerto Carreño
サンフェルナンドデアタバポ
San Fernando de Atabapo
マラワカ山
Cer. Marahuaca
2579
パリマ山脈
Sier. Parima
ギアナ高地
Guiana Highlands
ボアヴィスタ
Boa Vista
サンタエレナ
Sta. Elena
ジョージタウン
GEORGETOWN
ガイアナ共和国
REPUBLIC OF GUYANA
ブラジル連邦共和国
FEDERATIVE REPUBLIC OF BRAZIL
モンポス
Mompós
マガンゲ
Magangué
ロリカ
Lorica
モンテリア
Montería
プラネタリカ
Planeta Rica
トゥルボ
Turbo
バランカベルメハ
Barrancabermeja
プエルトベリオ
Puerto Berrío
ブカラマンガ
Bucaramanga
タメ
Tame
ドゥイタマ
Duitama
トゥンハ
Tunja
パラミージョ山
Paramillo
3959
メデジン
MEDELLÍN
キブド
Quibdó
マニサレス
Manizales
ルイス山
Nev. del Ruiz
5321
トリマ山
Nev. del Tolima
5200
ボゴタ
BOGOTÁ
2547
コロンビア共和国
REPUBLIC OF COLOMBIA
オロクエ
Orocué
グアビアレ川
R. Guaviare
トゥルア
Tuluá
ブエナベントゥラ
Buenaventura
カリ
CALI
ティエラデントロの国立遺跡公園
ネイバ
Neiva
ポパヤン
Popayán

1 南アメリカ
1：23 000 000
0 200 400 600km
ランベルト正積方位図法
(面積が正しく、全体としてひずみが小さい。)
パンアメリカンハイウェイ
トランスアマゾニアンハイウェイ
日本人入植地
読図 南アメリカで最も赤道に近い首都は，標高何mだろうか。ほかにも標高2000m以上の首都を探してみよう。
2 ブラジリア
1：250 000
0 5km
業務・商業中心地
高層住宅地
その他の住宅地
公共施設
官庁・大使館
工業地
公園・緑地
森林
その他
鉄道と駅
地下鉄と駅
高速道路
[Diercke Weltatlas 2015, ほか]
連邦地区
ブラジリア大学
半島区
パラノア湖（人造湖） L.do Paranoa
大統領公邸（アルボラーダ宮）
2019年
国立劇場
国会議事堂
大統領府
大聖堂
三権広場
市庁舎
最高裁判所
外国公館街
共同墓地
日本大使館
ガーマ区
ドンボスコ区
動物園
ブラジリア国際空港
ブラジリア駅
この図の範囲
キューバ共和国 REPUBLIC OF CUBA
ハイチ共和国 REPUBLIC OF HAITI
ドミニカ共和国 DOMINICAN REPUBLIC
ジャマイカ JAMAICA
西インド諸島 West Indies
大アンティル諸島 Greater Antilles
小アンティル諸島 Lesser Antilles
カリブ海 Caribbean Sea
プエルトリコ海溝 Puerto Rico Trench
パナマシティー－8101→ジブラルタル
コスタリカ共和国 REPUBLIC OF COSTA RICA
パナマ共和国 REPUBLIC OF PANAMA
ベネズエラ・ボリバル共和国 BOLIVARIAN REPUBLIC OF VENEZUELA
コロンビア共和国 REPUBLIC OF COLOMBIA
エクアドル共和国 REPUBLIC OF ECUADOR
ペルー共和国 REPUBLIC OF PERU
ボリビア多民族国 THE PLURINATIONAL STATE OF BOLIVIA
ガイアナ共和国 REPUBLIC OF GUYANA
スリナム共和国 REPUBLIC OF SURINAME
ギアナ［フ］ GUIANA
トリニダード・トバゴ共和国 REPUBLIC OF TRINIDAD AND TOBAGO
ブラジル連邦共和国 FEDERATIVE REPUBLIC OF BRAZIL
アマゾン盆地 Bacia Amazonica
セルバ Selvas
ブラジル高原 Plat. do Brasil
ギアナ高地 Guiana Highlands
マットグロッソ高原 Plat. do Mato Grosso
カシンボ山脈 Serra do Cachimbo
パンタナール Pantanal
アンデス山脈 Andes
ペルー海溝 Peru Trench
赤道
アマゾン川 R.Amazonas
カラカス CARACAS
ボゴタ BOGOTA
キト QUITO
リマ LIMA
ラパス LA PAZ
ジョージタウン GEORGETOWN
パラマリボ PARAMARIBO
ブラジリア BRASILIA
マナオス MANAUS
ベレン BELEM
サンルイス SAO LUIS
フォルタレーザ FORTALEZA
レシフェ RECIFE
サルヴァドル SALVADOR
ベロオリゾンテ BELO HORIZONTE
リオデジャネイロ←7819→リスボン

南回帰線
陸高と水深(m)
5000
4000
3000
2000
1000
500
200
0
200
1000
2000
4000
6000
8000
ケープタウン
ATLANTIC OCEAN
PACIFIC OCEAN
チリ共和国
REPUBLIC OF CHILE
アルゼンチン共和国
ARGENTINE REPUBLIC
ウルグアイ東方共和国
ORIENTAL REPUBLIC OF URUGUAY
アタカマ砂漠
アンデス山脈
パンパ
パタゴニア
グランチャコ
アスンシオン
ASUNCIÓN
サンパウロ
SÃO PAULO
リオデジャネイロ
RIO DE JANEIRO
クリチーバ
CURITIBA
ポルトアレグレ
PÔRTO ALEGRE
ブエノスアイレス
BUENOS AIRES
モンテビデオ
MONTEVIDEO
サンティアゴ
SANTIAGO
コルドバ
CÓRDOBA
ロサリオ
ROSARIO
フォークランド諸島
Falkland Is.
(マルビナス諸島)
Is.Malvinas
フエゴ島
Tierra del Fuego
ドレーク海峡
Drake Pass.
流氷の限界
年間氷結している範囲
サウスシェトランド諸島
South Shetland Is.
サウスオークニー諸島
South Orkney Is.
南極半島
Antarctic Pen.
グレイアムランド
Graham Land
ロスデスベントゥラドス諸島 (チリ)
フアンフェルナンデス諸島 (チリ)
Is. Juan Fernández
東京の対蹠点
(35°41′S 40°14′W)
地球の正反対側に置いた日本
3 アンデス —鳥瞰図—
ペルー
ボリビア
リマ
カヤオ
クスコ
アレキパ
ラパス
チチカカ湖
アルティプラノ
西コルディエラ山脈
東コルディエラ山脈
太平洋
4 ラテンアメリカの住民
1：100 000 000
2000km
メキシコ 12657
キューバ 1120
ハイチ 1157
ドミニカ共和国 1035
ジャマイカ 273
グアテマラ 1731
コロンビア 4939
ペルー 3213
ボリビア 1147
チリ 1910
ブラジル 21014
パラグアイ 715
ウルグアイ 351
アルゼンチン 4493
イギリス系
スペイン系
ポルトガル系
フランス系
ドイツ系
ヨーロッパ系
混血(メスチーソ・ムラートなど)
アフリカ系
インド・パキスタン系
先住民
人種・民族構成(%)
総人口 —おもに2019年—
3000
1000
300
万人
ブリタニカ国際統計年鑑，ほか

1 南アメリカ要部
1：16 000 000
0 100 200 300km
ランベルト正積方位図法
（面積が正しく、全体としてひずみが小さい。）
コロンビア共和国
REPUBLIC OF COLOMBIA
エクアドル共和国
REPUBLIC OF ECUADOR
ペルー共和国
REPUBLIC OF PERU
ボリビア多民族国
THE PLURINATIONAL STATE OF BOLIVIA
ブラジル連邦
FEDERATIVE REPUBLIC OF BR
パラグアイ共和国
REPUBLIC OF PARAGUAY
アルゼンチン共和国
ARGENTINE REPUBLIC
チリ共和国
REPUBLIC OF CHILE
ウルグアイ東方共和国
ORIENTAL REPUBLIC OF URU
アマゾン盆地
Bacia Amazonica
アマゾナス
AMAZONAS
セルバ
Selvas
アンデス山脈
アタカマ砂漠
グランチャコ
Gran Chaco
パンパ
Pampas
パレシス山脈
Serra dos Parecis
ブラジル高原
Plat. do Brasil
マットグロッソ高原
Plat. do Mato Grosso
パンタナール
Pantanal
アルティプラノ
Altiplano
太平洋
PACIFIC OCEAN
ペルー海溝
Peru Trench
チリ海溝
Chile Trench
カシンボ山脈
ロライマ
RORAIMA
アクレ
ACRE
ロンドニア
RONDÔNIA
マットグロッソ
MATO GROSSO
マットグロッソドスル
MATO GROSSO DO SUL
リオグランデドスル
RIO GRANDE DO SUL
キト
QUITO
グアヤキル
GUAYAQUIL
リマ
LIMA
ラパス
LA PAZ
スクレ
Sucre
アスンシオン
ASUNCIÓN
サンティアゴ
SANTIAGO
ブエノスアイレス
BUENOS AIRES
モンテビデオ
MONTEVIDEO
マナオス
MANAUS
イキトス
Iquitos
クスコ
Cuzco
アレキパ
Arequipa
コチャバンバ
Cochabamba
サンタクルス
SANTA CRUZ
ポトシ
Potosí
オルロ
Oruro
ウユニ塩原
Salar de Uyuni
チチカカ湖
Titicaca
アントファガスタ
Antofagasta
コルドバ
CÓRDOBA
ロサリオ
ROSARIO
メンドサ
Mendoza
トゥクマン
バルパライソ
Valparaíso
ポルトヴェーリョ
Porto Velho
リオブランコ
Rio Branco
クイアバ
Cuiabá
カンポグランデ
Campo Grande
ネグロ川
R. Negro
ジャプラ川
R. Japurá
ジュルア川
R. Juruá
マデイラ川
R. Madeira
パラグアイ川
R. Paraguay
パラナ川
R. Paraná
ピルコマヨ川
R. Pilcomayo
ベルメホ川
R. Bermejo
ウルグアイ川
R. Uruguay
トランスアマゾニアンハイウェイ
サンフェリクス島 ロスデスベントゥラドス諸島
I. San Félix Is. de Los Desventurados
サンアンブロシオ島
I. San Ambrosio
この図の範囲

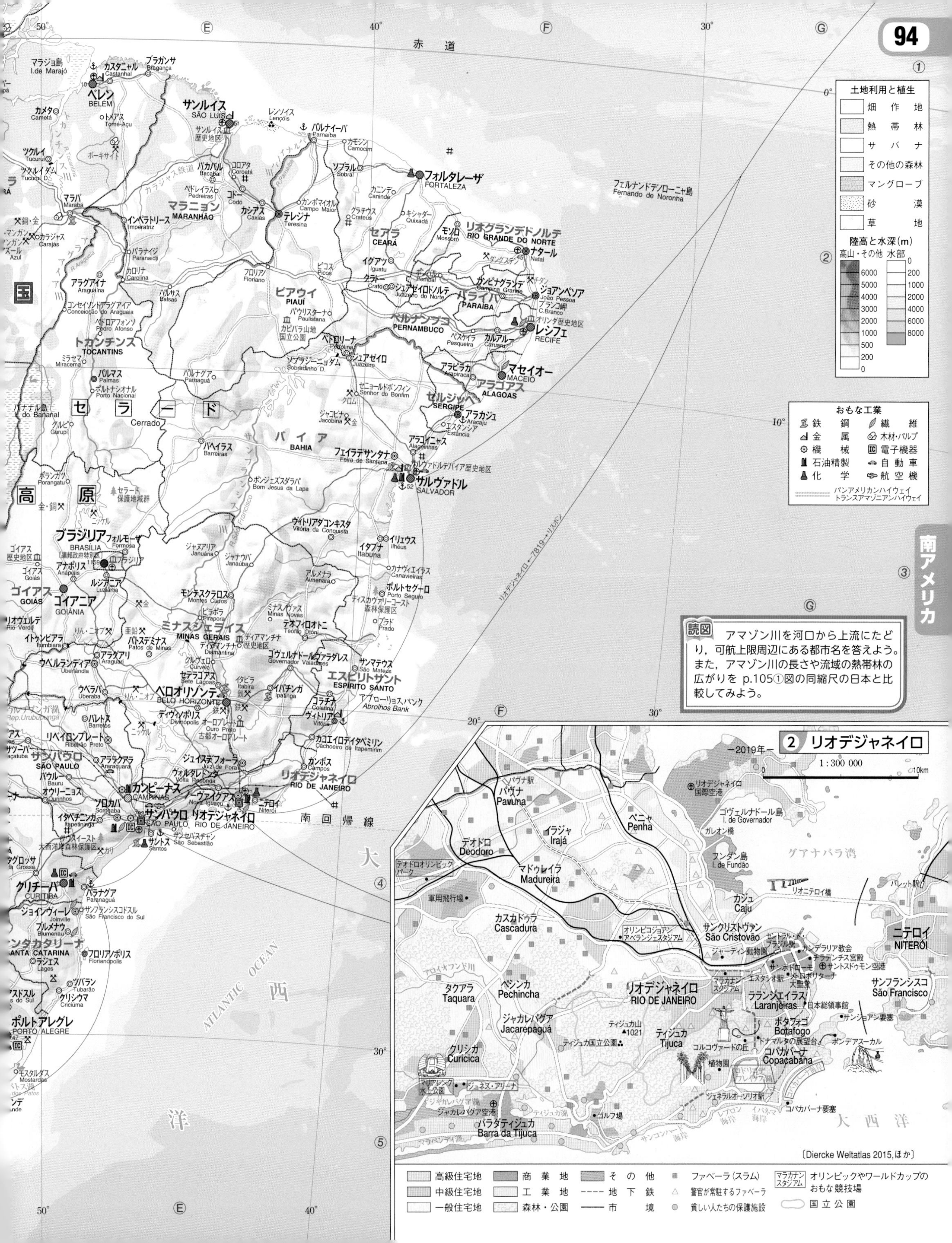

94
南アメリカ
赤道
土地利用と植生
畑作地
熱帯林
サバナ
その他の森林
マングローブ
砂漠
草地
陸高と水深(m)
高山・その他
水部
6000
5000
4000
3000
2000
1000
500
200
0
8000
おもな工業
鉄鋼
繊維
金属
木材・パルプ
機械
電子機器
石油精製
自動車
化学
航空機
パンアメリカンハイウェイ
トランスアマゾニアンハイウェイ
読図
アマゾン川を河口から上流にたどり，可航上限周辺にある都市名を答えよう。また，アマゾン川の長さや流域の熱帯林の広がりを p.105①図の同縮尺の日本と比較してみよう。
マラジョ島 I.de Marajó
ベレン BELEM
サンルイス SÃO LUIS
サンルイス歴史地区
レンソイス Lençóis
パルナイーバ Parnaíba
フォルタレーザ FORTALEZA
フェルナンドデノローニャ島 Fernando de Noronha
テレジナ Teresina
マラニョン MARANHÃO
セアラ CEARÁ
リオグランデドノルテ RIO GRANDE DO NORTE
ナタール Natal
ジョアンペソア João Pessoa
パライバ PARAÍBA
ピアウイ PIAUÍ
ペルナンブコ PERNAMBUCO
レシフェ RECIFE
マセイオー MACEIÓ
アラゴアス ALAGOAS
セルジッペ SERGIPE
アラカジュ Aracaju
トカンチンス TOCANTINS
パルマス Palmas
セラード Cerrado
バイア BAHIA
フェイラデサンタナ Feira de Santana
サルヴァドル SALVADOR
サルヴァドルデバイア歴史地区
高原
ブラジリア BRASILIA
ゴイアス GOIÁS
ゴイアニア GOIÂNIA
ミナスジェライス MINAS GERAIS
ベロオリゾンテ BELO HORIZONTE
エスピリトサント ESPIRITO SANTO
ヴィトリア Vitória
アブローリョスバンク Abrolhos Bank
サンパウロ SÃO PAULO
カンピーナス CAMPINAS
リオデジャネイロ RIO DE JANEIRO
ニテロイ Niterói
南回帰線
クリチーバ CURITIBA
サンタカタリーナ SANTA CATARINA
フロリアノポリス Florianópolis
ポルトアレグレ PORTO ALEGRE
ATLANTIC OCEAN
大西洋
リオデジャネイロ←7819→リスボン
2 リオデジャネイロ
−2019年−
1:300 000
0 10km
リオデジャネイロ国際空港
ゴヴェルナドール島 I. de Governador
グアナバラ湾
フンダン島 I. de Fundão
リオニテロイ橋
パヴナ Pavuna
ペニャ Penha
イラジャ Irajá
デオドロ Deodoro
デオドロオリンピックパーク
マドゥレイラ Madureira
軍用飛行場
カスカドゥラ Cascadura
カジュ Caju
サンクリストヴァン São Cristovão
オリンピコジョアンアベランジェスタジアム
マラカナンスタジアム
ニテロイ NITERÓI
サンフランシスコ São Francisco
タクアラ Taquara
ペシンカ Pechincha
リオデジャネイロ RIO DE JANEIRO
ラランジェイラス Laranjeiras
日本総領事館
ジャカレパグア Jacarepaguá
ティジュカ山 1021
ティジュカ国立公園
ティジュカ Tijuca
コルコヴァードの丘
ボタフォゴ Botafogo
コパカバーナ Copacabana
コパカバーナ要塞
クリシカ Curicica
ジャカレパグア空港
バラダティジュカ Barra da Tijuca
ゴルフ場
大西洋
〔Diercke Weltatlas 2015,ほか〕
高級住宅地
中級住宅地
一般住宅地
商業地
工業地
森林・公園
その他
地下鉄
市境
ファベーラ(スラム)
警官が常駐するファベーラ
貧しい人たちの保護施設
オリンピックやワールドカップのおもな競技場
国立公園

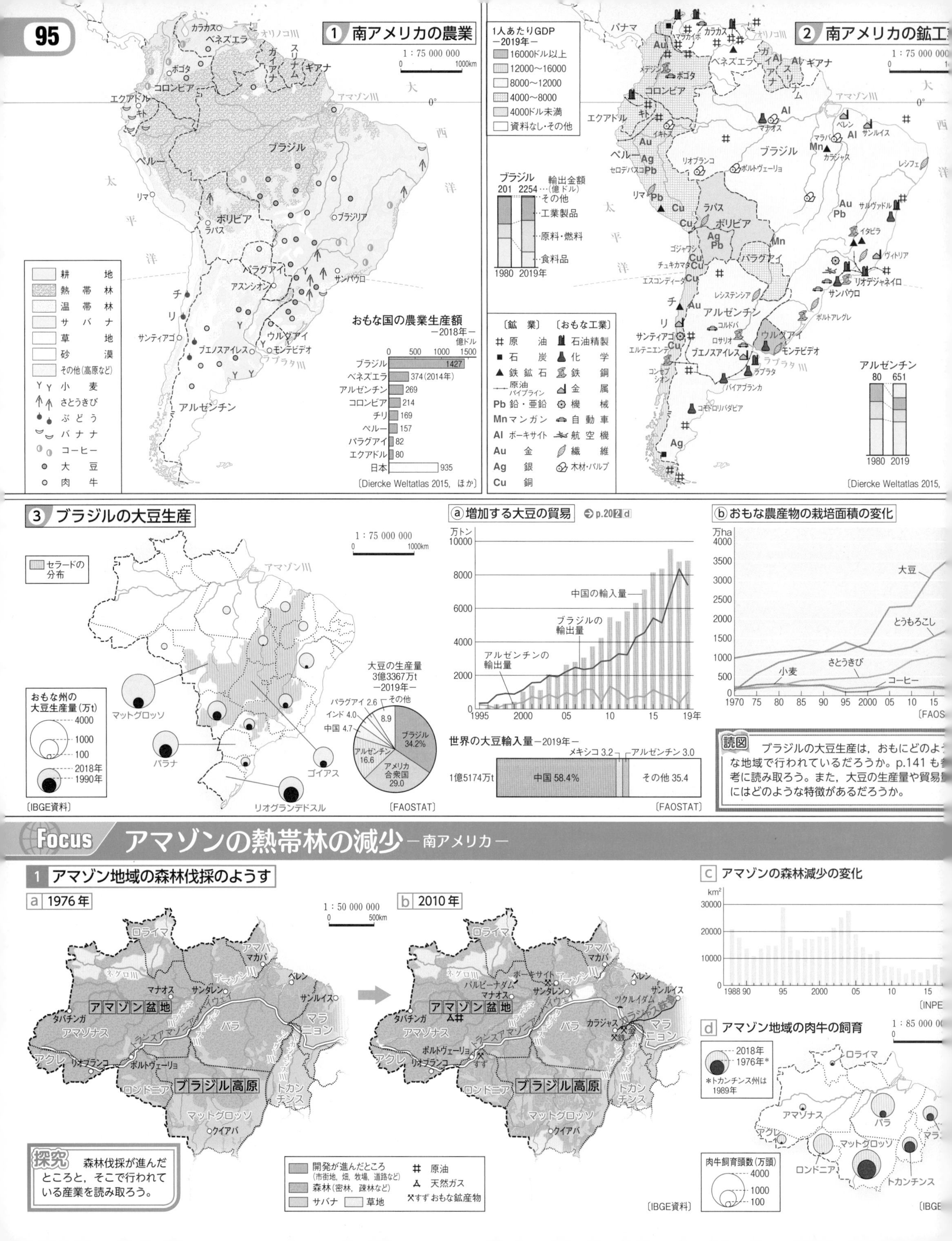

1 南アメリカの農業
1：75 000 000
0 1000km
カラカス
ベネズエラ
オリノコ川
ボゴタ
コロンビア
ガイアナ
スリナム
ギアナ
エクアドル
キト
アマゾン川
0°
ブラジル
ペルー
リマ
ボリビア
ラパス
ブラジリア
パラグアイ
アスンシオン
サンパウロ
チリ
サンティアゴ
ブエノスアイレス
ウルグアイ
モンテビデオ
ラプラタ川
アルゼンチン
太平洋
大西洋
耕地
熱帯林
温帯林
サバナ
草地
砂漠
その他(高原など)
小麦
さとうきび
ぶどう
バナナ
コーヒー
大豆
肉牛
おもな国の農業生産額
－2018年－
億ドル
ブラジル 1427
ベネズエラ 374(2014年)
アルゼンチン 269
コロンビア 214
チリ 169
ペルー 157
パラグアイ 82
エクアドル 80
日本 935
〔Diercke Weltatlas 2015，ほか〕
2 南アメリカの鉱工業
1人あたりGDP
－2019年－
16000ドル以上
12000～16000
8000～12000
4000～8000
4000ドル未満
資料なし・その他
ブラジル
201 2254 輸出金額(億ドル)
その他
工業製品
原料・燃料
食料品
1980 2019年
〔鉱業〕
原油
石炭
鉄鉱石
原油パイプライン
Pb 鉛・亜鉛
Mn マンガン
Al ボーキサイト
Au 金
Ag 銀
Cu 銅
〔おもな工業〕
石油精製
化学
鉄鋼
金属
機械
自動車
航空機
繊維
木材・パルプ
パナマ
マラカイボ
メデジン
イキトス
マナオス
ベレン
サンルイス
マラバ
カラジャス
レシフェ
リオブランコ
ポルトヴェーリョ
セロデパスコ
サルヴァドル
イタビラ
ヴィトリア
リオデジャネイロ
ゴジャワシ
チュキカマタ
エスコンディーダ
レジステンシア
ポルトアレグレ
コルドバ
ロサリオ
エルテニエンテ
コンセプシオン
ラプラタ
バイアブランカ
コモドロリバダビア
アルゼンチン
80 651
1980 2019
〔Diercke Weltatlas 2015，ほか〕
3 ブラジルの大豆生産
1：75 000 000
0 1000km
セラードの分布
アマゾン川
おもな州の大豆生産量(万t)
4000
1000
100
2018年
1990年
マットグロッソ
パラナ
ゴイアス
リオグランデドスル
大豆の生産量
3億3367万t
－2019年－
ブラジル 34.2%
アメリカ合衆国 29.0
アルゼンチン 16.6
中国 4.7
インド 4.0
パラグアイ 2.6
その他 8.9
〔IBGE資料〕
〔FAOSTAT〕
a 増加する大豆の貿易
p.20 2 d
万トン
10000
8000
6000
4000
2000
0
1995 2000 05 10 15 19年
中国の輸入量
ブラジルの輸出量
アルゼンチンの輸出量
世界の大豆輸入量－2019年－
1億5174万t
中国 58.4%
メキシコ 3.2
アルゼンチン 3.0
その他 35.4
〔FAOSTAT〕
b おもな農産物の栽培面積の変化
万ha
4000
3500
3000
2500
2000
1500
1000
500
0
1970 75 80 85 90 95 2000 05 10 15
大豆
とうもろこし
さとうきび
小麦
コーヒー
〔FAOSTAT〕
読図 ブラジルの大豆生産は，おもにどのような地域で行われているだろうか。p.141 も参考に読み取ろう。また，大豆の生産量や貿易量にはどのような特徴があるだろうか。
Focus アマゾンの熱帯林の減少－南アメリカ－
1 アマゾン地域の森林伐採のようす
a 1976年
b 2010年
1：50 000 000
0 500km
ロライマ
アマパ
マカパ
ネグロ川
アマゾン川
マナオス
サンタレン
ベレン
サンルイス
アマゾン盆地
タバチンガ
アマゾナス
パラ
マラニョン
アクレ
リオブランコ
ポルトヴェーリョ
トランスアマゾニアンハイウェイ
ロンドニア
ブラジル高原
トカンチンス
マットグロッソ
クイアバ
バルビーナダム
ボーキサイト
ツクルイダム
カラジャス
鉄
金
すず
探究 森林伐採が進んだところと，そこで行われている産業を読み取ろう。
開発が進んだところ(市街地，畑，牧場，道路など)
森林(密林，疎林など)
サバナ
草地
原油
天然ガス
すず おもな鉱産物
〔IBGE資料〕
c アマゾンの森林減少の変化
km²
30000
20000
10000
0
1988 90 95 2000 05 10 15
〔INPE〕
d アマゾン地域の肉牛の飼育
1：85 000 000
2018年
1976年*
*トカンチンス州は1989年
肉牛飼育頭数(万頭)
4000
1000
100
ロライマ
アマゾナス
パラ
アクレ
マットグロッソ
ロンドニア
トカンチンス
〔IBGE資料〕

北アメリカ
南アメリカ
大西洋

① オーストラリア・ニュージーランド
1：18 000 000
0 200 400km
ランベルト正積方位図法
(面積が正しく、全体としてひずみが小さい。)
国立公園
グレートサザン鉄道
インドネシア INDONESIA
東ティモール TIMOR-LESTE
ティモール島 Timor
ティモール海 Timor Sea
アラフラ海 Arafura Sea
ニューギニア島 New Guinea
パプアニューギニア
カーペンタリア湾 G. of Carpentaria
インド洋 INDIAN OCEAN
キンバリー高原 Kimberley Plat.
タナミ砂漠 Tanami Des.
バークリー台地 Barkly Tableland
ノーザンテリトリー NORTHERN TERRITORY
グレートサンディー砂漠 Great Sandy Des.
オーストラリア連邦 COMMONWEALTH OF AUSTRALIA
マクドネル山脈 Macdonnell Ranges
アリススプリングス Alice Springs
グレートアーテジアン盆地（大鑽井） Great Artesian Basin
クインズランド QUEENSLAND
ギブソン砂漠 Gibson Des.
シンプソン砂漠 Simpson Des.
ウェスタンオーストラリア WESTERN AUSTRALIA
ウルル（エアーズロック） Uluru (Ayers Rock)
マスグレーヴ山脈 Musgrave Range
サウスオーストラリア SOUTH AUSTRALIA
レークエーア盆地 Lake Eyre Basin
グレートヴィクトリア砂漠 Great Victoria Des.
ナラボー平原 Nullarbor Plain
グレートサザン鉄道（インディアンパシフィック号）
グレートオーストラリア湾 Great Australian Bight
マリーダーリング盆地 Murray Darling Basin
ニューサウスウェールズ NEW SOUTH WALES
ヴィクトリア VICTORIA
パース PERTH
アデレード ADELAIDE
メルボルン MELBOURNE
ダーウィン Darwin
ホバート Hobart
赤道をはさんで反対側に置いた同緯度・同経度・同縮尺の日本
② グレートアーテジアン盆地（大鑽井） ―模式図―
ニューギニア島
ソロモン諸島
カーペンタリア湾
コーラル海（珊瑚海）
グレートバリアリーフ
グレートディヴァイディング山脈
ケープクロフォード
テナントクリーク
ノーマントン
マウントアイザ
アリススプリングス
ダジャーラ
マクドネル山脈
グレートアーテジアン盆地
砂漠
帯水層
掘り抜き井戸
塩性湿地
ヤラカ
不透水層
肉牛
羊
ロックハンプトン
基盤岩
陸高と水深(m)
3000 2000 1000 500 200 0 海面下 200 1000 2000 3000 4000 6000 8000
この図の範囲

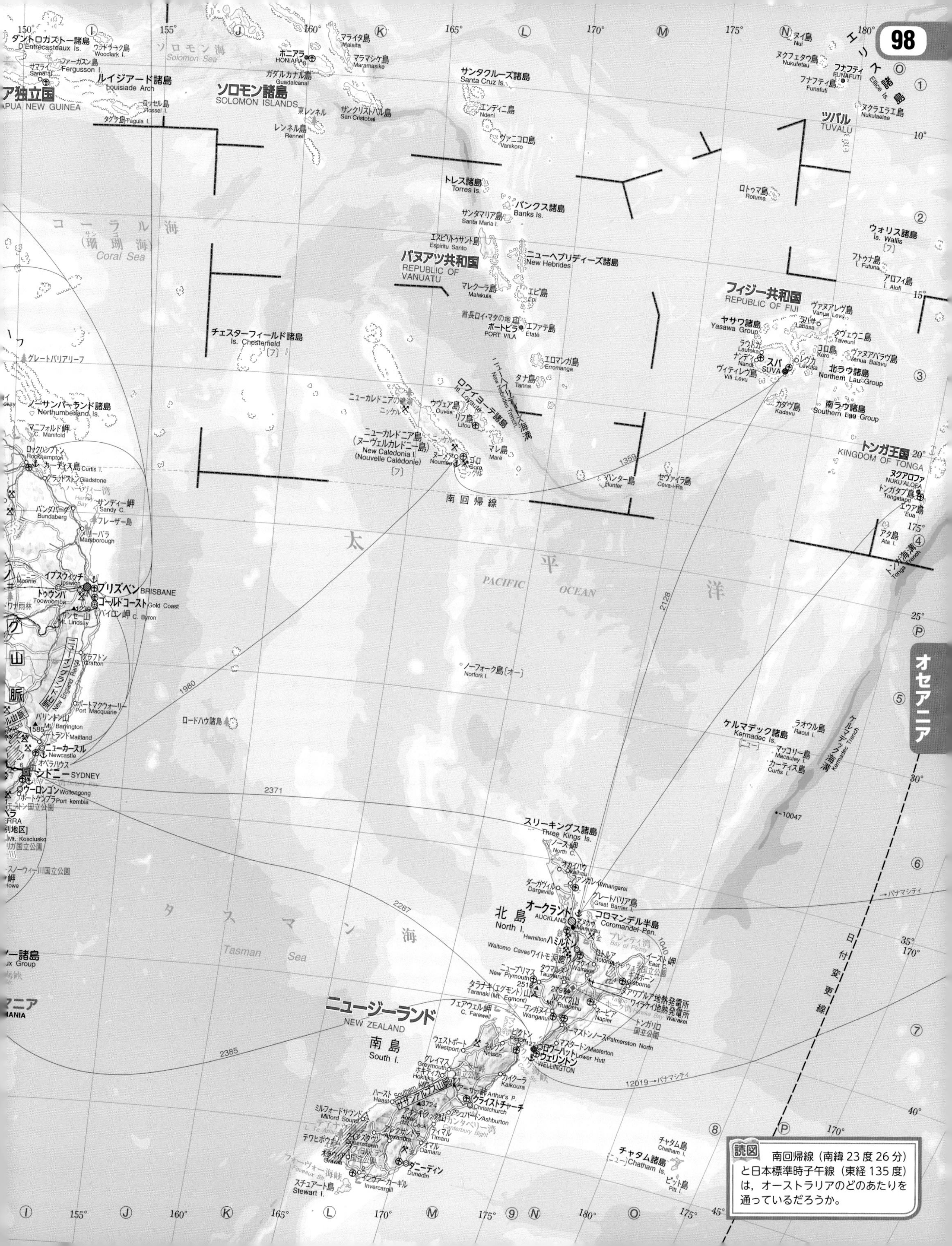

読図 南回帰線（南緯 23 度 26 分）と日本標準時子午線（東経 135 度）は、オーストラリアのどのあたりを通っているだろうか。

1 オーストラリア要部
1:10 000 000
0 100 200 300km
ランベルト正積方位図法
(面積が正しく、全体としてひずみが小さい。)
国立公園
グレートサザン鉄
土地利用と植
畑作
草地・牧
砂
陸高と水深
森林・その
2000
1000
500
200
0
水部
200
1000
2000
4000
おもな工業
鉄鋼
石油
金属
繊
機械
木材
電気機械
堡礁 p.140
ウェルズリー諸島 Wellesley Is.
カーペンタリア湾 G. of Carpentaria
ノーマントン Normanton
バークタウン Burketown
クロイドン Croydon
フォーセイス Forsayth
キュランダ Kuranda
ケアンズ Cairns
グリーン島 Green I.
スターテン川国立公園
ギルバート川 Gilbert
レーヴェンズホー Ravenshoe
タリー Tully
ヒンチンブルック島 Hinchinbrook I.
マグネティック島 Magnetic I.
タウンズヴィル Townsville
グレートバリアリーフ(大堡礁) Great Barrier Reef
コーラル海(珊瑚海) Coral Sea
バークリー台地 Barkly Tableland
センチュリー Century
亜鉛・鉛
ほ乳類化石地域
キャムウィール Camooweal
アーネストヘンリー Ernest Henry
銅・金
マウントアイザ Mount Isa
クロンカリー Cloncurry
銅・鉛・亜鉛・銀
リッチモンド Richmond
チャーターズタワーズ Charters Towers
ボウエン Bowen
ウィットサンデー諸島 Whitsunday Is.
コリンズヴィル Collinsville
ダルリンプル山 Mt. Dalrymple
マカイ Mackay
ノーザンバーランド諸島 Northumberland Is.
ヒューエンデン Hughenden
ウランダンギー Urandangi
ダジャーラ Dajarra
りん
フォスフェイトヒル Phosphate Hill
銀・鉛・亜鉛
キャニントン Cannington
クインズランド QUEENSLAND
ノーザンテリトリー NORTHERN TERRITORY
グレートディヴァイディング山脈 Great Dividing Range
ウィントン Winton
マタバラ Muttaburra
アラマック Aramac
クラーモント Clermont
マールバラ Marlborough
マニフォルド岬 C. Manifold
ロックハンプトン Rockhampton
カーティス島 Curtis I.
グラッドストン Gladstone
マウントモーガン Mount Morgan
南回帰線
グレートアーテジアン盆地(大鑽井) Great Artesian Basin
ロングリーチ Longreach
バコールデン Barcaldine
エメラルド Emerald
スプリングシュア Springsure
シンプソン砂漠 Simpson Des.
シンプソン砂漠国立公園
ヤラカ Yaraka
タンボウ Tambo
モウラ Moura
シオドー Theodore
バンダバーグ Bundaberg
サンディー岬 Sandy C.
チルダース Childers
フレーザー島
メリーバラ Maryborough
ウィンドーラ Windorah
バーズヴィル Birdsville
オーストラリア連邦 COMMONWEALTH OF AUSTRALIA
チャールヴィル Charleville
クイルピー Quilpie
マイルズ Miles
ローマ Roma
マーゴン Murgon
ギンピー Gympie
マルーチドー Maroochydore
ナンバー Nambour
モートン島 Moreton I.
ピーラピーラプーランナ湖 Peera Peera Poolanna L.
レークエーア盆地 Lake Eyre Basin
クリフトンヒルズ Clifton Hills
グレイ山脈 Grey Range
バロンヌ川 Balonne
ドルビー Dalby
トゥウンバ Toowoomba
ムーニー Moonie
ブリスベン BRISBANE
イプスウィッチ Ipswich
ゴールドコースト Gold Coast
チタン
サーゴミンダ Thargomindah
カナマラ Cunnamulla
セントジョージ St. George
ゴンドワナ雨林
ガンディウィンディ Goondiwindi
ウォリック Warwick
リンゼー山 Mt. Lindsay
バイロン岬 C. Byron
リズモア Lismore
ギジアルパ Gidgealpa
エーア湖 Eyre
エーア湖国立公園
ムーンバ Moomba
スタート砂漠 Sturt Des.
スタート国立公園
イータダナ Etadunna
ディランバンディ Dirranbandi
マンギンダイ Mungindi
ウィリアムクリーク William Creek
サウスオーストラリア SOUTH AUSTRALIA
ボピーチー Bopeechee
マーリー Marree
バリア山脈 Barrier Range
ミルパリンカ Milparinka
ワネアリング Wanaaring
ブレウォリナ Brewarrina
ウォルゲット Walgett
モーリー Moree
グレンイネス Glen Innes
ニューイングランド山脈 New England Range
グラフトン Grafton
コフスハーバー Coffs Harbour
バーク Bourke
ナラブライ Narrabri
アーミデール Armidale
アンチモン
ケンプシー Kempsey
ポートマクウォーリー Port Macquarie
タムワース Tamworth
バリントン山 Mt. Barrington 1585
ターリー Taree
フリンダーズ山脈 Flinders Range
オリンピックダム Olympic Dam
ウラン・銅・金
リークリーク Leigh Creek
ビヴァリー Beverley
フローム湖 L. Frome
キングーニャ Kingoonya
トレンズ湖 L. Torrens
ウメラ Woomera
ゲアドナー湖 L. Gairdner
ウィルキャニア Wilcannia
コーバー Cobar
ニンガン Nyngan
ギルギャンドラ Gilgandra
ダボウ Dubbo
リヴァプール山脈 Liverpool Range
ハンター Hunter
メートランド Maitland
ニューカースル Newcastle
ブロークンヒル Broken Hill
亜鉛・鉛・銀
ニューサウスウェールズ NEW SOUTH WALES
ポートオーガスタ Port Augusta
アイアンノブ Iron Knob
バクルブー Buckleboo
ワイアラ Whyalla
ポートピリー Port Pirie
ピーターバラ Peterborough
グレートサザン鉄道(インディアンパシフィック号)
アイヴァンホー Ivanhoe
コンドブリン Condobolin
ウェリントン Wellington
パークス Parkes
オレンジ Orange
バサースト Bathurst
キャディアヒル Cadia Hill
フォーブズ Forbes
カウラ Cowra
ブルーマウンテンズ地域
ブルーマウンテンズ国立公園
シドニー SYDNEY
オペラハウス
ボタニー湾 Botany Bay
キャンクッタ Kyancutta
エーア半島 Eyre Pen.
マリーダーリング盆地 Murray Darling Basin
ウィランドラ湖群地域
ミルデューラ Mildura
バルラナルド Balranald
ヘイ Hay
グリフィス Griffith
リートン Leeton
ナランデラ Narrandera
マランビジー川 Murrumbidgee
ウーロンゴン Wollongong
ポートケンブラ Port Kembla
ゴウルバン Goulburn
ウォラルー Wallaroo
アデレード ADELAIDE
エリザベス Elizabeth
マリーブリッジ Murray Bridge
ポートリンカン Port Lincoln
インヴェスティゲーター海峡 Investigator Str.
ヴィクターハーバー Victor Harbour
カンガルー島 Kangaroo I.
オーヤン Ouyen
スワンヒル Swan Hill
デニリクウィン Deniliquin
ウォガウォガ Wagga Wagga
ヤス Yass
キャンベラ CANBERRA (首都特別地区)
ナウラ Nowra
モートン国立公園
アルバリー Albury
コジアスコ国立公園
モルーヤ Moruya
ワイプフェルド国立公園
イーチューカ Echuca
ワンガラッタ Wangaratta
シェパートン Shepparton
ボゴング山 Mt. Bogong 1986
コジアスコ山 Mt. Kosciusko 2229
オーストラリアアルプス山脈 Australian Alps
ワドビリガ国立公園
ビーガ Bega
ボンバーラ Bombala
タスマン海 Tasman Sea
キングストン Kingston
ホーシャム Horsham
ベンディゴウ Bendigo
ブラー山 Mt. Buller 1804
ヴィクトリア VICTORIA
王立展示館とカールトン庭園
ほ乳類化石地域
アララト Ararat
ハミルトン Hamilton
バララト Ballarat
メルボルン MELBOURNE
ベアンズデール Bairnsdale
スノーウィー川国立公園
ハウ岬 C. Howe
ミリセント Millicent
マウントギャンビア Mount Gambier
モーウェル Morwell
オーボスト Orbost
ポートランド Portland
ウォーナンブール Warrnambool
コラック Colac
ジェロング Geelong
モウイー Moe
ポートアルバート Port Albert
オトウェイ岬 C. Otway
ウォンサギー Wonthaggi
ウィルソン岬 Wilsons Promontory
キングフィッシュ Kingfish
この図の範囲
140° 145° 150° 155°
20° 25° 30° 35°

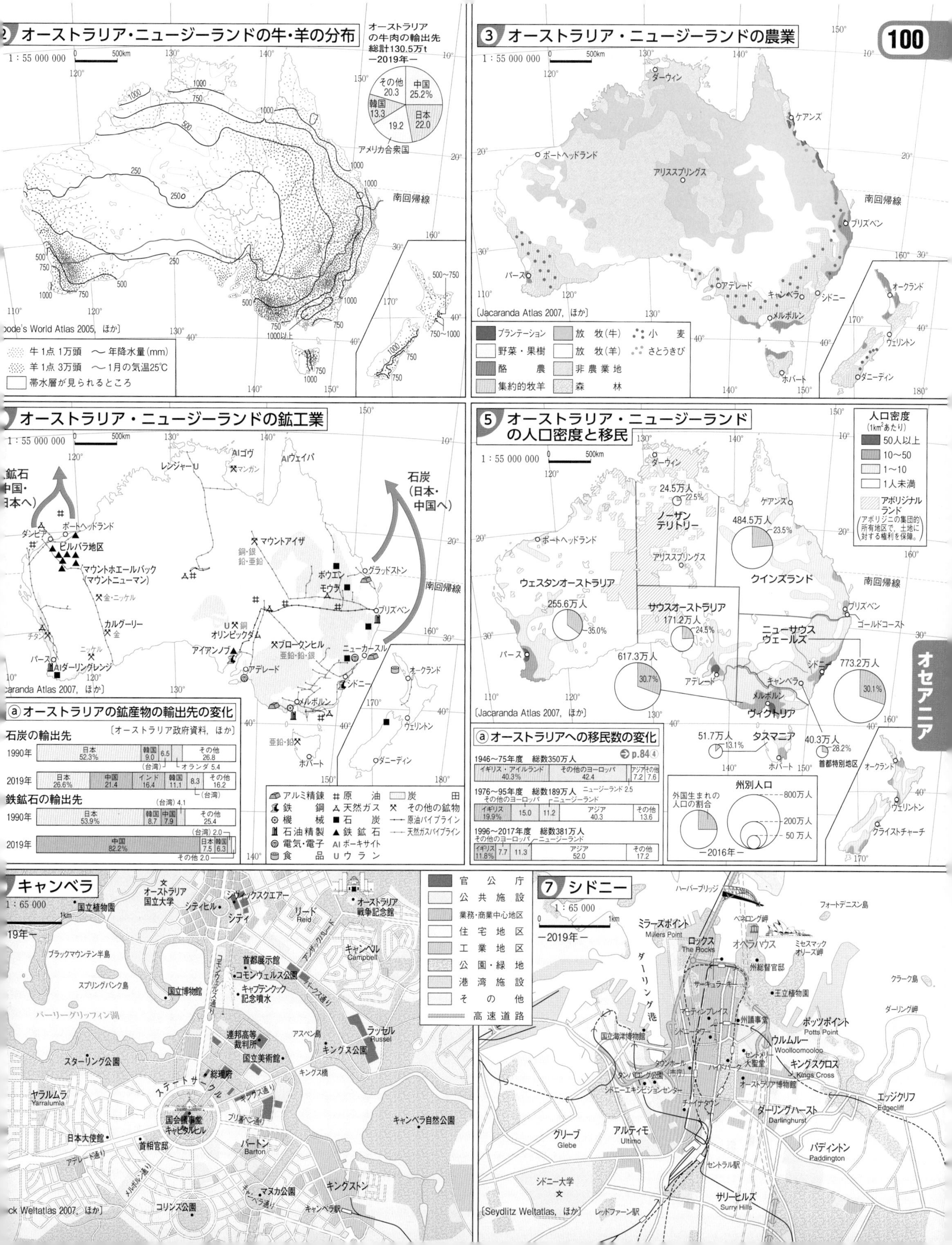

オーストラリア・ニュージーランドの牛・羊の分布
1：55 000 000
500km
オーストラリアの牛肉の輸出先 総計130.5万t ―2019年―
中国 25.2%
日本 22.0
アメリカ合衆国 19.2
韓国 13.3
その他 20.3
南回帰線
Goode's World Atlas 2005，ほか
牛1点 1万頭
羊1点 3万頭
年降水量(mm)
1月の気温25℃
帯水層が見られるところ
1000以上
500～750
750～1000
③ オーストラリア・ニュージーランドの農業
ダーウィン
ケアンズ
ポートヘッドランド
アリススプリングス
ブリズベン
パース
アデレード
キャンベラ
シドニー
メルボルン
ホバート
オークランド
ウェリントン
ダニーディン
Jacaranda Atlas 2007，ほか
プランテーション
野菜・果樹
酪農
集約的牧羊
放牧(牛)
放牧(羊)
非農業地
森林
小麦
さとうきび
オーストラリア・ニュージーランドの鉱工業
鉄鉱石(中国・日本へ)
石炭(日本・中国へ)
ダンピア
ポートヘッドランド
ピルバラ地区
マウントホエールバック(マウントニューマン)
金・ニッケル
カルグーリー
金
チタン
ニッケル
パース
ダーリングレンジ
アルゴウ
マンガン
アルウェイパ
レンジャー
マウントアイザ
銅・銀 鉛・亜鉛
ボウエン
モウラ
グラッドストン
ブリズベン
ウラン 銅
オリンピックダム
アイアンノブ
ブロークンヒル
亜鉛・鉛・銀
ニューカースル
アデレード
シドニー
メルボルン
亜鉛・鉛
ホバート
オークランド
ウェリントン
ダニーディン
アルミ精錬
鉄鋼
機械
石油精製
電気・電子
食品
原油
天然ガス
石炭
鉄鉱石
ボーキサイト
ウラン
炭田
その他の鉱物
原油パイプライン
天然ガスパイプライン
ⓐ オーストラリアの鉱産物の輸出先の変化
〔オーストラリア政府資料，ほか〕
石炭の輸出先
1990年 日本 52.3% 韓国 9.0 (台湾) 6.5 オランダ 5.4 その他 26.8
2019年 日本 26.6% 中国 21.4 インド 16.4 韓国 11.1 (台湾) 8.3 その他 16.2
鉄鉱石の輸出先
1990年 日本 53.9% 韓国 8.7 中国 7.9 (台湾) 4.1 その他 25.4
2019年 中国 82.2% 日本 7.5 韓国 6.3 (台湾) 2.0 その他 2.0
⑤ オーストラリア・ニュージーランドの人口密度と移民
人口密度(1km²あたり)
50人以上
10～50
1～10
1人未満
アボリジナルランド
(アボリジニの集団的所有地区で，土地に対する権利を保障。)
ノーザンテリトリー 24.5万人 22.5%
クインズランド 484.5万人 23.5%
ウェスタンオーストラリア 255.6万人 35.0%
サウスオーストラリア 171.2万人 24.5%
ニューサウスウェールズ 773.2万人 30.1%
ヴィクトリア 617.3万人 30.7%
タスマニア 51.7万人 13.1%
首都特別地区 40.3万人 28.2%
ゴールドコースト
クライストチャーチ
州別人口
外国生まれの人口の割合
800万人
200万人
50万人
―2016年―
ⓐ オーストラリアへの移民数の変化
p.84④
1946～75年度 総数350万人
イギリス・アイルランド 40.3% その他のヨーロッパ 42.4 アジア 7.2 その他 7.6 ニュージーランド 2.5
1976～95年度 総数189万人
イギリス 19.9% その他のヨーロッパ 15.0 ニュージーランド 11.2 アジア 40.3 その他 13.6
1996～2017年度 総数381万人
イギリス 11.8% その他のヨーロッパ 7.7 ニュージーランド 11.3 アジア 52.0 その他 17.2
キャンベラ
1：65 000
1km
2019年
国立植物園
オーストラリア国立大学
シティヒル
シティ
ジャウィックスクエアー
リード Reid
オーストラリア戦争記念館
キャンベル Campbell
首都展示館
コモンウェルス公園
キャプテンクック記念噴水
ブラックマウンテン半島
スプリングバンク島
国立博物館
バーリーグリッフィン湖
アスペン島
ラッセル Russel
連邦高等裁判所
国立美術館
キングス公園
キングス橋
スターリング公園
総理府
ステートサークル
ヤラルムラ Yarralumla
国会議事堂 キャピタルヒル
日本大使館
首相官邸
バートン Barton
キャンベラ自然公園
マヌカ公園
キングストン
コリンズ公園
キャンベラ駅
アデレード通り
メルボルン通り
Diercke Weltatlas 2007，ほか
官公庁
公共施設
業務・商業中心地区
住宅地区
工業地区
公園・緑地
港湾施設
その他
高速道路
⑦ シドニー
1：65 000
1km
―2019年―
ハーバーブリッジ
フォートデニスン島
ミラーズポイント Millers Point
ベネロング岬
ロックス The Rocks
オペラハウス
ミセスマックオリーズ岬
州総督官邸
サーキュラーキー
クラーク島
王立植物園
ダーリング港
マーティンプレイス
州議事堂
ダーリング岬
ポッツポイント Potts Point
国立海洋博物館
シドニータワー
ウルムルー Woolloomooloo
タウンホール(市庁)
セントメリー大聖堂
タンバロング公園
ハイドパーク
キングスクロス Kings Cross
シドニーエキジビジョンセンター
オーストラリア博物館
エッジクリフ Edgecliff
チャイナタウン
ダーリングハースト Darlinghurst
グリーブ Glebe
アルティモ Ultimo
パディントン Paddington
セントラル駅
シドニー大学
サリーヒルズ Surry Hills
レッドファーン駅
Seydlitz Weltatlas，ほか
オセアニア

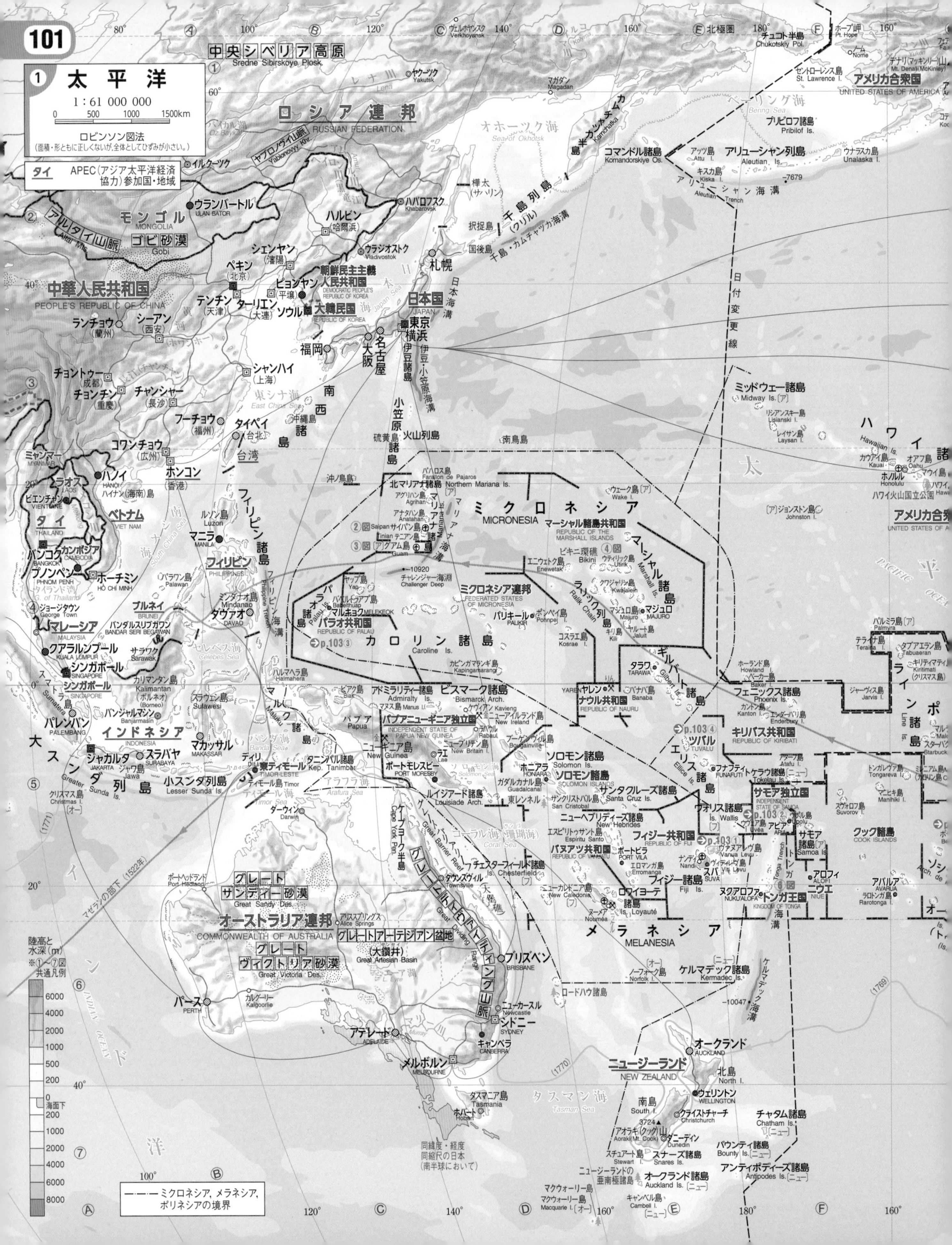

1 太平洋
1：61 000 000
0 500 1000 1500km
ロビンソン図法
(面積・形ともに正しくないが，全体としてひずみが小さい。)
タイ APEC(アジア太平洋経済協力)参加国・地域
中央シベリア高原
Sredne Sibirskoye Plosk.
ロシア連邦
RUSSIAN FEDERATION
ヤクーツク
Yakutsk
マガダン
Magadan
オホーツク海
Sea of Okhotsk
カムチャツカ半島
Kamchatka
チュコト半島
Chukotskiy Pol.
ホープ岬
Pt. Hope
ノーム
Nome
デナリ(マッキンリー)山
Mt. Denali(McKinley)
セントローレンス島
St. Lawrence I.
アメリカ合衆国
UNITED STATES OF AMERICA
ベーリング海
Bering Sea
プリビロフ諸島
Pribilof Is.
コマンドル諸島
Komandorskiye Os.
アッツ島
Attu I.
キスカ島
Kiska I.
アリューシャン列島
Aleutian Is.
ウナラスカ島
Unalaska I.
アリューシャン海溝
Aleutian Trench
イルクーツク
ヤブロノヴイ山脈
Yablonovyy Khr.
ハバロフスク
Khabarovsk
樺太(サハリン)
千島列島(クリル)
千島・カムチャツカ海溝
択捉島
国後島
札幌
ウランバートル
ULAN BATOR
モンゴル
MONGOLIA
アルタイ山脈
Altai Mts.
ゴビ砂漠
Gobi
ハルビン
(哈爾浜)
ウラジオストク
Vladivostok
シェンヤン
(瀋陽)
ペキン
(北京)
朝鮮民主主義人民共和国
DEMOCRATIC PEOPLE'S REPUBLIC OF KOREA
ピョンヤン
(平壌)
中華人民共和国
PEOPLE'S REPUBLIC OF CHINA
テンチン
(天津)
ターリエン
(大連)
ソウル
大韓民国
REPUBLIC OF KOREA
日本国
JAPAN
東京
横浜
日本海溝
ランチョウ
(蘭州)
シーアン
(西安)
福岡
大阪
名古屋
伊豆諸島
伊豆・小笠原海溝
シャンハイ
(上海)
チョントゥー
(成都)
チョンチン
(重慶)
チャンシャー
(長沙)
東シナ海
East China Sea
南西諸島
沖縄島
フーチョウ
(福州)
タイペイ
(台北)
台湾
小笠原諸島
硫黄島
火山列島
南鳥島
コワンチョウ
(広州)
ホンコン
(香港)
ミャンマー
MYANMAR
ラオス
LAOS
ハノイ
HANOI
ハイナン(海南)島
ビエンチャン
VIENTIANE
タイ
THAILAND
ベトナム
VIET NAM
沖ノ鳥島
ファラロン島
Farallon de Pajaros
北マリアナ諸島
Northern Mariana Is.
アグリハン島
Agrihan
アナタハン島
Anatahan
サイパン島
Saipan
テニアン島
Tinian
グアム島
Guam
マリアナ諸島
マリアナ海溝
Mariana Trench
ミクロネシア
MICRONESIA
ウェーク島
Wake I.
マーシャル諸島共和国
REPUBLIC OF THE MARSHALL ISLANDS
マーシャル諸島
Marshall Is.
ビキニ環礁
Bikini
ウティリック島
Utirik
エニウェトク島
Enewetak
ルソン島
Luzon
フィリピン諸島
マニラ
MANILA
南シナ海
South China Sea
バンコク
BANGKOK
カンボジア
CAMBODIA
プノンペン
PHNOM PENH
ホーチミン
HO CHI MINH
フィリピン
PHILIPPINES
パラワン島
Palawan
タイランド湾
G. of Thailand
ヤップ島
Yap
-10920
チャレンジャー海淵
Challenger Deep
ミクロネシア連邦
FEDERATED STATES OF MICRONESIA
ラリック列島
Ralik Chain
クワジャリン島
Kwajalein
マジュロ島
Majuro
マジュロ
MAJURO
ジョージタウン
George Town
ブルネイ
BRUNEI
バンダルスリブガワン
BANDAR SERI BEGAWAN
ミンダナオ島
Mindanao
ダヴァオ
DAVAO
フィリピン海溝
Philippine Trench
パラオ諸島
Palau Is.
バベルダオブ島
Babelthuap
マルキョク
MELEKEOK
パラオ共和国
REPUBLIC OF PALAU
パリキール
PALIKIR
ポンペイ島
Pohnpei
コスラエ島
Kosrae
キリ島
Kili
ヤルート島
Jaluit
マレーシア
MALAYSIA
クアラルンプール
KUALA LUMPUR
サラワク
Sarawak
セレベス海
Celebes Sea
シンガポール
SINGAPORE
カロリン諸島
Caroline Is.
p.103 ③
カピンガマランギ島
Kapingamarangi
タラワ
TARAWA
ギルバート諸島
Gilbert Is.
ハルマヘラ島
Halmahera
カリマンタン島
Kalimantan
(ボルネオ)
(Borneo)
スマトラ島
Sumatera
スラウェシ島
Sulawesi
バンジャルマシン
Banjarmasin
パレンバン
PALEMBANG
インドネシア
INDONESIA
モルッカ諸島
Maluku
ビアク島
Biak
アドミラルティ諸島
Admiralty Is.
マヌス島
Manus I.
ビスマーク諸島
Bismarck Arch.
カヴィエン
Kavieng
ニューアイルランド島
New Ireland I.
ヤレン
YAREN
ナウル共和国
REPUBLIC OF NAURU
バナバ島
Banaba
ホーランド島
Howland I.
ベーカー島
Baker I.
フェニックス諸島
Phoenix Is.
カントン島
Kanton I.
エンダーベリ島
Enderbury I.
パプア
Papua
パプアニューギニア独立国
INDEPENDENT STATE OF PAPUA NEW GUINEA
ラバウル
Rabaul
ニューブリテン島
New Britain I.
ニューギニア島
New Guinea
ラエ
Lae
ブーゲンヴィル島
Bougainville I.
p.103 ④
ツバル
TUVALU
キリバス共和国
REPUBLIC OF KIRIBATI
ジャカルタ
JAKARTA
スラバヤ
SURABAYA
ジャワ島
Jawa
マカッサル
MAKASSAR
バンダ海
Banda Sea
ディリ
東ティモール
TIMOR-LESTE
タニンバル諸島
Kep. Tanimbar
ポートモレスビー
PORT MORESBY
ソロモン諸島
Solomon Is.
ソロモン諸島
SOLOMON ISLANDS
ホニアラ
HONIARA
ガダルカナル島
Guadalcanal
エリス諸島
Ellice Is.
フナフティ
FUNAFUTI
トケラウ諸島
Tokelau Is.
アタフ島
Atafu I.
大スンダ列島
Greater Sunda Is.
小スンダ列島
Lesser Sunda Is.
ティモール島
Timor
ティモール海
Timor Sea
アラフラ海
Arafura Sea
クリスマス島
Christmas I.
ルイジアード諸島
Louisiade Arch.
サンタクルーズ諸島
Santa Cruz Is.
サンクリストバル島
San Cristobal
東レンネル
ウォリス諸島
Is. Wallis
サモア独立国
INDEPENDENT STATE OF SAMOA
ウポル島
Upolu
アピア
APIA
ダーウィン
Darwin
ケープヨーク半島
Cape York Pen.
グレートバリアリーフ
Great Barrier Reef
コーラル海(珊瑚海)
Coral Sea
ニューヘブリディーズ諸島
New Hebrides
エスピリトゥサント島
Espiritu Santo
バヌアツ共和国
REPUBLIC OF VANUATU
ポートビラ
PORT VILA
エロマンガ島
Erromanga
フィジー共和国
REPUBLIC OF FIJI
p.103 ①
ヴァヌアレヴ島
Vanua Levu
ヴィティレヴ島
Viti Levu
ナンディ
Nandi
スバ
SUVA
フィジー諸島
Fiji Is.
チェスターフィールド諸島
Is. Chesterfield
トンガ海溝
Tonga Trench
サモア諸島
Samoa Is.
アロフィ
ALOFI
ニウエ
NIUE
クック諸島
COOK ISLANDS
アバルア
AVARUA
ラロトンガ島
Rarotonga I.
スヴォロフ島
Suvorov I.
マニヒキ島
Manihiki I.
トンガレヴァ島
Tongareva I.
ポートヘッドランド
Port Hedland
グレートサンディー砂漠
Great Sandy Des.
タウンズヴィル
Townsville
ニューカレドニア島
New Caledonia
ロイヤルティ諸島
Is. Loyauté
ヌーメア
Nouméa
ヌクアロファ
NUKU'ALOFA
トンガ王国
KINGDOM OF TONGA
マゼランの部下(1522年)
(1771)
オーストラリア連邦
COMMONWEALTH OF AUSTRALIA
アリススプリングス
Alice Springs
グレートアーテジアン盆地
(大鑽井)
Great Artesian Basin
グレートディヴァイディング山脈
Great Dividing Range
大堡礁
メラネシア
MELANESIA
グレートヴィクトリア砂漠
Great Victoria Des.
エーア湖
L. Eyre
ブリズベン
BRISBANE
ノーフォーク島
Norfolk I.
ケルマデック諸島
Kermadec Is.
ケルマデック海溝
-10047
ロードハウ諸島
パース
PERTH
カルグーリー
Kalgoorlie
ニューカースル
Newcastle
シドニー
SYDNEY
キャンベラ
CANBERRA
アデレード
ADELAIDE
マリー川
Murray
メルボルン
MELBOURNE
(1769)
(1770)
インド洋
INDIAN OCEAN
オークランド
AUCKLAND
ニュージーランド
NEW ZEALAND
北島
North I.
ウェリントン
WELLINGTON
タスマン海
Tasman Sea
タスマニア島
Tasmania
ホバート
Hobart
南島
South I.
クライストチャーチ
Christchurch
3724
アオラキ(クック)山
Aoraki(Mt. Cook)
ダニーディン
Dunedin
チャタム諸島
Chatham Is.
スチュアート島
Stewart I.
スナーズ諸島
Snares Is.
バウンティ諸島
Bounty Is.
アンティポディーズ諸島
Antipodes Is.
ニュージーランドの亜南極諸島
オークランド諸島
Auckland Is.
キャンベル島
Cambell I.
マクウォーリー島
マクウォーリー島
Macquarie I.
同緯度・経度同縮尺の日本(南半球において)
ミクロネシア，メラネシア，ポリネシアの境界
陸高と水深(m)
※①～⑦図共通凡例
6000
4000
2000
1000
500
200
0
海面下
200
1000
2000
4000
6000
8000
日付変更線
ミッドウェー諸島
Midway Is.
リシアンスキー島
Lisianski I.
レイサン島
Laysan I.
ハワイ諸島
Hawaiian Is.
カウアイ島
Kauai I.
オアフ島
Oahu
ホノルル
Honolulu
マウイ島
ハワイ火山国立公園
ジョンストン島
Johnston I.
アメリカ合衆国
UNITED STATES OF AMERICA
太平洋
PACIFIC OCEAN
パルミラ島
Palmyra
テライナ島
Teraina
タブアエラン島
Tabuaeran
キリティマティ島
Kiritimati
(クリスマス島)
ジャーヴィス島
Jarvis I.
ライン諸島
Line Is.
スターバック島
Starbuck
北極圏
80° 100° 120° 140° 160° 180° 160°
60° 40° 20° 0° 20° 40°

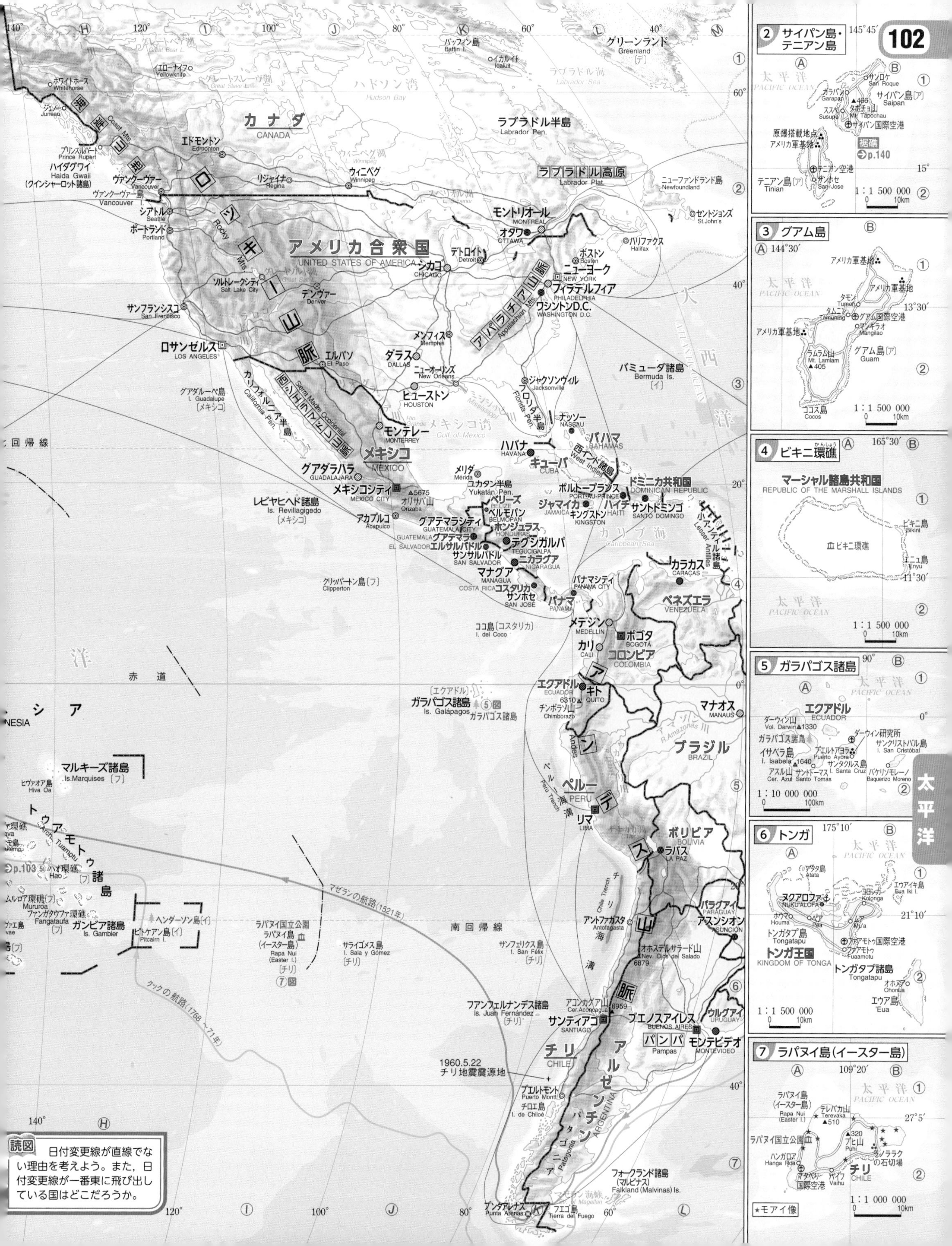

読図　日付変更線が直線でない理由を考えよう。また，日付変更線が一番東に飛び出している国はどこだろうか。

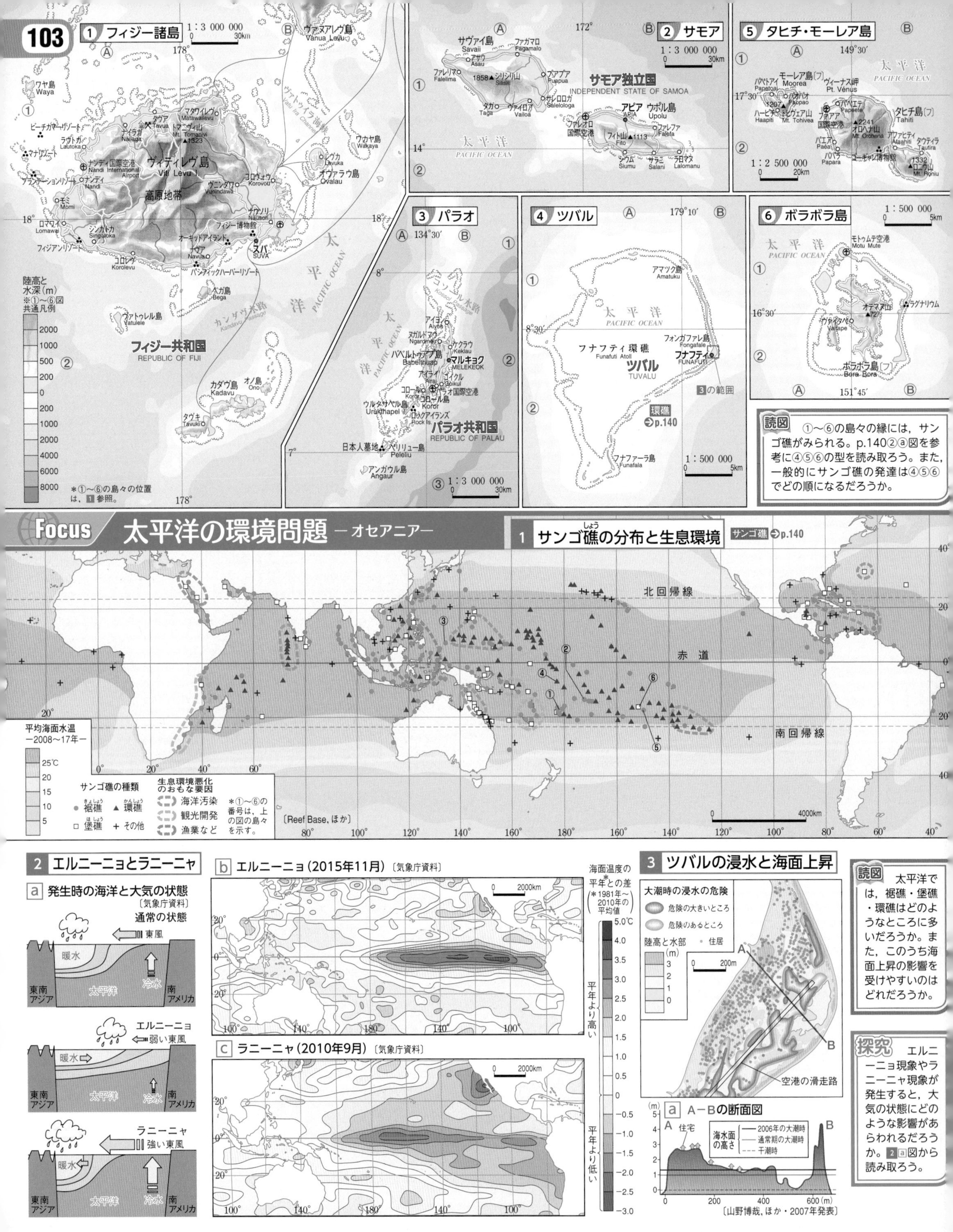
103
① フィジー諸島
1：3 000 000
フィジー共和国
REPUBLIC OF FIJI
ヴィティレヴ島
Viti Levu I.
ヴァヌアレヴ島
Vanua Levu
高原地帯
スバ
SUVA
カダヴ島
Kadavu
陸高と水深（m）
※①～⑥図共通凡例
＊①～⑥の島々の位置は、1参照。
② サモア
1：3 000 000
サモア独立国
INDEPENDENT STATE OF SAMOA
サヴァイ島
Savaii
アピア
APIA
ウポル島
Upolu
太平洋
PACIFIC OCEAN
③ パラオ
1：3 000 000
パラオ共和国
REPUBLIC OF PALAU
マルキョク
MELEKEOK
コロール島
ペリリュー島
Peleliu
アンガウル島
Angaur
日本人墓地
④ ツバル
1：500 000
ツバル
TUVALU
フナフティ環礁
Funafuti Atoll
フナフティ
FUNAFUTI
環礁 ➔p.140
⑤ タヒチ・モーレア島
1：2 500 000
モーレア島
Moorea
タヒチ島
Tahiti
パペエテ
Papeete
⑥ ボラボラ島
1：500 000
ボラボラ島
Bora Bora
モトゥムテ空港
Motu Mute
読図 ①～⑥の島々の縁には，サンゴ礁がみられる。p.140②ⓐ図を参考に④⑤⑥の型を読み取ろう。また，一般的にサンゴ礁の発達は④⑤⑥でどの順になるだろうか。
Focus 太平洋の環境問題 ―オセアニア―
1 サンゴ礁の分布と生息環境
サンゴ礁 ➔p.140
北回帰線
赤道
南回帰線
平均海面水温 ―2008～17年―
サンゴ礁の種類
● 裾礁 ▲ 環礁
□ 堡礁 ＋ その他
生息環境悪化のおもな要因
海洋汚染
観光開発
漁業など
＊①～⑥の番号は，上の図の島々を示す。
〔Reef Base，ほか〕
2 エルニーニョとラニーニャ
ⓐ 発生時の海洋と大気の状態
〔気象庁資料〕
通常の状態
東風
暖水
冷水
太平洋
東南アジア
南アメリカ
エルニーニョ
弱い東風
ラニーニャ
強い東風
ⓑ エルニーニョ（2015年11月）〔気象庁資料〕
ⓒ ラニーニャ（2010年9月）〔気象庁資料〕
海面温度の平年＊との差（＊1981年～2010年の平均値）
平年より高い
平年より低い
3 ツバルの浸水と海面上昇
大潮時の浸水の危険
危険の大きいところ
危険のあるところ
陸高と水部（m）
住居
空港の滑走路
ⓐ A－Bの断面図
住宅
海水面の高さ
2006年の大潮時
通常期の大潮時
干潮時
〔山野博哉，ほか・2007年発表〕
読図 太平洋では，裾礁・堡礁・環礁はどのようなところに多いだろうか。また，このうち海面上昇の影響を受けやすいのはどれだろうか。
探究 エルニーニョ現象やラニーニャ現象が発生すると，大気の状態にどのような影響があらわれるだろうか。2ⓐ図から読み取ろう。

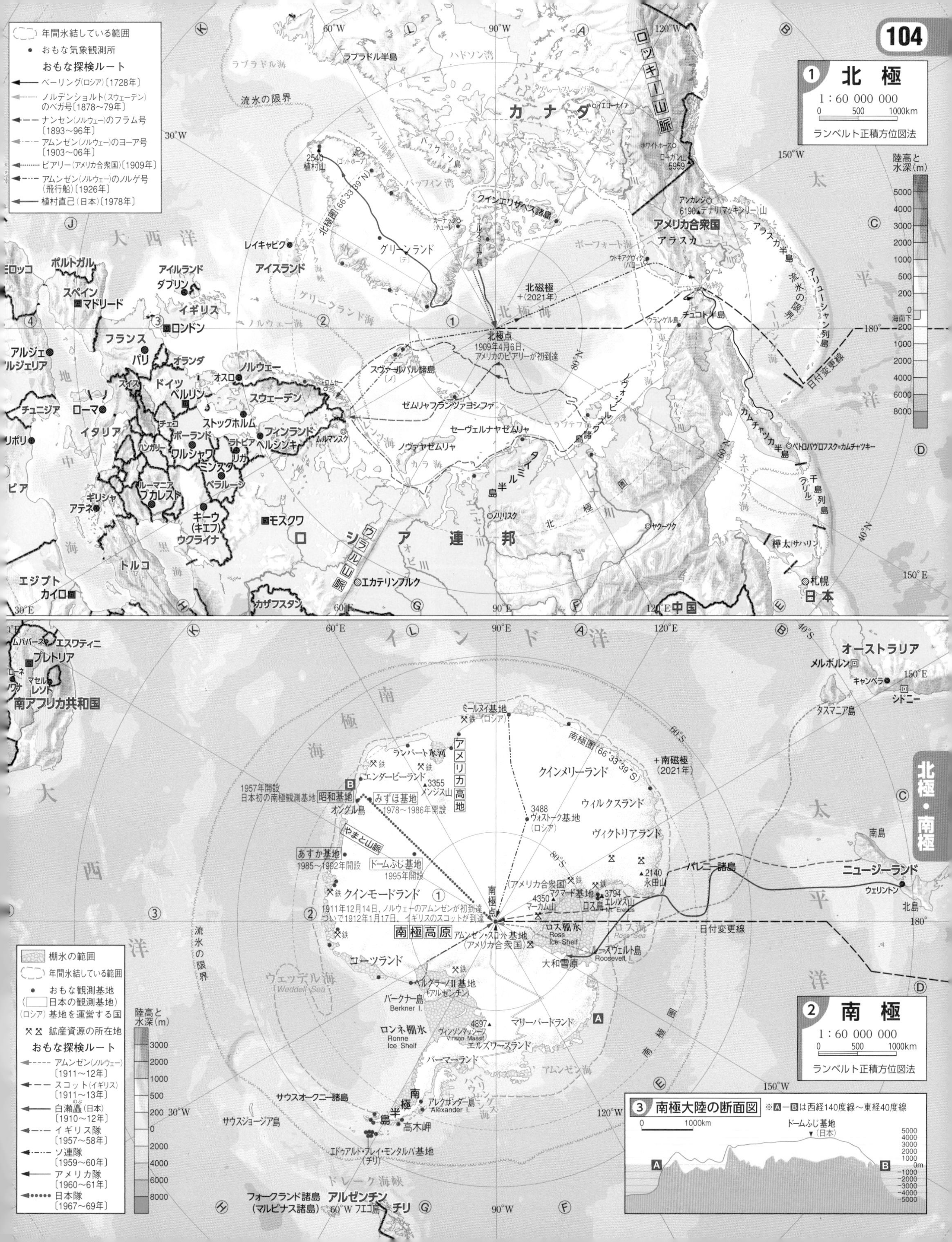
① 北極
1：60 000 000
0 500 1000km
ランベルト正積方位図法
年間氷結している範囲
おもな気象観測所
おもな探検ルート
ベーリング(ロシア)〔1728年〕
ノルデンショルト(スウェーデン)のベガ号〔1878～79年〕
ナンセン(ノルウェー)のフラム号〔1893～96年〕
アムンゼン(ノルウェー)のヨーア号〔1903～06年〕
ピアリー(アメリカ合衆国)〔1909年〕
アムンゼン(ノルウェー)のノルゲ号(飛行船)〔1926年〕
植村直己(日本)〔1978年〕
陸高と水深(m)
5000
4000
3000
2000
1000
500
200
0
海面下
200
1000
2000
4000
6000
8000
北極点
1909年4月6日,
アメリカのピアリーが初到達
北磁極
+(2021年)
北極海
カナダ
ロッキー山脈
アメリカ合衆国
アラスカ
グリーンランド
アイスランド
レイキャビク
大西洋
太平洋
ロシア連邦
ウラル山脈
モスクワ
中国
日本
札幌
ノルウェー
スウェーデン
フィンランド
イギリス
ロンドン
フランス
パリ
スペイン
マドリード
ポルトガル
アイルランド
ダブリン
ドイツ
ベルリン
オランダ
イタリア
ローマ
ギリシャ
アテネ
トルコ
エジプト
カイロ
ウクライナ
キーウ(キエフ)
ベラルーシ
ミンスク
ポーランド
ワルシャワ
ストックホルム
ヘルシンキ
オスロ
カザフスタン
エカテリンブルク
ノリリスク
ヤクーツク
チュコト半島
カムチャツカ半島
ペトロパブロフスク=カムチャツキー
千島列島
樺太(サハリン)
アリューシャン列島
日付変更線
流氷の限界
北極圏(66°33′39″N)
スヴァールバル諸島
ゼムリャフランツァヨシファ
セーヴェルナヤゼムリャ
ノヴァヤゼムリャ
ノヴォシビルスク諸島
タイミル半島
ムルマンスク
グレートスレーブ湖
ハドソン湾
ラブラドル半島
ラブラドル海
バッフィン島
バッフィン湾
クイーンエリザベス諸島
ボーフォート海
アンカレジ
6190 デナリ(マッキンリー)山
ローガン山 5959
イエローナイフ
ホワイトホース
植村山 2540
ウトキアグヴィク(バロー)
② 南極
1：60 000 000
0 500 1000km
ランベルト正積方位図法
棚氷の範囲
年間氷結している範囲
おもな観測基地
日本の観測基地
(ロシア) 基地を運営する国
鉱産資源の所在地
おもな探検ルート
アムンゼン(ノルウェー)〔1911～12年〕
スコット(イギリス)〔1911～13年〕
白瀬矗(日本)〔1910～12年〕
イギリス隊〔1957～58年〕
ソ連隊〔1959～60年〕
アメリカ隊〔1960～61年〕
日本隊〔1967～69年〕
陸高と水深(m)
3000
2000
1000
500
200
0
2000
4000
6000
8000
南極点
1911年12月14日,ノルウェーのアムンゼンが初到達,
ついで1912年1月17日,イギリスのスコットが到達
南極高原
アムンゼン・スコット基地(アメリカ合衆国)
1957年開設
日本初の南極観測基地
昭和基地
オングル島
みずほ基地
1978～1986年開設
やまと山脈
あすか基地
1985～1992年開設
ドームふじ基地
1995年開設
ミールヌイ基地(ロシア)
3488 ヴォストーク基地(ロシア)
マクマード基地(アメリカ合衆国)
ロス島
3794 エレバス山 Mt. Erebus
4350 マーカム山
ロス棚氷 Ross Ice Shelf
ロス海 Ross Sea
ルーズヴェルト島 Roosevelt I.
大和雪原
2140 永田山
ベルグラーノII基地(アルゼンチン)
バークナー島 Berkner I.
ロンネ棚氷 Ronne Ice Shelf
ウェッデル海 Weddell Sea
4897 ヴィンソンマッシーフ Vinson Massif
エルズワースランド
マリーバードランド
パーマーランド
アレクサンダー島 Alexander I.
南極半島
高木岬
エドゥアルド・フレイ・モンタルバ基地(チリ)
サウスオークニー諸島
サウスジョージア島
フォークランド諸島(マルビナス諸島)
アルゼンチン
チリ
フエゴ島
ドレーク海峡
ベリングスハウゼン海
アムンゼン海
クインモードランド
コーツランド
エンダービーランド
ランバート氷河
3355 メンジス山
アメリカ高地
クインメリーランド
ウィルクスランド
ヴィクトリアランド
南極圏(66°33′39″S)
+南磁極(2021年)
流氷の限界
南極海
インド洋
大西洋
太平洋
オーストラリア
メルボルン
キャンベラ
シドニー
タスマニア島
ニュージーランド
ウェリントン
南島
北島
バレニー諸島
日付変更線
南アフリカ共和国
プレトリア
ムババーネ
エスワティニ
マセル
レソト
③ 南極大陸の断面図
※A－Bは西経140度線～東経40度線
0 1000km
ドームふじ基地(日本)
5000
4000
3000
2000
1000
0m
−1000
−2000
−3000
−4000
−5000
北極・南極

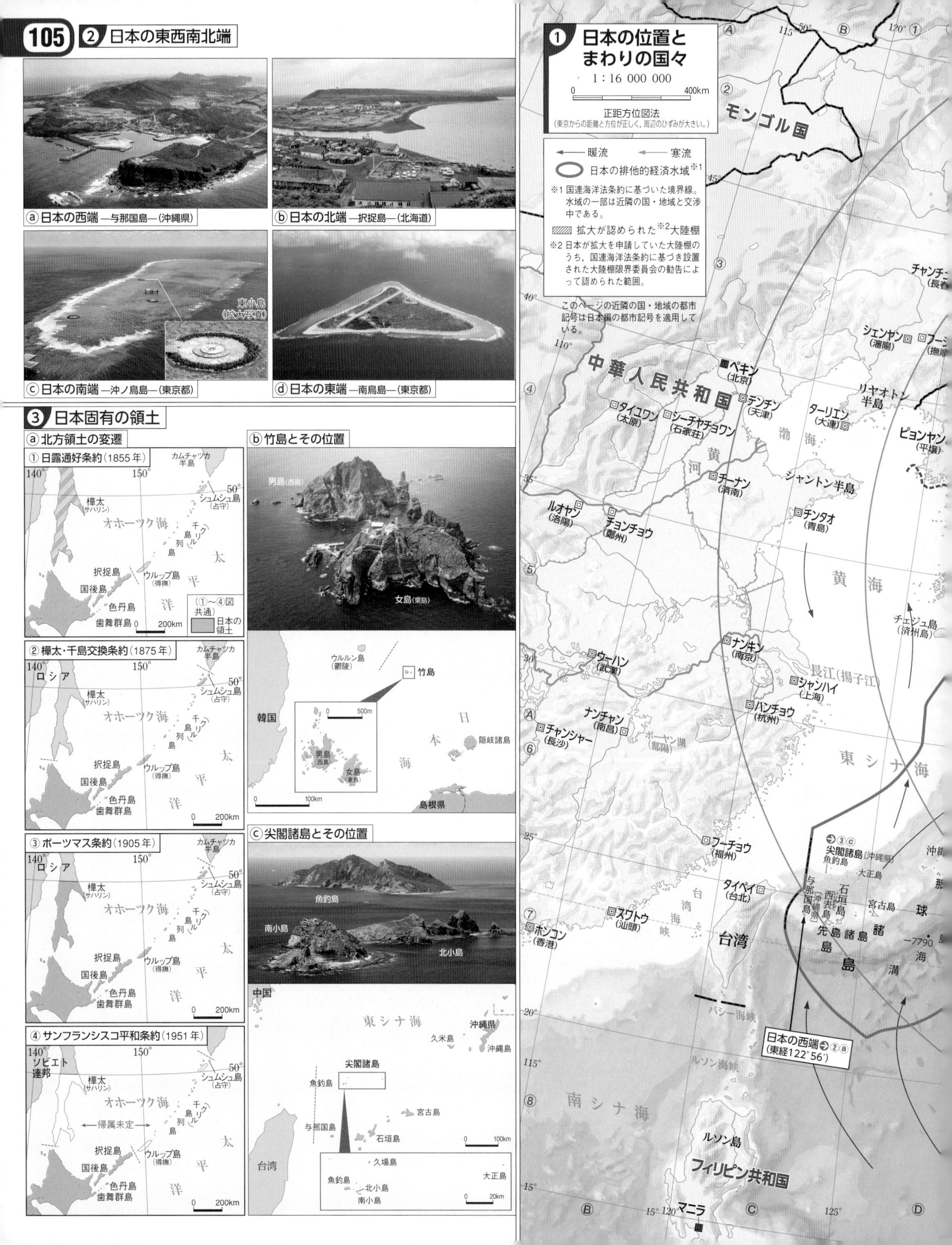

105
② 日本の東西南北端
ⓐ 日本の西端 —与那国島—（沖縄県）
ⓑ 日本の北端 —択捉島—（北海道）
東小島（拡大写真）
ⓒ 日本の南端 —沖ノ鳥島—（東京都）
ⓓ 日本の東端 —南鳥島—（東京都）
③ 日本固有の領土
ⓐ 北方領土の変遷
① 日露通好条約（1855年）
② 樺太・千島交換条約（1875年）
③ ポーツマス条約（1905年）
④ サンフランシスコ平和条約（1951年）
カムチャツカ半島
ロシア
ソビエト連邦
樺太（サハリン）
オホーツク海
シュムシュ島（占守）
千島列島（クリル）
択捉島
国後島
色丹島
歯舞群島
ウルップ島（得撫）
太平洋
帰属未定
（①～④図共通）日本の領土
ⓑ 竹島とその位置
男島（西島）
女島（東島）
ウルルン島（鬱陵）
竹島
韓国
日本海
隠岐諸島
島根県
ⓒ 尖閣諸島とその位置
魚釣島
南小島
北小島
中国
東シナ海
沖縄県
久米島
沖縄島
尖閣諸島
宮古島
与那国島
石垣島
台湾
久場島
大正島
① 日本の位置とまわりの国々
1：16 000 000
正距方位図法
（東京からの距離と方位が正しく、周辺のひずみが大きい。）
暖流　寒流
日本の排他的経済水域※1
※1 国連海洋法条約に基づいた境界線。水域の一部は近隣の国・地域と交渉中である。
拡大が認められた※2大陸棚
※2 日本が拡大を申請していた大陸棚のうち、国連海洋法条約に基づき設置された大陸棚限界委員会の勧告によって認められた範囲。
このページの近隣の国・地域の都市記号は日本編の都市記号を適用している。
モンゴル国
中華人民共和国
ペキン（北京）
テンチン（天津）
タイユワン（太原）
シーチヤチョワン（石家荘）
ターリエン（大連）
リヤオトン半島
シェンヤン（瀋陽）
チャンチュン（長春）
ピョンヤン（平壌）
渤海
黄河
チーナン（済南）
ジャントン半島
ルオヤン（洛陽）
チョンチョウ（鄭州）
チンタオ（青島）
黄海
チェジュ島（済州島）
ナンキン（南京）
ウーハン（武漢）
長江（揚子江）
シャンハイ（上海）
ハンチョウ（杭州）
ナンチャン（南昌）
ポーヤン湖（鄱陽）
チャンシャー（長沙）
東シナ海
フーチョウ（福州）
タイペイ（台北）
台湾海峡
スワトウ（汕頭）
ホンコン（香港）
台湾
尖閣諸島（沖縄県）
魚釣島
大正島
与那国島
西表島
石垣島
宮古島
先島諸島
琉球諸島
琉球海溝
-7790
バシー海峡
日本の西端 ②ⓐ（東経122°56'）
ルソン海峡
南シナ海
ルソン島
フィリピン共和国
マニラ

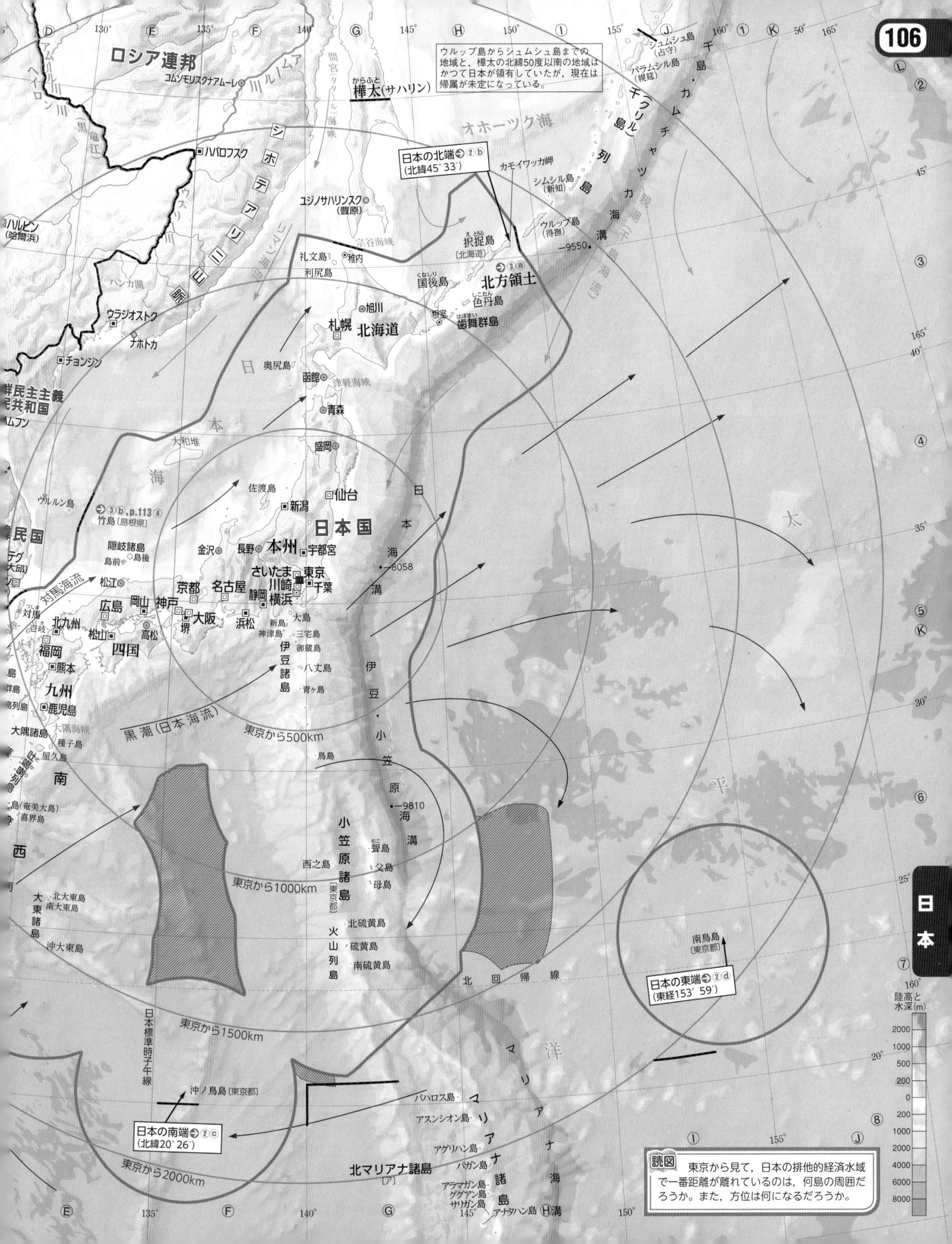

読図　東京から見て，日本の排他的経済水域で一番距離が離れているのは，何島の周囲だろうか。また，方位は何になるだろうか。

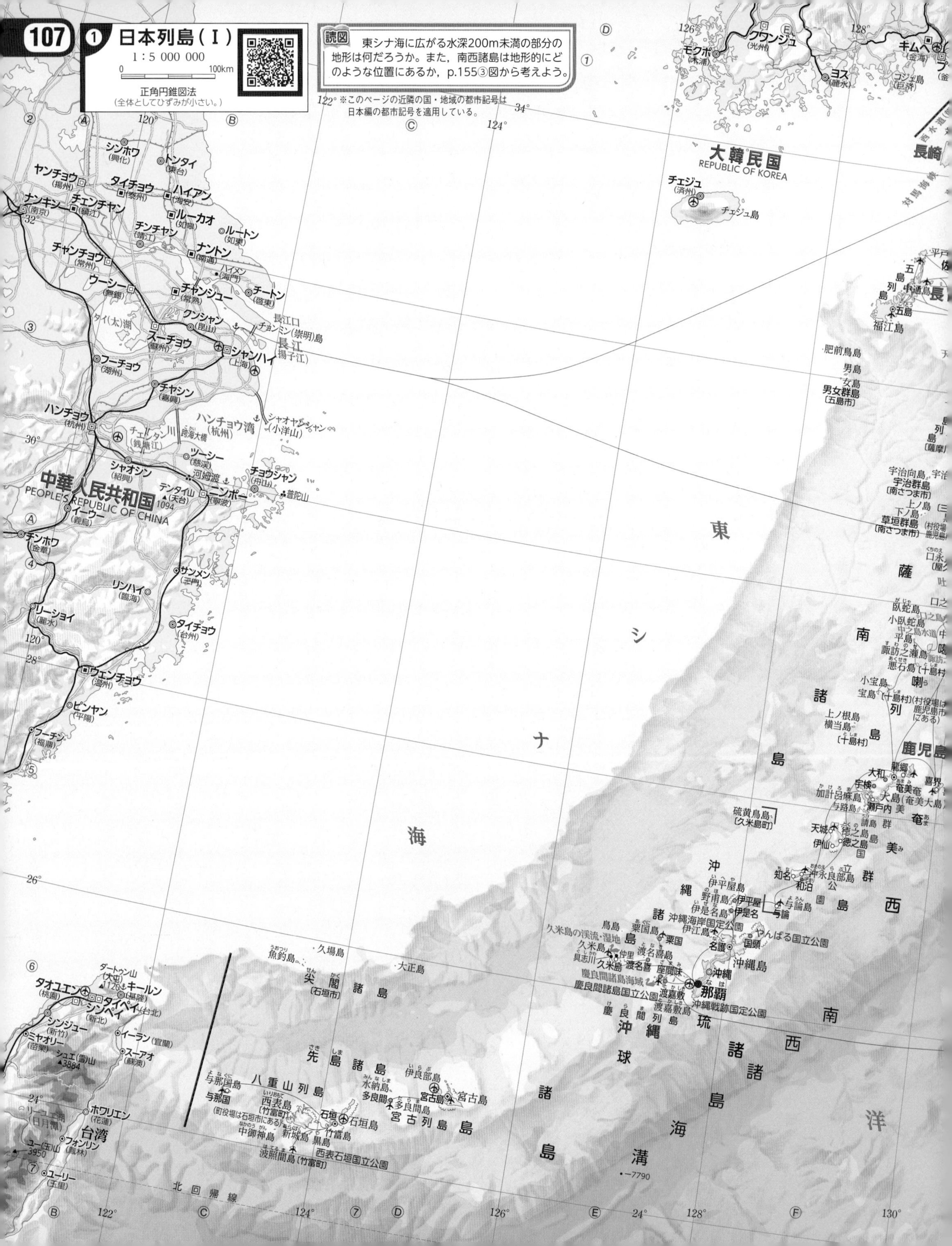

107
① 日本列島(Ⅰ)
1：5 000 000
0
100km
正角円錐図法
(全体としてひずみが小さい。)
読図
東シナ海に広がる水深200m未満の部分の地形は何だろうか。また，南西諸島は地形的にどのような位置にあるか，p.155③図から考えよう。
※このページの近隣の国・地域の都市記号は日本編の都市記号を適用している。
大韓民国
REPUBLIC OF KOREA
モクポ
(木浦)
クワンジュ
(光州)
ヨス
(麗水)
キムへ
(金海)
コジェ島
(巨済)
チェジュ
(済州)
チェジュ島
長崎
対馬海峡
中華人民共和国
PEOPLE'S REPUBLIC OF CHINA
シンホワ
(興化)
トンタイ
(東台)
ヤンチョウ
(揚州)
タイチョウ
(泰州)
ハイアン
(海安)
ナンキン
(南京)
チェンチヤン
(鎮江)
ルーカオ
(如皋)
チンチヤン
(靖江)
ルートン
(如東)
チャンチョウ
(常州)
ナントン
(南通)
ハイメン
(海門)
ウーシー
(無錫)
チャンシュー
(常熟)
チートン
(啓東)
タイ(太)湖
クンシャン
(昆山)
長江口
チョンミン(崇明)島
長江
(揚子江)
スーチョウ
(蘇州)
シャンハイ
(上海)
フーチョウ
(湖州)
チヤシン
(嘉興)
ハンチョウ
(杭州)
ハンチョウ湾
(杭州)
シャオヤンシャン
(小洋山)
チェンタン川
(銭塘江)
ツーシー
(慈渓)
シャオシン
(紹興)
河姆渡
チョウシャン
(舟山)
テンタイ山
(天台)
1094
ニンポー
(寧波)
普陀山
イーウー
(義烏)
チンホワ
(金華)
サンメン
(三門)
リンハイ
(臨海)
リーショイ
(麗水)
タイチョウ
(台州)
ウェンチョウ
(温州)
ピンヤン
(平陽)
フーチン
(福鼎)
東
シ
ナ
海
五島列島
中通島
五島
福江島
肥前鳥島
男島
女島
男女群島
(五島市)
宇治向島
宇治群島
(南さつま市)
上ノ島
下ノ島
草垣群島
(南さつま市)
口永良部島
臥蛇島
小臥蛇島
平島
諏訪之瀬島
悪石島
小宝島
宝島
(十島村)
上ノ根島
横当島
(十島村)
薩南諸島
吐噶喇列島
鹿児島
龍郷
大和
宇検
加計呂麻島
与路島
奄美大島
喜界
瀬戸内
請島
天城
徳之島
伊仙
奄美群島
硫黄鳥島
(久米島町)
沖永良部島
知名
和泊
与論島
与論
伊平屋島
野甫島
伊是名島
伊平屋
伊是名
沖縄諸島
沖縄海岸国定公園
伊江島
やんばる国立公園
国頭
名護
沖縄島
久米島の渓流・湿地
鳥島
粟国島
粟国
渡名喜島
久米島
具志川
仲里
渡名喜
座間味
慶良間諸島海域
慶良間諸島国立公園
渡嘉敷
沖縄
那覇
沖縄戦跡国定公園
慶良間列島
渡嘉敷島
琉球諸島
南西諸島
沖縄諸島
南
洋
沖縄海溝
−7790
久場島
魚釣島
大正島
尖閣諸島
(石垣市)
先島諸島
八重山列島
与那国島
与那国
(町役場は石垣市にある)
西表島
(竹富町)
中御神島
新城島
黒島
竹富島
石垣
石垣島
波照間島(竹富町)
西表石垣国立公園
伊良部島
水納島
多良間
多良間島
宮古島
宮古列島
宮古島
台湾
ダートゥン山
(大屯)
1120
キールン
(基隆)
タオユエン
(桃園)
タイペイ
(台北)
シンペイ
(新北)
シンジュー
(新竹)
ミャオリー
(苗栗)
イーラン
(宜蘭)
シュエ(雪)山
3884
スーアオ
(蘇澳)
リーユエ潭
(日月)
ホワリエン
(花蓮)
ユー(玉)山
3950
フォンリン
(鳳林)
ユーリー
(玉里)
北回帰線
120°
122°
124°
126°
128°
130°
34°
32°
30°
28°
26°
24°

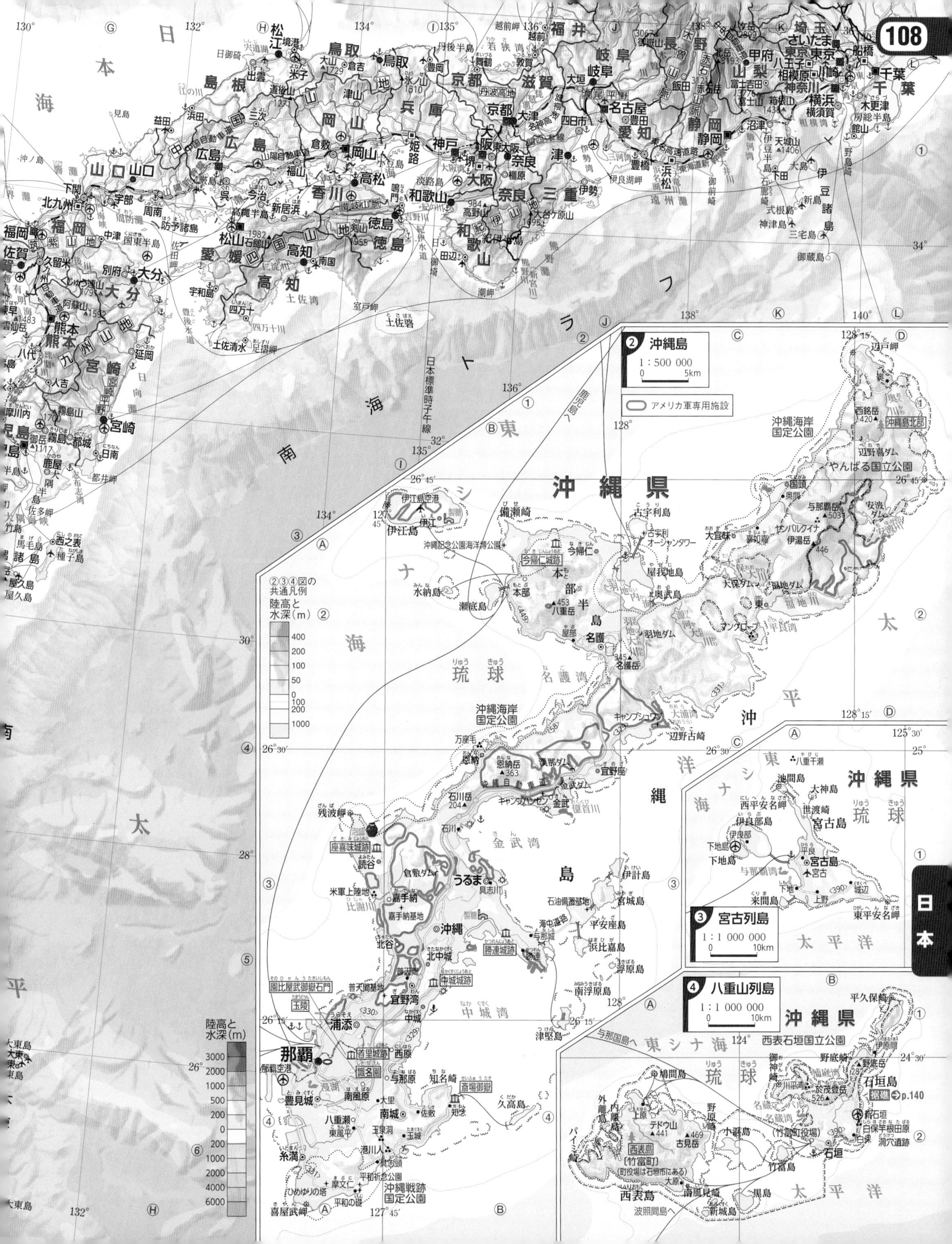
日本海
島根
鳥取
兵庫
京都
滋賀
福井
岐阜
長野
山梨
埼玉
さいたま
東京
千葉
神奈川
静岡
愛知
三重
奈良
大阪
和歌山
岡山
広島
山口
香川
徳島
愛媛
高知
福岡
佐賀
大分
熊本
宮崎
松江
鳥取
岐阜
名古屋
京都
大津
神戸
奈良
津
和歌山
高松
徳島
松山
高知
広島
山口
福岡
大分
熊本
宮崎
甲府
横浜
静岡
千葉
浜松
北九州
下関
姫路
堺
豊田
豊橋
室戸岬
潮岬
足摺岬
土佐湾
土佐清水
四万十
延岡
日向灘
南海トラフ
日本標準時子午線
東シナ海
太平洋
伊豆諸島
大島
三宅島
八丈島
御蔵島
屋久島
種子島
西之表
佐多岬
都井岬
日南
都城
霧島山
阿蘇山
久住山
2 沖縄島
1:500 000
0 5km
アメリカ軍専用施設
沖縄県
辺戸岬
沖縄島北部
やんばる国立公園
沖縄海岸国定公園
与那覇岳
国頭
伊江島
伊江島空港
水納島
瀬底島
本部
今帰仁
今帰仁城跡
古宇利島
古宇利オーシャンタワー
屋我地島
備瀬崎
本部半島
八重岳
名護
名護岳
名護湾
羽地ダム
大保ダム
福地ダム
東
平良湾
辺野古崎
キャンプシュワブ
大浦湾
恩納岳
恩納
万座毛
宜野座
漢那ダム
金武
金武湾
キャンプハンセン
石川
石川岳
うるま
沖縄自動車道
残波岬
座喜味城跡
読谷
嘉手納
嘉手納基地
米軍上陸地
北谷
沖縄
北中城
中城城跡
勝連城跡
普天間基地
宜野湾
浦添
那覇
那覇空港
首里城跡
識名園
園比屋武御嶽石門
玉陵
西原
与那原
豊見城
南風原
南城
知念
斎場御嶽
久高島
八重瀬
東風平
糸満
玉泉洞
港川人
平和祈念公園
ひめゆりの塔
摩文仁
平和の礎
沖縄戦跡国定公園
喜屋武岬
中城湾
伊計島
宮城島
平安座島
浜比嘉島
津堅島
海中道路
石油備蓄基地
②③④図の共通凡例
陸高と水深(m)
3 宮古列島
1:1 000 000
0 10km
池間島
大神島
西平安名崎
伊良部島
下地島
宮古島
来間島
東平安名崎
八重干瀬
4 八重山列島
1:1 000 000
0 10km
西表石垣国立公園
鳩間島
西表島
竹富町
石垣島
石垣
竹富島
小浜島
黒島
新城島
波照間島へ
与那国島へ
平久保崎
野底崎
於茂登岳
古見岳
テドウ山
白保竿根田原洞穴遺跡
p.140
日本

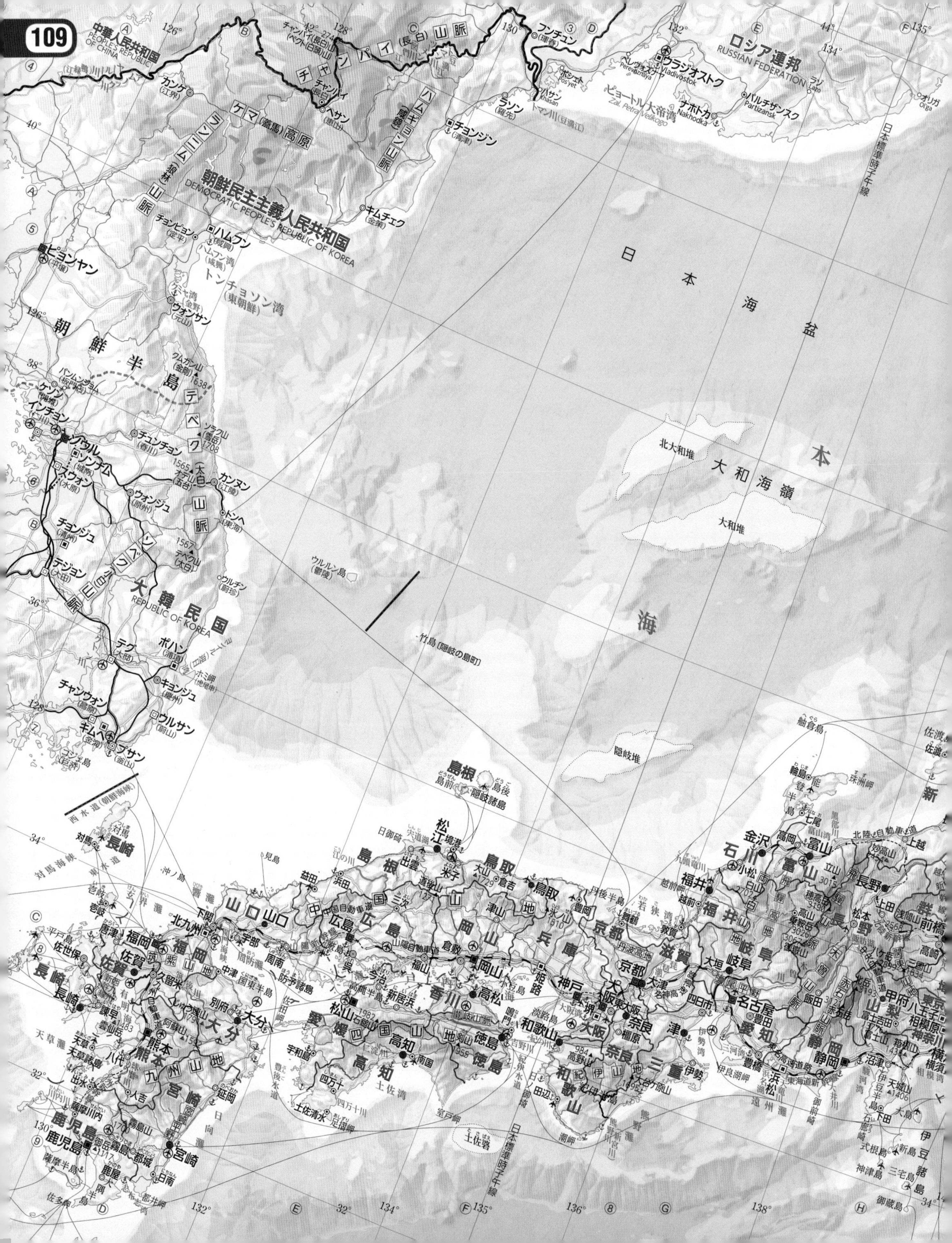
中華人民共和国
PEOPLE'S REPUBLIC OF CHINA
ロシア連邦
RUSSIAN FEDERATION
チャンパイ(長白)山脈
ケマ(蓋馬)高原
ハムギョン(咸鏡)山脈
ランニム(狼林)山脈
朝鮮民主主義人民共和国
DEMOCRATIC PEOPLE'S REPUBLIC OF KOREA
ウラジオストク
Vladivostok
ナホトカ
Nakhodka
パルチザンスク
Partizansk
ピョートル大帝湾
Zal. Petra Velikogo
フンチュン
ラソン
チョンジン
キムチェク
ハムフン
ピョンヤン
トンチョソン湾
(東朝鮮湾)
ウォンサン
朝鮮半島
テベク(太白)山脈
ソベク山脈
ケソン
インチョン
ソウル
スウォン
チュンチョン
カンヌン
ウォンジュ
チョンジュ
テジョン
トンヘ
ウルチン
大韓民国
REPUBLIC OF KOREA
テグ
ポハン
キョンジュ
ウルサン
チャンウォン
キムヘ
プサン
ウルルン島
竹島〔隠岐の島町〕
日本海盆
北大和堆
大和海嶺
大和堆
隠岐堆
日本海
日本標準時子午線
島根
島後
島前
隠岐諸島
対馬
長崎
壱岐
松江
鳥取
島根
山口
福岡
北九州
下関
佐賀
長崎
熊本
大分
宮崎
鹿児島
九州山地
広島
岡山
兵庫
京都
福井
石川
金沢
富山
長野
岐阜
滋賀
大阪
奈良
和歌山
三重
愛知
名古屋
静岡
山梨
神奈川
東京
群馬
前橋
新潟
佐渡
能登半島
輪島
舳倉島
香川
高松
愛媛
松山
高知
徳島
四国山地
土佐湾
土佐清水
足摺岬
室戸岬
潮岬
紀伊山地
伊勢
津
浜松
沼津
伊豆半島
伊豆諸島
大島
新島
神津島
三宅島
御蔵島
土佐碆
佐多岬
都井岬
日南
豊後水道
周防灘
播磨灘
若狭湾
丹後半島
響灘
対馬海峡
西水道
東水道
天草灘
遠州灘
熊野灘

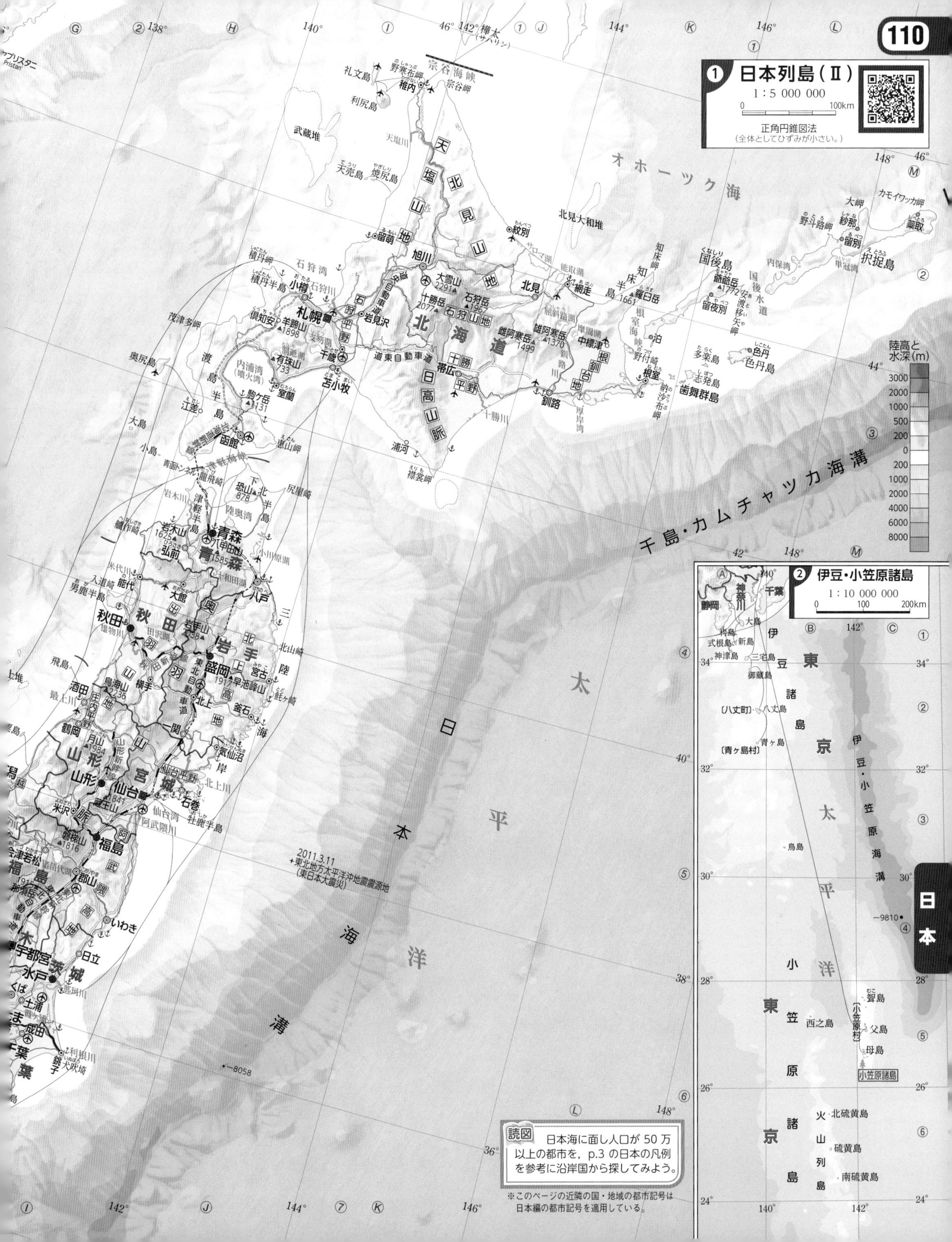

読図 日本海に面し人口が50万以上の都市を，p.3の日本の凡例を参考に沿岸国から探してみよう。

※このページの近隣の国・地域の都市記号は日本編の都市記号を適用している。

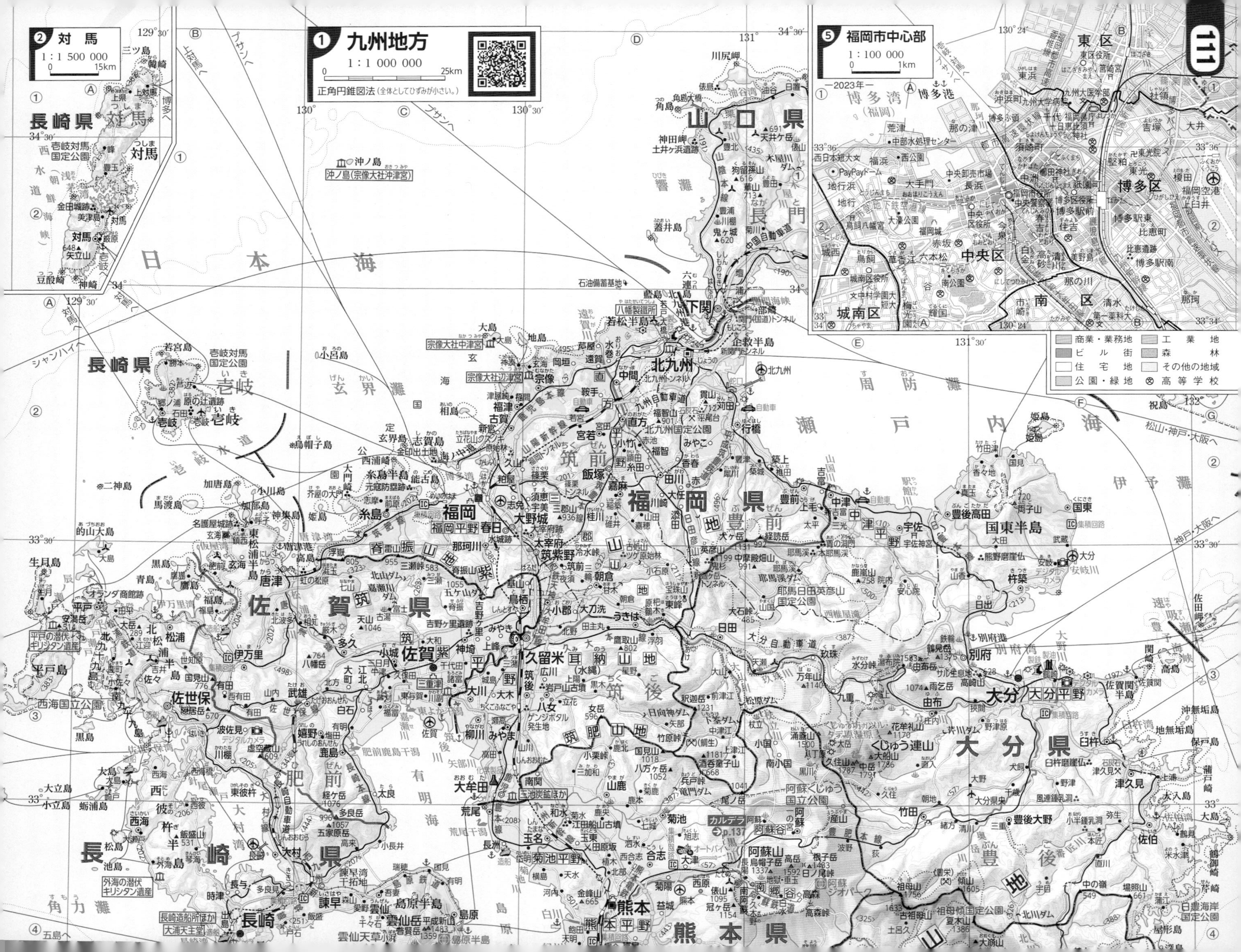
① 九州地方
1：1 000 000
0 25km
正角円錐図法（全体としてひずみが小さい。）
② 対馬
1：1 500 000
0 15km
⑤ 福岡市中心部
1：100 000
0 1km
—2023年—
商業・業務地
工業地
ビル街
森林
住宅地
その他の地域
公園・緑地
高等学校
日本海
玄界灘
周防灘
瀬戸内海
伊予灘
有明海
角力灘
響灘
長崎県
佐賀県
福岡県
大分県
熊本県
山口県
福岡
北九州
下関
佐賀
佐世保
長崎
大分
熊本
久留米
壱岐
対馬
沖ノ島
沖ノ島(宗像大社沖津宮)
八幡製鐵所
三池炭鉱ほか
長崎造船所ほか
大浦天主堂
外海の潜伏キリシタン遺産
平戸の潜伏キリシタン遺産
宗像大社中津宮
宗像大社辺津宮
カルデラ
p.137
東区
博多区
中央区
南区
城南区
博多湾
博多港
福岡空港
くじゅう連山
阿蘇山
雲仙岳
阿蘇くじゅう国立公園
西海国立公園
耶馬日田英彦山国定公園
壱岐対馬国定公園
北九州国定公園
日豊海岸国定公園
祖母傾国定公園
国東半島
島原半島
糸島半島

鹿児島県
宮崎県
長崎県
薩摩半島
大隅半島
天草諸島
甑島列島
大隅諸島
五島列島
大島(奄美大島)
鹿児島
宮崎
都城
霧島
桜島
霧島錦江湾国立公園
九州中央山地国定公園
日豊海岸国定公園
雲仙天草国立公園
西海国立公園
奄美群島国立公園
屋久島国立公園
甑島国定公園
東シナ海
太平洋
日向灘
大隅海峡
種子島
屋久島
徳之島
③ 五島列島 1:1 500 000
④ 大島(奄美大島) 1:1 500 000
⑥ 大隅諸島 1:1 500 000
陸高と水深(m)
読図 火山が南北に連なっていることを確認しよう。阿蘇山カルデラの外輪山の直径は何kmかを測り，自分の暮らしている地域の地図にあてはめてみよう。
日本

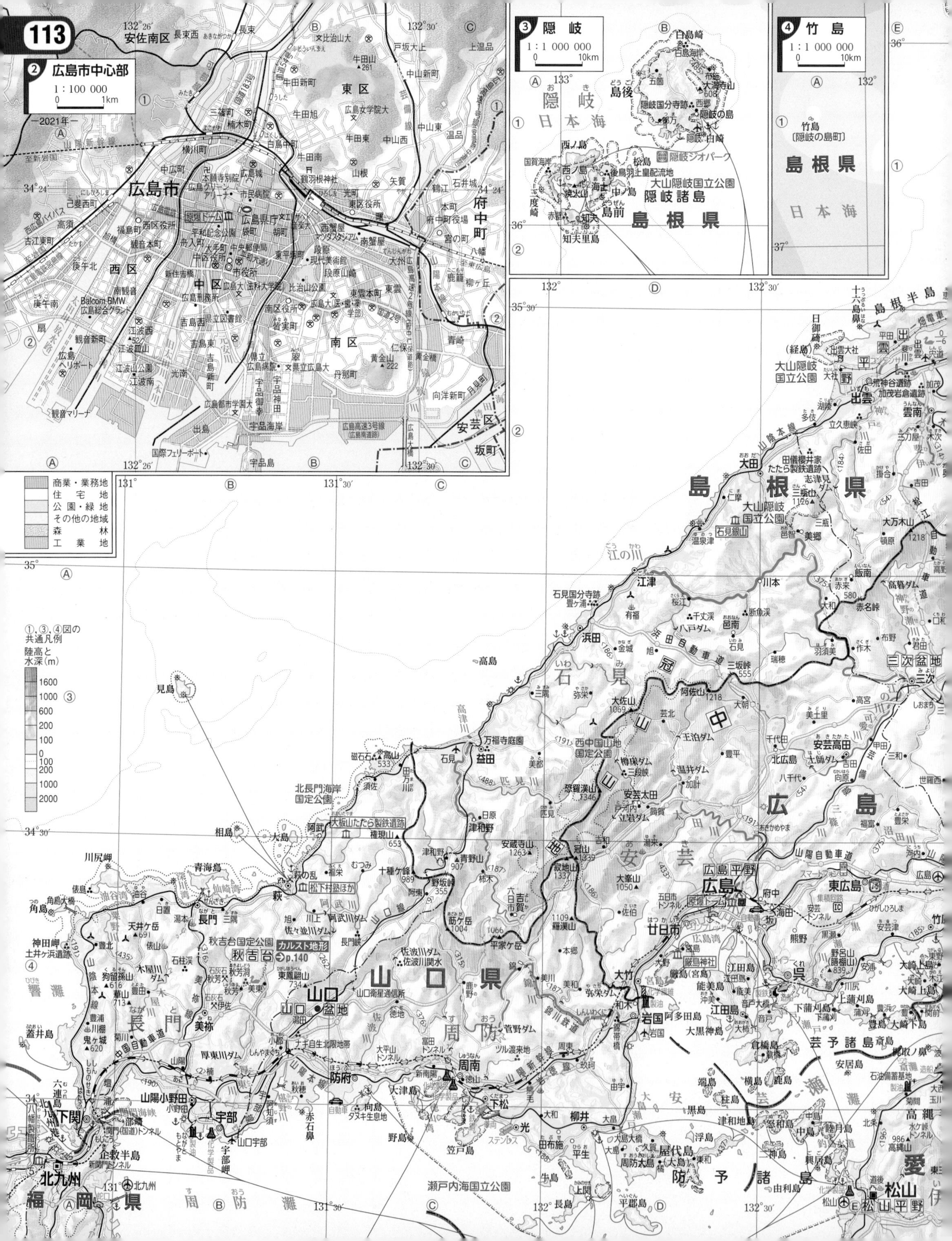

② 広島市中心部
1：100 000
—2021年—
広島市
東区
西区
中区
南区
安芸区
府中町
原爆ドーム
広島県庁
広島駅
③ 隠岐
1：1 000 000
隠岐
日本海
島後
隠岐諸島
西ノ島
中ノ島
知夫里島
島根県
④ 竹島
1：1 000 000
竹島〔隠岐の島町〕
島根県
日本海
①,③,④図の共通凡例
陸高と水深(m)
1600
1000
600
200
100
0
100
200
1000
2000
商業・業務地
住宅地
公園・緑地
その他の地域
森林
工業地
島根県
島根半島
出雲
大田
石見銀山
江津
浜田
益田
石見
中国山地
広島
広島平野
広島県
三次盆地
東広島
呉
安芸
山口県
山口
山口盆地
秋吉台
カルスト地形 p.140
長門
萩
下関
宇部
周南
防府
岩国
周防
周防灘
芸予諸島
防予諸島
安芸灘
瀬戸内海国立公園
北九州
福岡県
愛媛
松山
松山平野
響灘
日本海
見島
相島
大島
高島

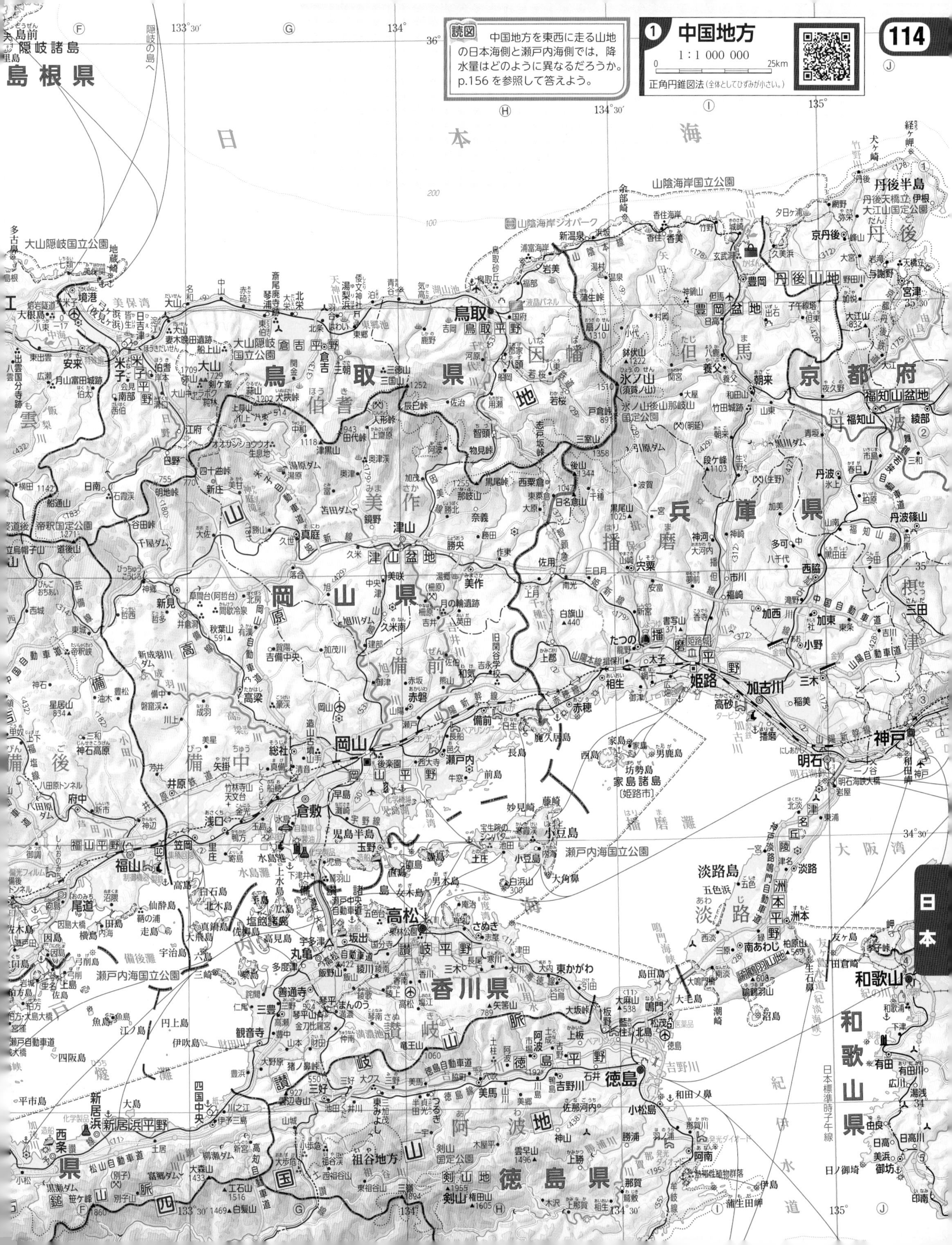
読図
中国地方を東西に走る山地の日本海側と瀬戸内海側では，降水量はどのように異なるだろうか。p.156 を参照して答えよう。
1 中国地方
1：1 000 000
0
25km
正角円錐図法（全体としてひずみが小さい。）
日本海
山陰海岸国立公園
山陰海岸ジオパーク
大山隠岐国立公園
隠岐諸島
島根県
鳥取県
岡山県
兵庫県
京都府
香川県
徳島県
和歌山県
鳥取
倉吉
米子
境港
津山
岡山
倉敷
福山
尾道
姫路
加古川
神戸
明石
高松
丸亀
坂出
徳島
鳴門
和歌山
洲本
豊岡
福知山
宮津
鳥取平野
倉吉平野
米子平野
津山盆地
岡山平野
福山平野
播磨平野
讃岐平野
徳島平野
豊岡盆地
福知山盆地
丹後山地
中国山地
讃岐山脈
四国山地
剣山地
阿波山地
丹後半島
児島半島
淡路島
小豆島
家島諸島
瀬戸内海国立公園
播磨灘
備讃瀬戸
燧灘
大阪湾
紀伊水道
鳴門海峡
大山
氷ノ山
剣山
那岐山
吉野川
旭川
高梁川
吉井川
中国自動車道
山陽自動車道
山陽新幹線
瀬戸大橋
明石海峡大橋
日本標準時子午線
日本

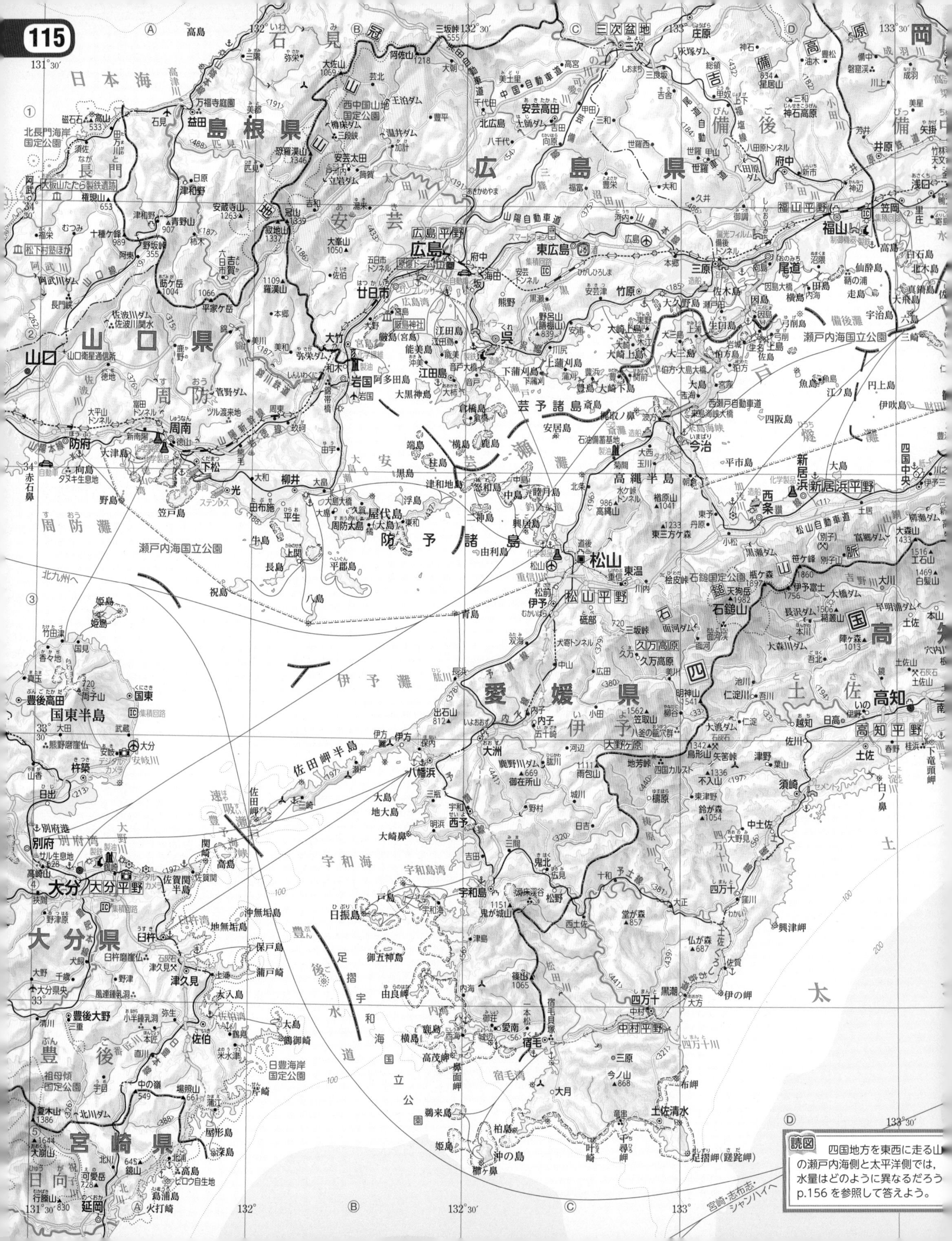

読図 四国地方を東西に走る山の瀬戸内海側と太平洋側では，水量はどのように異なるだろう。p.156を参照して答えよう。

116
兵庫県
大阪府
奈良県
和歌山県
香川県
徳島県
岡山
倉敷
姫路
加古川
明石
神戸
大阪
堺
奈良
和歌山
徳島
高松
播磨灘
大阪湾
淡路島
小豆島
家島諸島
瀬戸内海国立公園
鳴門海峡
紀淡海峡
紀伊水道
讃岐平野
讃岐山脈
阿波
剣山地
四国山地
和泉山脈
紀伊山地
紀伊半島
吉野川
紀の川
日本標準時子午線
吉野熊野国立公園
室戸ジオパーク
室戸岬
海岸段丘
➡p.139
剣山
1955
洋
湾
明石海峡大橋
関西国際
淡路島
洲本
鳴門
阿南
田辺
新宮
串本
潮岬
大島
（紀伊大島）
陸高と水深（m）
1600
1000
600
200
0
100
200
1000
2000
① 四国地方
1：1 000 000
0
25km
正角円錐図法（全体としてひずみが小さい。）
② 神戸市中心部
1：100 000
0
1km
—2022年—
商業・業務地
住宅地
森林・緑地
工業地
港湾施設・その他
兵庫県南部地震で震度7を記録した地域
灘区
東灘区
中央区
兵庫区
長田区
神戸港
ポートアイランド
六甲アイランド
港島
神戸空港
日本

京都
1:100 000
商業・業務地
ビル街
住宅地
公園・緑地
工業地
森林
その他の地域
世界遺産登録の寺社・城
—2021年—
日本海
若狭湾
石川県
福井県
岐阜県
富山県
滋賀県
京都府
鳥取県
金沢
福井
丹後半島
丹波高地
海食崖 p.139

① 近畿地方

1：1 000 000

正角円錐図法（全体としてひずみが小さい。）

読図 琵琶湖への流入河川は多いが，琵琶湖から流れ出る河川は一つである。この川をたどり，その役割を考えてみよう。

① 京阪神
1：500 000
0 10km
正角円錐図法（全体としてひずみが小さい。）
丹波高地
京都府
兵庫県
大阪府
奈良県
和歌山県
滋賀県
比良山地
亀岡盆地
篠山盆地
京都盆地
奈良盆地
近江盆地
大和高原
大阪湾
六甲山地
生駒山地
金剛山地
和泉山脈
紀の川
淀川
大和川
琵琶湖
京都
大津
神戸
大阪
奈良
和歌山
明石
西宮
尼崎
芦屋
宝塚
伊丹
川西
池田
箕面
豊中
吹田
茨木
高槻
枚方
寝屋川
交野
守口
門真
四條畷
大東
東大阪
八尾
松原
藤井寺
羽曳野
堺
高石
泉大津
和泉
岸和田
貝塚
泉佐野
泉南
阪南
富田林
河内長野
大阪狭山
柏原
香芝
葛城
御所
橿原
大和高田
桜井
天理
大和郡山
生駒
宇治
城陽
八幡
長岡京
向日
亀岡
三田
篠山
丹波篠山
草津
栗東
守山
野洲
宇陀
五條
橋本
岩出
紀の川
海南
有田
高野山
吉野
関西国際空港
神戸空港
大阪国際空港
八尾空港
明石海峡大橋
瀬戸内海国立公園
明治の森箕面国定公園
金剛生駒紀泉国定公園
京都丹波高原国定公園
琵琶湖国定公園
室生赤目青山国定公園
高野龍神国定公園
中国自動車道
名神高速道路
新名神高速道路
山陽自動車道
京奈和自動車道
阪和自動車道
西名阪自動車道
近畿自動車道
2025年大阪万博会場予定地
ユニバーサル・スタジオ・ジャパン
大仙(大山)古墳（伝仁徳天皇陵）
誉田御廟山古墳
法隆寺
古都奈良
古都京都
高野山
吉野山
兵庫県南部地震震源地（阪神・淡路大震災）
日本標準時子午線
135°
135°15′
135°30′
135°45′
136°
35°
34°45′
34°30′
34°15′
市街地
田
畑
茶畑
果樹園
工業地
その他
1000m
600
0
（陸高）
（水深）
② 奈良市
1：100 000
商業・業務地
住宅地
公園・緑地
森林
工業地
その他の地域
東大寺 世界遺産登録の寺社など
奈良市役所
奈良公園
東大寺
興福寺
春日大社
元興寺
唐招提寺
薬師寺
平城宮跡
平城京
奈良国立博物館
近鉄奈良

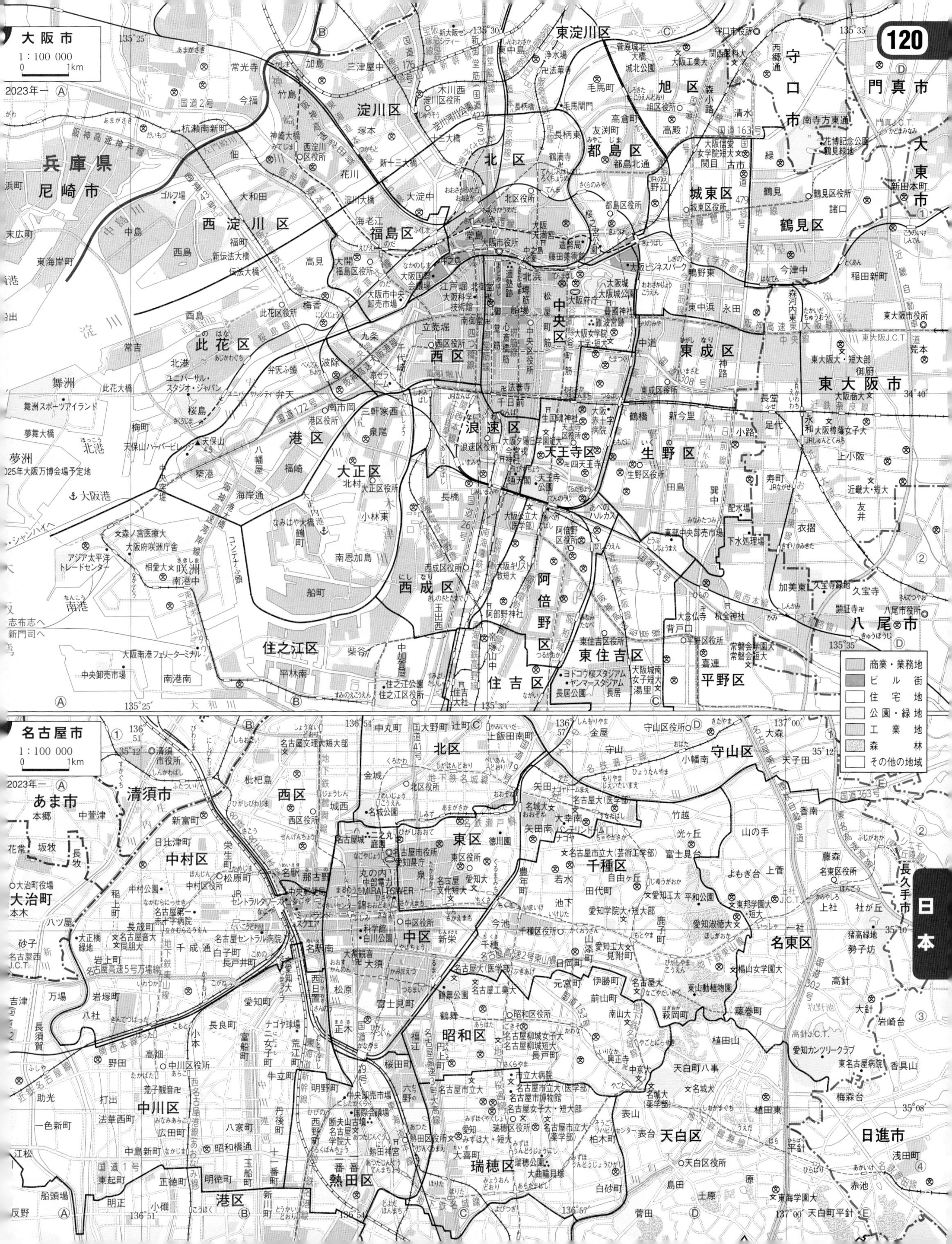
大阪市
1：100 000
0 1km
2023年一
兵庫県
尼崎市
西淀川区
淀川区
東淀川区
北区
都島区
旭区
守口市
門真市
大東市
城東区
鶴見区
福島区
此花区
西区
中央区
東成区
東大阪市
港区
大正区
浪速区
天王寺区
生野区
西成区
阿倍野区
東住吉区
平野区
八尾市
住之江区
住吉区
舞洲
夢洲
2025年大阪万博会場予定地
大阪港
大阪市役所
大阪城
大阪府庁
ユニバーサル・スタジオ・ジャパン
天保山
あべのハルカス
大和川
淀川
名古屋市
1：100 000
0 1km
2023年一
あま市
清須市
大治町
北区
西区
東区
中村区
中区
千種区
守山区
名東区
長久手市
昭和区
中川区
瑞穂区
天白区
日進市
熱田区
港区
名古屋城
名古屋駅
名古屋市役所
愛知県庁
熱田神宮
東山動植物園
商業・業務地
ビル街
住宅地
公園・緑地
工業地
森林
その他の地域
日本

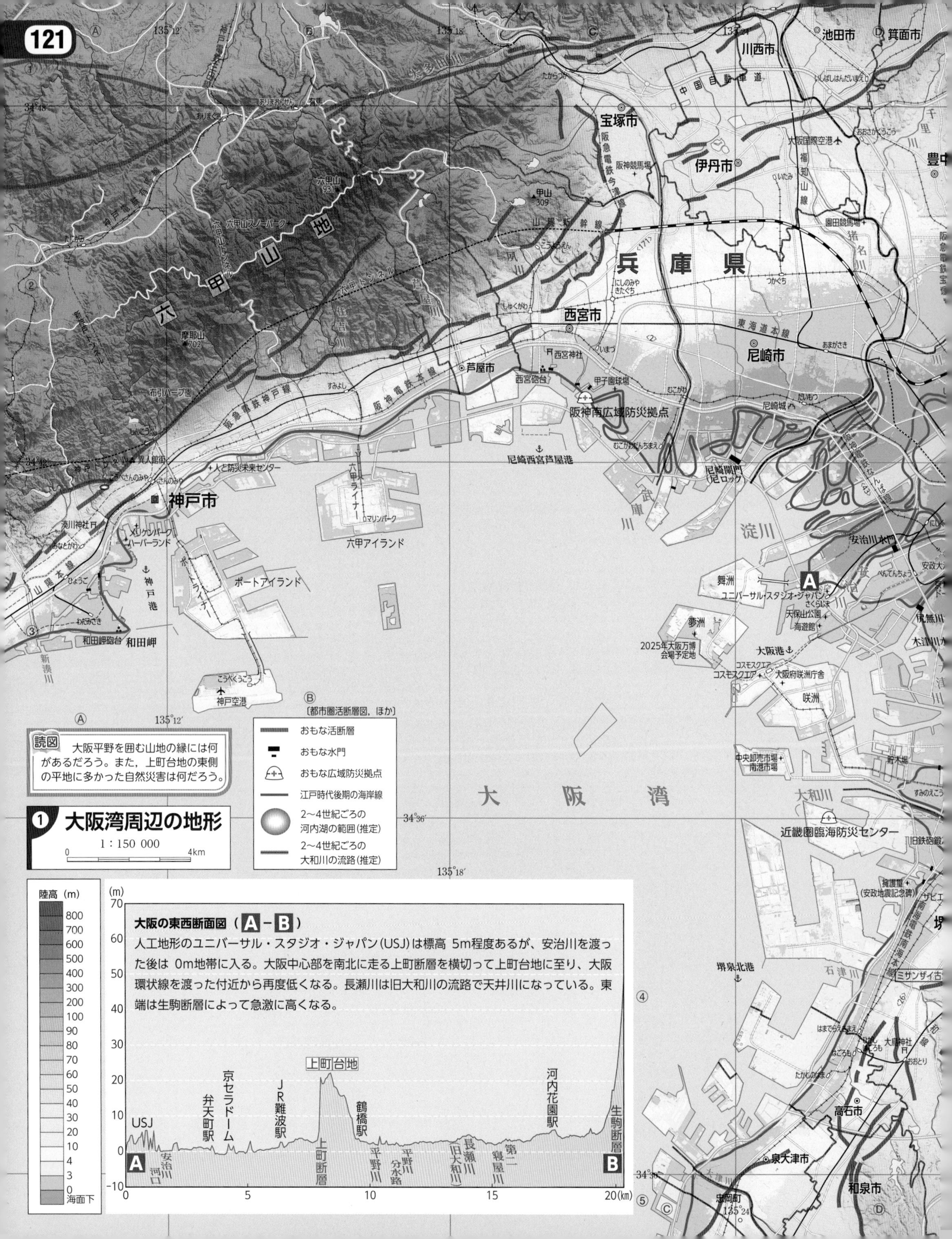

読図　大阪平野を囲む山地の縁には何があるだろう。また，上町台地の東側の平地に多かった自然災害は何だろう。
1 大阪湾周辺の地形
1：150 000
0
4km
〔都市圏活断層図，ほか〕
おもな活断層
おもな水門
おもな広域防災拠点
江戸時代後期の海岸線
2～4世紀ごろの河内湖の範囲（推定）
2～4世紀ごろの大和川の流路（推定）
陸高（m）
800
700
600
500
400
300
200
100
90
80
70
60
50
40
30
20
10
4
3
0
海面下
大阪の東西断面図（A－B）
人工地形のユニバーサル・スタジオ・ジャパン（USJ）は標高 5m程度あるが，安治川を渡った後は 0m地帯に入る。大阪中心部を南北に走る上町断層を横切って上町台地に至り，大阪環状線を渡った付近から再度低くなる。長瀬川は旧大和川の流路で天井川になっている。東端は生駒断層によって急激に高くなる。
(m)
70
60
50
40
30
20
10
0
-10
0
5
10
15
20（km）
USJ
弁天町駅
京セラドーム
JR難波駅
上町台地
鶴橋駅
河内花園駅
生駒断層
A
安治川河口
上町断層
平野川
平野川分水路
長瀬川（旧大和川）
寝屋川
第二寝屋川
B
六甲山地
六甲山 931
摩耶山 702
甲山 309
兵庫県
宝塚市
伊丹市
川西市
池田市
箕面市
西宮市
尼崎市
芦屋市
神戸市
豊中
大阪湾
六甲アイランド
ポートアイランド
神戸空港
和田岬
和田岬砲台
神戸港
舞洲
夢洲
咲洲
2025年大阪万博会場予定地
ユニバーサル・スタジオ・ジャパン
天保山公園
海遊館
大阪港
大阪府咲洲庁舎
コスモスクエア
中央卸売市場南港市場
淀川
安治川水門
尼崎閘門（尼ロック）
阪神南広域防災拠点
尼崎西宮芦屋港
近畿圏臨海防災センター
堺泉北港
大和川
石津川
高石市
泉大津市
和泉市
忠岡町
東海道本線
山陽本線
山陽新幹線
阪神電鉄本線
阪急電鉄神戸線
中国自動車道
大阪国際空港
阪神競馬場
甲子園球場
西宮神社
西宮砲台
人と防災未来センター
異人館街
布引ハーブ園
湊川神社
メリケンパーク
ハーバーランド
六甲山スノーパーク
六甲トンネル
武庫川
夙川
芦屋川
住吉川
新湊川
大阪湾

京都府
大阪府
奈良県
千里丘陵
枚方丘陵
大阪平野
上町台地
生駒山地
金剛山地
奈良盆地
河泉台地
茨木市
高槻市
枚方市
京田辺市
交野市
摂津市
寝屋川市
吹田市
門真市
守口市
四條畷市
大東市
大阪市
東大阪市
生駒市
奈良市
八尾市
平群町
大和郡山市
斑鳩町
安堵町
三郷町
王寺町
天理市
川西町
河合町
三宅町
柏原市
松原市
藤井寺市
羽曳野市
上牧町
香芝市
広陵町
田原本町
大和高田市
橿原市
太子町
富田林市
大阪狭山市
河南町
葛城市
木津川市
井手町
精華町
北部広域防災拠点
中部広域防災拠点
関西文化学術研究都市
国立国会図書館関西館
平城京
古都奈良
唐招提寺
薬師寺
法隆寺
法起寺
中宮寺
藤ノ木古墳
郡山城
生駒山 642
信貴山 437
二上山 517
暗峠
竹内峠
大阪城
難波宮跡
真田丸跡
四天王寺
通天閣
住吉大社
ヤンマースタジアム長居
花園ラグビー場
八尾空港
誉田御廟山古墳（伝応神天皇陵）
岡ミサンザイ古墳
大泉緑地
鶴見緑地
久宝寺緑地
飯盛城跡
鴻池新田会所跡
茨田の堤
淀川大堰
毛馬閘門
百済寺跡
王仁墓
国立民族学博物館
万博記念公園
パナソニックスタジアム吹田
香里団地
當麻寺
叡福寺
巣山古墳
藤森環濠集落
近つ飛鳥風土記の丘
神武天皇陵
畝傍山
橿原神宮
耳成山
天香久山
藤原京
山城の国一揆
平城・相楽ニュータウン
泉北ニュータウン
千里ニュータウン
狭山池
西名阪自動車道
第二阪奈道路
京奈和自動車道
近畿自動車道
阪和自動車道
南阪奈道路
東海道新幹線
東海道本線
関西本線（大和路線）
近鉄奈良線
近鉄大阪線
近鉄南大阪線
近鉄長野線
近鉄生駒線
近鉄田原本線
近鉄橿原線
近鉄天理線
学研都市線
和歌山線
大和川
淀川
石川
寝屋川
長瀬川
平野川分水路
日本

①、②図の共通凡例
陸高と水深（m）
3000
2000
1600
1000
600
200
100
0
100
200
1000
2000
2 佐渡島
1：1 000 000
0 10km
新潟県
佐渡
佐渡島
佐渡弥彦米山国定公園
新潟
石川県
富山県
新潟県
群馬県
能登半島
富山湾
日本海
長野
金沢
富山
前橋
高崎
松本
長岡
上越
糸魚川
妙高山
浅間山
谷川岳
八海山
中部山岳国立公園
上信越高原国立公園
妙高戸隠連山国立公園
能登半島国定公園
越後三山只見国定公園
白山国立公園
佐渡弥彦米山国定公園

① 中部地方
1：1 000 000
0 25km
正角円錐図法（全体としてひずみが小さい。）
読図 日本アルプスの飛驒山脈，木曽山脈，赤石山脈はどのように連なっているだろうか。
日本
福井県
岐阜県
長野県
山梨県
東京都
神奈川県
埼玉県
静岡県
愛知県
三重県
飛驒山脈
木曽山脈
赤石山脈
美濃三河高原
伊那山地
伊豆半島
渥美半島
知多半島
志摩半島
伊勢湾
三河湾
駿河湾
遠州灘
名古屋
岐阜
静岡
甲府
浜松
豊橋
富士山 3776
駒ケ岳 2956
北岳 3193
赤石岳 3121
御嶽山 3067
八ケ岳
成層火山 → p.137
富士箱根伊豆国立公園
南アルプス国立公園
中央アルプス国定公園
仙台・苫小牧へ

宮城県
山形県
福島県
新潟県
栃木県
群馬県
茨城県
長野県
福島
郡山
会津若松
いわき
白河
米沢
新潟
長岡
三条
柏崎
上越
十日町
小千谷
佐渡島
宇都宮
日光
前橋
水戸
日立
ひたちなか
長野
上田
佐渡海峡

① 関東地方
1：1 000 000
0 25km
正角円錐図法（全体としてひずみが小さい。）
② 伊豆諸島
1：5 000 000
0 50km
③ 新島・式根島・神津島・三宅島・御蔵島・八丈島
1：1 000 000
0 10km
読図
関東平野は，各都県のどのあたりまで及んでいるだろうか。濃尾平野や大阪平野と大きさを比べてみよう。
陸高と水深（m）
3000
2000
1600
1000
600
200
100
50
20
0
20
100
200
1000
2000
海岸平野 ➡p.139
日本
山梨県
埼玉県
東京都
神奈川県
千葉県
静岡県
関東平野
関東山地
甲府盆地
秩父盆地
房総半島
三浦半島
伊豆半島
伊豆諸島
相模湾
相模灘
駿河湾
東京湾
浦賀水道
九十九里浜
富士山
箱根山
丹沢山地
多摩丘陵
下総台地
常総台地
房総丘陵
富士箱根伊豆国立公園
秩父多摩甲斐国立公園
東京
横浜
川崎
千葉
さいたま
甲府
静岡
八王子
相模原
大島
三宅島
八丈島
新島
式根島
神津島
御蔵島
利島
青ヶ島
徳島・北九州へ
三宅島・八丈島へ
小笠原へ

前橋
群馬県
栃木県
埼玉県
関東平野
東京都
神奈川県
山梨県
秩父山地
丹沢山地
関東山地
高崎
伊勢崎
太田
足利
佐野
館林
栃木
小山
下野
結城
筑西
筑波山
古河
下妻
藤岡
本庄
深谷
熊谷
行田
羽生
加須
久喜
幸手
鴻巣
北本
桶川
上尾
伊奈
蓮田
春日部
野田
守谷
つくば
常総
取手
柏
流山
三郷
越谷
草加
八潮
さいたま
川口
戸田
蕨
朝霞
和光
新座
志木
富士見
ふじみ野
川越
坂戸
鶴ケ島
日高
飯能
狭山
入間
所沢
東松山
秩父
皆野
長瀞
寄居
小鹿野
青梅
羽村
福生
瑞穂
東村山
東久留米
清瀬
西東京
小平
東大和
武蔵村山
立川
昭島
国分寺
あきる野
八王子
日野
府中
国立
多摩
稲城
調布
狛江
三鷹
武蔵野
小金井
東京
町田
相模原
座間
大和
海老名
綾瀬
厚木
伊勢原
秦野
平塚
茅ケ崎
藤沢
鎌倉
逗子
葉山
横須賀
横浜
川崎
小田原
南足柄
松戸
市川
船橋
習志野
八千代
鎌ケ谷
白井
浦安
千葉
袖ケ浦
木更津
君津
富津
東京湾
東京湾アクアライン
東京国際（羽田）空港
東京港
川崎港
横浜港
横須賀港
さいたま新都心
東京スカイツリー
レインボーブリッジ
東京ディズニーランド・ディズニーシー
幕張メッセ
横浜スタジアム
日産スタジアム
埼玉スタジアム2002
味の素スタジアム
明治の森高尾国定公園
秩父多摩甲斐国立公園
丹沢大山国定公園
南房総国定公園
狭山丘陵
多摩丘陵
相模原
相模湖
津久井湖
奥多摩湖
丹沢湖
宮ケ瀬湖
神流湖
江の島
p.139
139°15′
139°30′
139°45′
140°
36°15′
36°
35°45′
35°30′

① 東京周辺
1：500 000
0
10km
正角円錐図法（全体としてひずみが小さい。）
市街地
田
畑
茶畑
果樹園
工業地
その他
1600m
1000（陸高）
600
0
200（水深）
② 東京
1：100 000
0
1km
商業・業務地
ビル街
住宅地
公園・緑地
工業地
その他の地域
高等学校
大使館
東京2020オリンピック・パラリンピックのおもな会場
ー2022年ー
水戸
ひたちなか
笠間
石岡
かすみがうら
土浦
霞ケ浦
水郷筑波国定公園
茨城空港
阿見
美浦
稲敷
龍ケ崎
香取
成田
成田国際空港
佐倉
八街
山武
東金
大網白里
茂原
利根川
常陸台地
下総台地
九十九里平野
北区
足立区
葛飾区
板橋区
荒川区
豊島区
文京区
台東区
墨田区
新宿区
千代田区
中央区
江東区
渋谷区
港区
目黒区
品川区
大田区
東京湾
東京港
東京国際空港（羽田）

東京の東西断面図（A－B）

圏央道八王子西 I.C.（A地点）から多摩川がつくった河岸段丘（立川面・武蔵野面）を横切り東京都心部に入る。山の手から下町に下る直前に日本水準原点（24.39m）を通り、標高 0m 以下の東京低地に至る。

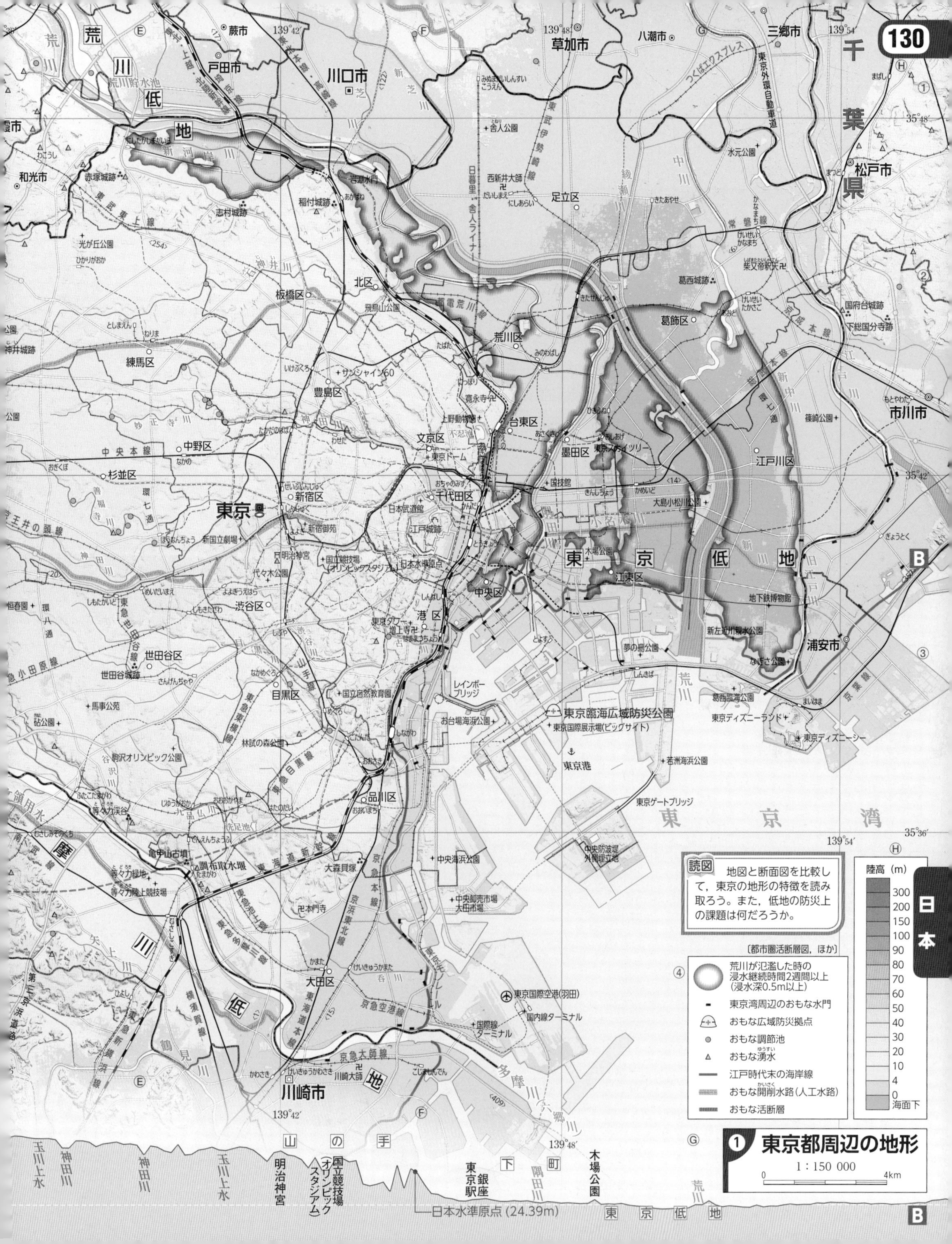

荒川低地
千葉県
戸田市
蕨市
川口市
草加市
八潮市
三郷市
和光市
松戸市
足立区
北区
板橋区
荒川区
葛飾区
練馬区
豊島区
台東区
文京区
墨田区
江戸川区
市川市
中野区
杉並区
新宿区
千代田区
東京
東京低地
江東区
中央区
渋谷区
港区
浦安市
世田谷区
目黒区
品川区
大田区
川崎市
多摩川低地
東京湾
東京臨海広域防災公園
東京国際展示場(ビッグサイト)
東京港
東京ゲートブリッジ
東京国際空港(羽田)
東京ディズニーランド
東京ディズニーシー
レインボーブリッジ
東京スカイツリー
日本水準原点
調布取水堰
読図
地図と断面図を比較して，東京の地形の特徴を読み取ろう。また，低地の防災上の課題は何だろうか。
〔都市圏活断層図，ほか〕
荒川が氾濫した時の浸水継続時間2週間以上(浸水深0.5m以上)
東京湾周辺のおもな水門
おもな広域防災拠点
おもな調節池
おもな湧水
江戸時代末の海岸線
おもな開削水路(人工水路)
おもな活断層
陸高（m）
300
200
150
100
90
80
70
60
50
40
30
20
10
4
0
海面下
山の手
下町
玉川上水
神田川
明治神宮
国立競技場(オリンピックスタジアム)
東京駅
銀座
隅田川
木場公園
荒川
東京低地
日本水準原点(24.39m)
日本
1 東京都周辺の地形
1：150 000
0
4km

北海道
津軽海峡
松前
白神岬
福島
岩部岳
大間
大間崎
下風呂
尻屋崎
下北半島
下北半島国定公園
恐山山地
恐山
むつ
釜臥山
朝比奈岳
仏ヶ浦
佐井
陸奥湾
夏泊半島
野辺地湾
青森湾
平舘海峡
龍飛崎
小泊岬
十三湊
津軽半島
屏風山
高野崎
今別
外ヶ浜
蓬田
大倉岳
青森
三内丸山遺跡
青森平野
八甲田山
十和田八幡平国立公園
奥入瀬渓流
十和田湖
三本木原
十和田
三沢
六ヶ所
原子燃料サイクル施設
小川原湖
八戸
是川遺跡
三陸復興国立公園
種差海岸
五所川原
津軽平野
弘前
岩木山
白神山地
黒石
平川
青森県
海岸段丘
p.139
大戸瀬崎
艫作崎
(黄金崎)
深浦
須郷岬
亀ヶ岡遺跡
つがる
鰺ヶ沢
能代
能代平野
米代川
鷹巣盆地
北秋田
大館
大館盆地
花輪盆地
鹿角
大湯環状列石
伊勢堂岱遺跡
秋田県
八郎潟
八郎潟干拓地
男鹿半島
男鹿
入道崎
寒風山
男鹿国定公園
マール
p.137
秋田
秋田平野
雄物川
旧雄物川
秋田城跡
太平山
出羽山地
田沢湖
角館
横手盆地
大仙
仙北
岩手山
八幡平
盛岡
北上盆地
北上高地
早池峰山
早坂高原
奥羽山脈
岩手県
久慈
二戸
九戸
御所野遺跡
宮古
重茂半島
魹ヶ崎
閉伊崎
浄土ヶ浜
日本海
② 仙台市中心部
1：60 000
0 1000m
—2023年—
商業・業務地
ビル街
住宅地
公園・緑地
その他の地域
森林
青葉区
宮城野区
若林区
太白区
仙台市役所
宮城県庁
仙台駅
仙台城(青葉城)
瑞鳳殿(伊達政宗墓)
陸奥国分寺跡
東北大学
読図 東北地方の日本海沿岸と太平洋沿岸では，入り組んだ海岸線が多いのはどちらか，答えよう。

1 東北地方
1:1 200 000
0
25km
正角円錐図法（全体としてひずみが小さい。）
陸高と水深(m)
2000
1600
1000
600
200
100
0
100
200
1000
2000
日本海
太平洋
リアス海岸
山形県
宮城県
新潟県
福島県
山形
仙台
福島
新潟
酒田
鶴岡
新庄
尾花沢
天童
米沢
長井
村上
新発田
長岡
三条
会津若松
郡山
白河
須賀川
石巻
気仙沼
大船渡
陸前高田
一関
奥州
大崎
栗原
登米
名取
岩沼
白石
相馬
南相馬
二本松
喜多方
飛島
粟島
鳥海山
月山
朝日岳
蔵王山
吾妻山
磐梯山
安達太良山
栗駒山
飯豊山
猪苗代湖
松島湾
仙台湾
石巻湾
牡鹿半島
金華山
三陸復興国立公園
磐梯朝日国立公園
鳥海国定公園
蔵王国定公園
栗駒国定公園
越後三山只見国定公園
佐渡弥彦米山国定公園
出羽山地
奥羽山脈
越後山脈
阿武隈高地
北上川
最上川
阿武隈川
阿賀野川
信濃川
只見川
庄内平野
仙台平野
山形盆地
米沢盆地
福島盆地
会津盆地
郡山盆地
新潟平野
佐渡へ
敦賀へ
名古屋へ
本日

札幌市中心部
1：50 000
商業・業務地
ビル街
住宅地
公園・緑地
その他の地域
森林
−2021年−
北区
東区
中央区
豊平区
南区
北海道大学
札幌競馬場
中央卸売市場
札幌市立大
北海道庁
札幌市役所
中央区役所
時計台
大通公園
北大植物園
NHK
高等裁判所
知事公館
札幌医科大
藻岩山
円山
旭ケ丘
中島公園
KITARA
豊平橋
豊平
菊水
大通高
札幌南高
札幌静修高
北海学園大
北海高
中国領事館
ロシア連邦領事館
伏見稲荷神社
藻岩浄水場
藻岩原始林
山頂展望台
陸上自衛隊駐屯地
JCHO北海道病院
宗谷海峡
コルサコフへ
礼文島
礼文岳
利尻島
利尻山
利尻水道
利尻礼文サロベツ国立公園
稚内
宗谷岬
野寒布岬
宗谷
天塩
天塩川
天塩山地
北見山地
北見
紋別
名寄
士別
留萌
増毛
暑寒別天売焼尻国定公園
天売島
焼尻島
石狩湾
石狩
石狩川
石狩山地
旭川
上川
大雪山
大雪山国立公園
旭岳
トムラウシ山
十勝岳
富良野
美瑛
夕張山地
夕張岳
空知
滝川
岩見沢
札幌
江別
千歳
苫小牧
恵庭
北広島
小樽
積丹岬
積丹半島
余市
後志
ニセコ積丹小樽海岸国定公園
ニセコアンヌプリ
羊蹄山
倶知安
胆振
支笏湖
支笏洞爺国立公園
洞爺湖
伊達
室蘭
登別
内浦湾
(噴火湾)
地球岬
絵鞆岬
日高
日高山脈
日高山脈襟裳国定公園
襟裳岬
えりも
浦河
静内
新ひだか
シャクシャインの戦い
十勝
十勝平野
帯広
幕別
池田
広尾
大樹
オホーツク
渡島
渡島半島
檜山
函館
函館平野
北斗
七飯
駒ケ岳
大沼国定公園
亀田半島
恵山
汐首岬
松前
松前半島
白神岬
奥尻島
大島
小島
津軽海峡
大間崎
大間
青森県
下北半島
陸奥
尻屋崎
日本海
太平洋
八戸・仙台・大洗・名古屋へ
秋田・新潟・敦賀へ
新潟へ
舞鶴へ
陸高と水深(m)
2000
1600
1000
600
200
100
0
100
200
1000
2000
4000
6000
139°
140°
141°
142°
143°

読図　南端の白神岬から北端の宗谷岬まで，緯度差はおよそ何度あるだろうか。この緯度差を縮尺の違いに気をつけながらほかの地方の図で見てみよう。
① 北海道地方
1：2 000 000
0　50km
正角円錐図法（全体としてひずみが小さい。）
宗谷　総合振興局
石狩　振興局
振興局所在地
オホーツク海
北見大和堆
知床半島
知床岬
知床岳
1254
硫黄山
1562
羅臼岳
1661
羅臼
知床国立公園
網走国定公園
能取岬
網走
斜里
海別岳
1419
斜里岳
1547
標津岳
1061
清里
小清水
大空
美幌
摩周湖
屈斜路湖
雄阿寒岳
弟子屈
標津
中標津
根室
根室湾
野付湾
風蓮湖
別海
標茶
釧路
釧路湿原
釧路平野
根室本線
厚岸
厚岸湾
大黒島
尻羽岬
厚岸霧多布昆布森国定公園
湯沸岬（霧多布岬）
浜中湾
浜中
根室半島
納沙布岬
落石岬
ユルリ島
モユルリ島
根室海峡
野付水道
歯舞群島
水晶島
貝殻島
萌茂尻島
秋勇留島
勇留島
志発島
多楽島
珸瑤瑁水道
色丹島
色丹
色丹水道
国後島
爺爺岳
1772
留夜別
植内
古釜布
羅臼山
882
泊山
535
泊
東沸
ケラムイ崎
安渡移矢岬
国後水道
ベルタルベ崎
ベルタルベ山
1221
択捉島
単冠湾
天寧
西単冠山
1629
阿登佐岳
1209
内保湾
内保
得茂別湖
焼山
1147
小田萌山
1208
指臼山
1128
振別
留別
留別湾
野斗路岬
紗那
別飛
散布山
1582
散布半島
大岬
蘂取
神威岳
1323
カモイワッカ岬
ラッキベツ岬
ロシア連邦
カムチャツカ半島
オゼルノフスキー
ロパトカ岬
アライド島
シュムシュ島（占守）
パラムシル島（幌筵）
チクラ（千倉）岳
1816
シリンキ島
パラムシル海峡
オンネコタン海峡
マカンル島（磨勘留）
オンネコタン島（温祢古丹）
黒石山
1324
ハリムコタン島（春牟古丹）
シャスコタン海峡
エカルマ（越渇磨）島
シャスコタン島（捨子古丹）
黒岳
934
チ（クリル）島
千島列島
フヨウ（芙蓉）山
1446
マツワ島（松輪）
ラスツア島（羅処和）
ケトイ（計吐夷）山
993
ケトイ島（計吐夷）
シムシル山
1539
シムシル岳（新知）
シムシル島（新知）
北ウルップ水道
ウルップ島（得撫）
見島
ウルップ富士
1329（得撫）
トコタン（床丹）
シロタエ（白妙）山
1426
択捉海峡
日本国
オホーツク海
太平洋
千島・カムチャツカ海溝
−9550
③ 千島列島
1：7 000 000
0　100km
ウルップ島からシュムシュ島までの地域はかつて日本が領有していたが，現在は帰属が未定になっている。
陸高と水深（m）
日本

② 宗谷地方
1：1 200 000
0 10km
宗谷海峡
宗谷岬
宗谷
野寒布岬
稚内
声問
モイマ山
知来別
猿払
鬼志別
利尻礼文サロベツ国立公園
礼文
船泊
礼文岳
礼文島
香深
北海道
礼文水道
利尻水道
利尻富士
鴛泊
利尻山
(利尻富士)
利尻
鬼脇
沓形
利尻島
日本海
オホーツク海
幕別平野
北見丘陵
頓別平野
抜海
沼川
幌尻山
ベニヤ原生花園
クッチャロ湖
浜頓別
下頓別
天塩平野
豊富
宗谷総合振興局
サロベツ原野
サロベツ原生花園
幌延
天塩
雄信内
天塩川
天売島
焼尻島
暑寒別天売焼尻国定公園
羽幌
ピッシリ山
苫前
古丹別
天塩山地
朱鞠内湖
雨竜第一ダム
名寄
名寄盆地
士別
剣淵
和寒
天塩
鬼鹿
小平ダム
小平
達布
留萌
留萌振興局
幌加内
幌加内峠
沼田ダム
上川総合振興局
上川盆地
愛別
比布
鷹栖
当麻
旭川
東旭川
東神楽
東川
増毛
暑寒別天売焼尻国定公園
雄冬岬
暑寒別岳
群別岳
沼田
秩父別
北竜
深川
妹背牛
雨竜沼湿原
神居古潭
神居岳
音江環状列石
イルムケップ山
増毛山地
浜益
徳富ダム
雨竜
江部乙
新十津川
滝川
赤平
芦別
別狩岳
ピンネシリ
砂川
歌志内
上砂川
美瑛
忠別岳
富良野線
瑠辺蘂山
夕張山地
石狩振興局
浦臼
厚田
奈井江
美唄
石狩
月形
滝里ダム
上富良野
中富良野
富良野
富良野盆地
布部岳
当別ダム
阿蘇岩山
宮島沼
石狩湾
石狩川
三笠
桂沢ダム
幾春別岳
芦別岳
積丹岬
神威岬
ニセコ積丹小樽海岸国定公園
積丹
余別岳
積丹岳
美国
忍路環状列石
フゴッペ洞窟
小樽海岸
祝津
高島岬
古平
積丹半島
神恵内
余市
仁木
赤井川
小樽
銭函
手稲
石狩
当別
新篠津
岩見沢
幌内炭鉱跡
札幌
江別
空知総合振興局
夕張岳
夕張岳の高山植物
八内岳
手稲山
琴似屯田兵村
札樽自動車道
阿女鱒岳
余市岳
平岸
藻岩山
野幌森林公園
南幌
長沼
栗山
由仁
夕張
シューパロ湖
シューパロダム
トマム山
泊
後志総合振興局
定山渓ダム
豊平峡ダム
定山渓
豊平川
北広島
馬追丘陵
ニセコ積丹小樽海岸国定公園
岩内
共和
岩内平野
雷電山
チセヌプリ
ニセコアンヌプリ
倶知安
無意根山
札幌岳
恵庭
千歳
千歳川
空沼岳
恵庭岳
支笏湖
新千歳
安平
弁慶岬
寿都
蘭越
羊蹄山
(蝦夷富士)
喜茂別
中山峠
京極
ニセコ
真狩
留寿都
貫気別山
風不死岳
樽前山
胆振
ウトナイ湖
早来
厚真
幌別岳
樽岸遺跡
島牧
大平山
黒松内
歌才ブナ自生北限地帯
後志
昆布岳
幌内山
洞爺湖有珠山ジオパーク
支笏洞爺国立公園
洞爺湖
大滝
ホロホロ山
美笛峠
胆振総合振興局
勇払
苫小牧
苫小牧港
勇払平野
石油備蓄基地
むかわ
鵡川
狩場山
狩場山地
有珠山
昭和新山
オロフレ山
民族共生象徴空間(ウポポイ)
白老
豊浦
長万部
カルデラ
→p.137
溶岩円頂丘
→p.137
長流川
伊達
登別
虎杖浜
鷲別岳
室蘭岳
檜山振興局
北檜山
瀬棚
今金
せたな
内浦湾
(噴火湾)
大黒島
絵鞆岬
室蘭
チキウ岬
八雲
遊楽部岳
(見市岳)
渡島半島
熊石
渡島総合振興局
森
砂原
砂崎
駒ケ岳
大沼国定公園
大沼
鹿部
乙部
厚沢部
江差
乙部岳
鶉川ゴヨウマツ自生北限地帯
中山峠
檜山振興局
八幡岳
七飯
横津岳
大船遺跡
大野
函館平野
北斗
桂岳
上磯
函館
五稜郭跡
南茅部
亀田半島
恵山
恵山岬
汐首岬
戸井
函館山
木無山
上ノ国
北海道新幹線
日高振興局
日高
新冠
新ひだか
静内
シャクシャインの戦い
二風谷アイヌ文化博物館
二風谷ダム
平取
貫気別山
幌尻岳
芦別岳
ペラリ山
三石
門別
ハッタオマナイ岳
糠平山
穂別
日高本線
秋田・新潟・敦賀へ
八戸・仙台・大洗・名古屋へ
奥尻へ
新潟へ
舞鶴へ
陸高と水深(m)
振興局所在地
① 北海道地方要部
1：1 200 000
0 25km
正角円錐図法(全体としてひずみが小さい。)

オホーツク海
北見大和堆
知床岬
知床半島
知床岳
1254
硫黄山
1562
羅臼岳
1661
知床国立公園
ウトロ
羅臼
遠音別岳
1330
国後島
羅臼山
882
東沸
泊山
535
泊
ケラムイ崎
根室海峡
野付水道
野付半島
野付崎
根室湾
根室半島
納沙布岬
根室
花咲
モユルリ島
ユルリ島
落石岬
風蓮湖
温根沼
厚床
根室振興局
根室
根釧台地
標津
中標津
標津岳
1061
サマッケヌプリ山
1062
武佐岳
1005
斜里岳
1547
海別岳
1419
斜里
清里
斜里平野
網走
大空
女満別
美幌
美幌平野
東藻琴
小清水
濤沸湖
網走湖
能取岬
常呂
常呂遺跡
網走国定公園
サロマ湖
ラグーン
湧別
遠軽
紋別
沙留
西興部
蔚岳
818
ウェンシリ岳
1142
滝上
丸瀬布
佐呂間
オホーツク総合振興局
北見
北見盆地
訓子府
端野
留辺蘂
置戸
北見山地
石北本線
石北トンネル
天塩岳
1558
渚滑岳
1345
ニセイカウシュッペ山
1883
武利岳
1876
北見富士
1291
大雪ダム
石北峠
1050
三国山
1541
石狩岳
1967
白雲岳
2230
ニペソツ山
2013
西クマネシリ岳
1635
喜登牛山
1312
東三国山
1230
丸山
1692
ウペペサンケ山
1848
糠平湖
糠平ダム
陸別
津別
藻琴山
1000
美幌峠
屈斜路湖
川湯
アトサヌプリ
（硫黄山）
508
サマッカリヌプリ
974
カムイヌプリ
857（摩周岳）
摩周湖
阿寒摩周国立公園
弟子屈
養老牛
釧北峠
マリモ
阿寒湖
雄阿寒岳
1370
雌阿寒岳
1499
阿寒富士
1476
オンネトー
釧路
釧路総合振興局
鶴居
鶴居・伊藤タンチョウサンクチュアリ
タンチョウ繁殖地
釧路湿原
釧路湿原国立公園
阿寒
釧路平野
塘路湖
別寒辺牛湿原
茶内
厚岸
厚岸湖
厚岸湾
霧多布湿原
浜中湾
浜中
湯沸岬
（霧多布岬）
大黒島
厚岸霧多布昆布森国定公園
尻羽岬
釧路
北斗遺跡
大楽毛
東釧路貝塚
興津遺跡
釧路炭田
白糠
白糠丘陵
音別
根室本線
標茶
庶路ダム
ウコタキヌプリ山
747
足寄
本別
上士幌
士幌
鹿追
十勝
家畜改良センター
十勝牧場
音更
道東自動車道
帯広
芽室
十勝平野
幕別
池田
ワイン
浦幌
豊頃
十勝川
浦幌十勝川
長節湖
大津原生花園
湧洞沼
生花苗沼
中札内
更別
忠類
大樹
十勝総合振興局
日高山脈襟裳国定公園
神威岳
カムイエクウチカウシ山
札内川ダム
剣山
1205
帯広岳
1089
楽古岳
十勝岳
1457
広尾
広尾岳
1231
野塚トンネル
豊似岳
1105
アポイ岳
810
アポイ岳ジオパーク
高山植物群落
様似
えりも
襟裳岬
北海道
太平洋
狩勝
チーズ
145°30′
145°
144°30′
144°
143°30′
143°
44°
43°30′
43°
42°30′
42°
読図
湖に着目し，形や位置，火山やダムの有無から，湖の成因を考えてみよう。
③ 釧路湿原
網走
オホーツク海
小清水原生花園
濤沸湖
小清水
網走湖
大空
女満別空港
美幌
美幌平野
北見
北見盆地
津別
藻琴山
1000
美幌峠
サマッカリヌプリ
974
フップシ岳
1226
阿寒富士
1476
雌阿寒岳
1499
雄阿寒岳
1370
阿寒湖
パンケトウ
阿寒湖畔
阿寒摩周国立公園
屈斜路湖
和琴
砂湯
川湯
アトサヌプリ
（硫黄山）508
野上峠
857
カムイヌプリ
（摩周岳）
摩周湖
摩周
弟子屈
釧路川
阿寒川
鶴居
標茶
根釧台地
コッタロ湿原展望台
タンチョウ繁殖地
釧路湿原
国立公園
サルボ展望台
釧路市動物園
丹頂鶴自然公園
釧路市湿原展望台
釧路湿原
夢ヶ丘展望台
細岡展望台
岩保木山展望台
塘路湖
別寒辺牛湿原
たんちょう釧路空港
釧路平野
釧路
東釧路貝塚
興津遺跡
太平洋
厚岸湾
日本

1 地球内部の力でできた地形

1 褶曲地形

ⓐアルプス山脈 ➲p.56

読図 アルプス山脈は，大陸プレートどうしが衝突して，地層が徐々に押し曲げられて褶曲が起こったことにより形成された。どのプレートの衝突によるものか，p.193-194 ①・⑤図から読み取ろう。同じしくみでできた大山脈はどこだろうか。

ⓑ褶曲のようす

2 断層地形

ⓐ断層山地の地形

ⓑ断層の種類

ア.正断層 張力によってできた断層

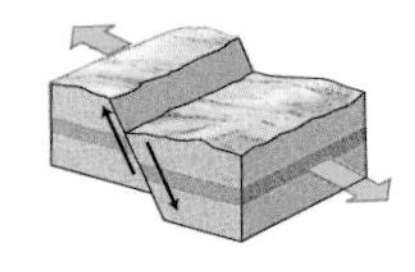

イ.逆断層 圧力によってできた断層

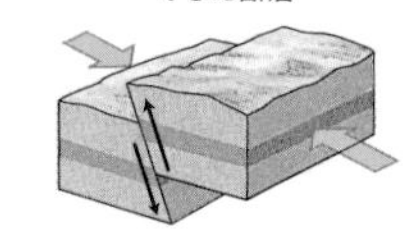

ウ.横ずれ断層 すれちがう力によってできた断層

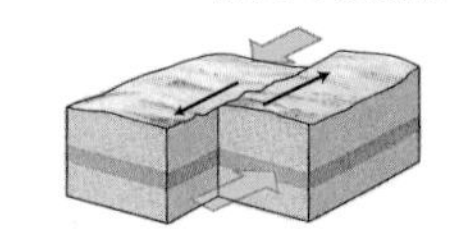

ⓒ横ずれ断層のサンアンドレアス断層 —アメリカ合衆国 ➲p.83

3 火山

ⓐ火山ができる場所

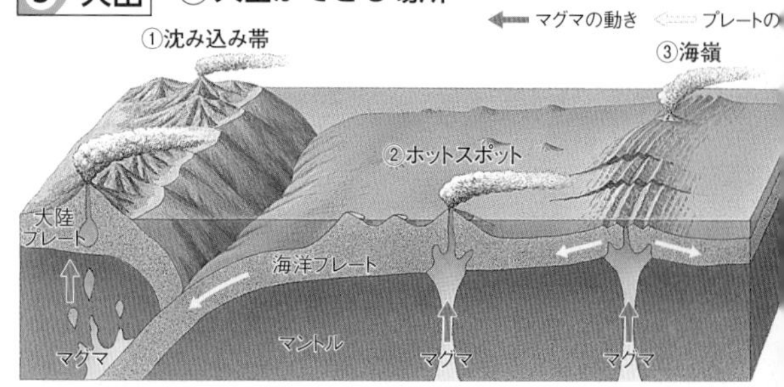

ⓑ火山がつくる地形

溶岩円頂丘 ➲p.83, 135 おもに粘性の大きい溶岩からなる。火口丘などに多い

火山岩尖 火口内で固まった溶岩の柱が押し上げられたもの

マール ➲p.73, 131 爆発によってできた火口状のくぼ地

溶岩台地 ➲p.83 多数の地点から大量の溶岩が流れ出て，一般に千～数万km²の広がりをもつ

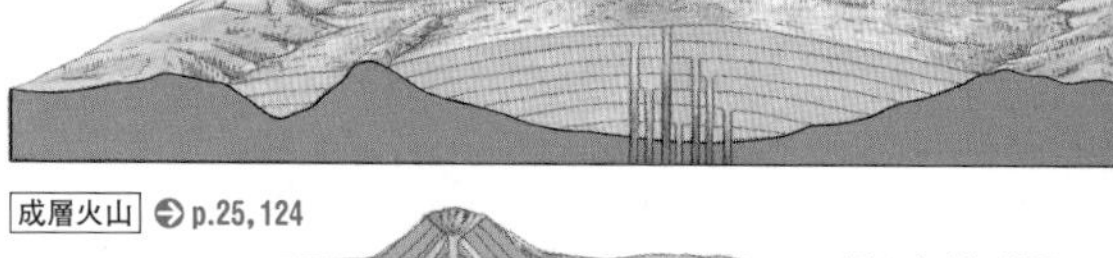

成層火山 ➲p.25, 124

溶岩と火砕物（爆発による放出物）からなる成層火山

カルデラ —有珠山 ➲p.135　その他カルデラの例 ➲p.26,

カルデラとは，楯状火山（➲p.74 など）や円錐状火山の山頂部が広く陥没（または爆発）したもの

2 侵食・堆積によってできた地形

1 侵食平野

ⓐ侵食平野の地形

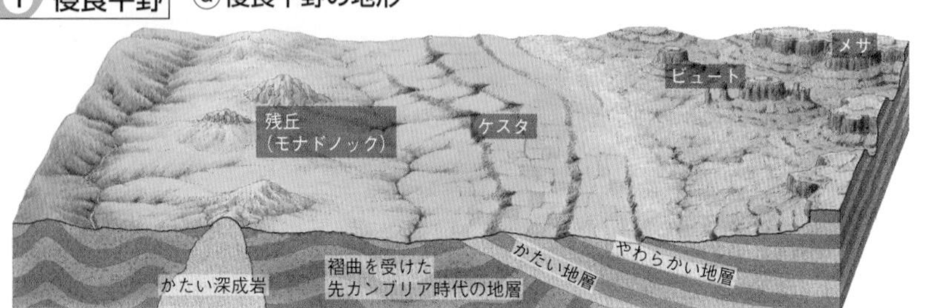

河川の侵食による地形の変化

・W. M. デーヴィスが提唱した，河川による侵食輪廻のモデル

＊海面の高さなど，侵食作用のおよぶ下限

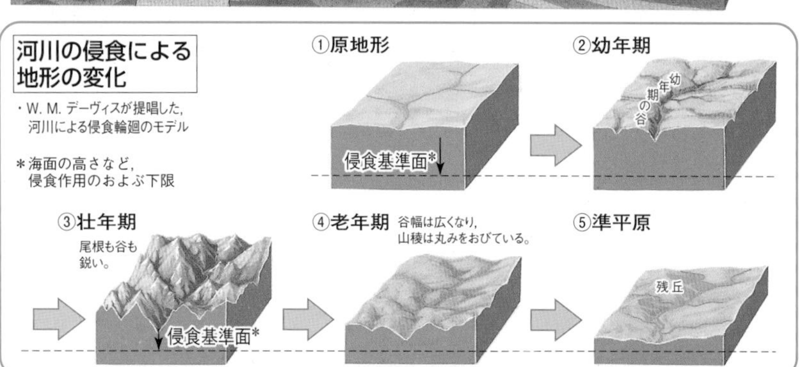

ⓑケスタ地形 —パリ盆地 ➲p.51

ⓒモニュメントヴァレー —アメリカ合衆国 ➲p.83

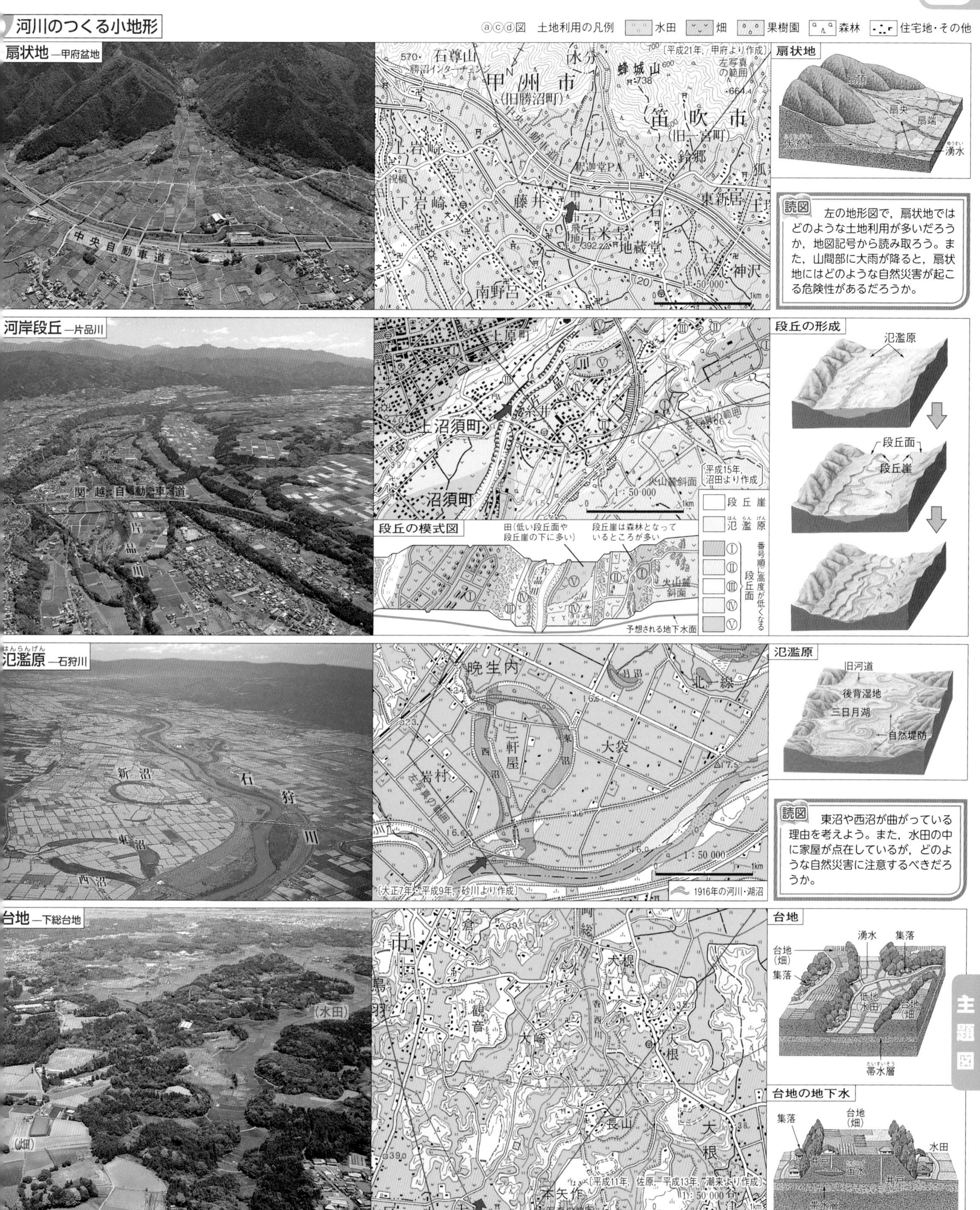
河川のつくる小地形
ⓐⓒⓓ図 土地利用の凡例 水田 畑 果樹園 森林 住宅地・その他
扇状地 —甲府盆地
中央自動車道
(平成21年, 甲府より作成)
左写真の範囲
1:50 000
扇状地
扇頂
扇央
扇端
伏流水
湧水
読図 左の地形図で，扇状地ではどのような土地利用が多いだろうか，地図記号から読み取ろう。また，山間部に大雨が降ると，扇状地にはどのような自然災害が起こる危険性があるだろうか。
河岸段丘 —片品川
関越自動車道
片品川
平成15年, 沼田より作成
1:50 000
段丘の形成
氾濫原
段丘面
段丘崖
段丘の模式図
田(低い段丘面や段丘崖の下に多い)
段丘崖は森林となっているところが多い
予想される地下水面
段丘崖
氾濫原
段丘面 番号順に高度が低くなる
氾濫原 —石狩川
新沼
石狩川
東沼
西沼
(大正7年, 平成9年, 砂川より作成)
1916年の河川・湖沼
1:50 000
氾濫原
旧河道
後背湿地
三日月湖
自然堤防
読図 東沼や西沼が曲がっている理由を考えよう。また，水田の中に家屋が点在しているが，どのような自然災害に注意するべきだろうか。
台地 —下総台地
(水田)
(畑)
(平成11年, 佐原, 平成13年, 潮来より作成)
1:50 000
左写真の範囲
台地
湧水
集落
台地(畑)
低地(水田)
帯水層
台地の地下水
水田
井戸
宙水
主題図

ⓔ三角州(デルタ)

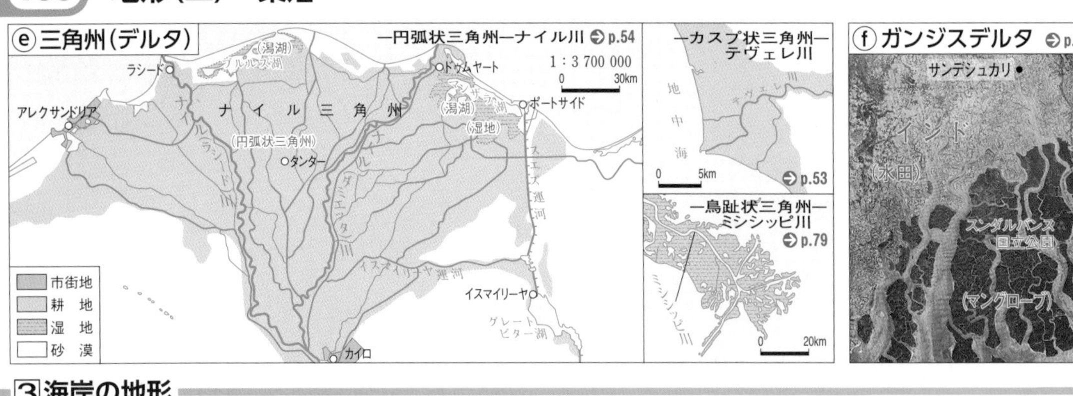
—円弧状三角州—ナイル川 ➲p.54
1：3 700 000
ラシード
ドゥムヤート
ポートサイド
アレクサンドリア
ナ イ ル 三 角 州
(円弧状三角州)
タンター
(潟湖)
(湿地)
スエズ運河
イスマイリーヤ運河
イスマイリーヤ
グレートビター湖
カイロ
市街地
耕 地
湿 地
砂 漠
—カスプ状三角州—テヴェレ川
地中海
➲p.53
—鳥趾状三角州—ミシシッピ川
➲p.79
ミシシッピ川

ⓕガンジスデルタ ➲p.34

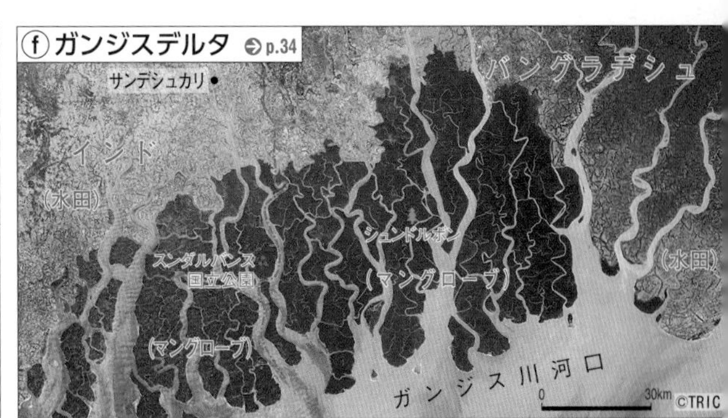
サンデシュカリ
バングラデシュ
インド
(水田)
スンダルバンス国立公園
シュンドルボン
(マングローブ)
(マングローブ)
(水田)
ガンジス川河口
30km
©TRIC

③海岸の地形

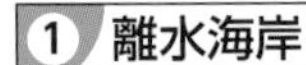

① 離水海岸

その他海岸平野の例 ➲p.80

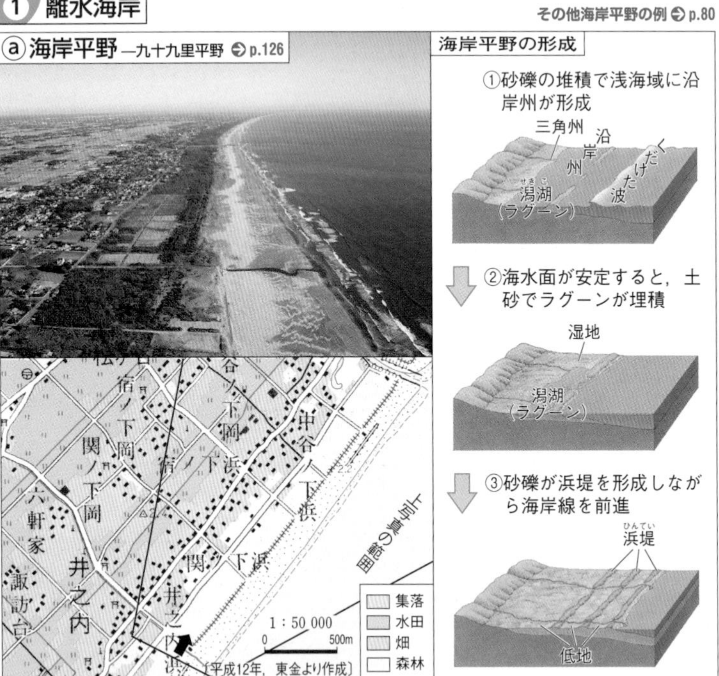
ⓐ海岸平野—九十九里平野 ➲p.126
海岸平野の形成
①砂礫の堆積で浅海域に沿岸州が形成
三角州
沿岸州
くだけた波
潟湖(ラグーン)
②海水面が安定すると，土砂でラグーンが埋積
湿地
潟湖(ラグーン)
③砂礫が浜堤を形成しながら海岸線を前進
浜堤
低地
1：50 000
集落
水田
畑
森林
〔平成12年，東金より作成〕

その他海岸段丘の例 ➲p.11

ⓑ海岸段丘—青森県大戸瀬崎付近 ➲p.131
海岸段丘の形成
①波の侵食で海食崖と海食台が形成
海食崖
海食台
②隆起により海食台が離水して陸地となる
海岸段丘
③波の侵食と離水を繰り返し階段状になる
新しい海食崖
段丘崖(古い海食崖)
約10万年前に形成された段丘
約8万年前に形成された段丘
Ⓐ Ⓑ Ⓒ 上写真のⒶⒷⒸ地点
1：25 000
〔平成11年，田野沢より作成〕
田野沢
おおどせ

② 沈水海岸

ⓐフィヨルド—ソグネフィヨルド(ノルウェー)
ノルウェー
➲p.60
フェルデ
イエルステル氷河
ダーレ
ヘイヤンゲル
ライカンゲル
ソグンダール
ヒレスター
ラヴィク
ソグネ・フィヨルド
ヴィク
レーダールセイリ
フレースビークフレー山
ブレッケ
ブロースカーブレン山
グドヴァンゲン
1：1 740 000
〔The Times Atlas of The World 1993年版〕
ⓑ三角江(エスチュアリ)—セーヌ川河口(フランス) ➲p.51
The Times Atlas of The World 1993年版
イギリス海峡
ルアーヴル
ボルベック
セーヌ川
ドーヴィル
1：1 500 000
ⓒリアス海岸—ガリシア地方(スペイン) ➲p.55
Atlas Actual de Geografia Universal 1992年版
コルクビオン
リアデコルクビオン
サンティアゴデコンポステーラ
リアデムーロスイノイア
リアデアローサ
カンバドス
ポンテベドラ
リアデポンテベドラ
ビーゴ
オウレンセ
イベリア半島
1：2 500 000

③ その他の海岸地形

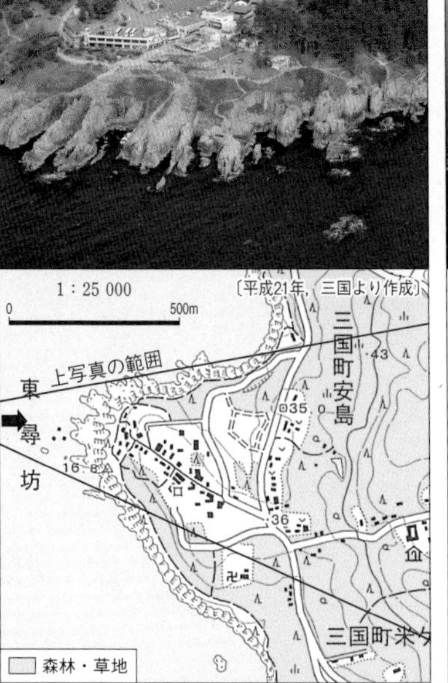
ⓐ海食崖—福井県 ➲p.117
1：25 000
〔平成21年，三国より作成〕
上写真の範囲
東尋坊
三国町安島
三国町米ケ
森林・草地

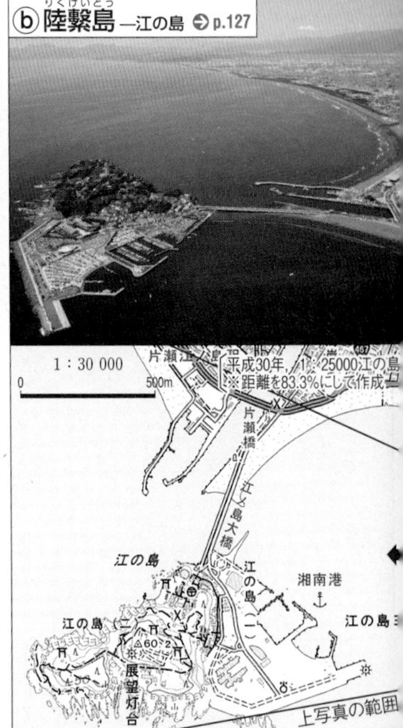
ⓑ陸繋島—江の島 ➲p.127
1：30 000
〔平成30年，1：25000江の島〕
※距離を83.3%にして作成
片瀬
江の島大橋
江の島
湘南港
展望灯台
上写真の範囲

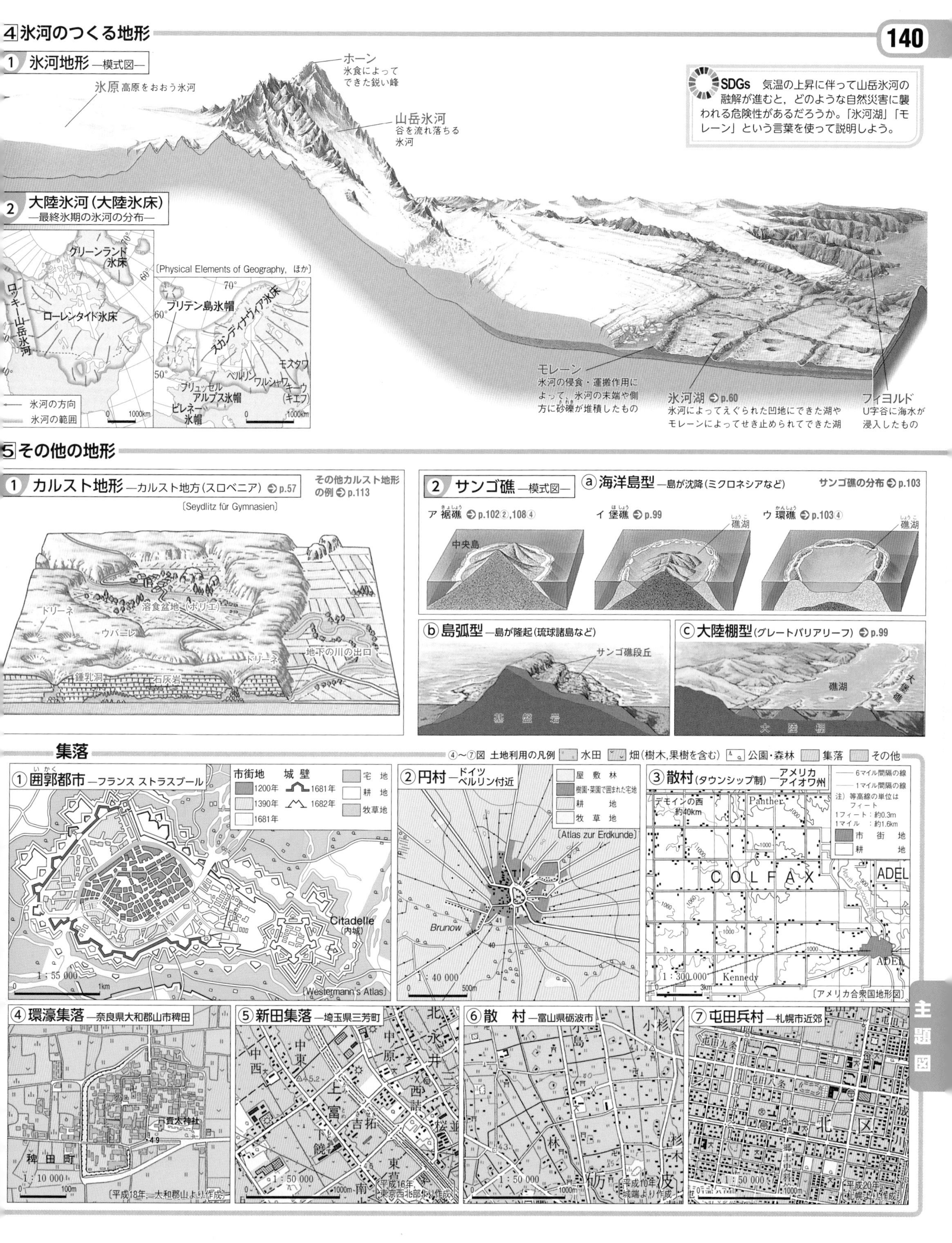

4 氷河のつくる地形
140
1 氷河地形 —模式図—
氷原 高原をおおう氷河
ホーン
氷食によって
できた鋭い峰
山岳氷河
谷を流れ落ちる
氷河
SDGs 気温の上昇に伴って山岳氷河の融解が進むと、どのような自然災害に襲われる危険性があるだろうか。「氷河湖」「モレーン」という言葉を使って説明しよう。
2 大陸氷河(大陸氷床)
—最終氷期の氷河の分布—
グリーンランド氷床
ロッキー山岳氷河
ローレンタイド氷床
〔Physical Elements of Geography, ほか〕
ブリテン島氷帽
スカンディナヴィア氷床
モスクワ
ベルリン
ワルシャワ
キーウ
(キエフ)
ブリュッセル
アルプス氷帽
ピレネー氷帽
氷河の方向
氷河の範囲
1000km
モレーン
氷河の侵食・運搬作用によって、氷河の末端や側方に砂礫が堆積したもの
氷河湖 ➲ p.60
氷河によってえぐられた凹地にできた湖やモレーンによってせき止められてできた湖
フィヨルド
U字谷に海水が浸入したもの
5 その他の地形
1 カルスト地形 —カルスト地方(スロベニア) ➲ p.57
その他カルスト地形の例 ➲ p.113
〔Seydlitz für Gymnasien〕
溶食盆地(ポリエ)
ドリーネ
ウバーレ
鍾乳洞
石灰岩
地下の川の出口
2 サンゴ礁 —模式図—
a 海洋島型 —島が沈降(ミクロネシアなど)
サンゴ礁の分布 ➲ p.103
ア 裾礁 ➲ p.102②,108④
イ 堡礁 ➲ p.99
ウ 環礁 ➲ p.103④
中央島
礁湖
b 島弧型 —島が隆起(琉球諸島など)
サンゴ礁段丘
基盤岩
c 大陸棚型(グレートバリアリーフ) ➲ p.99
礁湖
大堡礁
大陸棚
集落
④~⑦図 土地利用の凡例 水田 畑(樹木,果樹を含む) 公園・森林 集落 その他
① 囲郭都市 —フランス ストラスブール
市街地 1200年 1390年 1681年
城壁 1681年 1682年
宅地 耕地 牧草地
Citadelle (内城)
1:55 000
〔Westermann's Atlas〕
② 円村 —ドイツ ベルリン付近
屋敷林
樹園・菜園で囲まれた宅地
耕地
牧草地
〔Atlas zur Erdkunde〕
Brunow
1:40 000
③ 散村(タウンシップ制) —アメリカ アイオワ州
6マイル間隔の線
1マイル間隔の線
注) 等高線の単位はフィート
1フィート:約0.3m
1マイル:約1.6km
市街地
耕地
デモインの西約40km
Panther
COLFAX
ADEL
Kennedy
1:300 000
〔アメリカ合衆国地形図〕
④ 環濠集落 —奈良県大和郡山市稗田
賣太神社
稗田町
1:10 000
〔平成18年、大和郡山より作成〕
⑤ 新田集落 —埼玉県三芳町
1:50 000
〔平成16年、東京西北部より作成〕
⑥ 散村 —富山県砺波市
1:50 000
〔平成10年、城端より作成〕
⑦ 屯田兵村 —札幌市近郊
屯田九条
屯田八条
北区
1:50 000
〔平成20年、札幌より作成〕
主題図

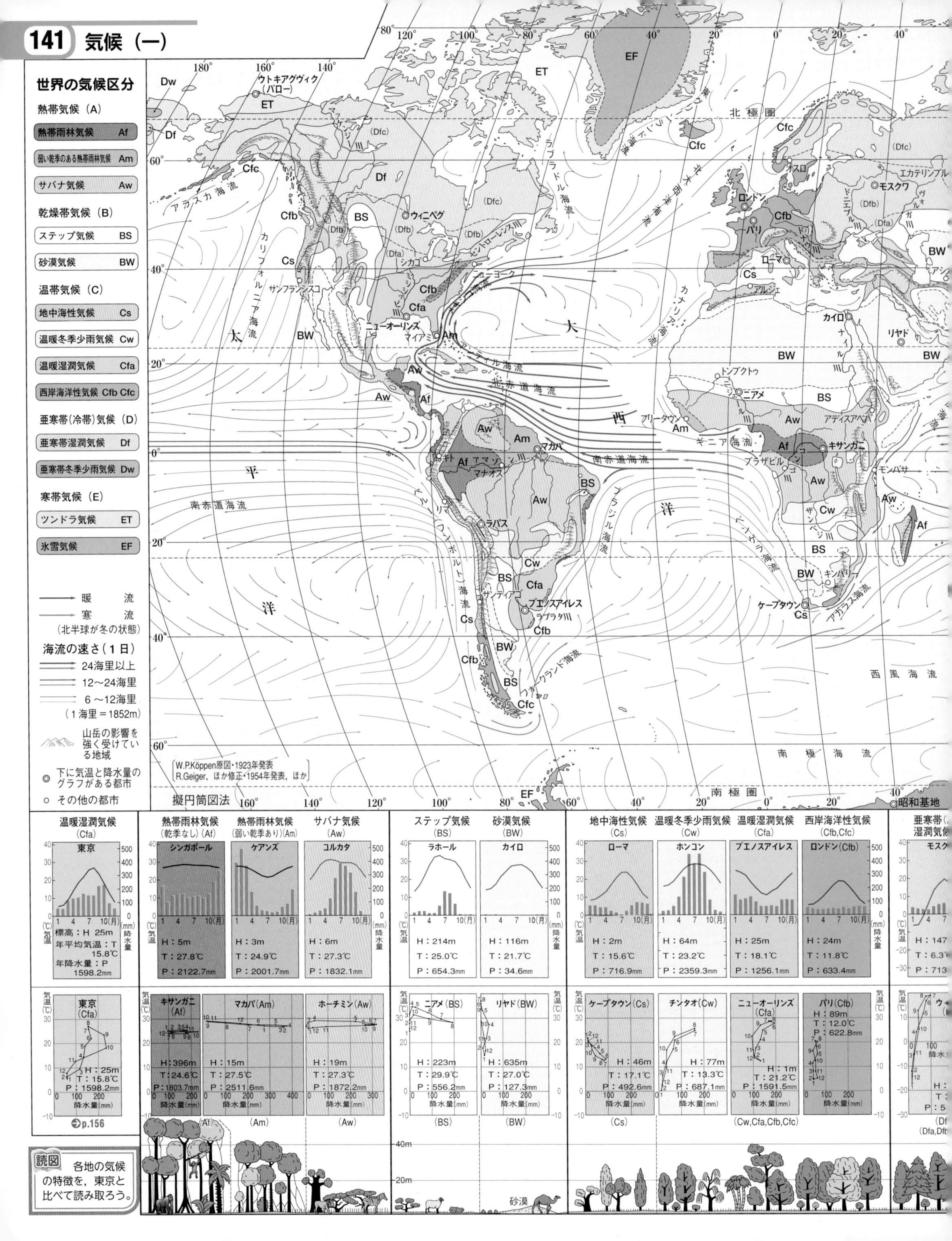
141 気候（一）
世界の気候区分
熱帯気候（A）
熱帯雨林気候 Af
弱い乾季のある熱帯雨林気候 Am
サバナ気候 Aw
乾燥帯気候（B）
ステップ気候 BS
砂漠気候 BW
温帯気候（C）
地中海性気候 Cs
温暖冬季少雨気候 Cw
温暖湿潤気候 Cfa
西岸海洋性気候 Cfb Cfc
亜寒帯（冷帯）気候（D）
亜寒帯湿潤気候 Df
亜寒帯冬季少雨気候 Dw
寒帯気候（E）
ツンドラ気候 ET
氷雪気候 EF
暖流
寒流
（北半球が冬の状態）
海流の速さ（1日）
24海里以上
12～24海里
6～12海里
（1海里＝1852m）
山岳の影響を強く受けている地域
下に気温と降水量のグラフがある都市
その他の都市
W.P.Köppen原図・1923年発表
R.Geiger，ほか修正・1954年発表，ほか
擬円筒図法
ウトキアグヴィク（バロー）
アラスカ海流
カリフォルニア海流
ラブラドル海流
北大西洋海流
東グリーンランド海流
メキシコ湾流
カナリア海流
アンティル海流
北赤道海流
南赤道海流
ギニア海流
ブラジル海流
ペルー（フンボルト）海流
ベンゲラ海流
アガラス海流
フォークランド海流
西風海流
南極海流
北極圏
南極圏
太平洋
大西洋
ウィニペグ
シカゴ
セントローレンス川
ニューヨーク
サンフランシスコ
ミシシッピ川
ニューオーリンズ
マイアミ
アマゾン川
マカパ
マナオス
キト
リマ
ラパス
サンティアゴ
ブエノスアイレス
ラプラタ川
オスロ
ロンドン
パリ
ローマ
アルジェ
モスクワ
エカテリンブルク
ドニエプル川
ヴォルガ川
カイロ
ナイル川
リヤド
トンブクトゥ
ニジェール川
ニアメ
フリータウン
アディスアベバ
キサンガニ
コンゴ川
ブラザビル
モンバサ
ザンベジ川
キンバリー
ケープタウン
昭和基地
温暖湿潤気候（Cfa） 東京 標高：H 25m 年平均気温：T 15.8℃ 年降水量：P 1598.2mm
熱帯雨林気候（乾季なし）（Af） シンガポール H：5m T：27.8℃ P：2122.7mm
熱帯雨林気候（弱い乾季あり）（Am） ケアンズ H：3m T：24.9℃ P：2001.7mm
サバナ気候（Aw） コルカタ H：6m T：27.3℃ P：1832.1mm
ステップ気候（BS） ラホール H：214m T：25.0℃ P：654.3mm
砂漠気候（BW） カイロ H：116m T：21.7℃ P：34.6mm
地中海性気候（Cs） ローマ H：2m T：15.6℃ P：716.9mm
温暖冬季少雨気候（Cw） ホンコン H：64m T：23.2℃ P：2359.3mm
温暖湿潤気候（Cfa） ブエノスアイレス H：25m T：18.1℃ P：1256.1mm
西岸海洋性気候（Cfb,Cfc） ロンドン（Cfb） H：24m T：11.8℃ P：633.4mm
亜寒帯（冷帯）湿潤気候 モスクワ H：147 T：6.3 P：713
東京（Cfa） H：25m T：15.8℃ P：1598.2mm
キサンガニ（Af） H：396m T：24.6℃ P：1803.7mm
マカパ（Am） H：15m T：27.5℃ P：2511.6mm
ホーチミン（Aw） H：19m T：27.3℃ P：1872.2mm
ニアメ（BS） H：223m T：29.9℃ P：556.2mm
リヤド（BW） H：635m T：27.0℃ P：127.3mm
ケープタウン（Cs） H：46m T：17.1℃ P：492.6mm
チンタオ（Cw） H：77m T：13.3℃ P：687.1mm
ニューオーリンズ（Cfa） H：1m T：21.2℃ P：1591.5mm
パリ（Cfb） H：89m T：12.0℃ P：622.8mm
気温（℃）
降水量（mm）
➲p.156
砂漠
読図 各地の気候の特徴を，東京と比べて読み取ろう。

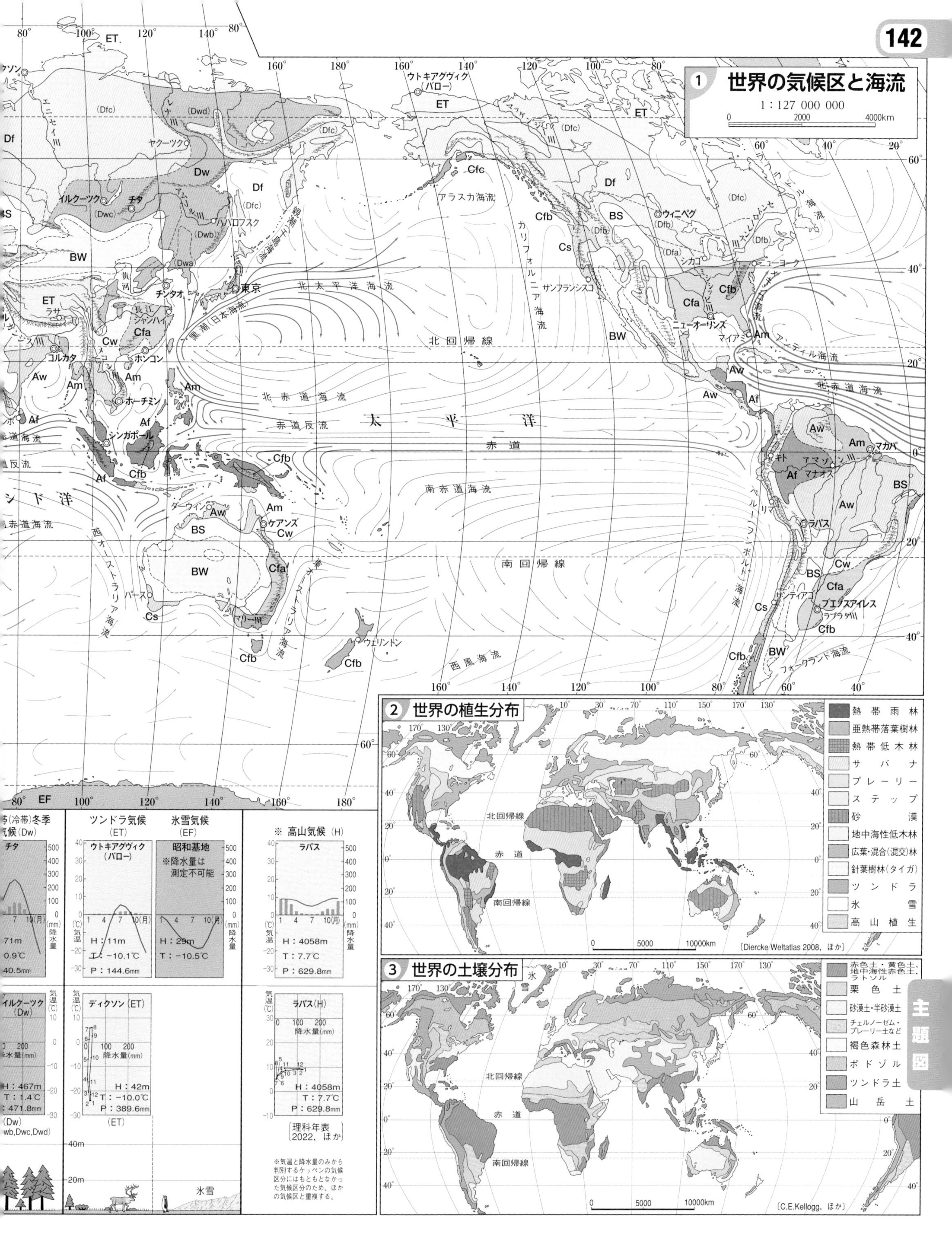

1 世界の気候区と海流
1：127 000 000
0 2000 4000km
ET
Df
Dw
Dfc
Dwd
Dwc
Dwb
Dwa
BS
BW
Cfa
Cfb
Cfc
Cs
Cw
Aw
Am
Af
EF
エニセイ川
レナ川
ヤクーツク
イルクーツク
チタ
アムール川
ハバロフスク
黄河
チンタオ
東京
ラサ
長江
シャンハイ
ガンジス川
コルカタ
メコン川
ホンコン
ホーチミン
シンガポール
ダーウィン
ケアンズ
パース
マリー川
ウェリントン
親潮（千島海流）
黒潮（日本海流）
北太平洋海流
北回帰線
北赤道海流
赤道反流
太平洋
赤道
南赤道海流
南回帰線
西オーストラリア海流
東オーストラリア海流
西風海流
インド洋
ウトキアグヴィク（バロー）
マッケンジー川
アラスカ海流
カリフォルニア海流
サンフランシスコ
ウィニペグ
セントローレンス川
シカゴ
ニューヨーク
ミシシッピ川
ニューオーリンズ
マイアミ
メキシコ湾流
ラブラドル海流
アンティル海流
キト
アマゾン川
マナオス
マカパ
リマ
ラパス
ペルー（フンボルト）海流
サンティアゴ
ブエノスアイレス
ラプラタ川
フォークランド海流
亜寒帯（冷帯）冬季少雨気候（Dw）
チタ
ツンドラ気候（ET）
ウトキアグヴィク（バロー）
H：11m
T：−10.1℃
P：144.6mm
氷雪気候（EF）
昭和基地
※降水量は測定不可能
H：29m
T：−10.5℃
※ 高山気候（H）
ラパス
H：4058m
T：7.7℃
P：629.8mm
気温（℃）
降水量（mm）
イルクーツク（Dw）
H：467m
T：1.4℃
P：471.8mm
ディクソン（ET）
H：42m
T：−10.0℃
P：389.6mm
ラパス（H）
H：4058m
T：7.7℃
P：629.8mm
〔理科年表 2022，ほか〕
※気温と降水量のみから判別するケッペンの気候区分にはもともとなかった気候区分のため，ほかの気候区と重複する。
40m
20m
氷雪
2 世界の植生分布
熱帯雨林
亜熱帯落葉樹林
熱帯低木林
サバナ
プレーリー
ステップ
砂漠
地中海性低木林
広葉・混合（混交）林
針葉樹林（タイガ）
ツンドラ
氷雪
高山植生
北回帰線
赤道
南回帰線
0 5000 10000km
〔Diercke Weltatlas 2008，ほか〕
3 世界の土壌分布
赤色土・黄色土，地中海性赤色土，ラトソル
栗色土
砂漠土・半砂漠土
チェルノーゼム・プレーリー土など
褐色森林土
ポドゾル
ツンドラ土
山岳土
氷雪
北回帰線
赤道
南回帰線
0 5000 10000km
〔C.E.Kellogg，ほか〕
主題図

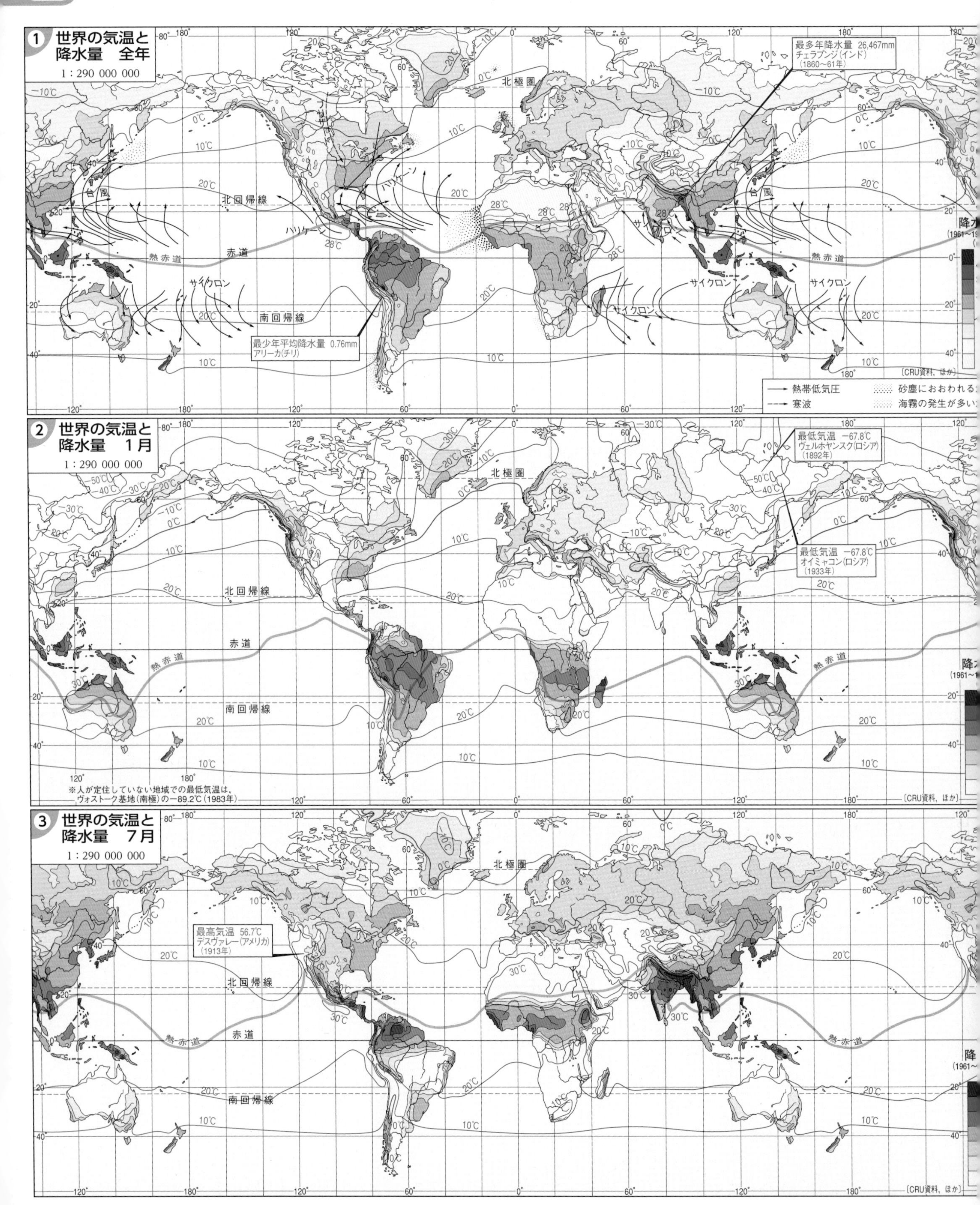
① 世界の気温と降水量 全年
1：290 000 000
最多年降水量 26,467mm
チェラプンジ(インド)
(1860～61年)
最少年平均降水量 0.76mm
アリーカ(チリ)
北極圏
北回帰線
赤道
熱赤道
南回帰線
台風
ハリケーン
サイクロン
熱帯低気圧
寒波
砂塵におおわれる
海霧の発生が多い
〔CRU資料, ほか〕
② 世界の気温と降水量 1月
1：290 000 000
最低気温 −67.8℃
ヴェルホヤンスク(ロシア)
(1892年)
最低気温 −67.8℃
オイミャコン(ロシア)
(1933年)
※人が定住していない地域での最低気温は、ヴォストーク基地(南極)の−89.2℃(1983年)
〔CRU資料, ほか〕
③ 世界の気温と降水量 7月
1：290 000 000
最高気温 56.7℃
デスヴァレー(アメリカ)
(1913年)
〔CRU資料, ほか〕

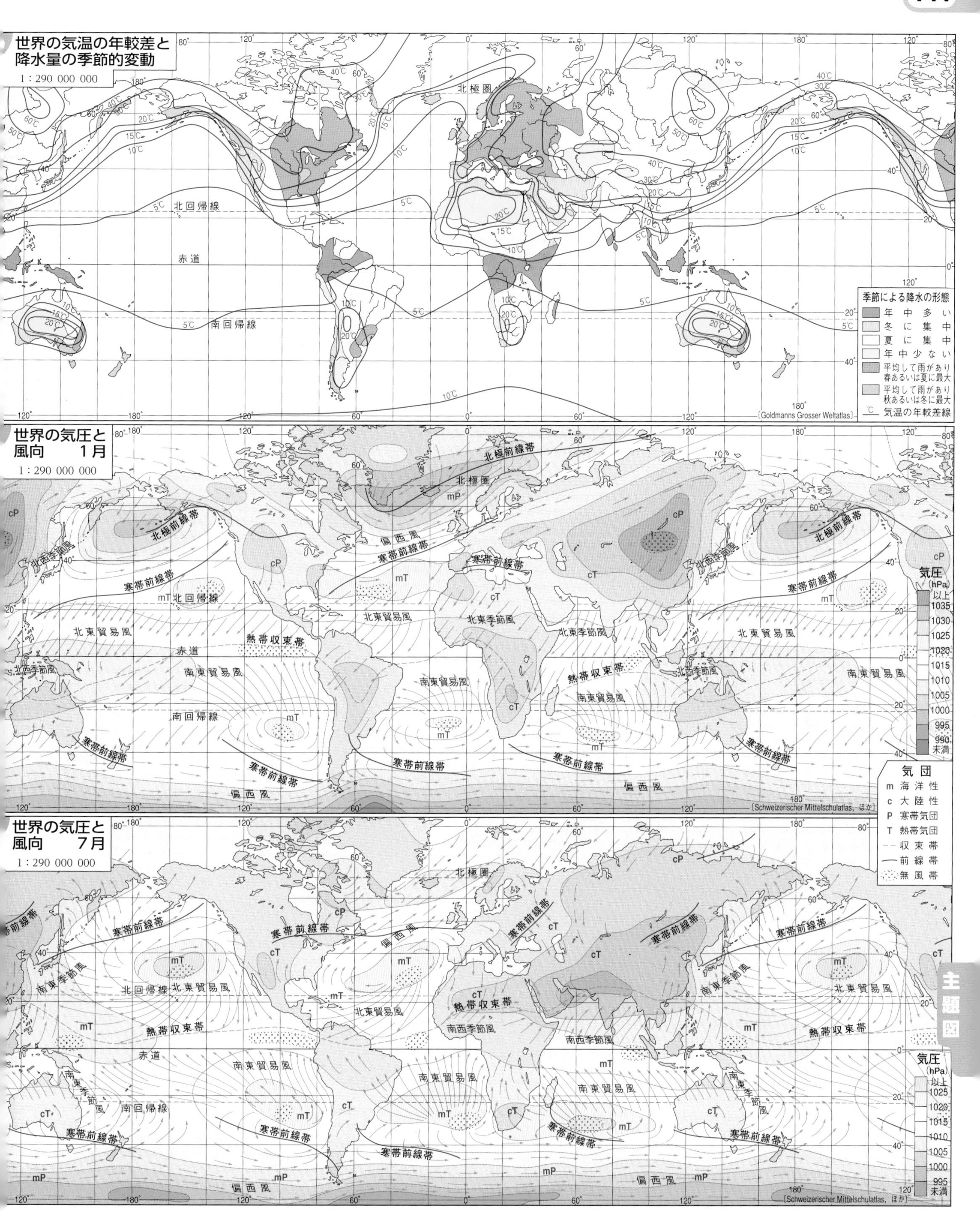
世界の気温の年較差と降水量の季節的変動
1：290 000 000
季節による降水の形態
年中多い
冬に集中
夏に集中
年中少ない
平均して雨があり春あるいは夏に最大
平均して雨があり秋あるいは冬に最大
℃ 気温の年較差線
北極圏
北回帰線
赤道
南回帰線
(Goldmanns Grosser Weltatlas)
世界の気圧と風向 1月
1：290 000 000
北極前線帯
寒帯前線帯
偏西風
北東貿易風
北東季節風
北西季節風
熱帯収束帯
南東貿易風
気圧 (hPa)
1035以上
1030
1025
1020
1015
1010
1005
1000
995
990未満
気団
m 海洋性
c 大陸性
P 寒帯気団
T 熱帯気団
収束帯
前線帯
無風帯
(Schweizerischer Mittelschulatlas，ほか)
世界の気圧と風向 7月
1：290 000 000
南西季節風
南東季節風
気圧 (hPa)
1025以上
1020
1015
1010
1005
1000
995未満
(Schweizerischer Mittelschulatlas，ほか)
主題図

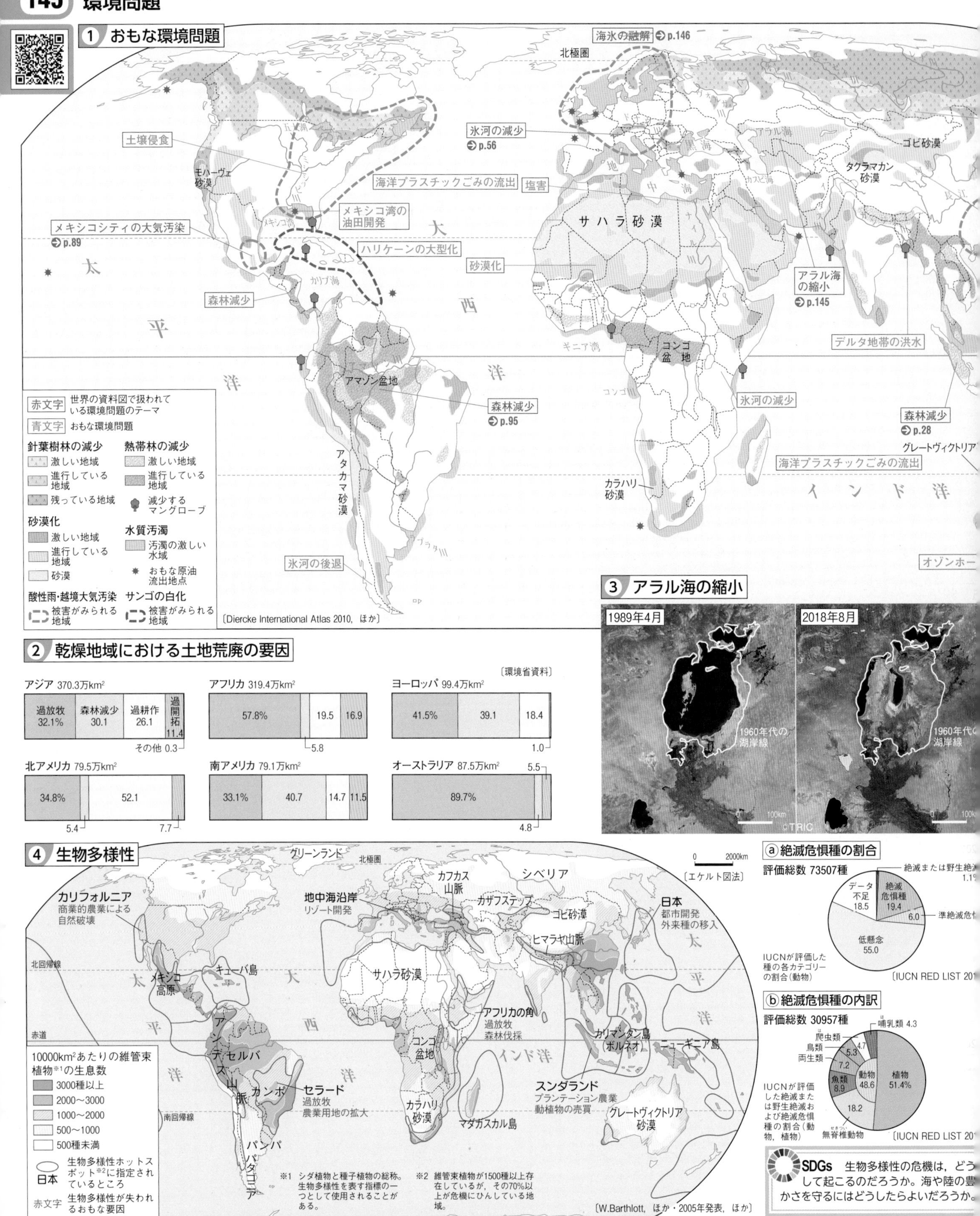
145 環境問題
1 おもな環境問題
海氷の融解 p.146
北極圏
氷河の減少 p.56
土壌侵食
五大湖
モハーヴェ砂漠
海洋プラスチックごみの流出
塩害
メキシコ湾の油田開発
メキシコ湾
メキシコシティの大気汚染 p.89
ハリケーンの大型化
砂漠化
森林減少
カリブ海
太平洋
大西洋
アラル海
ゴビ砂漠
タクラマカン砂漠
カスピ海
地中海
サハラ砂漠
ナイル川
アラル海の縮小 p.145
デルタ地帯の洪水
ギニア湾
コンゴ盆地
コンゴ川
アマゾン盆地
森林減少 p.95
氷河の減少
森林減少 p.28
グレートヴィクトリア
海洋プラスチックごみの流出
インド洋
カラハリ砂漠
アタカマ砂漠
ラプラタ川
氷河の後退
オゾンホー
赤文字 世界の資料図で扱われている環境問題のテーマ
青文字 おもな環境問題
針葉樹林の減少
激しい地域
進行している地域
残っている地域
熱帯林の減少
激しい地域
進行している地域
減少するマングローブ
砂漠化
激しい地域
進行している地域
砂漠
水質汚濁
汚濁の激しい水域
おもな原油流出地点
酸性雨・越境大気汚染
被害がみられる地域
サンゴの白化
被害がみられる地域
〔Diercke International Atlas 2010，ほか〕
2 乾燥地域における土地荒廃の要因
〔環境省資料〕
アジア 370.3万km²
過放牧 32.1%
森林減少 30.1
過耕作 26.1
過開拓 11.4
その他 0.3
アフリカ 319.4万km²
57.8%
5.8
19.5
16.9
ヨーロッパ 99.4万km²
41.5%
39.1
18.4
1.0
北アメリカ 79.5万km²
34.8%
5.4
52.1
7.7
南アメリカ 79.1万km²
33.1%
40.7
14.7
11.5
オーストラリア 87.5万km²
89.7%
4.8
5.5
3 アラル海の縮小
1989年4月
2018年8月
1960年代の湖岸線
100km
©TRIC
4 生物多様性
グリーンランド
北極圏
0 2000km
〔エケルト図法〕
カリフォルニア
商業的農業による自然破壊
地中海沿岸
リゾート開発
カフカス山脈
カザフステップ
シベリア
ゴビ砂漠
日本
都市開発
外来種の移入
ヒマラヤ山脈
北回帰線
キューバ島
メキシコ高原
サハラ砂漠
太平洋
大西洋
アフリカの角
過放牧
森林伐採
アンデス山脈
セルバ
カリマンタン島（ボルネオ）
ニューギニア島
赤道
コンゴ盆地
インド洋
カンポ
セラード
過放牧
農業用地の拡大
スンダランド
プランテーション農業
動植物の売買
カラハリ砂漠
マダガスカル島
グレートヴィクトリア砂漠
南回帰線
パンパ
パタゴニア
10000km²あたりの維管束植物※1の生息数
3000種以上
2000～3000
1000～2000
500～1000
500種未満
生物多様性ホットスポット※2に指定されているところ
赤文字 生物多様性が失われるおもな要因
※1 シダ植物と種子植物の総称。生物多様性を表す指標の一つとして使用されることがある。
※2 維管束植物が1500種以上存在しているが，その70%以上が危機にひんしている地域。
〔W.Barthlott，ほか・2005年発表，ほか〕
ⓐ絶滅危惧種の割合
評価総数 73507種
絶滅または野生絶滅 1.1
データ不足 18.5
絶滅危惧種 19.4
準絶滅危惧 6.0
低懸念 55.0
IUCNが評価した種の各カテゴリーの割合(動物)
〔IUCN RED LIST 20
ⓑ絶滅危惧種の内訳
評価総数 30957種
哺乳類 4.3
爬虫類 4.7
鳥類 5.3
両生類 7.2
魚類 8.9
動物 48.6
植物 51.4%
無脊椎動物 18.2
IUCNが評価した絶滅または野生絶滅および絶滅危惧種の割合（動物，植物）
〔IUCN RED LIST 20
SDGs 生物多様性の危機は，どうして起こるのだろうか。海や陸の豊かさを守るにはどうしたらよいだろうか。

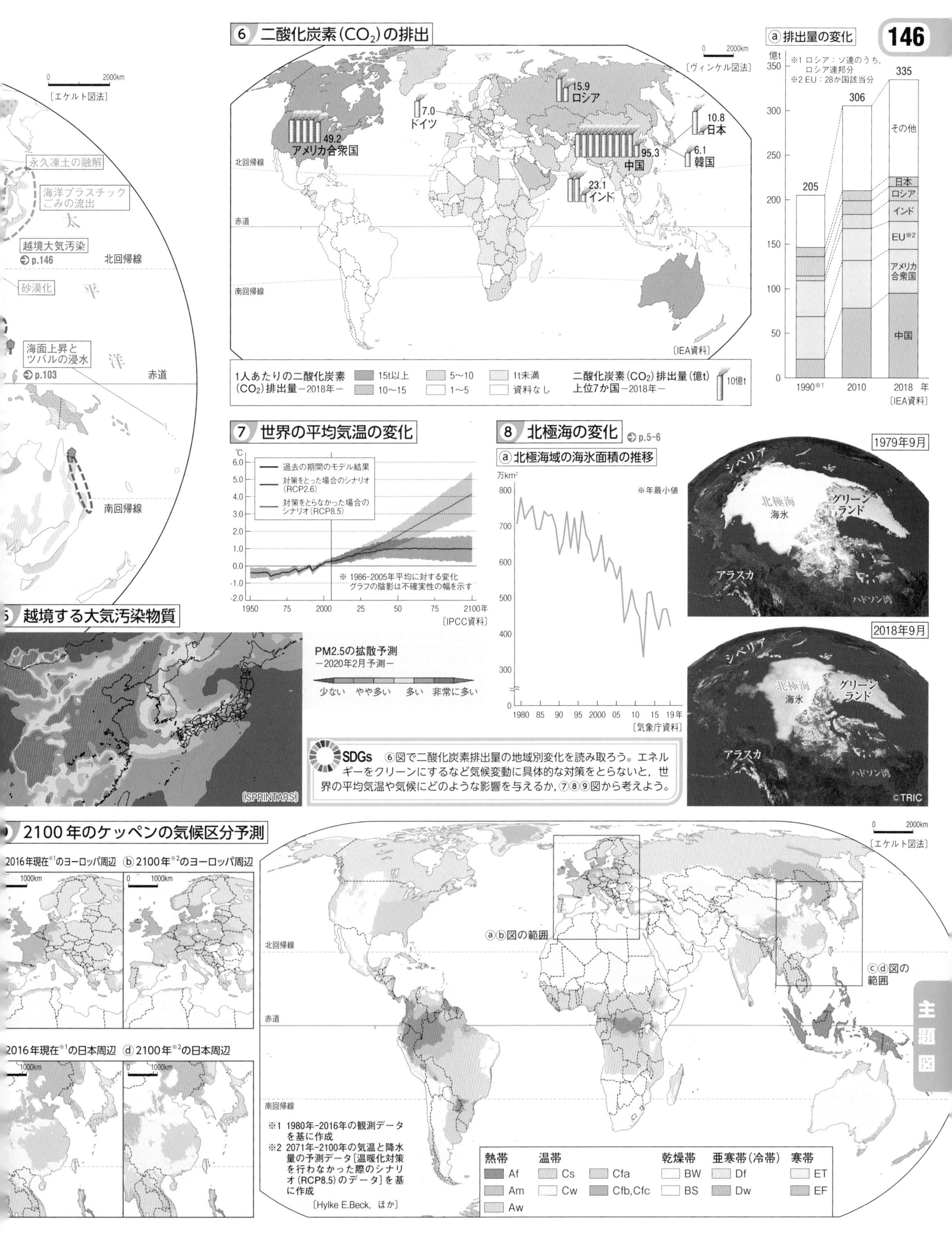
永久凍土の融解
海洋プラスチックごみの流出
越境大気汚染
➲ p.146
北回帰線
砂漠化
海面上昇とツバルの浸水
➲ p.103
赤道
南回帰線
〔エケルト図法〕
6 二酸化炭素（CO2）の排出
〔ヴィンケル図法〕
15.9 ロシア
7.0 ドイツ
49.2 アメリカ合衆国
10.8 日本
95.3 中国
6.1 韓国
23.1 インド
北回帰線
赤道
南回帰線
〔IEA資料〕
1人あたりの二酸化炭素（CO2）排出量－2018年－
15t以上
10～15
5～10
1～5
1t未満
資料なし
二酸化炭素（CO2）排出量（億t）上位7か国－2018年－
10億t
ⓐ 排出量の変化
億t
※1 ロシア：ソ連のうち、ロシア連邦分
※2 EU：28か国該当分
205
306
335
その他
日本
ロシア
インド
EU※2
アメリカ合衆国
中国
1990※1
2010
2018年
〔IEA資料〕
7 世界の平均気温の変化
℃
過去の期間のモデル結果
対策をとった場合のシナリオ（RCP2.6）
対策をとらなかった場合のシナリオ（RCP8.5）
※ 1986-2005年平均に対する変化 グラフの陰影は不確実性の幅を示す
〔IPCC資料〕
8 北極海の変化
➲ p.5-6
ⓐ 北極海域の海氷面積の推移
万km²
※年最小値
〔気象庁資料〕
1979年9月
2018年9月
シベリア
北極海
海氷
グリーンランド
アラスカ
ハドソン湾
©TRIC
5 越境する大気汚染物質
PM2.5の拡散予測
－2020年2月予測－
少ない
やや多い
多い
非常に多い
〔SPRINTARS〕
SDGs ⑥図で二酸化炭素排出量の地域別変化を読み取ろう。エネルギーをクリーンにするなど気候変動に具体的な対策をとらないと，世界の平均気温や気候にどのような影響を与えるか，⑦⑧⑨図から考えよう。
9 2100年のケッペンの気候区分予測
2016年現在※1のヨーロッパ周辺
ⓑ 2100年※2のヨーロッパ周辺
2016年現在※1の日本周辺
ⓓ 2100年※2の日本周辺
ⓐⓑ図の範囲
ⓒⓓ図の範囲
〔エケルト図法〕
※1 1980年-2016年の観測データを基に作成
※2 2071年-2100年の気温と降水量の予測データ［温暖化対策を行わなかった際のシナリオ（RCP8.5）のデータ］を基に作成
〔Hylke E.Beck，ほか〕
熱帯 Af Am Aw
温帯 Cs Cw Cfa Cfb,Cfc
乾燥帯 BW BS
亜寒帯（冷帯） Df Dw
寒帯 ET EF
主題図

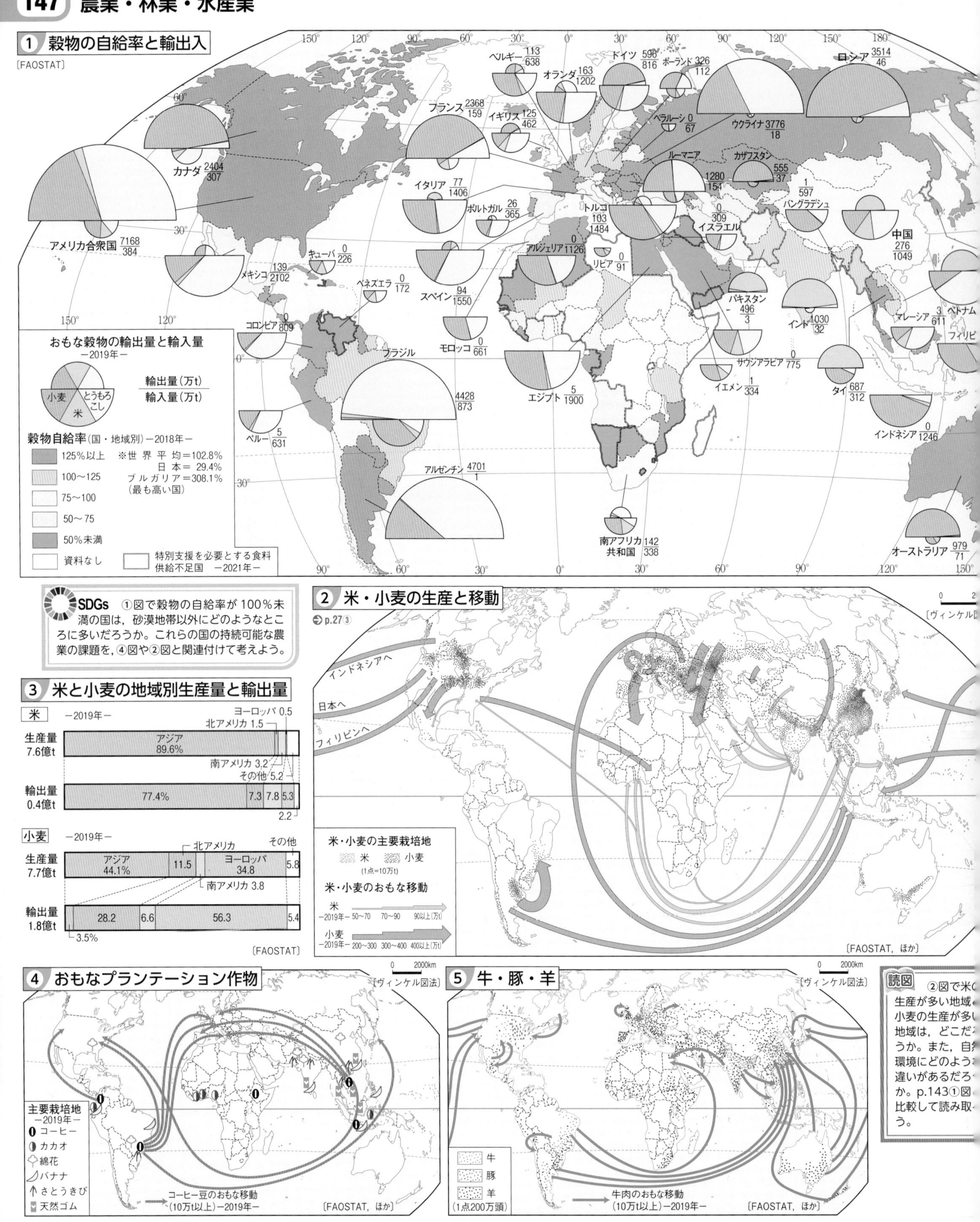

1 穀物の自給率と輸出入
〔FAOSTAT〕
ベルギー 113/638
ドイツ 596/816
ポーランド 326/112
オランダ 163/1202
ロシア 3514/46
フランス 2368/159
イギリス 125/462
ベラルーシ 0/67
ウクライナ 3776/18
カナダ 2404/307
ルーマニア 1280/154
カザフスタン 555/37
イタリア 77/1406
ポルトガル 26/365
トルコ 103/1484
イスラエル 0/309
バングラデシュ 1/597
中国 276/1049
アメリカ合衆国 7168/384
アルジェリア 0/1126
リビア 0/91
キューバ 0/226
メキシコ 139/2102
ベネズエラ 0/172
スペイン 94/1550
パキスタン 496/3
インド 1030/32
ベトナム
マレーシア 3/611
フィリピン
コロンビア 0/809
モロッコ 0/661
サウジアラビア 0/775
ブラジル 4428/873
エジプト 5/1900
イエメン 1/334
タイ 687/312
ペルー 5/631
インドネシア 0/1246
アルゼンチン 4701/1
南アフリカ共和国 142/338
オーストラリア 979/71
おもな穀物の輸出量と輸入量 －2019年－
小麦 とうもろこし 米
輸出量(万t)/輸入量(万t)
穀物自給率(国・地域別)－2018年－
125%以上
100～125
75～100
50～75
50%未満
資料なし
特別支援を必要とする食料供給不足国 －2021年－
※世界平均＝102.8%
日本＝29.4%
ブルガリア＝308.1%
(最も高い国)

SDGs ①図で穀物の自給率が100％未満の国は，砂漠地帯以外にどのようなところに多いだろうか。これらの国の持続可能な農業の課題を，④図や②図と関連付けて考えよう。

2 米・小麦の生産と移動
p.27③
〔ヴィンケル図法〕
インドネシアへ
日本へ
フィリピンへ
米・小麦の主要栽培地
米 小麦 (1点=10万t)
米・小麦のおもな移動
米 －2019年－ 50～70 70～90 90以上(万t)
小麦 －2019年－ 200～300 300～400 400以上(万t)
〔FAOSTAT，ほか〕

3 米と小麦の地域別生産量と輸出量
米 －2019年－
生産量 7.6億t: アジア 89.6%, 北アメリカ 1.5, ヨーロッパ 0.5, 南アメリカ 3.2, その他 5.2
輸出量 0.4億t: 77.4%, 7.3, 7.8, 5.3, 2.2
小麦 －2019年－
生産量 7.7億t: アジア 44.1%, 北アメリカ 11.5, ヨーロッパ 34.8, 南アメリカ 3.8, その他 5.8
輸出量 1.8億t: 3.5%, 28.2, 6.6, 56.3, 5.4
〔FAOSTAT〕

4 おもなプランテーション作物
〔ヴィンケル図法〕
主要栽培地 －2019年－
コーヒー
カカオ
綿花
バナナ
さとうきび
天然ゴム
コーヒー豆のおもな移動 (10万t以上)－2019年－
〔FAOSTAT，ほか〕

5 牛・豚・羊
〔ヴィンケル図法〕
牛
豚
羊
(1点200万頭)
牛肉のおもな移動 (10万t以上)－2019年－
〔FAOSTAT，ほか〕

読図 ②図で米の生産が多い地域と小麦の生産が多い地域は，どこだろうか。また，自然環境にどのような違いがあるだろうか。p.143①図と比較して読み取ろう。

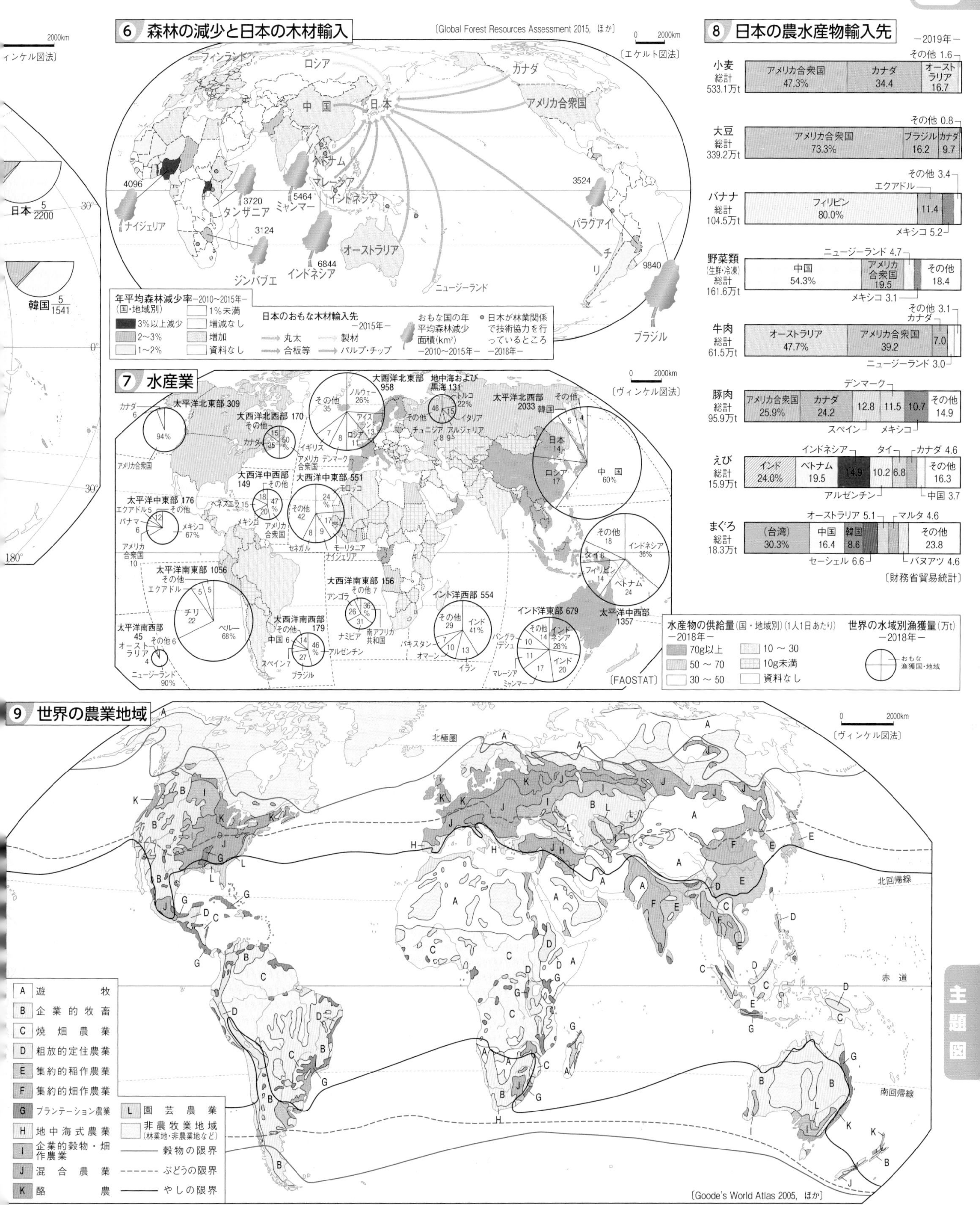

6 森林の減少と日本の木材輸入
〔Global Forest Resources Assessment 2015, ほか〕
〔エケルト図法〕
フィンランド
ロシア
カナダ
中国
日本
アメリカ合衆国
ベトナム
マレーシア
インドネシア
4096
ナイジェリア
3720
タンザニア
5464
ミャンマー
3124
ジンバブエ
6844
インドネシア
オーストラリア
ニュージーランド
3524
パラグアイ
チリ
9840
ブラジル
年平均森林減少率 −2010〜2015年− (国・地域別)
3%以上減少
2〜3%
1〜2%
1%未満
増減なし
増加
資料なし
日本のおもな木材輸入先 −2015年−
丸太
合板等
製材
パルプ・チップ
おもな国の年平均森林減少面積(km²) −2010〜2015年−
日本が林業関係で技術協力を行っているところ −2018年−
7 水産業
〔ヴィンケル図法〕
太平洋北東部 309
大西洋北西部 170
大西洋北東部 958
地中海および黒海 131
太平洋北西部 2033
大西洋中西部 149
大西洋中東部 551
太平洋中東部 176
太平洋南東部 1056
大西洋南東部 156
インド洋西部 554
インド洋東部 679
太平洋中西部 1357
大西洋南西部 179
太平洋南部 45
〔FAOSTAT〕
水産物の供給量(国・地域別)(1人1日あたり) −2018年−
70g以上
50〜70
30〜50
10〜30
10g未満
資料なし
世界の水域別漁獲量(万t) −2018年−
おもな漁獲国・地域
8 日本の農水産物輸入先
−2019年−
小麦 総計533.1万t: アメリカ合衆国 47.3% / カナダ 34.4 / オーストラリア 16.7 / その他 1.6
大豆 総計339.2万t: アメリカ合衆国 73.3% / ブラジル 16.2 / カナダ 9.7 / その他 0.8
バナナ 総計104.5万t: フィリピン 80.0% / エクアドル 11.4 / メキシコ 5.2 / その他 3.4
野菜類(生鮮・冷凍) 総計161.6万t: 中国 54.3% / アメリカ合衆国 19.5 / ニュージーランド 4.7 / メキシコ 3.1 / その他 18.4
牛肉 総計61.5万t: オーストラリア 47.7% / アメリカ合衆国 39.2 / カナダ 7.0 / ニュージーランド 3.0 / その他 3.1
豚肉 総計95.9万t: アメリカ合衆国 25.9% / カナダ 24.2 / スペイン 12.8 / デンマーク 11.5 / メキシコ 10.7 / その他 14.9
えび 総計15.9万t: インド 24.0% / ベトナム 19.5 / インドネシア 14.9 / アルゼンチン 10.2 / タイ 6.8 / カナダ 4.6 / 中国 3.7 / その他 16.3
まぐろ 総計18.3万t: (台湾) 30.3% / 中国 16.4 / 韓国 8.6 / セーシェル 6.6 / オーストラリア 5.1 / マルタ 4.6 / バヌアツ 4.6 / その他 23.8
〔財務省貿易統計〕
9 世界の農業地域
〔ヴィンケル図法〕
北極圏
北回帰線
赤道
南回帰線
A 遊牧
B 企業的牧畜
C 焼畑農業
D 粗放的定住農業
E 集約的稲作農業
F 集約的畑作農業
G プランテーション農業
H 地中海式農業
I 企業的穀物・畑作農業
J 混合農業
K 酪農
L 園芸農業
非農牧業地域(林業地・非農業地など)
穀物の限界
ぶどうの限界
やしの限界
〔Goode's World Atlas 2005, ほか〕
日本 5/2200
韓国 5/1541

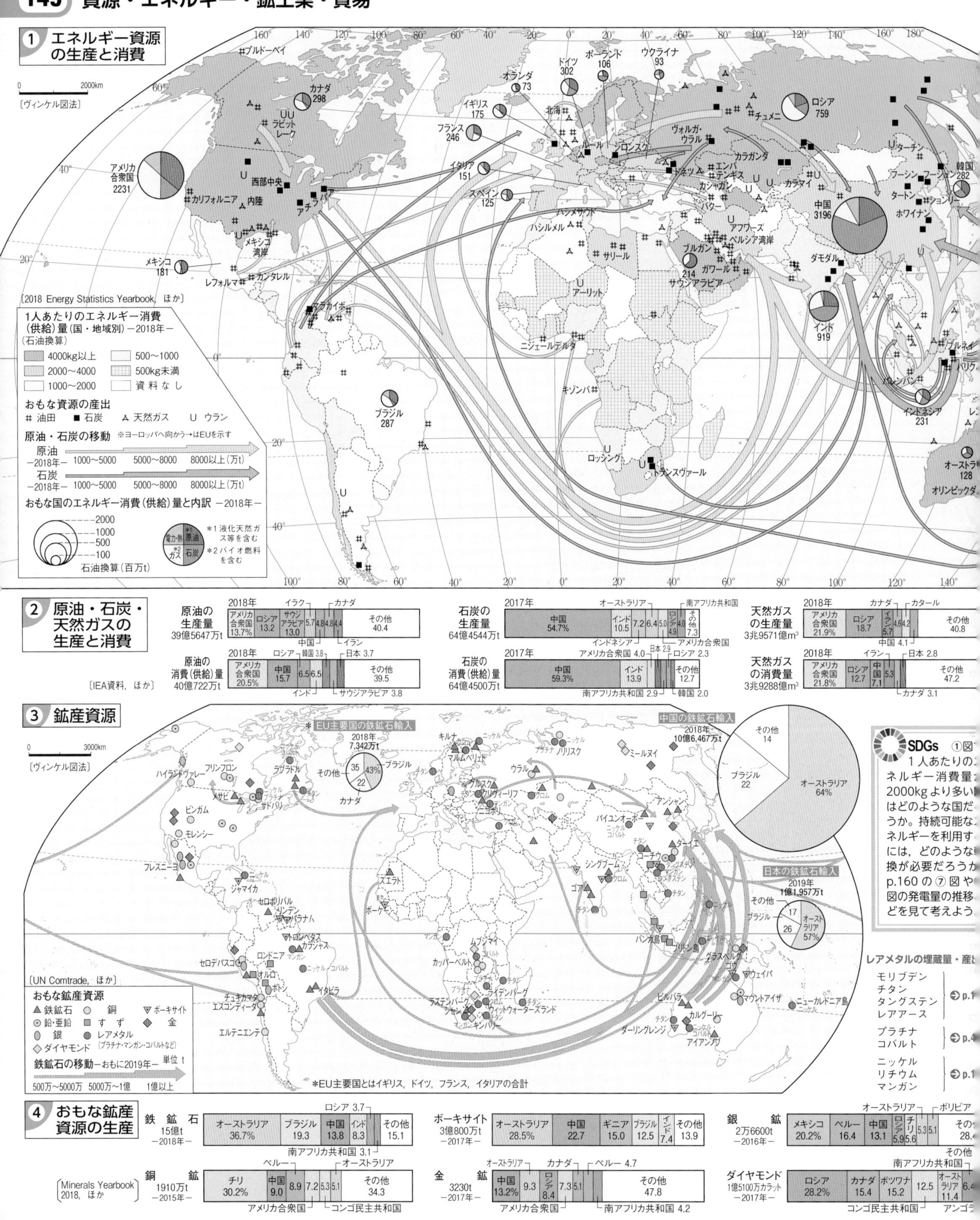

① エネルギー資源の生産と消費
〔ヴィンケル図法〕
0 2000km
〔2018 Energy Statistics Yearbook, ほか〕
1人あたりのエネルギー消費(供給)量(国・地域別)－2018年－(石油換算)
4000kg以上
2000～4000
1000～2000
500～1000
500kg未満
資料なし
おもな資源の産出
♯ 油田 ■ 石炭 ⅄ 天然ガス U ウラン
原油・石炭の移動 ※ヨーロッパへ向かう→はEUを示す
原油 －2018年－ 1000～5000 5000～8000 8000以上(万t)
石炭 －2018年－ 1000～5000 5000～8000 8000以上(万t)
おもな国のエネルギー消費(供給)量と内訳 －2018年－
2000
1000
500
100
石油換算(百万t)
電力・熱 *1 原油 *2 ガス 石炭
*1 液化天然ガス等を含む
*2 バイオ燃料を含む
アメリカ合衆国 2231
カナダ 298
メキシコ 181
ブラジル 287
オランダ 73
ドイツ 302
ポーランド 106
ウクライナ 93
イギリス 175
フランス 246
イタリア 151
スペイン 125
ロシア 759
サウジアラビア 214
インド 919
中国 3196
韓国 282
インドネシア 231
オーストラリア 128
プルドーベイ
ラビットレーク
西部中央
カリフォルニア
内陸
アパラチア
メキシコ湾岸
レフォルマ
カンタレル
マラカイボ
北海
ルール
シロンスク
ヴォルガ・ウラル
チュメニ
ドネツ
エンバ
テンギス
カシャガン
バクー
カラガンダ
カラマイ
ハシメサウド
ハシルメル
アフワーズ
ペルシア湾岸
ブルガン
ガワール
サリール
アーリット
ニジェールデルタ
キゾンバ
ロッシング
トランスヴァール
ターチン
フーシン
フーシュン
タートン
ホワイナン
ションリー
ダモダル
パレンバン
ブルネイ
オリンピックダム

② 原油・石炭・天然ガスの生産と消費
原油の生産量 39億5647万t 2018年 アメリカ合衆国 13.7% ロシア 13.2 サウジアラビア 13.0 イラク 5.7 中国 4.8 カナダ 4.8 イラン 4.4 その他 40.4
原油の消費(供給)量 40億722万t 2018年 アメリカ合衆国 20.5% 中国 15.7 インド 6.5 ロシア 6.5 韓国 3.8 サウジアラビア 3.8 日本 3.7 その他 39.5
石炭の生産量 64億4544万t 2017年 中国 54.7% インド 10.5 オーストラリア 7.2 インドネシア 6.4 アメリカ合衆国 5.0 ロシア 4.9 南アフリカ共和国 4.0 その他 7.3
石炭の消費(供給)量 64億4500万t 2017年 中国 59.3% インド 13.9 アメリカ合衆国 4.0 日本 2.9 ロシア 2.3 南アフリカ共和国 2.9 韓国 2.0 その他 12.7
天然ガスの生産量 3兆9571億m³ 2018年 アメリカ合衆国 21.9% ロシア 18.7 イラン 5.7 カナダ 4.6 カタール 4.2 中国 4.1 その他 40.8
天然ガスの消費量 3兆9288億m³ 2018年 アメリカ合衆国 21.8% ロシア 12.7 中国 7.1 イラン 5.3 カナダ 3.1 日本 2.8 その他 47.2
〔IEA資料, ほか〕

③ 鉱産資源
〔ヴィンケル図法〕
0 3000km
〔UN Comtrade, ほか〕
おもな鉱産資源
▲ 鉄鉱石 ◎ 鉛・亜鉛 ● 銀 ◇ ダイヤモンド ● 銅 ■ すず ● レアメタル(プラチナ・マンガン・コバルトなど) ▽ ボーキサイト ◆ 金
鉄鉱石の移動－おもに2019年－ 単位 t
500万～5000万 5000万～1億 1億以上
＊EU主要国の鉄鉱石輸入 2018年 7,342万t ブラジル 43% カナダ 22 その他 35
中国の鉄鉱石輸入 2018年 10億6,467万t オーストラリア 64% ブラジル 22 その他 14
日本の鉄鉱石輸入 2019年 1億1,957万t オーストラリア 57% ブラジル 26 その他 17
＊EU主要国とはイギリス, ドイツ, フランス, イタリアの合計
ハイランドヴァレー
フリンフロン
ラブラドル
メサビ
サドバリ
ビンガム
モレンシー
フレスニーヨ
ジャマイカ
セロボリバル
カラジャス
ロンドニア
セロデパスコ
オルロ
ポトシ
イタビラ
チュキカマタ
エスコンディーダ
エルテニエンテ
キルナ
マルムベリェト
クルスク
クリヴィーリフ
ニコポリ
ウラル
ノリリスク
ミールヌイ
アンシャン
パイユンオーボー
タイエ
コーチウ
シングブーム
ゴア
スエラト
ボーケ
ムブジマイ
カッパーベルト
ライデンバーグ
ラステンバーグ
ウィットウォーターズランド
キンバリー
バンカ島
ブリトン島
グラスベルグ
ウェイパ
マウントアイザ
ピルバラ
カルグーリー
ダーリングレンジ
アイアンノブ
ニューカレドニア島

SDGs ①図で1人あたりのエネルギー消費量が2000kgより多いのはどのような国だろうか。持続可能なエネルギーを利用するには、どのような転換が必要だろうか。p.160の⑦図や図の発電量の推移などを見て考えよう。

レアメタルの埋蔵量・産出
モリブデン チタン タングステン レアアース
プラチナ コバルト
ニッケル リチウム マンガン

④ おもな鉱産資源の生産
鉄鉱石 15億t －2018年－ オーストラリア 36.7% ブラジル 19.3 中国 13.8 インド 8.3 ロシア 3.7 南アフリカ共和国 3.1 その他 15.1
銅鉱 1910万t －2015年－ チリ 30.2% 中国 9.0 ペルー 8.9 アメリカ合衆国 7.2 コンゴ民主共和国 5.3 オーストラリア 5.1 その他 34.3
ボーキサイト 3億800万t －2017年－ オーストラリア 28.5% 中国 22.7 ギニア 15.0 ブラジル 12.5 インド 7.4 その他 13.9
金鉱 3230t －2017年－ 中国 13.2% オーストラリア 9.3 ロシア 8.4 アメリカ合衆国 7.3 カナダ 5.1 ペルー 4.7 南アフリカ共和国 4.2 その他 47.8
銀鉱 2万6600t －2016年－ メキシコ 20.2% ペルー 16.4 中国 13.1 ロシア 5.9 チリ 5.6 オーストラリア 5.3 ボリビア 5.1
ダイヤモンド 1億5100万カラット －2017年－ ロシア 28.2% カナダ 15.4 ボツワナ 15.2 コンゴ民主共和国 12.5 オーストラリア 11.4 南アフリカ共和国 アンゴラ 6.4 その他
〔Minerals Yearbook 2018, ほか〕

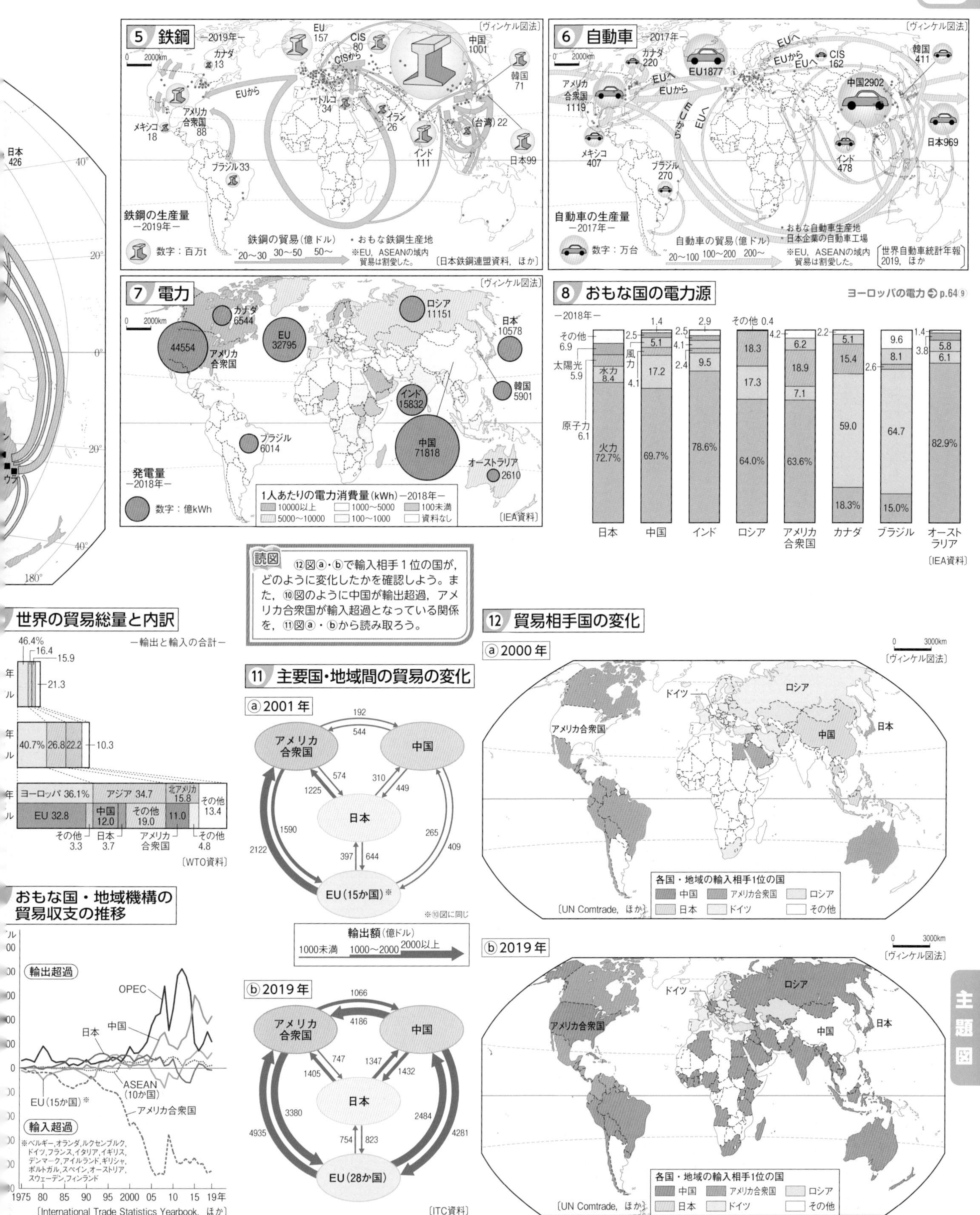

5 鉄鋼 −2019年−
〔ヴィンケル図法〕
0 2000km
EU 157
CIS 80
CISから
中国 1001
カナダ 13
EUから
トルコ 34
イラン 26
アメリカ合衆国 88
メキシコ 18
インド 111
(台湾) 22
韓国 71
日本99
ブラジル33
鉄鋼の生産量 −2019年−
数字：百万t
鉄鋼の貿易(億ドル)
20〜30 30〜50 50〜
・おもな鉄鋼生産地
※EU，ASEANの域内貿易は割愛した。
〔日本鉄鋼連盟資料，ほか〕
6 自動車 −2017年−
〔ヴィンケル図法〕
0 2000km
カナダ 220
EU1877
EUへ
EUから
CIS 162
韓国 411
アメリカ合衆国 1119
中国2902
日本969
メキシコ 407
ブラジル 270
インド 478
自動車の生産量 −2017年−
数字：万台
自動車の貿易(億ドル)
20〜100 100〜200 200〜
・おもな自動車生産地
・日本企業の自動車工場
※EU，ASEANの域内貿易は割愛した。
〔世界自動車統計年報 2019，ほか〕
7 電力
〔ヴィンケル図法〕
0 2000km
カナダ 6544
アメリカ合衆国 44554
EU 32795
ロシア 11151
日本 10578
韓国 5901
インド 15832
中国 71818
ブラジル 6014
オーストラリア 2610
発電量 −2018年−
数字：億kWh
1人あたりの電力消費量(kWh) −2018年−
10000以上
5000〜10000
1000〜5000
100〜1000
100未満
資料なし
〔IEA資料〕
8 おもな国の電力源
ヨーロッパの電力 ➲ p.64⑨
−2018年−
その他 6.9
太陽光 5.9
水力 8.4
原子力 6.1
火力 72.7%
風力
日本
中国
インド
ロシア
アメリカ合衆国
カナダ
ブラジル
オーストラリア
〔IEA資料〕
読図 ⑫図ⓐ・ⓑで輸入相手1位の国が，どのように変化したかを確認しよう。また，⑩図のように中国が輸出超過，アメリカ合衆国が輸入超過となっている関係を，⑪図ⓐ・ⓑから読み取ろう。
世界の貿易総量と内訳
−輸出と輸入の合計−
46.4% 16.4 15.9 21.3
40.7% 26.8 22.2 10.3
ヨーロッパ 36.1% アジア 34.7 北アメリカ 15.8 その他 13.4
EU 32.8 中国 12.0 その他 19.0 11.0
その他 3.3 日本 3.7 アメリカ合衆国 その他 4.8
〔WTO資料〕
おもな国・地域機構の貿易収支の推移
輸出超過
OPEC
日本
中国
ASEAN (10か国)
EU(15か国)※
アメリカ合衆国
輸入超過
※ベルギー，オランダ，ルクセンブルク，ドイツ，フランス，イタリア，イギリス，デンマーク，アイルランド，ギリシャ，ポルトガル，スペイン，オーストリア，スウェーデン，フィンランド
1975 80 85 90 95 2000 05 10 15 19年
〔International Trade Statistics Yearbook，ほか〕
11 主要国・地域間の貿易の変化
ⓐ 2001年
アメリカ合衆国
中国
日本
EU(15か国)※
192 544 574 1225 310 449 1590 2122 265 409 397 644
※⑩図に同じ
輸出額(億ドル)
1000未満 1000〜2000 2000以上
ⓑ 2019年
アメリカ合衆国
中国
日本
EU(28か国)
1066 4186 747 1405 1347 1432 3380 4935 2484 4281 754 823
〔ITC資料〕
12 貿易相手国の変化
ⓐ 2000年
0 3000km
〔ヴィンケル図法〕
ドイツ
ロシア
アメリカ合衆国
中国
日本
各国・地域の輸入相手1位の国
中国 アメリカ合衆国 ロシア
日本 ドイツ その他
〔UN Comtrade，ほか〕
ⓑ 2019年
0 3000km
〔ヴィンケル図法〕
ドイツ
ロシア
アメリカ合衆国
中国
日本
各国・地域の輸入相手1位の国
中国 アメリカ合衆国 ロシア
日本 ドイツ その他
〔UN Comtrade，ほか〕
主題図

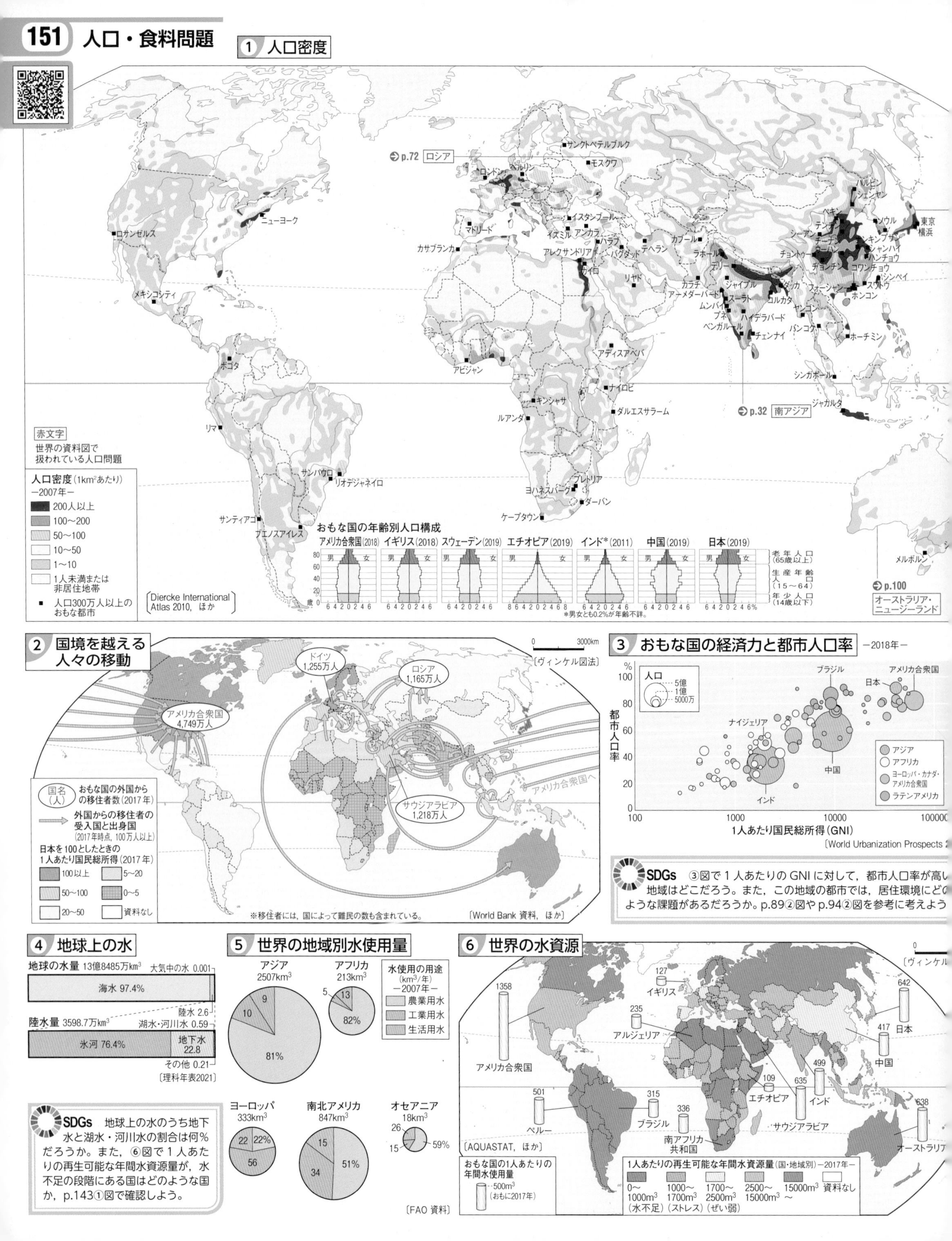

151 人口・食料問題
1 人口密度
➔p.72 ロシア
サンクトペテルブルク
モスクワ
ロンドン
ベルリン
ハルビン
シェンヤン
ペキン
ソウル
東京
横浜
テンチン
シーアン
チーナン
キンプサン
シャンハイ
ハンチョウ
チョントゥー
ウーハン
チョンチン
コワンチョウ
タイペイ
シンペイ
スワトウ
ホンコン
フォーシャン
イスタンブール
マドリード
イズミル
アンカラ
ハラブ
バグダッド
テヘラン
カブール
ラホール
デリー
カサブランカ
アレクサンドリア
カイロ
リヤド
カラチ
アーメダーバード
ジャイプル
スーラト
ダッカ
コルカタ
ムンバイ
プネ
ハイデラバード
ヤンゴン
ベンガルール
チェンナイ
バンコク
ホーチミン
ニューヨーク
ロサンゼルス
メキシコシティ
ボゴタ
リマ
アビジャン
アディスアベバ
ナイロビ
キンシャサ
ルアンダ
ダルエスサラーム
シンガポール
ジャカルタ
➔p.32 南アジア
サンパウロ
リオデジャネイロ
プレトリア
ヨハネスバーグ
ダーバン
ケープタウン
サンティアゴ
ブエノスアイレス
メルボルン
➔p.100 オーストラリア・ニュージーランド
赤文字 世界の資料図で扱われている人口問題
人口密度(1km²あたり) −2007年−
200人以上
100〜200
50〜100
10〜50
1〜10
1人未満または非居住地帯
人口300万人以上のおもな都市
〔Diercke International Atlas 2010, ほか〕
おもな国の年齢別人口構成
アメリカ合衆国(2018) イギリス(2018) スウェーデン(2019) エチオピア(2019) インド*(2011) 中国(2019) 日本(2019)
男 女
老年人口(65歳以上)
生産年齢人口(15〜64)
年少人口(14歳以下)
歳
*男女とも0.2%が年齢不詳。
2 国境を越える人々の移動
0 3000km 〔ヴィンケル図法〕
ドイツ 1,255万人
ロシア 1,165万人
アメリカ合衆国 4,749万人
サウジアラビア 1,218万人
アメリカ合衆国へ
国名(人) おもな国の外国からの移住者数(2017年)
外国からの移住者の受入国と出身国(2017年時点, 100万人以上)
日本を100としたときの1人あたり国民総所得(2017年)
100以上
50〜100
20〜50
5〜20
0〜5
資料なし
※移住者には, 国によって難民の数も含まれている。
〔World Bank 資料, ほか〕
3 おもな国の経済力と都市人口率 −2018年−
人口 5億 1億 5000万
都市人口率 %
ブラジル
アメリカ合衆国
日本
ナイジェリア
中国
インド
アジア
アフリカ
ヨーロッパ・カナダ・アメリカ合衆国
ラテンアメリカ
100 1000 10000 100000
1人あたり国民総所得(GNI)
〔World Urbanization Prospects
SDGs ③図で1人あたりのGNIに対して, 都市人口率が高い地域はどこだろう。また, この地域の都市では, 居住環境にどのような課題があるだろうか。p.89②図やp.94②図を参考に考えよう
4 地球上の水
地球の水量 13億8485万km³ 大気中の水 0.001
海水 97.4%
陸水 2.6
陸水量 3598.7万km³ 湖水・河川水 0.59
氷河 76.4%
地下水 22.8
その他 0.21
〔理科年表2021〕
5 世界の地域別水使用量
アジア 2507km³
81% 10 9
アフリカ 213km³
82% 5 13
水使用の用途 (km³/年) −2007年−
農業用水
工業用水
生活用水
ヨーロッパ 333km³
56 22 22%
南北アメリカ 847km³
51% 34 15
オセアニア 18km³
59% 15 26
〔FAO 資料〕
SDGs 地球上の水のうち地下水と湖水・河川水の割合は何%だろうか。また, ⑥図で1人あたりの再生可能な年間水資源量が, 水不足の段階にある国はどのような国か, p.143①図で確認しよう。
6 世界の水資源
〔ヴィンケル
1358 アメリカ合衆国
127 イギリス
235 アルジェリア
642 日本
417 中国
499 インド
109 エチオピア
635 サウジアラビア
501 ペルー
315 ブラジル
336 南アフリカ共和国
638 オーストラリア
〔AQUASTAT, ほか〕
おもな国の1人あたりの年間水使用量 500m³ (おもに2017年)
1人あたりの再生可能な年間水資源量(国・地域別) −2017年−
0〜1000m³ (水不足)
1000〜1700m³ (ストレス)
1700〜2500m³ (ぜい弱)
2500〜15000m³
15000m³〜
資料なし

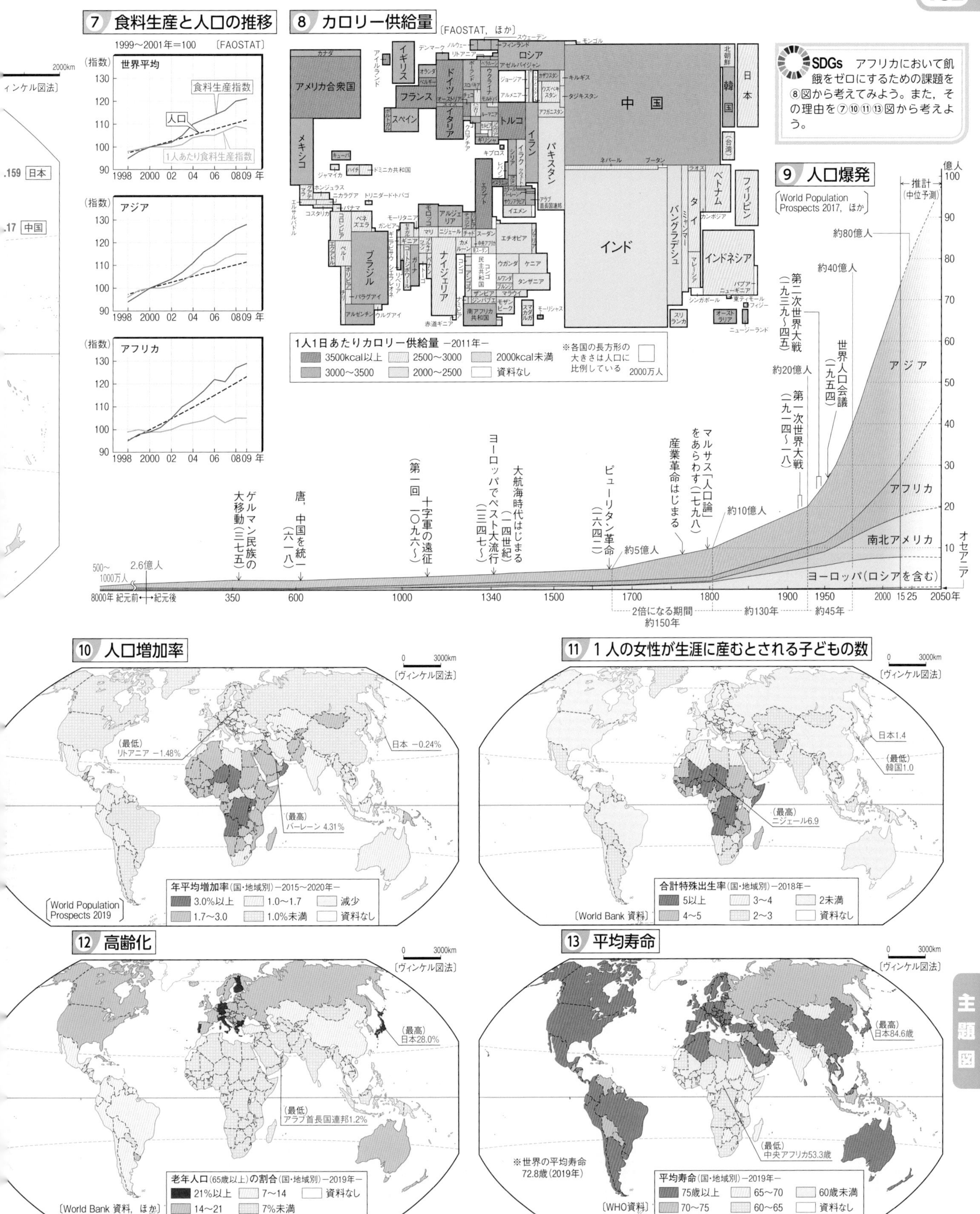
7 食料生産と人口の推移
1999～2001年＝100 〔FAOSTAT〕
(指数)
世界平均
食料生産指数
人口
1人あたり食料生産指数
アジア
アフリカ
130
120
110
100
90
1998 2000 02 04 06 08 09年
8 カロリー供給量
〔FAOSTAT，ほか〕
カナダ
アメリカ合衆国
メキシコ
イギリス
アイルランド
フランス
スペイン
ドイツ
イタリア
ロシア
トルコ
イラン
イラク
パキスタン
中国
北朝鮮
韓国
日本
〈台湾〉
ネパール
ブータン
インド
バングラデシュ
ミャンマー
タイ
ベトナム
フィリピン
インドネシア
スリランカ
オーストラリア
ニュージーランド
エジプト
ナイジェリア
ブラジル
アルゼンチン
コロンビア
ベネズエラ
ペルー
エチオピア
ケニア
タンザニア
ウガンダ
南アフリカ共和国
アフガニスタン
カザフスタン
ウズベキスタン
キルギス
タジキスタン
モンゴル
1人1日あたりカロリー供給量 －2011年－
3500kcal以上
3000～3500
2500～3000
2000～2500
2000kcal未満
資料なし
※各国の長方形の大きさは人口に比例している
2000万人
SDGs アフリカにおいて飢餓をゼロにするための課題を⑧図から考えてみよう。また，その理由を⑦⑩⑪⑬図から考えよう。
9 人口爆発
〔World Population Prospects 2017，ほか〕
億人
推計(中位予測)
約80億人
約40億人
約20億人
約10億人
約5億人
2.6億人
500～1000万人
アジア
アフリカ
南北アメリカ
オセアニア
ヨーロッパ(ロシアを含む)
第二次世界大戦(一九三九～四五)
世界人口会議(一九五四)
第一次世界大戦(一九一四～一八)
マルサス「人口論」をあらわす(一七九八)
産業革命はじまる
ピューリタン革命(一六四二)
大航海時代はじまる(一四世紀)
ヨーロッパでペスト大流行(一三四七～)
十字軍の遠征(第一回 一〇九六～)
唐，中国を統一(六一八)
ゲルマン民族の大移動(三七五)
8000年 紀元前 紀元後 350 600 1000 1340 1500 1700 1800 1900 1950 2000 15 25 2050年
2倍になる期間 約150年 約130年 約45年
10 人口増加率
〔ヴィンケル図法〕
(最低) リトアニア －1.48%
日本 －0.24%
(最高) バーレーン 4.31%
年平均増加率(国・地域別)－2015～2020年－
3.0%以上
1.7～3.0
1.0～1.7
1.0%未満
減少
資料なし
〔World Population Prospects 2019〕
11 1人の女性が生涯に産むとされる子どもの数
日本1.4
(最低) 韓国1.0
(最高) ニジェール6.9
合計特殊出生率(国・地域別)－2018年－
5以上
4～5
3～4
2～3
2未満
資料なし
〔World Bank 資料〕
12 高齢化
(最高) 日本28.0%
(最低) アラブ首長国連邦1.2%
老年人口(65歳以上)の割合(国・地域別)－2019年－
21%以上
14～21
7～14
7%未満
資料なし
〔World Bank 資料，ほか〕
13 平均寿命
(最高) 日本84.6歳
(最低) 中央アフリカ53.3歳
※世界の平均寿命 72.8歳(2019年)
平均寿命(国・地域別)－2019年－
75歳以上
70～75
65～70
60～65
60歳未満
資料なし
〔WHO資料〕
主題図

① 言語・紛争

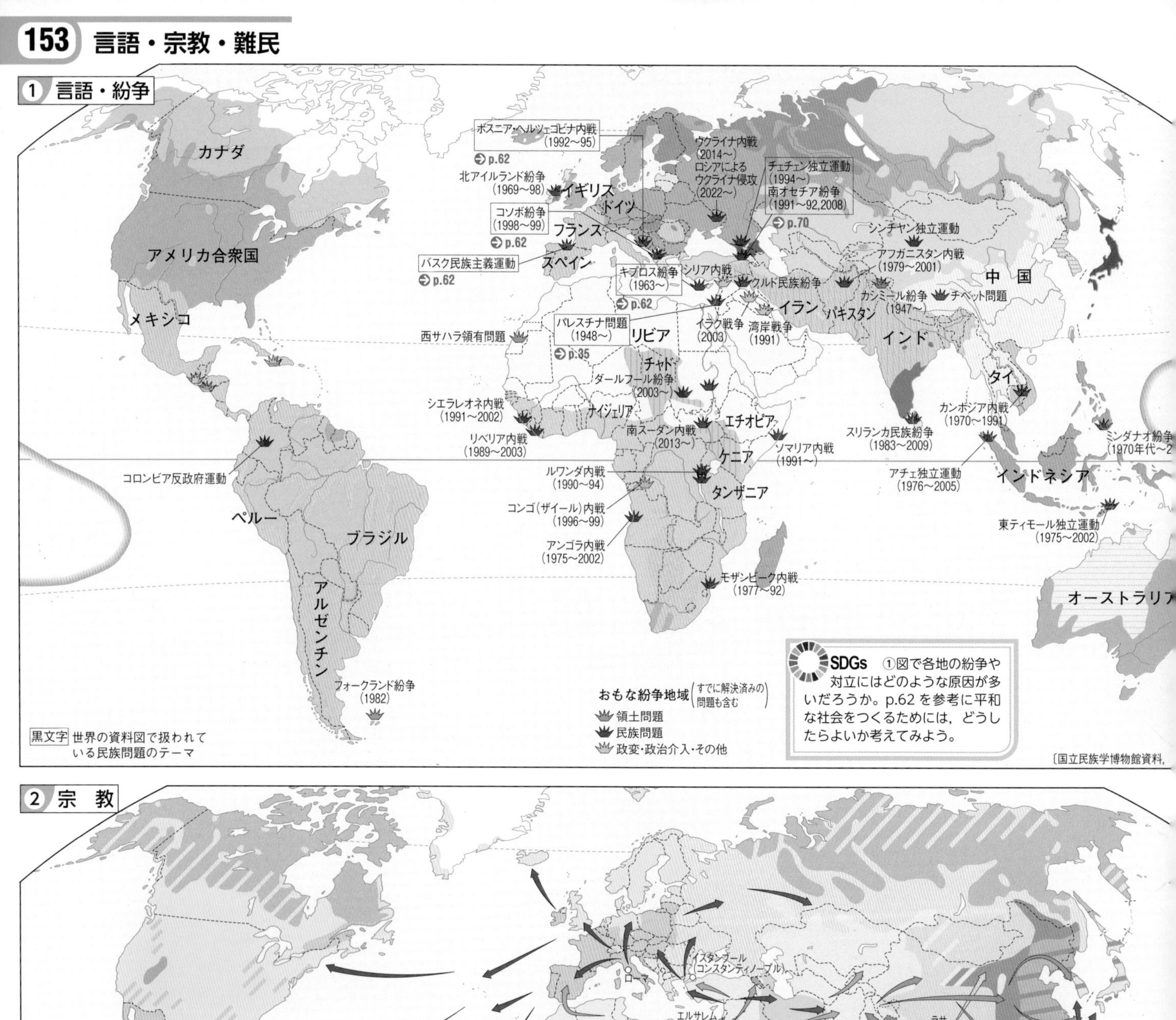

SDGs ①図で各地の紛争や対立にはどのような原因が多いだろうか。p.62 を参考に平和な社会をつくるためには，どうしたらよいか考えてみよう。

〔国立民族学博物館資料,

② 宗　教

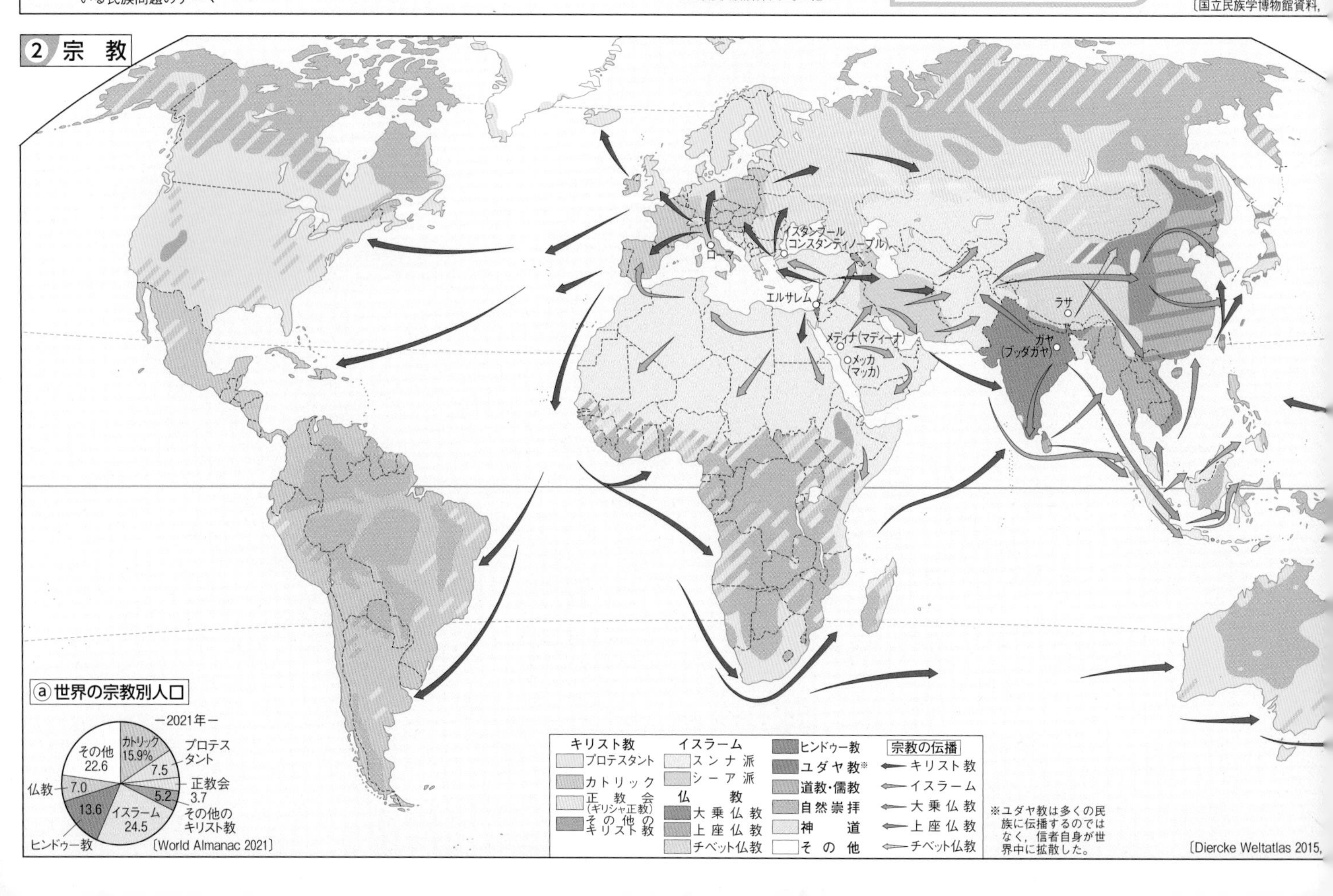

〔Diercke Weltatlas 2015,

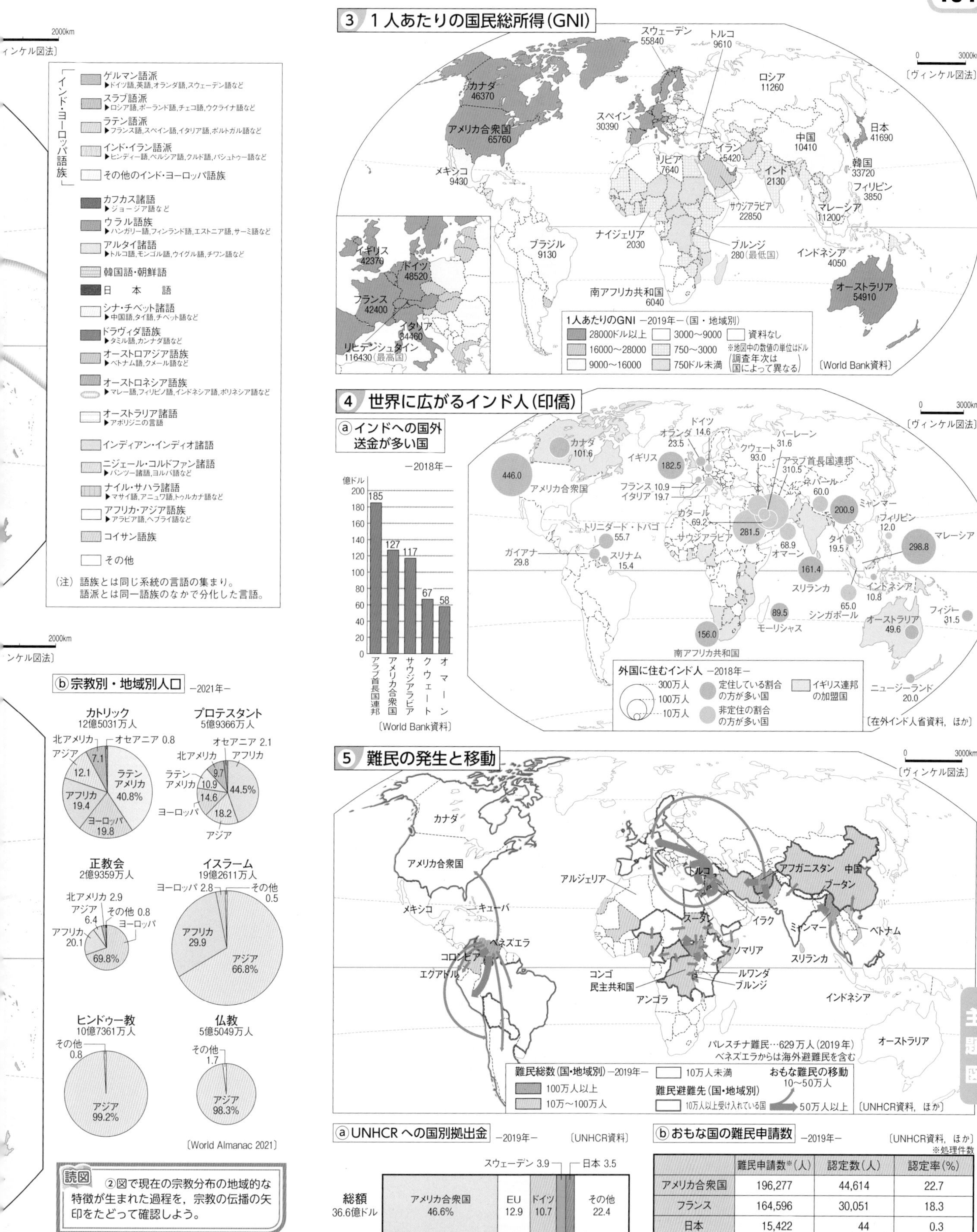

ヴィンケル図法
インド・ヨーロッパ語族
ゲルマン語派 ▶ドイツ語,英語,オランダ語,スウェーデン語など
スラブ語派 ▶ロシア語,ポーランド語,チェコ語,ウクライナ語など
ラテン語派 ▶フランス語,スペイン語,イタリア語,ポルトガル語など
インド・イラン語派 ▶ヒンディー語,ペルシア語,クルド語,パシュトゥー語など
その他のインド・ヨーロッパ語族
カフカス諸語 ▶ジョージア語など
ウラル語族 ▶ハンガリー語,フィンランド語,エストニア語,サーミ語など
アルタイ諸語 ▶トルコ語,モンゴル語,ウイグル語,チワン語など
韓国語・朝鮮語
日本語
シナ・チベット諸語 ▶中国語,タイ語,チベット語など
ドラヴィダ語族 ▶タミル語,カンナダ語など
オーストロアジア語族 ▶ベトナム語,クメール語など
オーストロネシア語族 ▶マレー語,フィリピノ語,インドネシア語,ポリネシア語など
オーストラリア諸語 ▶アボリジニの言語
インディアン・インディオ諸語
ニジェール・コルドファン諸語 ▶バンツー諸語,ヨルバ語など
ナイル・サハラ諸語 ▶マサイ語,アニュワ語,トゥルカナ語など
アフリカ・アジア語族 ▶アラビア語,ヘブライ語など
コイサン語族
その他
(注) 語族とは同じ系統の言語の集まり。語派とは同一語族のなかで分化した言語。
ⓑ宗教別・地域別人口 —2021年—
カトリック 12億5031万人
ラテンアメリカ 40.8% ヨーロッパ 19.8 アフリカ 19.4 アジア 12.1 北アメリカ 7.1 オセアニア 0.8
プロテスタント 5億9366万人
アフリカ 44.5% アジア 18.2 ヨーロッパ 14.6 ラテンアメリカ 10.9 北アメリカ 9.7 オセアニア 2.1
正教会 2億9359万人
ヨーロッパ 69.8% アフリカ 20.1 アジア 6.4 北アメリカ 2.9 その他 0.8
イスラーム 19億2611万人
アジア 66.8% アフリカ 29.9 ヨーロッパ 2.8 その他 0.5
ヒンドゥー教 10億7361万人
アジア 99.2% その他 0.8
仏教 5億5049万人
アジア 98.3% その他 1.7
〔World Almanac 2021〕
読図 ②図で現在の宗教分布の地域的な特徴が生まれた過程を,宗教の伝播の矢印をたどって確認しよう。
3 1人あたりの国民総所得(GNI)
スウェーデン 55840
トルコ 9610
ロシア 11260
カナダ 46370
アメリカ合衆国 65760
スペイン 30390
日本 41690
中国 10410
イラン 5420
リビア 7640
インド 2130
韓国 33720
メキシコ 9430
フィリピン 3850
サウジアラビア 22850
マレーシア 11200
ナイジェリア 2030
ブラジル 9130
ブルンジ 280(最低国)
インドネシア 4050
イギリス 42370
ドイツ 48520
フランス 42400
イタリア 34460
リヒテンシュタイン 116430(最高国)
南アフリカ共和国 6040
オーストラリア 54910
1人あたりのGNI —2019年—(国・地域別)
28000ドル以上 16000〜28000 9000〜16000 3000〜9000 750〜3000 750ドル未満 資料なし
※地図中の数値の単位はドル (調査年次は国によって異なる)
〔World Bank資料〕
4 世界に広がるインド人(印僑)
ⓐインドへの国外送金が多い国 —2018年—
億ドル
アラブ首長国連邦 185
アメリカ合衆国 127
サウジアラビア 117
クウェート 67
オマーン 58
〔World Bank資料〕
カナダ 101.6
ドイツ 14.6
オランダ 23.5
バーレーン 31.6
イギリス 182.5
クウェート 93.0
アラブ首長国連邦 310.5
アメリカ合衆国 446.0
フランス 10.9
イタリア 19.7
ネパール 60.0
ミャンマー 200.9
カタール 69.2
サウジアラビア 281.5
フィリピン 12.0
トリニダード・トバゴ 55.7
タイ 19.5
マレーシア 298.8
ガイアナ 29.8
スリナム 15.4
オマーン 68.9
スリランカ 161.4
インドネシア 10.8
シンガポール 65.0
モーリシャス 89.5
フィジー 31.5
オーストラリア 49.6
南アフリカ共和国 156.0
外国に住むインド人 —2018年—
300万人 100万人 10万人
定住している割合の方が多い国
非定住の割合の方が多い国
イギリス連邦の加盟国
ニュージーランド 20.0
〔在外インド人省資料,ほか〕
5 難民の発生と移動
カナダ
アメリカ合衆国
メキシコ
キューバ
ベネズエラ
コロンビア
エクアドル
アルジェリア
トルコ
アフガニスタン
中国
ブータン
スーダン
イラク
ミャンマー
ベトナム
ソマリア
スリランカ
コンゴ民主共和国
ルワンダ
ブルンジ
アンゴラ
インドネシア
オーストラリア
パレスチナ難民…629万人(2019年)
ベネズエラからは海外避難民を含む
難民総数(国・地域別)—2019年—
100万人以上 10万〜100万人 10万人未満
難民避難先(国・地域別) 10万人以上受け入れている国
おもな難民の移動 10〜50万人 50万人以上
〔UNHCR資料,ほか〕
ⓐUNHCRへの国別拠出金 —2019年—
〔UNHCR資料〕
総額 36.6億ドル
アメリカ合衆国 46.6% EU 12.9 ドイツ 10.7 スウェーデン 3.9 日本 3.5 その他 22.4

ⓑおもな国の難民申請数 —2019年—

〔UNHCR資料,ほか〕 ※処理件数

	難民申請数※(人)	認定数(人)	認定率(%)
アメリカ合衆国	196,277	44,614	22.7
フランス	164,596	30,051	18.3
日本	15,422	44	0.3

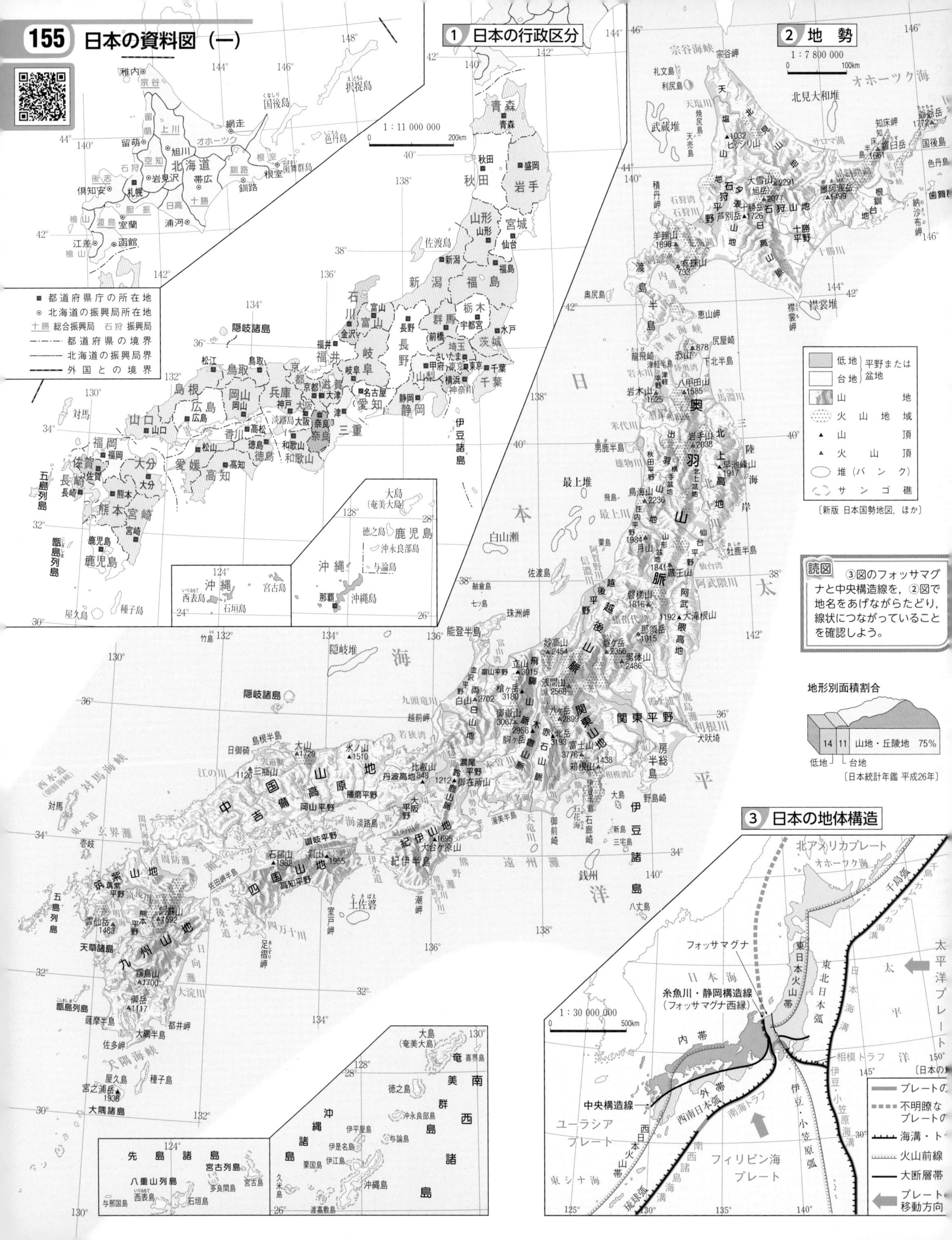
155
日本の資料図（一）
① 日本の行政区分
1：11 000 000
■ 都道府県庁の所在地
◎ 北海道の振興局所在地
十勝 総合振興局　石狩 振興局
都道府県の境界
北海道の振興局界
外国との境界
北海道
青森
秋田
岩手
山形
宮城
新潟
福島
石川
富山
長野
群馬
栃木
茨城
福井
岐阜
山梨
埼玉
東京
千葉
神奈川
静岡
愛知
滋賀
京都
兵庫
大阪
奈良
三重
和歌山
鳥取
島根
岡山
広島
山口
香川
徳島
愛媛
高知
福岡
佐賀
長崎
大分
熊本
宮崎
鹿児島
沖縄
② 地勢
1：7 800 000
低地
台地
平野または盆地
山地
火山地域
山頂
火山頂
堆（バンク）
サンゴ礁
〔新版 日本国勢地図，ほか〕
読図　③図のフォッサマグナと中央構造線を，②図で地名をあげながらたどり，線状につながっていることを確認しよう。
地形別面積割合
14
11
山地・丘陵地 75%
低地
台地
〔日本統計年鑑 平成26年〕
日本海
太平洋
オホーツク海
③ 日本の地体構造
1：30 000 000
北アメリカプレート
ユーラシアプレート
フィリピン海プレート
太平洋プレート
フォッサマグナ
糸魚川・静岡構造線（フォッサマグナ西縁）
中央構造線
内帯
外帯
東日本火山帯
西日本火山帯
東北日本弧
西南日本弧
千島弧
伊豆・小笠原弧
琉球弧
日本海溝
南海トラフ
相模トラフ
プレートの
不明瞭なプレートの
海溝・ト
火山前線
大断層帯
プレート移動方向

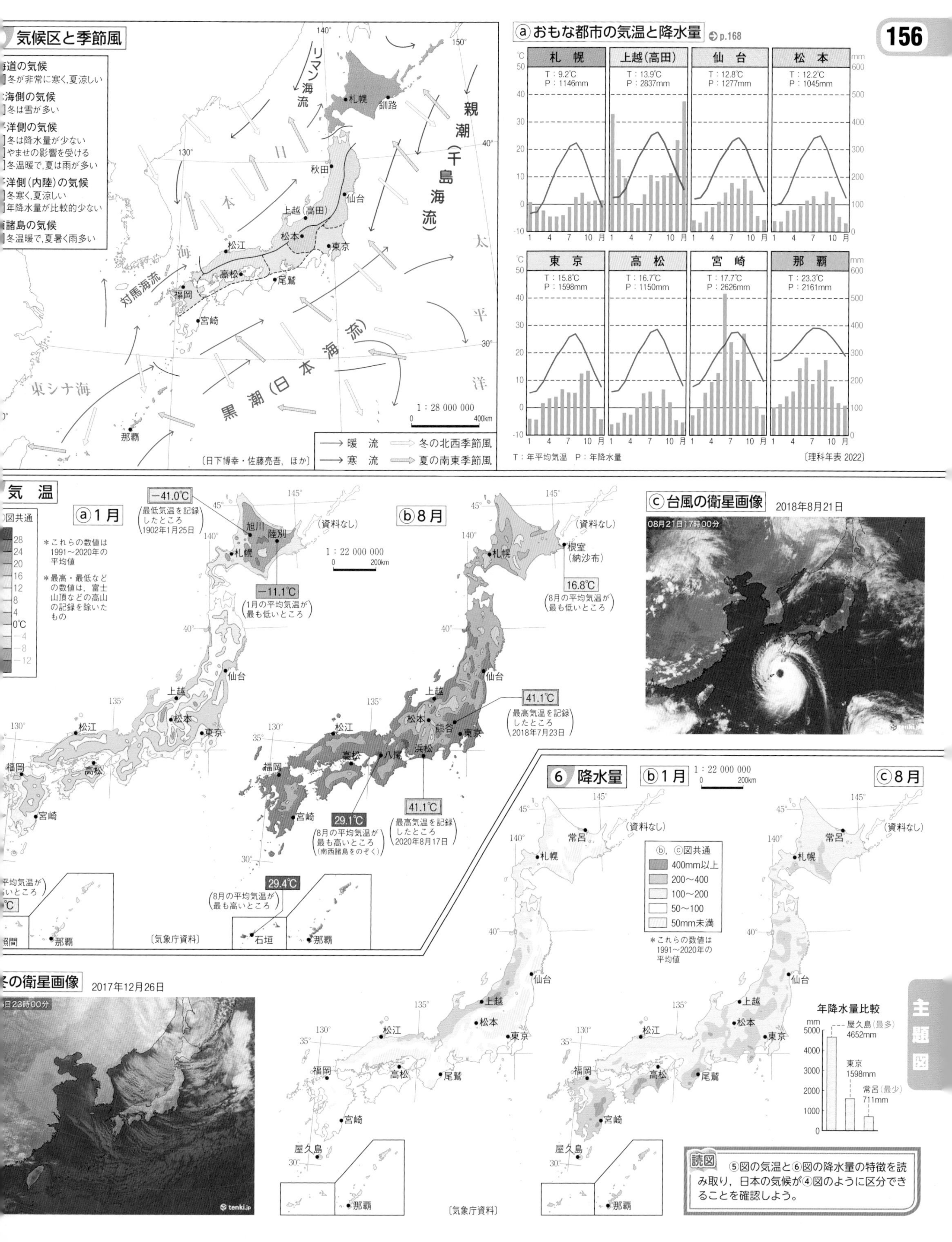

気候区と季節風
道の気候
冬が非常に寒く,夏涼しい
海側の気候
冬は雪が多い
洋側の気候
冬は降水量が少ない
やませの影響を受ける
冬温暖で,夏は雨が多い
洋側(内陸)の気候
冬寒く,夏涼しい
年降水量が比較的少ない
諸島の気候
冬温暖で,夏暑く雨が多い
リマン海流
親潮(千島海流)
日本海
対馬海流
東シナ海
黒潮(日本海流)
太平洋
札幌
釧路
秋田
仙台
上越(高田)
松本
東京
松江
高松
尾鷲
福岡
宮崎
那覇
1:28 000 000
暖流
寒流
冬の北西季節風
夏の南東季節風
〔日下博幸・佐藤亮吾,ほか〕
ⓐおもな都市の気温と降水量
p.168
札幌 T:9.2℃ P:1146mm
上越(高田) T:13.9℃ P:2837mm
仙台 T:12.8℃ P:1277mm
松本 T:12.2℃ P:1045mm
東京 T:15.8℃ P:1598mm
高松 T:16.7℃ P:1150mm
宮崎 T:17.7℃ P:2626mm
那覇 T:23.3℃ P:2161mm
T:年平均気温 P:年降水量
〔理科年表 2022〕
気温
ⓐ1月
ⓑ8月
図共通
*これらの数値は1991~2020年の平均値
*最高・最低などの数値は,富士山頂などの高山の記録を除いたもの
−41.0℃ 最低気温を記録したところ 1902年1月25日
旭川
陸別
−11.1℃ 1月の平均気温が最も低いところ
(資料なし)
1:22 000 000
根室(納沙布)
16.8℃ 8月の平均気温が最も低いところ
41.1℃ 最高気温を記録したところ 2018年7月23日
熊谷
浜松
八尾
41.1℃ 最高気温を記録したところ 2020年8月17日
29.1℃ 8月の平均気温が最も高いところ(南西諸島をのぞく)
29.4℃ 8月の平均気温が最も高いところ
石垣
〔気象庁資料〕
ⓒ台風の衛星画像 2018年8月21日
08月21日17時00分
冬の衛星画像 2017年12月26日
6 降水量
ⓑ1月
ⓒ8月
1:22 000 000
常呂
屋久島
ⓑ,ⓒ図共通
400mm以上
200~400
100~200
50~100
50mm未満
*これらの数値は1991~2020年の平均値
〔気象庁資料〕
年降水量比較
屋久島(最多) 4652mm
東京 1598mm
常呂(最少) 711mm
読図 ⑤図の気温と⑥図の降水量の特徴を読み取り,日本の気候が④図のように区分できることを確認しよう。
主題図

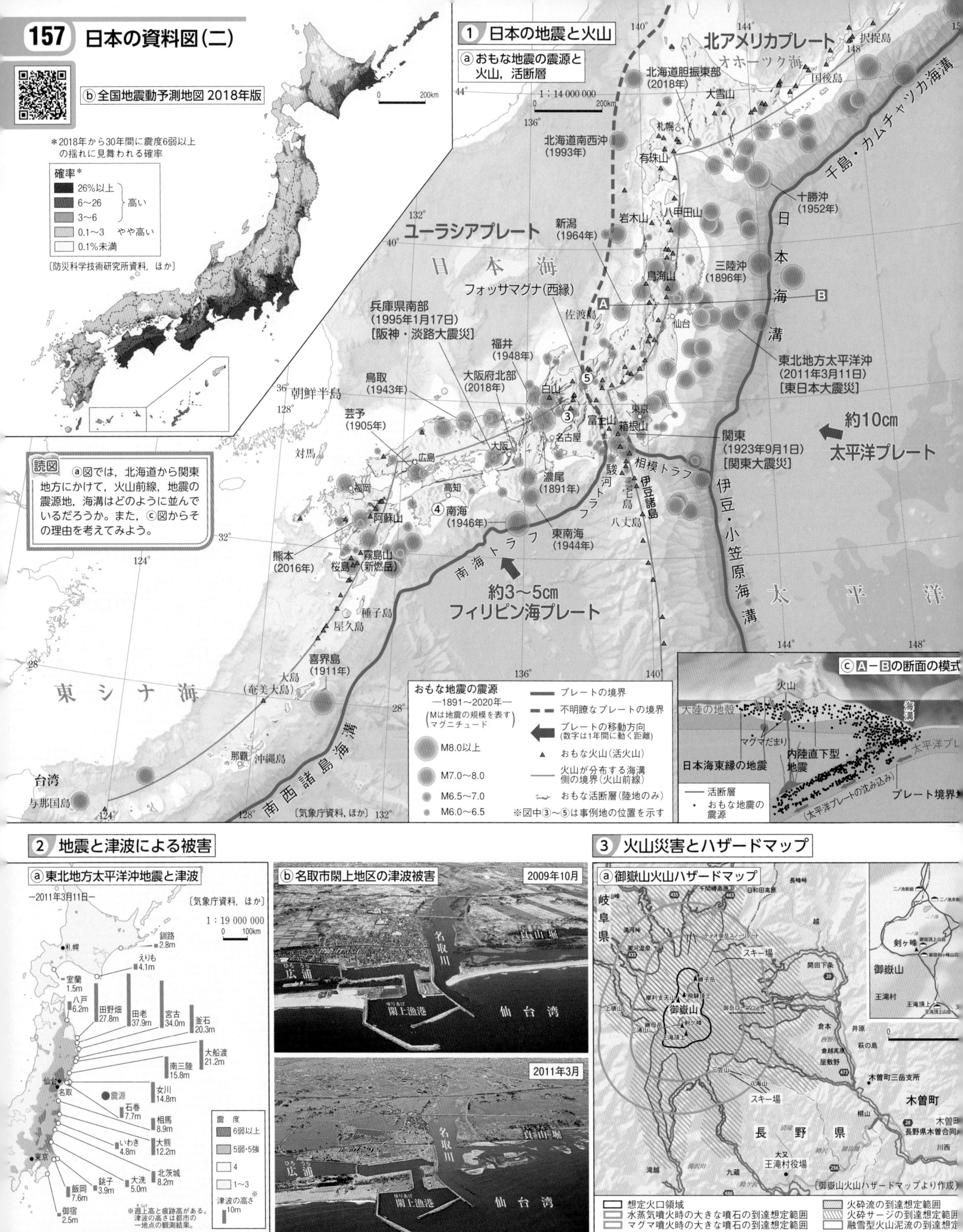

157 日本の資料図(二)
ⓑ全国地震動予測地図 2018年版
＊2018年から30年間に震度6弱以上の揺れに見舞われる確率
確率＊
26%以上
6〜26
3〜6
高い
0.1〜3 やや高い
0.1%未満
〔防災科学技術研究所資料，ほか〕
200km
1 日本の地震と火山
ⓐおもな地震の震源と火山，活断層
1：14 000 000
200km
北アメリカプレート
オホーツク海
択捉島
国後島
北海道胆振東部(2018年)
大雪山
札幌
北海道南西沖(1993年)
有珠山
十勝沖(1952年)
千島・カムチャツカ海溝
八甲田山
岩木山
新潟(1964年)
ユーラシアプレート
日本海
三陸沖(1896年)
鳥海山
日本海溝
フォッサマグナ(西縁)
佐渡島
仙台
兵庫県南部(1995年1月17日)［阪神・淡路大震災］
福井(1948年)
東北地方太平洋沖(2011年3月11日)［東日本大震災］
鳥取(1943年)
大阪府北部(2018年)
白山
朝鮮半島
芸予(1905年)
東京
富士山
箱根山
名古屋
大阪
関東(1923年9月1日)［関東大震災］
約10cm
太平洋プレート
対馬
広島
相模トラフ
駿河トラフ
伊豆諸島
三宅島
八丈島
福岡
高知
濃尾(1891年)
阿蘇山
南海(1946年)
東南海(1944年)
南海トラフ
熊本(2016年)
霧島山(新燃岳)
桜島
約3〜5cm
フィリピン海プレート
伊豆・小笠原海溝
太平洋
種子島
屋久島
喜界島(1911年)
大島(奄美大島)
東シナ海
那覇
沖縄島
台湾
与那国島
南西諸島海溝
おもな地震の震源 —1891〜2020年—
(Mは地震の規模を表すマグニチュード)
M8.0以上
M7.0〜8.0
M6.5〜7.0
M6.0〜6.5
プレートの境界
不明瞭なプレートの境界
プレートの移動方向(数字は1年間に動く距離)
おもな火山(活火山)
火山が分布する海溝側の境界(火山前線)
おもな活断層(陸地のみ)
※図中③〜⑤は事例地の位置を示す
〔気象庁資料，ほか〕
ⓒA−Bの断面の模式
火山
海溝
大陸の地殻
マグマだまり
内陸直下型地震
日本海東縁の地震
太平洋プレ
活断層
おもな地震の震源
(太平洋プレートの沈み込み)
プレート境界
読図 ⓐ図では，北海道から関東地方にかけて，火山前線，地震の震源地，海溝はどのように並んでいるだろうか。また，ⓒ図からその理由を考えてみよう。
2 地震と津波による被害
ⓐ東北地方太平洋沖地震と津波
—2011年3月11日—
〔気象庁資料，ほか〕
1：19 000 000
100km
札幌
釧路 2.8m
えりも 4.1m
室蘭 1.5m
八戸 6.2m
田野畑 27.8m
田老 37.9m
宮古 34.0m
釜石 20.3m
大船渡 21.2m
南三陸 15.8m
女川 14.8m
仙台
名取
震源
石巻 7.7m
相馬 8.9m
いわき 4.8m
大熊 12.2m
北茨城 8.2m
大洗 5.0m
銚子 3.9m
飯岡 7.6m
御宿 2.5m
東京
震度
6弱以上
5弱・5強
4
1〜3
津波の高さ※
10m
※遡上高と痕跡高がある。津波の高さは都市の一地点の観測結果。
ⓑ名取市閖上地区の津波被害
2009年10月
広浦
名取川
貞山堀
閖上漁港
仙台湾
2011年3月
3 火山災害とハザードマップ
ⓐ御嶽山火山ハザードマップ
岐阜県
長野県
御嶽山
スキー場
開田下条
倉本
井原
荻の島
木曽町三岳支所
木曽町
長野県木曽郡
王滝村役場
王滝村
剣ケ峰
〔御嶽山火山ハザードマップより作成〕
想定火口領域
水蒸気噴火時の大きな噴石の到達想定範囲
マグマ噴火時の大きな噴石の到達想定範囲
火砕流の到達想定範囲
火砕サージの到達想定範囲
融雪型火山泥流の到達想定範囲

津波への備え —高知県四万十町興津(おきつ)—

ⓐ津波浸水予測時間図*

南海地震（安政南海地震クラス），水深30cmの想定

時間（分）: 60- / 40-60 / 30-40 / 20-30 / 10-20 / 5-10 / 0-5

〔高知県版第2弾 南海トラフ巨大地震による震度分布・津波浸水予測〕

ⓑ四万十町興津地区津波ハザードマップ

主な避難路 / 津波避難タワー / 避難広場 / 避難エリア

＊エリアごとに避難場所が設定されている

最大浸水深（m）: 20- / 15-20 / 10-15 / 5-10 / 3-5 / 2-3 / 1-2 / 0.3-1 / 0-0.3

〔四万十町津波ハザードマップより作成〕

ⓒ避難タワー④

読図 ⓐ図では津波で足を取られて動けなくなる深さ(30cm)になる時間を，ⓑ図では津波の浸水深を予測している。A地点にいる時に大地震が発生した場合，取るべき行動はどのようなことだろう。

令和元年東日本台風による浸水の被害 —長野県長野市—

ⓐ浸水推定段彩図

〔国土地理院 令和元年東日本台風に伴う大雨による浸水推定段彩図（千曲川3）より作成〕

深 0 1 2 3 4 5m 浅—深

＊堤防内は浸水表現にしていない。

ⓑ治水地形分類図

〔国土地理院 治水地形分類図「中野西部」より作成〕

山地 / 扇状地 / 微高地（自然堤防） / 盛土地・埋立地 / 現河道・水面 / 段丘面 / 氾濫平野 / 旧河道（不明瞭） / 連続盛土

ⓒ浸水した北陸新幹線の車両基地 —2019年—

読図 ⓐ図の浸水の深さと，ⓑ図の地形分類を比較して，浸水が深いところと浅いところでは，どのような地形の特徴があるかを読み取ろう。また，北西部で浸水していない地域の地形は何だろう。

世界の自然災害

ⓐ世界のおもな地震，火山，台風の分布

おもな地震 —1900〜2020年—
- マグニチュード8以上
- マグニチュード6〜8
- × おもな地震災害（発生年）（震源の深さ100km未満）

おもな火山
- ・火山
- ▲ おもな火山噴火（発生年）（1万年以内に噴火）

台風 → おもな熱帯低気圧の進路と名称

〔理科年表 2021，ほか〕

ⓑ災害被害額の地域別内訳

—1900〜2019年累計—

地震 総計8284億ドル: アジア 71.0（うち日本 46.4），南北アメリカ 13.7，ヨーロッパ 10.1，オセアニア 3.6，アフリカ 1.6

洪水 総計8060億ドル: アジア 61.3（うち日本 3.0），ヨーロッパ 18.0，南北アメリカ 17.3，オセアニア 2.2，アフリカ 1.2

火山 総計48億ドル: 南北アメリカ 70.3，アジア 23.9（うち日本 2.8），ヨーロッパ 3.3，オセアニア 2.3，アフリカ 0.2

〔EM-DAT資料〕

主題図

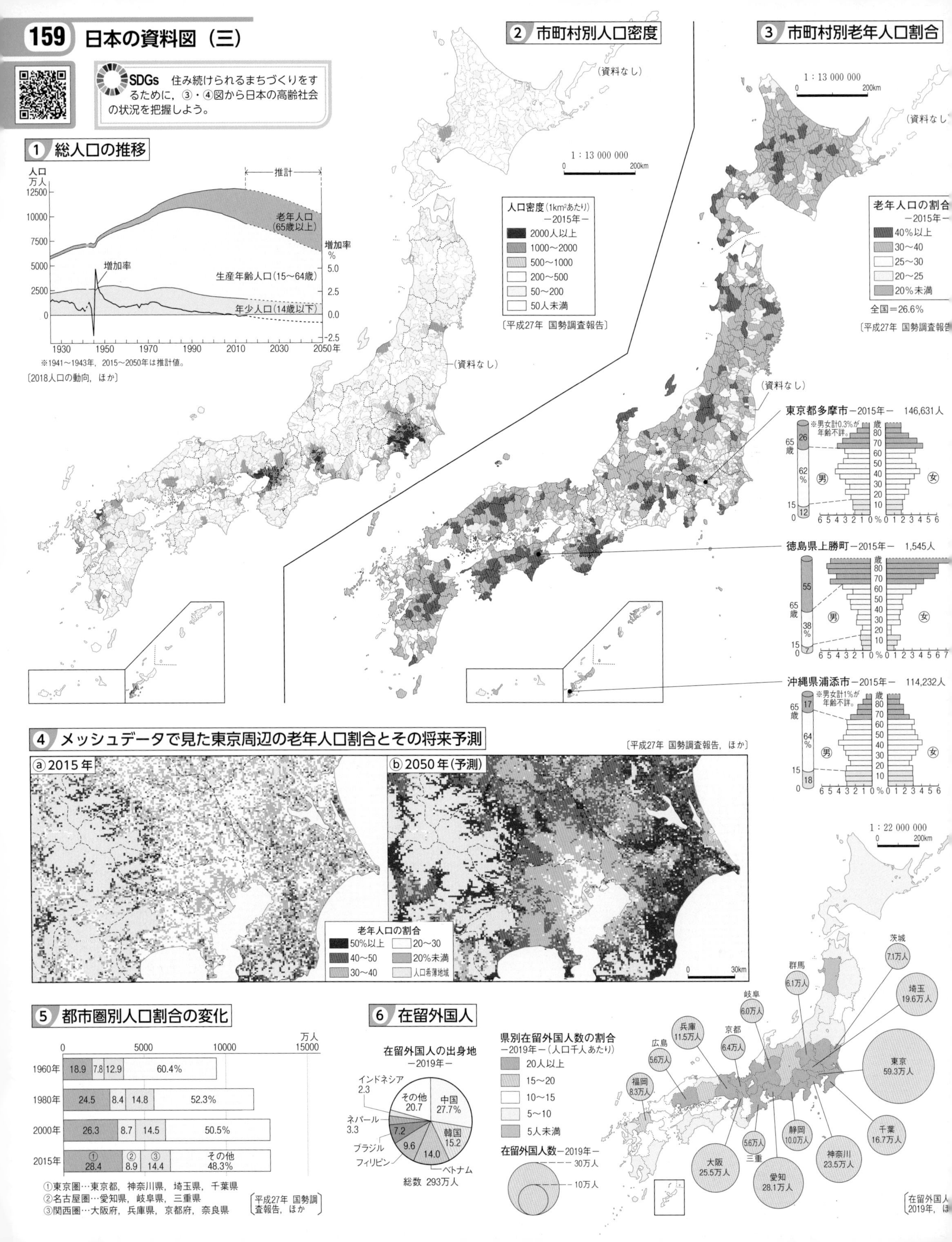

159
日本の資料図（三）
SDGs 住み続けられるまちづくりをするために，③・④図から日本の高齢社会の状況を把握しよう。
① 総人口の推移
人口 万人
12500
10000
7500
5000
2500
0
推計
老年人口（65歳以上）
増加率 %
5.0
2.5
0.0
-2.5
増加率
生産年齢人口（15～64歳）
年少人口（14歳以下）
1930 1950 1970 1990 2010 2030 2050年
※1941～1943年，2015～2050年は推計値。
〔2018人口の動向，ほか〕
② 市町村別人口密度
（資料なし）
1：13 000 000
0 200km
人口密度（1km²あたり）－2015年－
2000人以上
1000～2000
500～1000
200～500
50～200
50人未満
〔平成27年 国勢調査報告〕
（資料なし）
③ 市町村別老年人口割合
1：13 000 000
0 200km
（資料なし）
老年人口の割合 －2015年－
40％以上
30～40
25～30
20～25
20％未満
全国＝26.6％
〔平成27年 国勢調査報告〕
（資料なし）
東京都多摩市－2015年－ 146,631人
※男女計0.3％が年齢不詳。
26
62％
12
65歳
15
0
男
女
歳
80
70
60
50
40
30
20
10
6 5 4 3 2 1 0％ 0 1 2 3 4 5 6
徳島県上勝町－2015年－ 1,545人
55
38％
7
65歳
15
0
男
女
6 5 4 3 2 1 0％ 0 1 2 3 4 5 6 7
沖縄県浦添市－2015年－ 114,232人
※男女計1％が年齢不詳。
17
64％
18
65歳
15
0
男
女
6 5 4 3 2 1 0％ 0 1 2 3 4 5 6
④ メッシュデータで見た東京周辺の老年人口割合とその将来予測
〔平成27年 国勢調査報告，ほか〕
ⓐ 2015年
ⓑ 2050年（予測）
老年人口の割合
50％以上
40～50
30～40
20～30
20％未満
人口希薄地域
0 30km
⑤ 都市圏別人口割合の変化
0 5000 10000 万人 15000
1960年 18.9 7.8 12.9 60.4％
1980年 24.5 8.4 14.8 52.3％
2000年 26.3 8.7 14.5 50.5％
2015年 ① 28.4 ② 8.9 ③ 14.4 その他 48.3％
①東京圏…東京都，神奈川県，埼玉県，千葉県
②名古屋圏…愛知県，岐阜県，三重県
③関西圏…大阪府，兵庫県，京都府，奈良県
〔平成27年 国勢調査報告，ほか〕
⑥ 在留外国人
在留外国人の出身地 －2019年－
中国 27.7％
韓国 15.2
ベトナム 14.0
フィリピン 9.6
ブラジル 7.2
ネパール 3.3
インドネシア 2.3
その他 20.7
総数 293万人
県別在留外国人数の割合 －2019年－（人口千人あたり）
20人以上
15～20
10～15
5～10
5人未満
在留外国人数－2019年－
30万人
10万人
1：22 000 000
0 200km
茨城 7.1万人
群馬 6.1万人
埼玉 19.6万人
岐阜 6.0万人
京都 6.4万人
兵庫 11.5万人
広島 5.6万人
福岡 8.3万人
東京 59.3万人
千葉 16.7万人
神奈川 23.5万人
静岡 10.0万人
愛知 28.1万人
三重 5.6万人
大阪 25.5万人
〔在留外国人統計 2019年，ほか〕

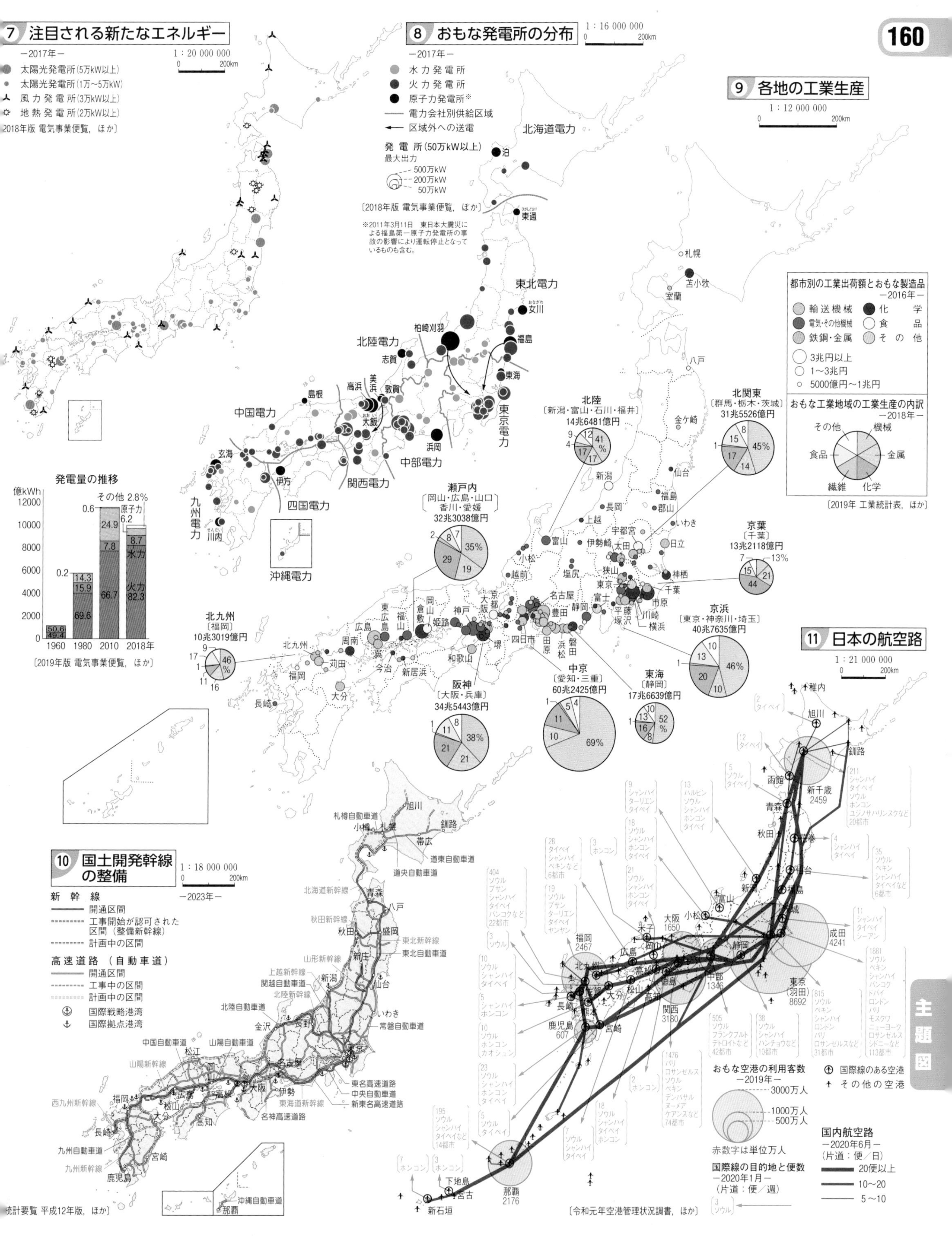
7 注目される新たなエネルギー
ー2017年ー
1：20 000 000
0 200km
太陽光発電所(5万kW以上)
太陽光発電所(1万～5万kW)
風力発電所(3万kW以上)
地熱発電所(2万kW以上)
〔2018年版 電気事業便覧，ほか〕
8 おもな発電所の分布
1：16 000 000
0 200km
ー2017年ー
水力発電所
火力発電所
原子力発電所※
電力会社別供給区域
区域外への送電
発電所(50万kW以上)
最大出力
500万kW
200万kW
50万kW
〔2018年版 電気事業便覧，ほか〕
※2011年3月11日 東日本大震災による福島第一原子力発電所の事故の影響により運転停止となっているものも含む。
北海道電力
泊
東通
東北電力
女川
福島
東海
東京電力
柏崎刈羽
北陸電力
志賀
中部電力
浜岡
関西電力
美浜
高浜
敦賀
大飯
中国電力
島根
四国電力
伊方
九州電力
玄海
川内
沖縄電力
発電量の推移
億kWh
12000
10000
8000
6000
4000
2000
0
1960
1980
2010
2018年
50.6
49.4
0.2
14.3
15.9
69.6
0.6
24.9
7.8
66.7
その他 2.8%
原子力
6.2
8.7
水力
火力
82.3
〔2019年版 電気事業便覧，ほか〕
9 各地の工業生産
1：12 000 000
0 200km
都市別の工業出荷額とおもな製造品
ー2016年ー
輸送機械
化学
電気・その他機械
食品
鉄鋼・金属
その他
3兆円以上
1～3兆円
5000億円～1兆円
おもな工業地域の工業生産の内訳
ー2018年ー
その他
機械
食品
金属
繊維
化学
〔2019年 工業統計表，ほか〕
北関東
〔群馬・栃木・茨城〕
31兆5526億円
45%
北陸
〔新潟・富山・石川・福井〕
14兆6481億円
41%
瀬戸内
〔岡山・広島・山口・香川・愛媛〕
32兆3038億円
35%
京葉
〔千葉〕
13兆2118億円
13%
京浜
〔東京・神奈川・埼玉〕
40兆7635億円
46%
北九州
〔福岡〕
10兆3019億円
46%
阪神
〔大阪・兵庫〕
34兆5443億円
38%
中京
〔愛知・三重〕
60兆2425億円
69%
東海
〔静岡〕
17兆6639億円
52%
札幌
苫小牧
室蘭
八戸
仙台
新潟
福島
郡山
いわき
日立
鹿島
宇都宮
太田
富山
小松
越前
神栖
千葉
市原
川崎
横浜
藤沢
平塚
名古屋
豊田
四日市
浜松
磐田
静岡
富士
神戸
姫路
倉敷
岡山
福山
広島
周南
北九州
苅田
大分
長崎
和歌山
堺
大阪
京都
今治
新居浜
10 国土開発幹線の整備
1：18 000 000
0 200km
ー2023年ー
新幹線
開通区間
工事開始が認可された区間(整備新幹線)
計画中の区間
高速道路(自動車道)
開通区間
工事中の区間
計画中の区間
国際戦略港湾
国際拠点港湾
札樽自動車道
道東自動車道
道央自動車道
北海道新幹線
秋田新幹線
東北新幹線
東北自動車道
山形新幹線
上越新幹線
関越自動車道
北陸新幹線
北陸自動車道
常磐自動車道
中国自動車道
山陽自動車道
山陽新幹線
東名高速道路
中央自動車道
新東名高速道路
東海道新幹線
名神高速道路
西九州新幹線
九州自動車道
九州新幹線
沖縄自動車道
〔統計要覧 平成12年版，ほか〕
11 日本の航空路
1：21 000 000
0 200km
稚内
旭川
釧路
函館
新千歳
2459
青森
秋田
花巻
仙台
新潟
福島
小松
富山
大阪
1650
福岡
2467
米子
岡山
広島
北九州
高松
松山
大分
長崎
熊本
鹿児島
607
宮崎
中部
1346
関西
3180
成田
4241
東京(羽田)
8692
静岡
那覇
2176
下地島
宮古
新石垣
おもな空港の利用客数
ー2019年ー
3000万人
1000万人
500万人
赤数字は単位万人
国際線の目的地と便数
ー2020年1月ー
(片道：便／週)
国際線のある空港
その他の空港
国内航空路
ー2020年6月ー
(片道：便／日)
20便以上
10～20
5～10
〔令和元年空港管理状況調書，ほか〕
主題図

1 地図と地理情報システム

ⓐさまざまな形態の地図

紙地図

・ある縮尺で広い範囲を一度に表現しやすい
・目的に特化した情報が均一にまとまっている
・電子機器の有無を問わず，手軽に閲覧できる

デジタル地図

・拡大・縮小や方向転換が自由にできる
・つなぎ目のないシームレスな地図を表示でき，表示範囲を自由に動かせる
・地図が位置情報を保持している
・地球上のどこにいても現在地を表示できる

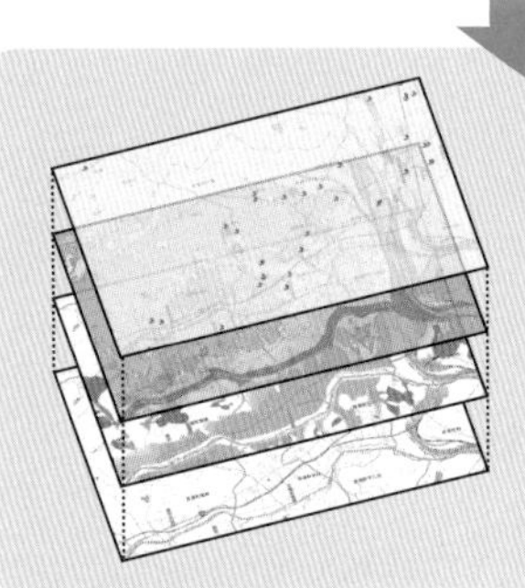

GIS を利用した表示や分析，情報処理

・必要な情報だけを選択して表示できる
・膨大なデータを高速で処理し可視化できる
・情報をリアルタイムに更新できる
・インターネットを通じて社会全体で共有できる

ⓑWebGIS を使ってみよう

情報通信技術の発達により，地図化できるデータが広く整備・公開されるようになった。これらのデータを地図化することで，数値だけでは見えにくい現象が捉えやすくなる。さらに作成した地図を重ね合わせることで，さまざまな角度から考察することができる。

このような統計データをウェブ上で地図化する GIS（WebGIS）は無料で使用できるものも多く，さまざまな場面で使用されている。➲p.164③

WebGIS リンク集

2 身近な GIS

ⓐ気象情報

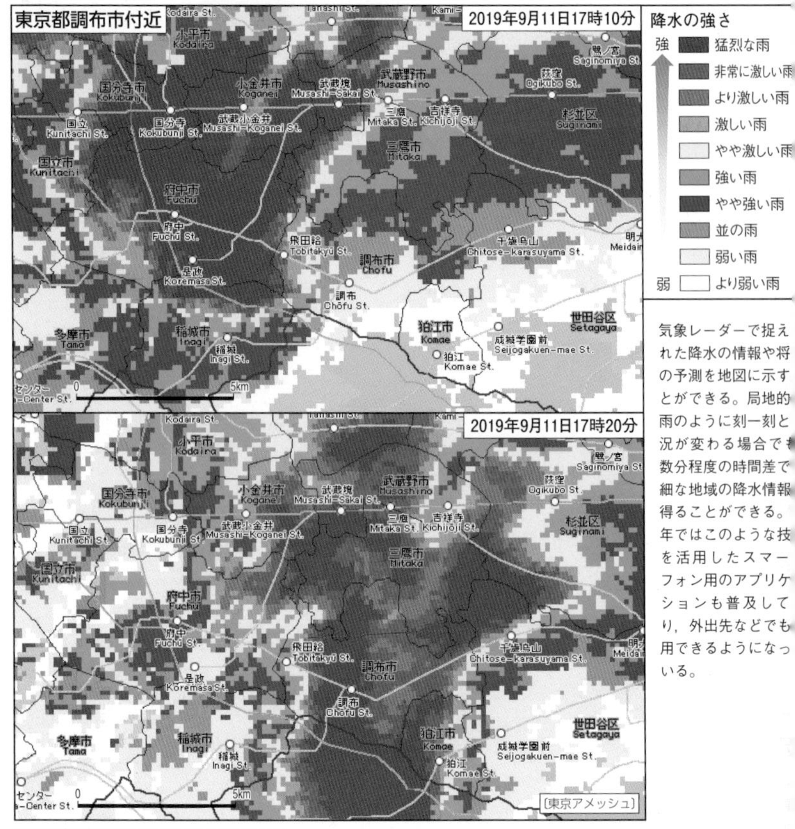

気象レーダーで捉えられた降水の情報や将来の予測を地図に示すことができる。局地的な雨のように刻一刻と状況が変わる場合でも，数分程度の時間差で細かな地域の降水情報を得ることができる。近年ではこのような技術を活用したスマートフォン用のアプリケーションも普及しており，外出先などでも利用できるようになっている。

ⓑカーナビゲーションシステム

人工衛星から得た位置情報と，FM ラジオ由来の電波やインターネットなどを通じて得た周辺情報を地図上に表示し活用できる。リアルタイムに得た渋滞情報や交通規制などをコンピュータが複合的に分析し，状況に応じて最適な経路を導き出すことができる。

3 GIS を利用した分析の仕組みとレイヤー機能 ―店舗の立地分析の例―

使用データ　地図化する　要素ごとの地図　条件を決めて要素ごとに分析する　要素ごとの分析結果　分析結果を重ねあわせる　総合評価する

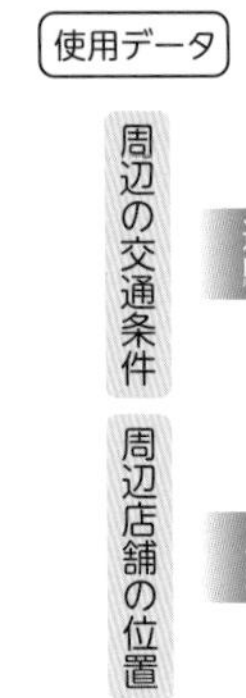

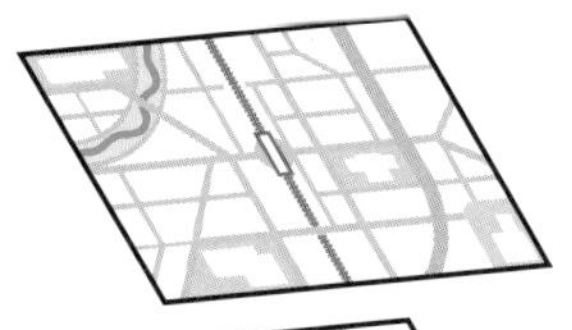

道路や鉄道，駅などを地図化

店の位置情報を地図化

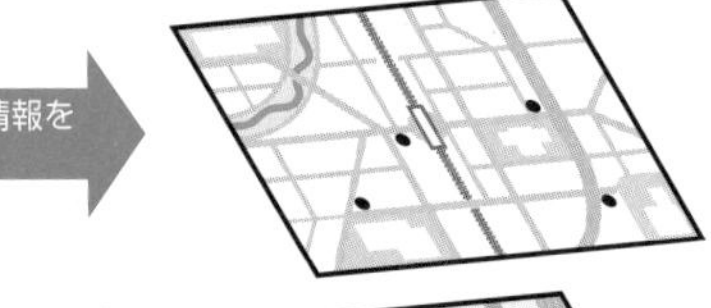

人口のデータを地図化

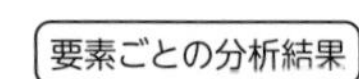

アクセスが良い
・駅から半径500m以内
・主要道路沿い300m以内

競合店がない
・他の店舗との距離が500m以上離れている

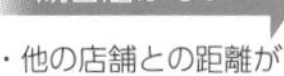

集客が見込める
・分布の傾向を捉える
・人口集中の核をみつける

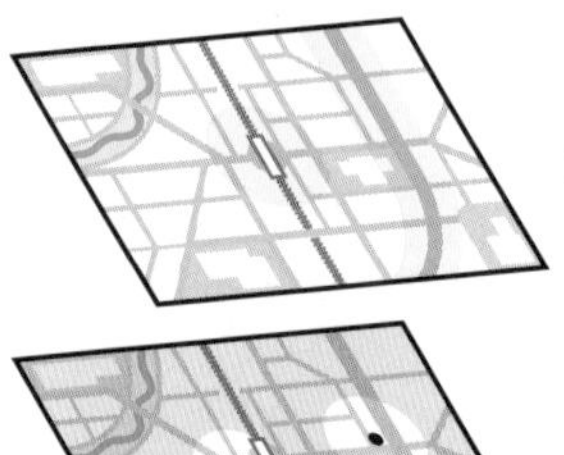

それぞれの分析結果を重ね合わせ，総合的に評価する。

*GISはさまざまな要素の地図を層状に重ね合わせる構造になっているため，分析がしやすい特徴をもつ。（レイヤー構造）

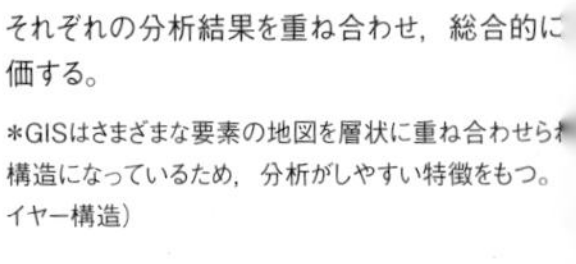

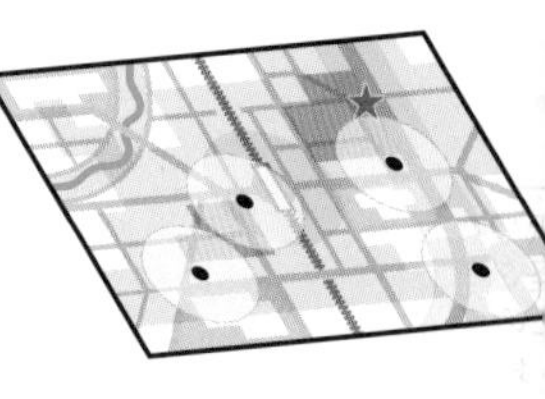

分析の結果，店舗の立地条件に適合する地域が抽出できる。この結果を最終的な店舗出店の判断材料として活用することができる。

4 GISを活用して生活圏や国土の課題を分析した例 ―栃木県足利市―

GISは行政の政策決定や企業のマーケティングなどの分野で幅広く活用されている。統計資料を地図化し分析・評価することで，さまざまな判断がしやすくなる。

ⓐ～ⓕ図は，平成27年国勢調査報告及び足利市資料をもとに作成。背景は地理院地図を使用し陰影を透過させた。

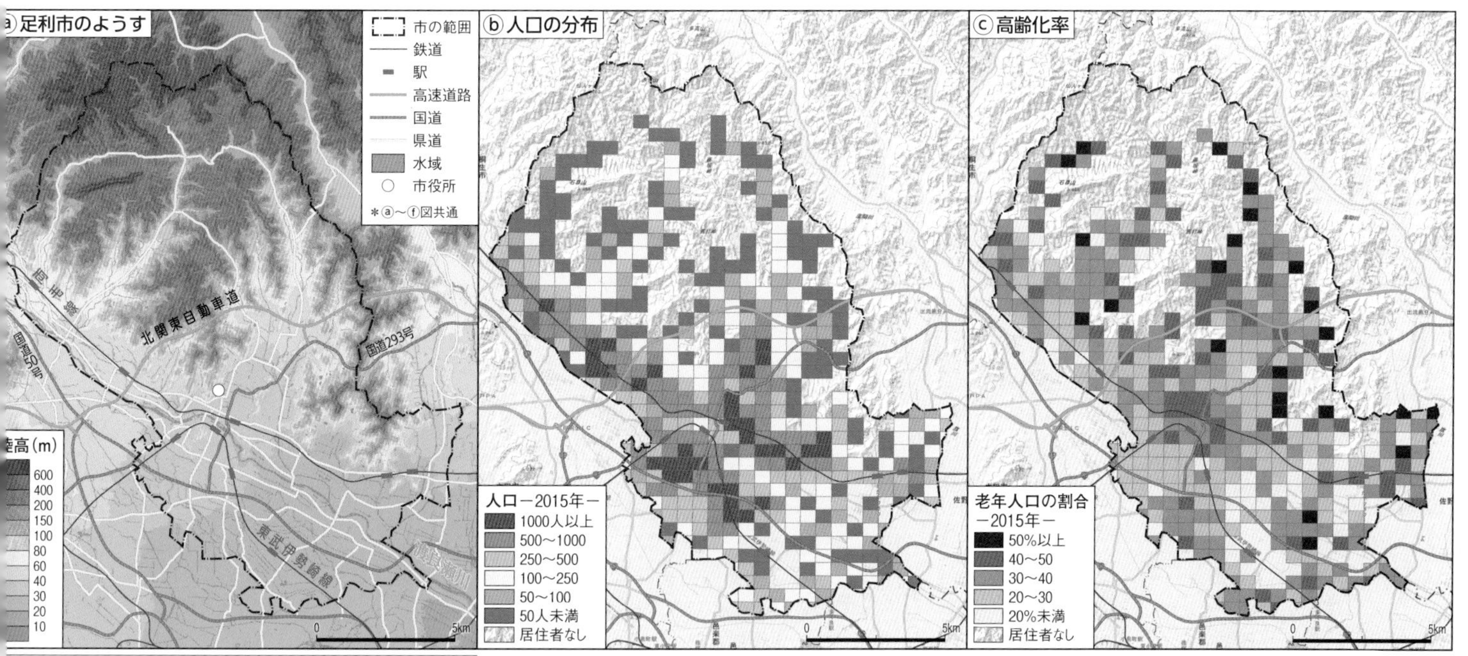

足利市の基本情報 ➲p.127 B1

人　　口：147,608人（2019年10月）
高齢化率：31.8%（2019年10月）
面　　積：177.76km²
市　　域：東西18.8km，南北19.1km
位　　置：栃木県の南西部に位置し，群馬県と接する

人口のメッシュデータ*をもとに作成。
*地域を格子状に分割し，その範囲の居住者の数などを統計として処理したデータ。➲p.159④

読図 人口が多く分布している地域を読み取ろう。またⓐ図と比較して人口の分布と交通網や標高の関係を読み取ろう。

人口のメッシュデータから老年人口の割合（高齢化率）を計算して作成。
高齢化率(%) = 65歳以上の人口÷(総人口－年齢不詳人口)×100

読図 高齢化率の高い地域と低い地域の分布の差を読み取ろう。その際ⓑ図と比較して，人口分布との関係にも着目しよう。

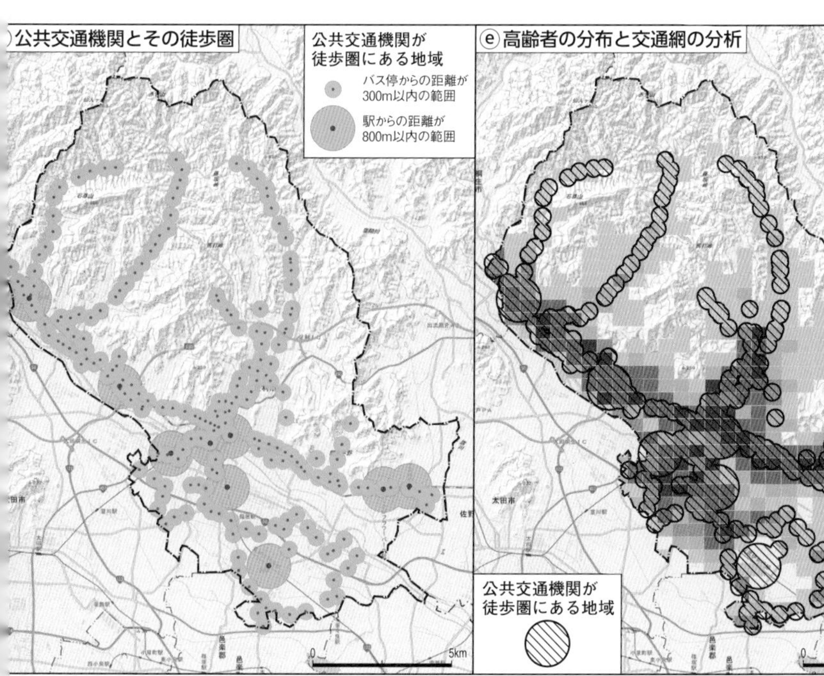

駅やバス停の位置情報をもとに作成。バス停からは半径300m，駅からは半径800mの円*をそれぞれ生成し，この範囲を徒歩圏と設定した。
*ある地物から一定の距離の領域をバッファーとよぶ。

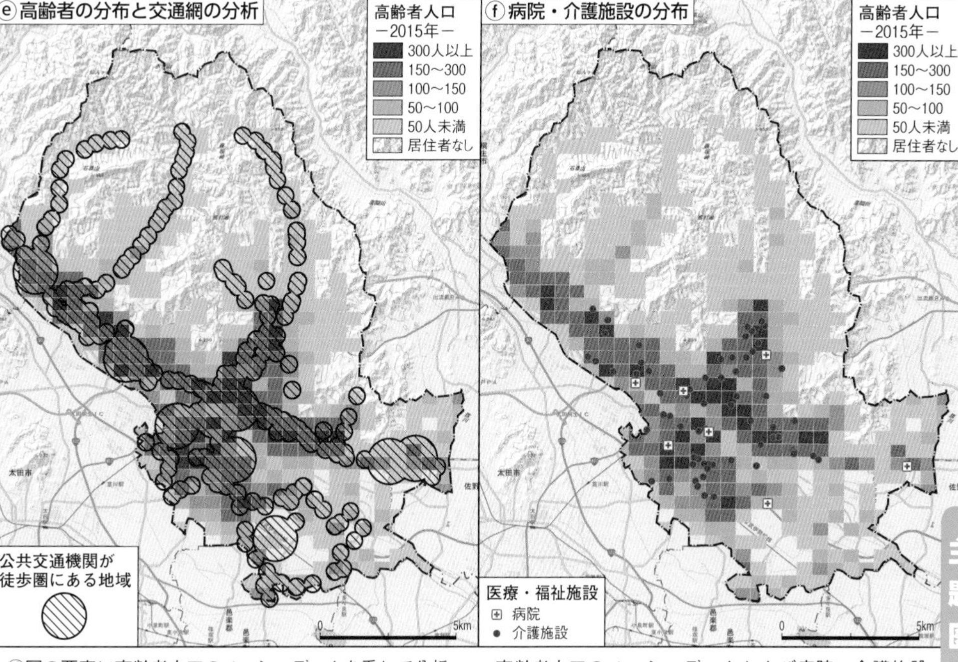

ⓓ図の要素に高齢者人口のメッシュデータを重ねて分析。
*ⓓ図の駅からのバッファーとバス停からのバッファーを統合する処理を加えた。

高齢者人口のメッシュデータおよび病院，介護施設の位置情報から作成。

読図 この地域の交通網は充分に整備されていると考えるか，充分でないと考えるか，ⓔ図から評価してみよう。また，そう考える理由を説明しよう。

探究 バス路線を改定するとしたら，あなたはどのようなルートにするか考えよう。また，ⓐ～ⓕの他にどのような資料が路線改定の判断材料になるか考えよう。RESASなどのWebGISや二次元コードのリンク先の内容も参考にしよう。

球面の平面化・地図投影法

1 地球儀を切り開いたイメージ

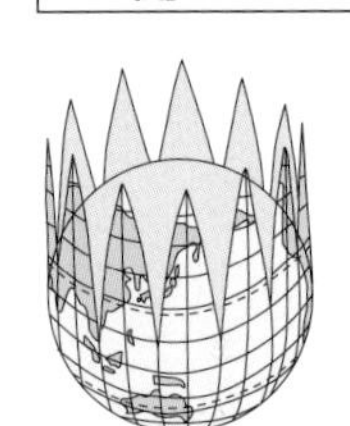

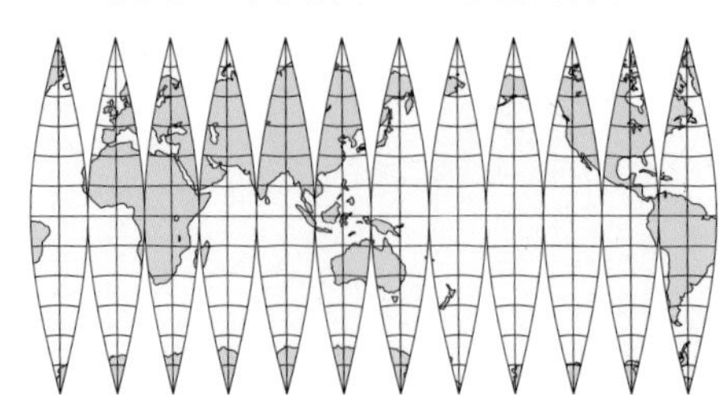

解説 球面である地球を平面である地図に変換する方法が，地図投影法である。平面化した時に，中心からの距離と方位のように正確性を両立できる場合もあるが，正角，正積，正距，正方位のすべてを同時に一枚の地図上に表すことはできない。そのため多様な地図が求められ，目的に応じたさまざまな図法が発達した。図法は，投影方法によって円筒図法，円錐図法，方位図法などに分類される。角度が正しい，面積が正しい，距離が正しい，方位が正しい，形のひずみが小さいなど各図法の特徴を把握し，用途により使い分けることが重要である。

2 さまざまな地図投影法

各図法中の ○ は，半径1000kmの範囲を示す。

円筒図法

a メルカトル図法（正角円筒図法）

b ミラー図法

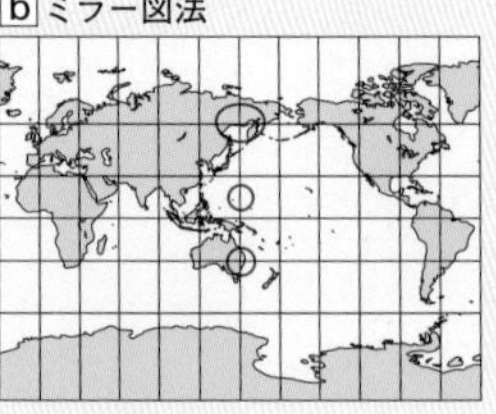

c ユニバーサル横メルカトル（UTM）図法

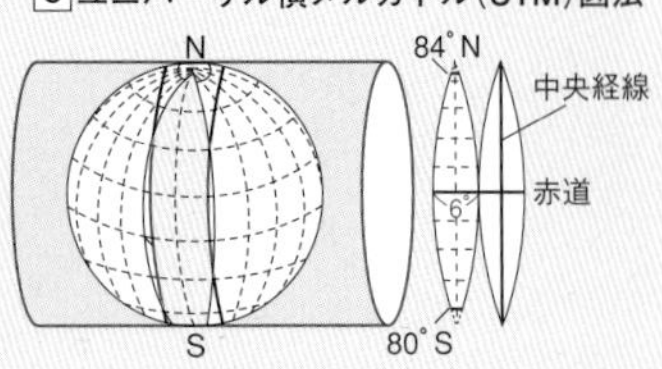

擬円筒図法

円筒図法の緯線の性質を生かし，経線を両極で内側に曲げて高緯度地域のひずみを小さくした図法。

a サンソン図法

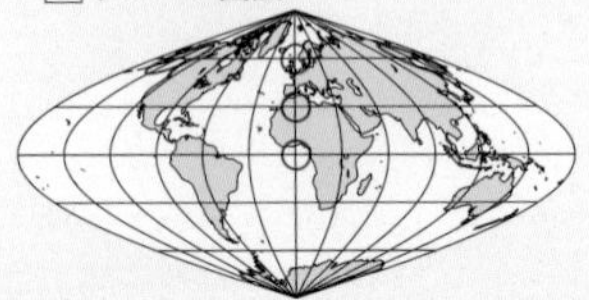

b モルワイデ図法

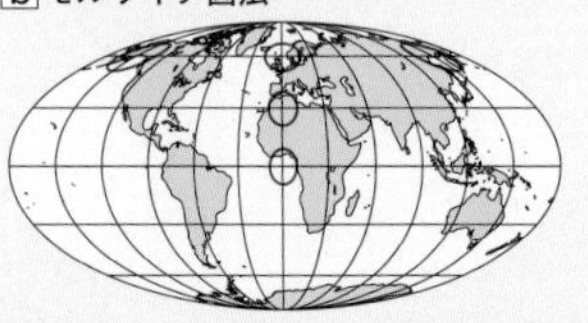

c ホモロサイン（グード）図法

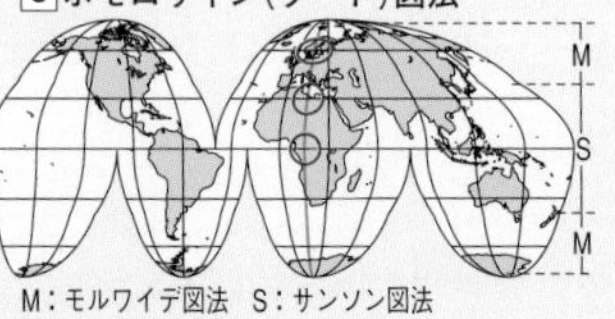

M：モルワイデ図法　S：サンソン図法

d エケルト図法（第４図法）

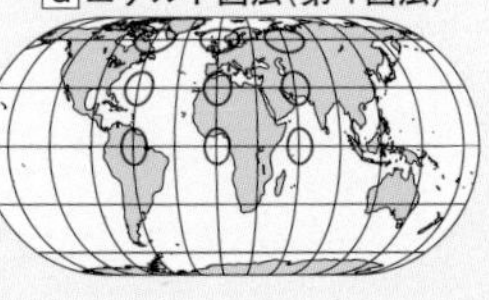

円錐図法

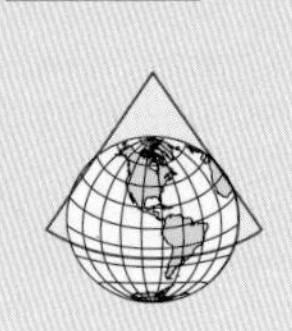

a 正距円錐図法（ドリール図法）

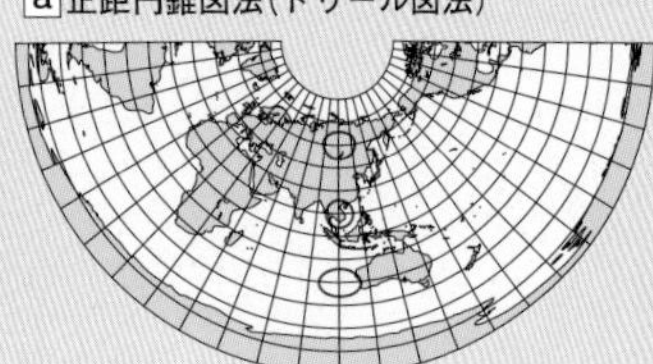

b ランベルト正角円錐図法

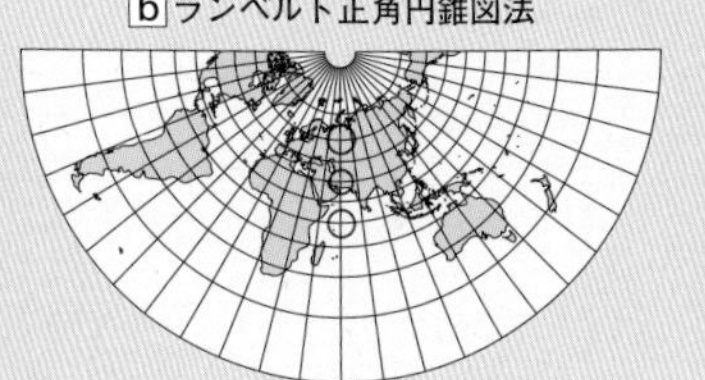

その他の図法

a ボンヌ図法

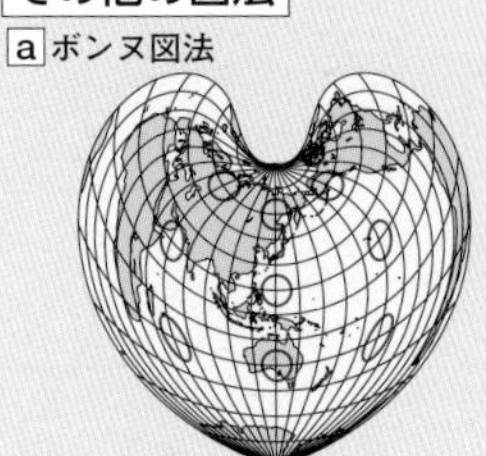

方位図法（平面図法）

視点による分類

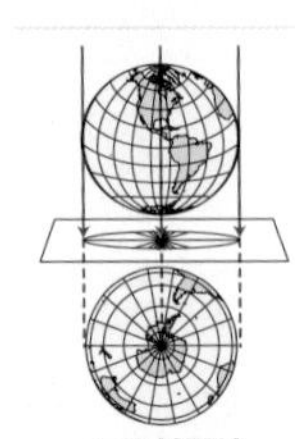

1.正射図法

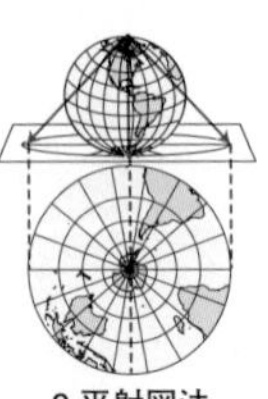

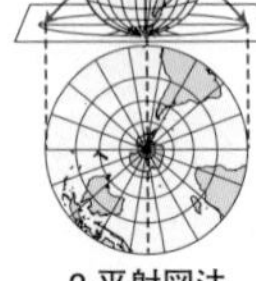

2.平射図法

3.心射図法

a ランベルト正積方位図法

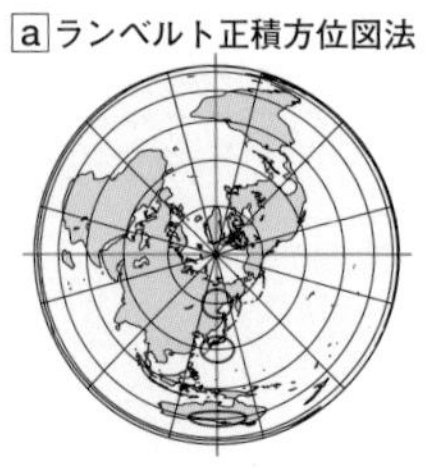

b 正距方位図法

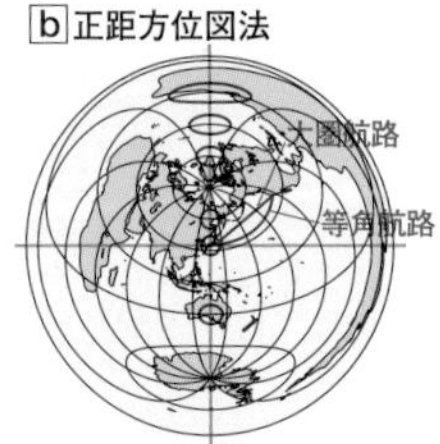

b ヴィンケル図法（第３図法）

3 地図投影法の説明

注） ▲正角図法　●正積図法　■正距図法　→p.（各図法が図中で使用されているおもなページ）

	図法名	特色	おもな用途
円筒図法	▲a メルカトル図法	円筒図法で，経線が縦の平行直線になりすべて上が北極方向を指す。緯線も直線で，高緯度ほど実際より長さが拡大されるので，これと同じ比で経線の長さも拡大して等角航路が直線になるようにした。これにより正確な外洋航海ができるようになった。	海図
	b ミラー図法	高緯度の緯線間隔をメルカトル図法よりも狭くすることで，高緯度の面積のひずみをより小さくしている。→p.1〜2	世界全図
	▲c ユニバーサル横メルカトル（UTM）図法	円筒を経線に沿って横からかぶせたメルカトル図法（横メルカトル図法）で，経線間隔6°ごとに投影する。経度差6°未満の範囲では，各図葉が平面上で切れ目なく接合でき，ひずみも小さいので，大縮尺の地形図などに利用される。	地形図
擬円筒図法	●a サンソン図法	正積性を保つために，地球儀上の経線間隔に合わせて，経線を中央に寄せた図法。経線は，中央経線以外正弦曲線（サインカーブ）になる。中央経線と赤道に沿った部分の形のひずみは小さいが，高緯度の外縁部ではひずみが非常に大きくなる。	世界全図
	●b モルワイデ図法	経線に楕円を用いてふっくらとさせることで，サンソン図法よりも外縁部のひずみを小さくした図法。高緯度で幅が広がった分，緯線間隔を高緯度ほど狭くすることで正積性を保っている。中央経線と各緯線が直線であることは，サンソン図法と同様。	世界全図
	●c ホモロサイン（グード）図法	モルワイデ図法の高緯度部分のひずみが小さい長所を生かし，サンソン図法の低緯度部分と緯線の長さが同じになる緯度40°44′で接合した正積図法。さらに，適当な経線に沿って海洋を断裂させることで，大陸の形のひずみを小さくしている。	世界全図
	●d エケルト図法（第4図法）	中・高緯度のひずみを小さくするために，極を赤道の1/2の長さの直線にしている。第４図法では，最外周の経線を円弧にしてふくらみをもたせ，正積にするために緯線間隔を高緯度になるほど狭くしてある。その分，低緯度部分は南北に伸びる。	世界全図
円錐図法	■a 正距円錐図法（ドリール図法）	経線は放射状直線，緯線は同心円状の円弧，経線沿いの距離が正しい。中緯度地域のひずみが小さい。→p.9〜10，p.45〜46，p.75〜76	中緯度地方図
	▲b ランベルト正角円錐図法	経線は放射状直線，緯線は同心円状の円弧，正角性のために緯線間隔を調整。全体のひずみが小さい。→p.31〜32	中緯度地方図
方位図法	●a ランベルト正積方位図法	中心から外側方向への距離を調整して，正積性をもたせた図法。外縁部のひずみが大きい。→p.23〜24，p.73〜74	大陸図
	■b 正距方位図法	地図の中心点を平面にあて，全球図の場合は対蹠点から中心に向かって切り開き，広げて貼り付け，円形にして描いた図法。これにより中心から他の１点への方位と距離が正しくなる。外縁部のひずみが大きい。全球図は外周円が対蹠点となる。→p.4，p.5〜6	大陸図
	▲ 平射（ステレオ）図法	視点に光源を置き平面に投影した図法（投射図法）のうち，視点を投影面と地球との接点の対蹠点においた図法。	極地方図
その他の図法	●■a ボンヌ図法	緯線は同心円，経線は曲線で，緯線間・経線間の間隔が正しく正積図法。中央部分のひずみが小さい。	中緯度地方図
	b ヴィンケル図法（第3図法）	正距円筒図法とエイトフ図法という２つの図法を投影する数式の平均をとって描画した図法。赤道と極は直線となり他の緯線は曲線となる。正角・正積などの正性質はないが，総合的なひずみが小さいため，世界全図に用いられる。→p.147〜148①，p.149〜150①，p.151〜152①，p.153〜154①	世界全図

1 地図にみる世界

A 古代バビロニアの世界（前8～前7世紀ごろ）

バビロニアの世界図

粘土板に描かれた最古の世界図。世界はバビロンを中心に広がる円盤状のもので，その外側には海が広がっていると考えられていた。

1 海　2 山
3 バビロン　4 小都市
5 ユーフラテス川
6 湿地帯
7 ペルシア湾

B 古代ギリシャ・ローマの世界（2世紀ごろ）

プトレマイオスの世界地図

注）15世紀作

古代ギリシャ時代に人々の地理的知識は大きく広がった。また，地球球体説が唱えられ，その大きさが測定された。上図は，プトレマイオスの著書をもとに15世紀に再構成されたもの。

C 中世ヨーロッパの世界（13世紀）

TO マップ

中世になると，キリスト教的世界観により地理的知識は後退した。
かれらは，世界はエルサレムを中心とした丸く平らな陸地であると考えた。

1 エルサレム
2 アフリカ
3 ヨーロッパ
4 インド

D 近世ヨーロッパの世界①（15世紀）

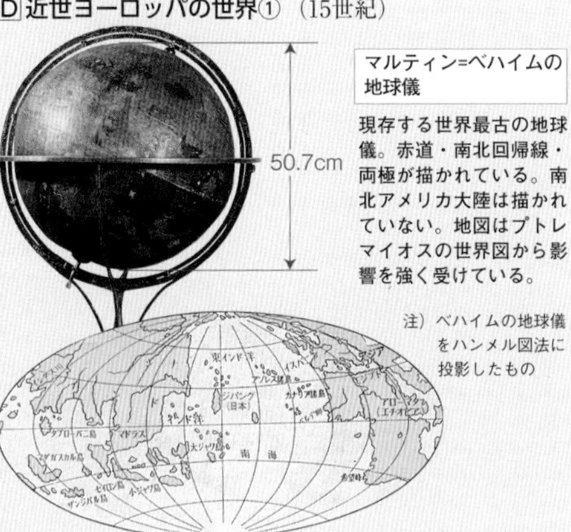

マルティン=ベハイムの地球儀

現存する世界最古の地球儀。赤道・南北回帰線・両極が描かれている。南北アメリカ大陸は描かれていない。地図はプトレマイオスの世界図から影響を強く受けている。

注）ベハイムの地球儀をハンメル図法に投影したもの

E 近世ヨーロッパの世界②（16世紀）

メルカトルの世界地図

注）下図は，メルカトルの地図の輪郭を利用して作られたクワッドの地図

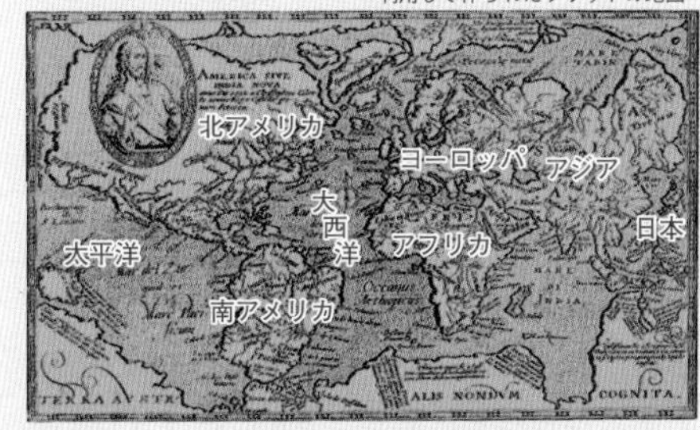

大航海時代にヨーロッパ人の地理的知識は著しく拡大した。アメリカ大陸が「発見」され，アジアやアフリカの知識も正確になった。だが，オーストラリアはまだ確認されず，架空の南方大陸が描かれている。

F 江戸時代の日本図（19世紀）

伊能図「大日本沿海輿地全図 関東」(部分)

古来，日本人の世界に関する知識は中国・インドまでと狭かった。16世紀に少し地理的知識は拡大したが，鎖国で制約された。この図は伊能忠敬らによって，1800年から1816年にかけて測量され，1821年に完成したものの一部である。

2 地球の歴史

〔著者原図〕

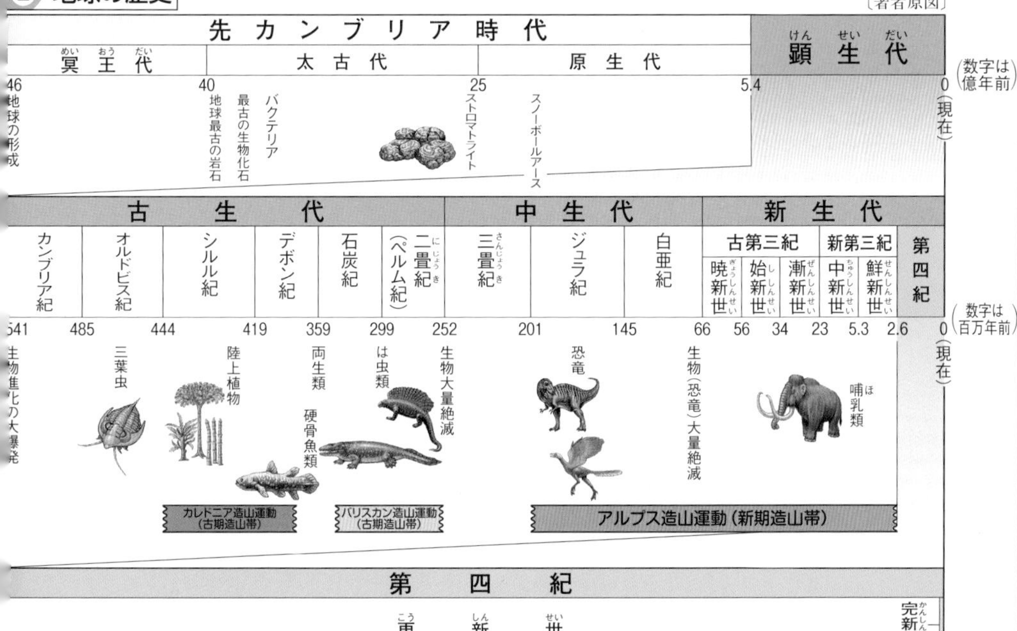

3 活用が広がるWebGIS

➡ p.161-162

A RESAS（リーサス）で表示した出版社の分布

地域経済分析システム（RESAS）は内閣官房と経済産業省が提供するサービスで，国や民間企業から提供された人口・産業・観光などの統計をテーマ別に地図やグラフで表すことができる。図は出版社が多く集まる東京都千代田区神田神保町付近のようすで，点にポインターをあてると会社名などの情報を得ることができる。（青色は同一地点に一つの事業所のみ，赤色は複数の事業所がある）

B 地理院地図で作成した3D地図

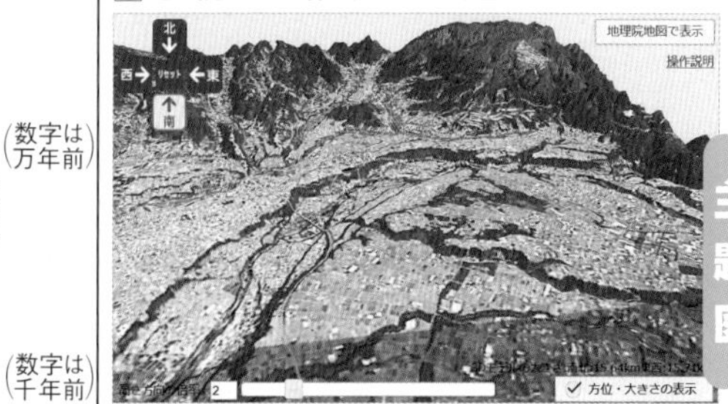

国土地理院が提供している「地理院地図」では，立体表現の地図を作成することができる。地形図や写真など表現を選べるほか，画像だけではなく3Dプリンターから立体模型を作成するデータのダウンロードも可能である。図は群馬県沼田市付近の片品川の河岸段丘を表したもの（高さを2倍に設定）。

統　計　資　料

世界の統計・日本の統計にリンクします。

1 地球の大きさ

(注)世界測地系による

子午線の全周40,007.864km
緯度1度分の子午線の弧の長さ
(赤道付近で)110.574km
(極付近で)111.694km
極半径 6,356.752km
赤道半径 6,378.137km
赤道の全周 40,074.912km
経度1度分の赤道の弧の長さ 111.319km

地球の質量	5.972×10^{24}kg
自転周期	23時間56分4秒
公転周期	365.2422日
地球の表面積	510,066,000km²
地球の陸地の面積	147,244,000km²
地球の海の面積	362,822,000km²
地球の体積	1,083,847,550,000km³
北回帰線・南回帰線の緯度(赤道面と軌道面の傾き)	23°26′21.406″

2 地球に関する極値

〔理科年表 2021, ほか〕

最高点	8,848m	エヴェレスト山(ヒマラヤ山脈)
最深点	-10,920m	チャレンジャー海淵(太平洋,マリアナ海溝)
最深の湖	-1,741m	バイカル湖(ロシア)
陸上の最低点	-400m	死海の湖面(イスラエル,ヨルダン)
最高気温	56.7℃	デスヴァレー(アメリカ合衆国)
最低気温	-67.8℃	ヴェルホヤンスク(ロシア),オイミャコン(ロシア)(北半球)
	-89.2℃	ヴォストーク基地(南極)(南半球)
最多年降水量	26,467mm	チェラプンジ(インド)
最少年平均降水量	0.76mm	(59年間の年平均)アリーカ(チリ)

3 世界のおもな山

(▲は火山)

山名	所在地	高さ(m)
アジア		
エヴェレスト山	ヒマラヤ山脈	8,848
K2(ゴッドウィンオースティン山)	カラコルム山脈	8,611
カンチェンジュンガ山	ヒマラヤ山脈	8,586
チョーオユ山	ヒマラヤ山脈	8,201
ダウラギリ山	ヒマラヤ山脈	8,167
マナスル山	ヒマラヤ山脈	8,163
ナンガパルバット山	ヒマラヤ山脈	8,126
アンナプルナ山	ヒマラヤ山脈	8,091
ガシャーブルム山	カラコルム山脈	8,068
シシャパンマフェン山(ゴサインターン)	ヒマラヤ山脈	8,027
ポベディ山	テンシャン山脈	7,439
▲ダマヴァンド山	エルブールズ山脈	5,670
ヨーロッパ		
▲エルブルース山	カフカス山脈	5,642
モンブラン山	アルプス山脈	4,810
モンテローザ山	アルプス山脈	4,634
マッターホルン山	アルプス山脈	4,478
ユングフラウ山	アルプス山脈	4,158
アネト山	ピレネー山脈	3,404
▲エトナ山	シチリア島	3,330
ベンネヴィス山	イギリス	1,344
▲ヴェズヴィオ山	イタリア半島	1,281
アフリカ		
▲キリマンジャロ山	タンザニア	5,895
▲キリニャガ(ケニア)山	ケニア	5,199
ルウェンゾリ山	ウガンダ,コンゴ民主共和国	5,110
▲カメルーン山	カメルーン	4,095
北アメリカ		
デナリ(マッキンリー)山	アラスカ山脈	6,190
ローガン山	ロッキー山脈	5,959
▲オリサバ山	メキシコ	5,675
▲ポポカテペトル山	メキシコ	5,426
南アメリカ		
アコンカグア山	アンデス山脈	6,959
▲コトパクシ山	エクアドル	5,911
オセアニア		
ジャヤ峰	ニューギニア島	4,884
ギルウェ山	ニューギニア島	4,088
アオラキ(クック)山	ニュージーランド南島	3,724
▲タラナキ(エグモント)山	ニュージーランド北島	2,518
コジアスコ山	グレートディヴァイディング山脈	2,229
南極大陸		
ヴィンソンマッシーフ		4,897
▲エレバス山		3,794

4 日本のおもな山

(▲は火山)

山名	所在地	高さ(m)
北海道		
▲大雪山(旭岳)	北海道	2,291
▲昭和新山	北海道	398
東北		
▲燧ケ岳	福島	2,356
▲鳥海山	秋田・山形	2,236
▲岩手山	岩手	2,038
▲吾妻山(西吾妻)	福島・山形	2,035
▲月山	山形	1,984
▲蔵王山(熊野岳)	山形・宮城	1,841
▲磐梯山	福島	1,816
関東		
▲白根山	栃木・群馬	2,578
▲浅間山	群馬・長野	2,568
▲男体山	栃木	2,486
谷川岳	新潟・群馬	1,978
▲赤城山	群馬	1,828
▲箱根山(神山)	神奈川	1,438
▲三原山(三原新山)	東京(大島)	758
中部		
▲富士山(剣ケ峯)	山梨・静岡	3,776
北岳	山梨	3,193
穂高岳(奥穂高)	長野・岐阜	3,190
槍ケ岳	長野・岐阜	3,180
▲御嶽山	長野・岐阜	3,067
▲乗鞍岳	長野・岐阜	3,026
立山(大汝山)	富山	3,015
剱岳	富山	2,999
駒ケ岳(甲斐駒)	長野・山梨	2,967
駒ケ岳(木曽駒)	長野	2,956
白馬岳	長野・富山	2,932
▲八ケ岳(赤岳)	長野・山梨	2,899
▲白山	石川・岐阜	2,702
近畿		
八経ヶ岳	奈良	1,915
伊吹山	滋賀	1,377
中国・四国		
石鎚山(天狗岳)	愛媛	1,982
▲大山	鳥取	1,729
九州		
宮之浦岳	鹿児島(屋久島)	1,936
▲霧島山(韓国岳)	宮崎・鹿児島	1,700
▲阿蘇山(高岳)	熊本	1,592
▲雲仙岳(平成新山)	長崎	1,483
▲御岳(北岳)	鹿児島(桜島)	1,117

5 世界のおもな川

河川名	流域面積(百km²)	長さ(km)
アジア		
オビ川	29,900	5,568[1]
エニセイ川	25,800	5,550
レナ川	24,900	4,400
長江(揚子江)	19,590	6,380
アムール川	18,550	4,416
ガンジス(ガンガ)川	16,210	2,510
ブラマプトラ川		2,840
インダス川	11,660	3,180
黄河	9,800	5,464
メコン川	8,100	4,425
ユーフラテス川	7,650	2,800
エーヤワディー川	4,300	1,992
ヨーロッパ		
ヴォルガ川	13,800	3,688
ドナウ川	8,150	2,850
ドニエプル川	5,105	2,200
ドン川	4,300	1,870
ドヴィナ川	3,620	1,750
ペチョラ川	3,200	1,809
ライン川	2,240	1,230
エルベ川	1,477	1,170
ロアール川	1,210	1,020
セーヌ川	778	780
テムズ川	136	365
アフリカ		
コンゴ川	37,000	4,667
ナイル川	33,490	6,695[2]
ニジェール川	18,900	4,184
ザンベジ川	13,300	2,736
オレンジ川	10,200	2,100
北アメリカ		
ミシシッピ川	32,500	5,969[3]
マッケンジー川	18,050	4,241
セントローレンス川	14,630	3,058
ユーコン川	8,550	3,185
コロンビア川	6,679	2,000
コロラド川	5,900	2,333
リオグランデ川	5,700	3,057
南アメリカ		
アマゾン川	70,500	6,516
ラプラタ川	31,000	4,500[4]
オリノコ川	9,450	2,500
オセアニア		
マリー川	10,580	3,672[5]

1) イルティシ川源流から　2) カゲラ川源流から　3) ミズーリ川源流から
4) パラナ川源流から　5) ダーリング川源流から

6 日本のおもな川

河川名	流域面積(km²)	長さ(km)
北海道		
石狩川	14,330	268
十勝川	9,010	156
天塩川	5,590	256
東北		
北上川	10,150	249
最上川	7,040	229
阿武隈川	5,400	239
雄物川	4,710	133
米代川	4,100	136
岩木川	2,540	102
関東		
利根川	16,840	322
那珂川	3,270	150
荒川	2,940	173
相模川	1,680	109
多摩川	1,240	138
中部		
信濃川	11,900	367
木曽川	9,100	229
阿賀野川	7,710	210
天竜川	5,090	213
富士川	3,990	128
九頭竜川	2,930	116
大井川	1,280	168
庄川	1,180	115
近畿		
淀川	8,240	75
熊野川	2,360	183
由良川	1,880	146
紀の川	1,750	136
中国・四国		
江の川	3,900	194
吉野川	3,750	194
高梁川	2,670	111
四万十川	2,270	196
吉井川	2,110	133
旭川	1,810	142
太田川	1,710	103
仁淀川	1,560	124
九州		
筑後川	2,863	143
大淀川	2,230	107
球磨川	1,880	115
五ヶ瀬川	1,820	106

7 世界のおもな島

島名	所属	面積(km²)
グリーンランド	デンマーク	2,175,600
ニューギニア	インドネシア パプアニューギニア	771,900
カリマンタン(ボルネオ)	インドネシア,マレーシア ブルネイ	736,600
マダガスカル	マダガスカル	590,300
バッフィン	カナダ	512,200
スマトラ	インドネシア	433,800
グレートブリテン	イギリス	217,800
スラウェシ	インドネシア	179,400
南島	ニュージーランド	150,500
ジャワ	インドネシア	126,100
キューバ	キューバ	114,500
北島	ニュージーランド	114,300
ニューファンドランド	カナダ	110,700
ルソン	フィリピン	105,700
アイスランド	アイスランド	102,800
ミンダナオ	フィリピン	95,600
アイルランド	アイルランド,イギリス	82,100
樺太(サハリン)	ロシア,所属未定	77,000
タスマニア	オーストラリア	67,900
セイロン	スリランカ	65,600
台湾	中国(台湾)	36,000
ハイナン	中国	35,600
ティモール	インドネシア,東ティモール	33,000
シチリア	イタリア	25,500
ニューカレドニア	フランス	16,100
ジャマイカ	ジャマイカ	11,500
ハワイ	アメリカ合衆国	10,400

8 日本のおもな島

島名	所属	面積(km²)
本州		227,941
北海道		77,984
九州		36,783
四国		18,297
択捉島	北海道	3,167
国後島	北海道	1,489
沖縄島	沖縄	1,207
佐渡島	新潟	855
大島(奄美大島)	鹿児島	712
対馬	長崎	696
淡路島	兵庫	593
天草下島	熊本	575
屋久島	鹿児島	504
種子島	鹿児島	444
福江島	長崎	326
西表島	沖縄	290
徳之島	鹿児島	248
色丹島	北海道	248
隠岐島後島	島根	242
天草上島	熊本	226
石垣島	沖縄	222
利尻島	北海道	182
平戸島	長崎	163
宮古島	沖縄	159
小豆島	香川	153
奥尻島	北海道	143
壱岐	長崎	135
竹島	島根	0.2

9 世界のおもな湖沼

湖沼名	面積(km²)	最大水深(m)
アジア		
*カスピ海	374,000	1,025
バイカル湖	31,500	1,741
*バルハシ湖	18,200	26
*アラル海	10,030	43
アフリカ		
ヴィクトリア湖	68,800	84
タンガニーカ湖	32,000	1,471
マラウイ湖	22,490	706
チャド湖	3,000	10
北アメリカ		
スペリオル湖	82,367	406
ヒューロン湖	59,570	228
ミシガン湖	58,016	281
グレートスレーヴ湖	28,568	625
ウィニペグ湖	23,750	36
南アメリカ		
マラカイボ湖	13,010	60
チチカカ湖	8,372	281

*印は塩湖

10 日本のおもな湖沼

湖沼名	面積(km²)	最大水深(m)
琵琶湖〔滋賀〕	669	104
霞ケ浦〔茨城〕	168	12
サロマ湖〔北海道〕	152	20
猪苗代湖〔福島〕	103	94
中海〔島根・鳥取〕	86	17
屈斜路湖〔北海道〕	80	118
宍道湖〔島根〕	79	6
支笏湖〔北海道〕	78	360
洞爺湖〔北海道〕	71	180
浜名湖〔静岡〕	65	13
小川原湖〔青森〕	62	27
十和田湖〔青森・秋田〕	61	327
北浦〔茨城〕	35	10
田沢湖〔秋田〕	26	423
摩周湖〔北海道〕	19	211
諏訪湖〔長野〕	13	8
中禅寺湖〔栃木〕	12	163
桧原湖〔福島〕	11	31
印旛沼〔千葉〕	9	5
山中湖〔山梨〕	7	13

11 世界のおもな海溝

海溝名	最大深度(m)
マリアナ海溝(チャレンジャー海淵)	10,920
トンガ海溝	10,800
フィリピン海溝	10,057
ケルマデック海溝	10,047
伊豆・小笠原海溝	9,810
千島・カムチャツカ海溝	9,550
プエルトリコ海溝	8,605

⑫ 世界のおもな都市の人口

(調査年次は西暦の下2桁を掲載)〔The Statesman's Yearbook 2019, ほか〕

都市名	国名	人口(万人)	調査年次
【ア行】			
アシガバット	トルクメニスタン	70	(12)
アディスアベバ	エチオピア	421	(17)
アテネ	ギリシャ	66	(11)
アビジャン	コートジボワール	439	(14)
アムステルダム	オランダ	84	(17)
アーメダーバード	インド	557	(11)
アルマティ	カザフスタン	180	(18)
アレクサンドリア	エジプト	402	(06)
アンカラ	トルコ	516	(18)
アンシャン	中国	150	(16)
アントウェルペン	ベルギー	52	(18)
イスタンブール	トルコ	1,506	(18)
イバダン	ナイジェリア	285	(10)
インディアナポリス	アメリカ合衆国	86	(17)
ヴァンクーヴァー	カナダ	67	(17)
ウィニペグ	カナダ	74	(17)
ウィーン	オーストリア	189	(19)
ヴォルゴグラード	ロシア	101	(18)
ヴォロネジ	ロシア	104	(18)
ウーチ	ポーランド	69	(18)
ヴッパータール	ドイツ	35	(17)
ウーハン	中国	518	(16)
ウーファ	ロシア	112	(18)
ヴロツワフ	ポーランド	63	(18)
エカテリンブルク	ロシア	146	(18)
エッセン	ドイツ	58	(17)
エディンバラ	イギリス	51	(17)
エレバン	アルメニア	107	(18)
オークランド	ニュージーランド	169	(18)
オスロ	ノルウェー	67	(18)
オデーサ	ウクライナ	101	(19)
オムスク	ロシア	117	(18)
【カ行】			
カイロ	エジプト	774	(06)
カオシュン	(台湾)	277	(19)
カザニ	ロシア	124	(18)
カサブランカ	モロッコ	335	(14)
カラカス	ベネズエラ	208	(15)
カラチ	パキスタン	1,491	(17)
カンザスシティ	アメリカ合衆国	48	(17)
カーンプル	インド	276	(11)
キーウ(キエフ)	ウクライナ	295	(19)
キシナウ	モルドバ	69	(18)
キト	エクアドル	179	(17)
キャンベラ	オーストラリア	41	(17)
グアダラハラ	メキシコ	153	(18)
グアヤキル	エクアドル	255	(17)
クラクフ	ポーランド	76	(18)
グラスゴー	イギリス	62	(17)
クラスノヤルスク	ロシア	109	(18)
クリーヴランド	アメリカ合衆国	38	(17)
クンミン	中国	282	(16)
ケソンシティ	フィリピン	293	(15)
ケープタウン	南アフリカ共和国	400	(16)
ケルン	ドイツ	108	(17)
コペンハーゲン	デンマーク	77	(18)
コルカタ(カルカッタ)	インド	449	(11)
コロンボ	スリランカ	56	(12)
コワンチョウ	中国	870	(16)
【サ行】			
サマーラ	ロシア	116	(18)
サラトフ	ロシア	84	(18)
サルヴァドル	ブラジル	285	(18)
サンクトペテルブルク	ロシア	535	(18)
サンティアゴ	チリ	561	(17)
サンパウロ	ブラジル	1,217	(18)
サンフランシスコ	アメリカ合衆国	88	(17)
シアトル	アメリカ合衆国	72	(17)
シーアン	中国	629	(16)
ジェノヴァ	イタリア	58	(18)
シェフィールド	イギリス	57	(17)
シェンヤン	中国	586	(16)
シカゴ	アメリカ合衆国	271	(17)
シドニー	オーストラリア	513	(17)
ジャカルタ	インドネシア	1,037	(16)
シャンハイ	中国	1,450	(16)
シュツットガルト	ドイツ	63	(17)
シンガポール	シンガポール	570	(19)
シンシナティ	アメリカ合衆国	30	(17)
ストックホルム	スウェーデン	94	(17)
スラバヤ	インドネシア	287	(16)
セビリア	スペイン	68	(17)
セントルイス	アメリカ合衆国	30	(17)
ソウル	韓国	999	(18)
ソフィア	ブルガリア	126	(17)
【タ行】			
タイペイ	(台湾)	266	(19)
タイユワン	中国	287	(16)
ダカール	セネガル	*264	(13)
タシケント	ウズベキスタン	239	(16)
ダッカ	バングラデシュ	703	(11)
ダーバン	南アフリカ共和国	366	(16)
ダブリン	アイルランド	54	(16)
ダマスカス	シリア	178	(11)
ダラス	アメリカ合衆国	134	(17)
ターリエン	中国	398	(16)
タリン	エストニア	42	(17)
チェリャビンスク	ロシア	120	(18)
チェンナイ	インド	464	(11)
チーナン	中国	473	(16)
チャンシャー	中国	328	(16)
チャンチュン	中国	436	(16)
チューリヒ	スイス	40	(17)
チョンチン	中国	2,448	(16)
チョントゥー	中国	774	(16)
チンタオ	中国	379	(16)
テグ	韓国	247	(18)
デトロイト	アメリカ合衆国	67	(17)
テヘラン	イラン	869	(16)
デュッセルドルフ	ドイツ	61	(17)
デリー	インド	1,103	(11)
デンヴァー	アメリカ合衆国	70	(17)
テンチン	中国	1,044	(16)
ドゥシャンベ	タジキスタン	83	(18)
トゥールーズ	フランス	47	(16)
ドニプロ	ウクライナ	100	(19)
ドネツク	ウクライナ	96	(14)
トビリシ	ジョージア	112	(18)
トリノ	イタリア	88	(17)
ドルトムント	ドイツ	58	(17)
ドレスデン	ドイツ	55	(17)
トロント	カナダ	292	(17)
【ナ行】			
ナイロビ	ケニア	310	(10)
ナーグプル	インド	240	(11)
ナポリ	イタリア	96	(18)
ナンキン	中国	663	(16)
ニジニーノヴゴロド	ロシア	125	(18)
ニース	フランス	34	(16)
ニューアーク	アメリカ合衆国	28	(17)
ニューオーリンズ	アメリカ合衆国	39	(17)
ニューヨーク	アメリカ合衆国	862	(17)
ニュルンベルク	ドイツ	51	(17)
ノヴォシビルスク	ロシア	161	(18)
【ハ行】			
ハイデラバード	インド	673	(11)
ハーグ	オランダ	52	(17)
バクー	アゼルバイジャン	226	(18)
バグダッド	イラク	615	(11)
バッファロー	アメリカ合衆国	25	(17)
ハノイ	ベトナム	231	(09)
ハノーファー	ドイツ	53	(17)
ハバナ	キューバ	212	(17)
バーミンガム	イギリス	113	(17)
ハラブ	シリア	592	(11)
パリ	フランス	219	(16)
ハルキウ	ウクライナ	144	(19)
バルセロナ	スペイン	162	(17)
ハルビン	中国	551	(16)
パレルモ	イタリア	66	(18)
バレンシア	スペイン	78	(17)
バンコク	タイ	568	(17)
ハンチョウ	中国	545	(16)
バンドン	インドネシア	249	(16)
ハンブルク	ドイツ	183	(17)
ビシュケク	キルギス	98	(18)
ピッツバーグ	アメリカ合衆国	30	(17)
ヒューストン	アメリカ合衆国	231	(17)
ピョンヤン	北朝鮮	258	(08)
ビリニュス	リトアニア	54	(19)
フィラデルフィア	アメリカ合衆国	158	(17)
ブエノスアイレス	アルゼンチン	306	(18)
ブカレスト	ルーマニア	183	(16)
プサン	韓国	347	(18)
フーシュン	中国	140	(16)
ブダペスト	ハンガリー	174	(18)
プネ	インド	312	(11)
ブラジリア	ブラジル	297	(18)
プラハ	チェコ	129	(18)
フランクフルト	ドイツ	74	(17)
ブリストル	イギリス	45	(17)
ブリズベン	オーストラリア	240	(17)
ブリュッセル	ベルギー	*119	(18)
ブレーメン	ドイツ	56	(17)
ベイルート	レバノン	40	(16)
ベオグラード	セルビア	168	(17)
ペキン	中国	1,362	(16)
ヘルシンキ	フィンランド	64	(18)
ペルミ	ロシア	105	(18)
ベルリン	ドイツ	361	(17)
ベロオリゾンテ	ブラジル	250	(18)
ベンガルール(バンガロール)	インド	844	(11)
ボゴタ	コロンビア	816	(18)
ボストン	アメリカ合衆国	68	(17)
ホーチミン	ベトナム	588	(09)
ボルティモア	アメリカ合衆国	61	(17)
ボルドー	フランス	25	(16)
ポルトアレグレ	ブラジル	147	(18)
ホンコン	中国	748	(18)
【マ行】			
マドリード	スペイン	318	(17)
マニラ	フィリピン	178	(15)
マルセイユ	フランス	86	(16)
マンチェスター	イギリス	54	(17)
ミネアポリス	アメリカ合衆国	42	(17)
ミュンヘン	ドイツ	145	(17)
ミラノ	イタリア	136	(18)
ミルウォーキー	アメリカ合衆国	59	(17)
ミンスク	ベラルーシ	198	(18)
ムンバイ	インド	1,244	(11)
メキシコシティ	メキシコ	844	(18)
メダン	インドネシア	224	(16)
メデジン	コロンビア	250	(18)
メルボルン	オーストラリア	485	(17)
メンフィス	アメリカ合衆国	65	(17)
モスクワ	ロシア	1,234	(18)
モンテビデオ	ウルグアイ	130	(11)
モンテレー	メキシコ	121	(18)
モントリオール	カナダ	177	(17)
【ヤ行】			
ヤロスラヴリ	ロシア	60	(18)
ヤンゴン	ミャンマー	516	(14)
ヨハネスバーグ	南アフリカ共和国	494	(16)
【ラ行】			
ライプツィヒ	ドイツ	58	(17)
ラクナウ	インド	281	(11)
ラパス	ボリビア	75	(12)
ラホール	パキスタン	1,112	(17)
ラワルピンディ	パキスタン	209	(17)
リヴァプール	イギリス	49	(17)
リヴィウ(リヴォフ)	ウクライナ	75	(19)
リオデジャネイロ	ブラジル	668	(18)
リガ	ラトビア	63	(18)
リーズ	イギリス	78	(17)
リスボン	ポルトガル	50	(17)
リマ	ペルー	1,019	(17)
リヨン	フランス	51	(16)
レシフェ	ブラジル	163	(18)
ロサリオ	アルゼンチン	127	(18)
ロサンゼルス	アメリカ合衆国	399	(17)
ロストフ	ロシア	113	(18)
ロッテルダム	オランダ	63	(17)
ローマ	イタリア	287	(18)
ロンドン	イギリス	①882	(17)
【ワ行】			
ワシントンD.C.	アメリカ合衆国	69	(17)
ワルシャワ	ポーランド	176	(18)

注) 人口は市域人口。*は都市的地域の人口。 ①大ロンドン (Greater London) の人口。

⑬ 世界のおもな都市の月平均気温・月降水量

世界の気候 ➲ p.141-142 ①，p.143-144

（気温：℃　降水量：mm　赤字：最高　青字：最低）〔理科年表2022，ほか〕

都市（観測地点の高さ(m)）と経緯度		月別	1月	2月	3月	4月	5月	6月	7月	8月	9月	10月	11月	12月	全年
熱帯雨林気候（Af）乾季なし															
コロンボ（7）	6°54′N	気温	27.2	27.6	28.4	28.6	28.9	28.3	28.1	28.1	27.9	27.5	27.3	27.2	27.9
	79°52′E	降水量	86.7	81.4	111.6	229.4	303.4	198.4	120.4	119.5	263.7	347.4	322.2	187.1	2371.2
シンガポール（5）	1°22′N	気温	26.8	27.3	27.9	28.2	28.6	28.5	28.2	28.1	28.0	27.9	27.2	26.8	27.8
	103°59′E	降水量	221.0	104.9	151.1	164.0	164.3	136.5	144.9	148.8	133.4	166.5	254.2	333.1	2122.7
キサンガニ（396）	0°31′N	気温	24.9	25.0	25.2	25.1	24.9	24.4	23.7	23.7	24.2	24.5	24.5	24.5	24.6
	25°11′E	降水量	95.0	114.9	151.8	181.3	166.7	114.7	100.4	185.7	173.9	228.2	177.0	114.1	1803.7
熱帯雨林気候（Am）弱い乾季あり															
ケアンズ（3）	16°52′S	気温	27.6	27.5	26.8	25.5	23.8	22.2	21.4	21.9	23.5	25.1	26.5	27.4	24.9
	145°44′E	降水量	393.6	496.4	372.4	178.9	74.6	41.2	35.3	26.9	30.5	66.2	90.3	195.4	2001.7
マカパ（15）	0°02′N	気温	26.8	26.4	26.5	26.8	27.2	27.3	27.2	28.1	28.6	28.9	28.7	27.9	27.5
	51°03′W	降水量	274.8	362.6	357.3	376.8	325.9	248.3	205.2	102.2	25.7	18.2	46.9	167.7	2511.6
サバナ気候（Aw）															
コルカタ（カルカッタ）（6）	22°32′N	気温	19.9	23.8	28.2	30.6	31.2	30.6	29.5	29.4	29.4	28.3	25.1	21.1	27.3
	88°20′E	降水量	11.9	23.8	37.6	55.5	129.4	279.1	387.8	369.9	319.2	177.1	34.8	6.0	1832.1
ホーチミン（19）	10°49′N	気温	25.8	26.8	28.0	29.2	28.9	27.7	27.5	27.4	27.2	26.9	26.3	25.8	27.3
	106°40′E	降水量	13.1	1.3	10.1	39.3	223.9	300.1	318.1	268.6	309.5	266.3	91.1	30.8	1872.2
ステップ気候（BS）															
ニアメ（223）	13°29′N	気温	24.6	27.8	31.8	34.7	34.5	32.2	29.5	28.1	29.6	31.3	29.0	25.6	29.9
	2°10′E	降水量	0.0	0.0	0.5	11.6	24.9	81.2	141.7	192.3	85.8	18.2	0.0	0.0	556.2
ラホール（214）	31°33′N	気温	13.3	16.8	21.9	28.0	32.5	33.4	31.6	31.0	29.9	26.3	20.3	15.1	25.0
	74°20′E	降水量	21.7	33.0	33.4	18.0	19.0	72.9	180.3	165.1	86.5	10.1	7.1	7.2	654.3
砂漠気候（BW）															
カイロ（116）	30°06′N	気温	14.1	14.8	17.3	21.6	24.5	27.4	28.0	28.2	26.6	24.0	19.2	15.1	21.7
	31°24′E	降水量	7.1	4.3	6.9	1.2	0.4	0.0	0.0	0.3	0.0	0.1	6.4	7.9	34.6
リヤド（635）	24°42′N	気温	14.6	17.6	21.6	27.3	33.1	35.9	36.9	37.0	33.7	28.4	21.4	16.5	27.0
	46°44′E	降水量	15.1	8.1	24.2	36.1	6.5	0.0	0.1	0.4	0.0	0.9	15.1	20.8	127.3
地中海性気候（Cs）															
ローマ（2）	41°48′N	気温	8.4	9.0	10.9	13.2	17.2	21.0	23.9	24.0	21.1	16.9	12.1	9.4	15.6
	12°14′E	降水量	74.0	73.9	60.7	60.0	33.5	21.4	8.5	32.7	74.4	98.2	93.3	86.3	716.9
ケープタウン（46）	33°58′S	気温	21.6	21.7	20.2	17.7	15.3	13.1	12.5	12.9	14.4	16.8	18.5	20.6	17.1
	18°36′E	降水量	9.6	10.6	13.1	41.4	63.1	89.0	81.2	73.0	44.1	29.0	26.4	12.1	492.6
パース（20）	31°55′S	気温	24.7	24.8	22.9	19.7	16.2	13.9	13.0	13.4	14.6	17.1	20.1	22.8	18.6
	115°58′E	降水量	15.2	16.6	17.6	30.0	79.8	124.7	137.1	120.6	77.7	33.3	28.9	9.3	690.8
温暖冬季少雨気候（Cw）															
ホンコン（64）	22°18′N	気温	16.1	16.8	19.1	22.7	26.0	28.0	28.6	28.4	27.6	25.3	21.9	17.8	23.2
	114°10′E	降水量	32.7	37.0	68.9	138.5	284.8	453.7	382.0	456.1	320.6	116.6	39.2	29.2	2359.3
チンタオ（青島）（77）	36°04′N	気温	0.2	2.1	6.3	11.6	17.1	20.8	24.7	25.6	22.3	16.7	9.5	2.7	13.3
	120°20′E	降水量	11.2	16.0	17.4	33.9	64.1	70.8	159.2	158.9	70.6	35.0	34.6	15.4	687.1
温暖湿潤気候（Cfa）															
ニューヨーク（7）	40°46′N	気温	1.2	2.2	5.9	11.8	17.4	22.7	26.0	25.2	21.4	15.1	9.3	4.3	13.5
	73°54′W	降水量	82.7	74.1	102.1	97.4	91.3	102.8	107.3	111.9	97.8	97.0	79.8	104.6	1148.8
ニューオーリンズ（1）	29°59′N	気温	12.2	14.3	17.5	20.9	24.9	27.7	28.6	28.6	26.9	22.3	16.7	13.5	21.2
	90°15′W	降水量	131.6	103.9	111.1	131.6	142.5	193.5	168.9	179.8	132.4	93.8	98.4	104.0	1591.5
ブエノスアイレス（25）	34°35′S	気温	24.9	23.8	22.1	18.2	15.0	12.2	11.2	13.3	14.8	17.8	20.8	23.4	18.1
	58°29′W	降水量	153.1	115.3	125.1	139.3	101.5	67.2	67.9	72.8	65.9	115.7	117.8	114.5	1256.1
西岸海洋性気候（Cfb）															
ロンドン（24）	51°28′N	気温	5.7	6.0	8.0	10.5	13.7	16.8	19.0	18.7	15.9	12.3	8.5	6.1	11.8
	0°27′W	降水量	59.7	46.6	41.7	42.6	46.9	49.7	47.2	57.7	46.1	66.3	69.3	59.6	633.4
パリ（89）	48°43′N	気温	4.6	5.0	8.2	11.2	14.9	18.2	20.4	20.1	16.3	12.3	7.8	5.1	12.0
	2°23′E	降水量	44.8	43.4	44.0	41.4	62.2	58.4	53.1	62.3	42.2	54.2	54.6	62.2	622.8
亜寒帯（冷帯）湿潤気候（Df）															
モスクワ（147）	55°50′N	気温	−6.2	−5.9	−0.7	6.9	13.6	17.3	19.7	17.6	11.9	5.8	−0.5	−4.4	6.3
	37°37′E	降水量	53.2	44.0	39.0	36.6	61.2	77.4	83.8	78.3	66.1	70.1	51.9	51.4	713.0
ウィニペグ（238）	49°55′N	気温	−17.3	−12.2	−5.5	3.9	11.6	16.7	18.9	18.6	12.7	5.1	−5.0	−14.4	2.8
	97°14′W	降水量	15.9	14.6	23.6	36.4	66.8	79.0	96.9	78.5	44.0	47.6	27.0	16.8	547.1
亜寒帯（冷帯）冬季少雨気候（Dw）															
イルクーツク（467）	52°16′N	気温	−17.6	−14.0	−5.5	3.6	10.4	16.4	19.0	16.5	9.5	2.0	−7.9	−15.3	1.4
	104°19′E	降水量	14.6	9.7	11.8	21.6	35.2	68.6	101.4	96.5	52.6	21.1	20.2	18.5	471.8
チタ（671）	52°05′N	気温	−24.5	−18.2	−8.1	2.2	10.2	17.2	19.5	16.6	9.2	−0.1	−12.5	−22.0	−0.9
	113°29′E	降水量	2.9	1.8	3.5	11.7	26.5	60.8	87.6	85.2	40.8	9.4	5.2	5.1	340.5
ツンドラ気候（ET）															
ディクソン（42）	73°30′N	気温	−24.0	−24.1	−20.6	−15.3	−7.0	1.1	5.8	6.0	2.5	−6.4	−16.4	−21.7	−10.0
	80°24′E	降水量	36.2	32.5	27.5	21.9	24.3	28.1	32.2	41.0	42.3	37.9	29.4	36.3	389.6
ウトキアグヴィク（バロー）（11）	71°17′N	気温	−24.2	−24.4	−23.5	−15.4	−5.1	2.3	5.5	4.4	1.0	−5.9	−14.6	−21.3	−10.1
	156°47′W	降水量	4.6	6.4	8.9	4.8	7.1	11.4	24.4	27.2	20.1	13.6	9.2	6.9	144.6
氷雪気候（EF）															
昭和基地（29）	69°00′S	気温	−0.8	−2.9	−6.8	−10.4	−13.5	−15.2	−17.6	−18.8	−18.3	−13.3	−6.3	−1.5	−10.5
	39°35′E	降水量	—	—	—	—	—	—	—	—	—	—	—	—	—
高山気候（H）															
ラパス（4058）	16°31′S	気温	9.0	9.0	8.8	8.1	6.5	5.3	4.9	5.8	7.3	8.6	9.5	9.4	7.7
	68°11′W	降水量	124.9	119.6	82.0	30.3	14.0	9.9	7.5	11.0	29.6	48.2	44.5	108.3	629.8

注）この表の気候区分は，各都市の気温，降水量をケッペンの気候区分のもととなっている計算式にあてはめて求めている。ただし，ケッペンの気候区分では高山気候を区分せず，ラパスはケッペンの気候区分では温暖冬季少雨気候（Cw）に区分されている。

⑭ 日本のおもな都市の月平均気温・月降水量

日本の気候 ➲ p.156 ④

（気温：℃　降水量：mm　赤字：最高　青字：最低　資料 1991～2020 年の平均）〔理科年表 2022〕

地域	都市（観測地点の高さ（m））	経緯度	月別	1月	2月	3月	4月	5月	6月	7月	8月	9月	10月	11月	12月	全年
北海道	稚内（3）	45°25′N	気温	−4.3	−4.3	−0.6	4.5	9.1	13.0	17.2	19.5	17.2	11.3	3.8	−2.1	7.0
		141°41′E	降水量	84.6	60.6	55.1	50.3	68.1	65.8	100.9	123.1	136.7	129.7	121.4	112.9	1109.2
	旭川（120）	43°45′N	気温	−7.0	−6.0	−1.4	5.6	12.3	17.0	20.7	21.2	16.4	9.4	2.3	−4.2	7.2
		142°22′E	降水量	66.9	54.7	55.0	48.5	66.6	71.4	129.5	152.9	136.3	105.8	114.5	102.4	1104.4
	札幌（17）	43°04′N	気温	−3.2	−2.7	1.1	7.3	13.0	17.0	21.1	22.3	18.6	12.1	5.2	−0.9	9.2
		141°20′E	降水量	108.4	91.9	77.6	54.6	55.5	60.4	90.7	126.8	142.2	109.9	113.8	114.5	1146.1
	釧路（5）	42°59′N	気温	−4.8	−4.3	−0.4	4.0	8.6	12.2	16.1	18.2	16.5	11.0	4.7	−1.9	6.7
		144°23′E	降水量	40.4	24.8	55.9	79.4	115.7	114.2	120.3	142.3	153.0	112.7	64.7	56.6	1080.1
	函館（35）	41°49′N	気温	−2.4	−1.8	1.9	7.3	12.3	16.2	20.3	22.1	18.8	12.5	6.0	−0.1	9.4
		140°45′E	降水量	77.4	64.5	64.1	71.9	88.9	79.8	123.6	156.5	150.5	105.6	110.8	94.6	1188.0
日本海側	青森（3）	40°49′N	気温	−0.9	−0.4	2.8	8.5	13.7	17.6	21.8	23.5	19.9	13.5	7.2	1.4	10.7
		140°46′E	降水量	139.9	99.0	75.2	68.7	76.7	75.0	129.5	142.0	133.0	119.2	137.4	155.2	1350.7
	秋田（6）	39°43′N	気温	0.4	0.8	4.0	9.6	15.2	19.6	23.4	25.0	21.0	14.5	8.3	2.8	12.1
		140°06′E	降水量	118.9	98.5	99.5	109.9	125.0	122.9	197.0	184.6	161.0	175.5	189.1	159.8	1741.6
	新潟（4）	37°54′N	気温	2.5	3.1	6.2	11.3	16.7	20.9	24.9	26.5	22.5	16.7	10.5	5.3	13.9
		139°01′E	降水量	180.9	115.8	112.0	97.2	94.4	121.1	222.3	163.4	151.9	157.7	203.5	225.9	1845.9
	上越（高田）（13）	37°06′N	気温	2.5	2.7	5.8	11.7	17.0	20.9	25.0	26.4	22.3	16.4	10.5	5.3	13.9
		138°15′E	降水量	429.6	263.3	194.7	105.3	87.0	136.5	206.8	184.5	205.8	213.9	334.2	475.5	2837.1
	富山（9）	36°43′N	気温	3.0	3.4	6.9	12.3	17.5	21.4	25.5	26.9	22.8	17.0	11.2	5.7	14.5
		137°12′E	降水量	259.0	171.7	164.6	134.5	122.8	172.6	245.6	207.0	218.1	171.9	224.8	281.6	2374.2
	金沢（6）	36°35′N	気温	4.0	4.2	7.3	12.6	17.7	21.6	25.8	27.3	23.2	17.6	11.9	6.8	15.0
		136°38′E	降水量	256.0	162.6	157.2	143.9	138.0	170.3	233.4	179.3	231.9	177.1	250.8	301.1	2401.5
	鳥取（7）	35°29′N	気温	4.2	4.7	7.9	13.2	18.1	22.0	26.2	27.3	22.9	17.2	11.9	6.8	15.2
		134°14′E	降水量	201.2	154.0	144.3	102.2	123.0	146.0	188.6	128.6	225.4	153.6	145.9	218.4	1931.3
	松江（17）	35°27′N	気温	4.6	5.0	8.0	13.1	18.0	21.7	25.8	27.1	22.9	17.4	12.0	7.0	15.2
		133°04′E	降水量	153.3	118.4	134.0	113.0	130.3	173.0	234.1	129.6	204.1	126.1	121.6	154.5	1791.9
太平洋側	前橋（112）	36°24′N	気温	3.7	4.5	7.9	13.4	18.6	22.1	25.8	26.8	22.9	17.1	11.2	6.1	15.0
		139°04′E	降水量	29.7	26.5	58.3	74.8	99.4	147.8	202.1	195.6	204.3	142.2	43.0	23.8	1247.4
	東京（25）	35°42′N	気温	5.4	6.1	9.4	14.3	18.8	21.9	25.7	26.9	23.3	18.0	12.5	7.7	15.8
		139°45′E	降水量	59.7	56.5	116.0	133.7	139.7	167.8	156.2	154.7	224.9	234.8	96.3	57.9	1598.2
	名古屋（51）	35°10′N	気温	4.8	5.5	9.2	14.6	19.4	23.0	26.9	28.2	24.5	18.6	12.6	7.2	16.2
		136°58′E	降水量	50.8	64.7	116.2	127.5	150.3	186.5	211.4	139.5	231.6	164.7	79.1	56.6	1578.9
	京都（41）	35°01′N	気温	4.8	5.4	8.8	14.4	19.5	23.3	27.3	28.5	24.4	18.4	12.5	7.2	16.2
		135°44′E	降水量	53.3	65.1	106.2	117.0	151.4	199.7	223.6	153.8	178.5	143.2	73.9	57.3	1522.9
	福岡（3）	33°35′N	気温	6.9	7.8	10.8	15.4	19.9	23.3	27.4	28.4	24.7	19.6	14.2	9.1	17.3
		130°23′E	降水量	74.4	69.8	103.7	118.2	133.7	249.6	299.1	210.0	175.1	94.5	91.4	67.5	1686.9
	熊本（38）	32°49′N	気温	6.0	7.4	10.9	15.8	20.5	23.7	27.5	28.4	25.2	19.6	13.5	8.0	17.2
		130°42′E	降水量	57.2	83.2	124.8	144.9	160.9	448.5	386.8	195.4	172.6	87.1	84.4	61.2	2007.0
	やませの影響を受ける															
	宮古（43）	39°39′N	気温	0.5	0.8	3.9	8.9	13.5	16.5	20.3	22.1	19.1	13.6	8.1	2.9	10.8
		141°58′E	降水量	63.4	54.7	87.5	91.9	98.1	123.4	157.5	177.9	216.4	166.1	62.8	67.6	1370.9
	仙台（39）	38°16′N	気温	2.0	2.4	5.5	10.7	15.6	19.2	22.9	24.4	21.2	15.7	9.8	4.5	12.8
		140°54′E	降水量	42.3	33.9	74.4	90.2	110.2	143.7	178.4	157.8	192.6	150.6	58.7	44.1	1276.7
	冬温暖で，夏は雨が多い															
	八丈島（151）	33°07′N	気温	10.1	10.4	12.5	15.8	18.8	21.3	25.2	26.5	24.5	21.0	16.9	12.7	18.0
		139°47′E	降水量	201.7	205.5	296.5	215.2	256.7	390.3	254.1	169.5	360.5	479.1	277.4	200.2	3306.6
	浜松（46）	34°45′N	気温	6.3	6.8	10.3	15.0	19.3	22.6	26.3	27.8	24.9	19.6	14.2	8.8	16.8
		137°43′E	降水量	59.2	76.8	147.1	179.2	191.9	224.5	209.3	126.8	246.1	207.1	112.6	62.7	1843.2
	尾鷲（15）	34°04′N	気温	6.5	7.2	10.3	14.7	18.7	21.9	25.8	26.8	23.8	18.8	13.7	8.8	16.4
		136°12′E	降水量	106.0	118.8	233.8	295.4	360.5	436.6	405.2	427.3	745.7	507.6	211.5	121.3	3969.6
	室戸（185）	33°15′N	気温	7.7	8.2	11.0	15.2	18.8	21.5	25.0	26.3	24.0	19.8	15.1	10.2	16.9
		134°11′E	降水量	89.5	113.8	177.4	203.2	240.6	330.8	267.9	210.2	322.3	251.8	164.3	93.3	2465.0
	高知（1）	33°34′N	気温	6.7	7.8	11.2	15.8	20.0	23.1	27.0	27.9	25.0	19.9	14.2	8.8	17.3
		133°33′E	降水量	59.1	107.8	174.8	225.3	280.4	359.5	357.3	284.1	398.1	207.5	129.6	83.1	2666.4
	宮崎（9）	31°56′N	気温	7.8	8.9	12.1	16.4	20.3	23.2	27.3	27.6	24.7	20.0	14.7	9.7	17.7
		131°25′E	降水量	72.7	95.8	155.7	194.5	227.6	516.3	339.3	275.5	370.9	196.7	105.7	74.9	2625.5
	鹿児島（4）	31°33′N	気温	8.7	9.9	12.8	17.1	21.0	24.0	28.1	28.8	26.3	21.6	16.2	10.9	18.8
		130°33′E	降水量	78.3	112.7	161.0	194.9	205.2	570.0	365.1	224.3	222.9	104.6	102.5	93.2	2434.7
太平洋側（内陸）	冬寒く，夏涼しい															
	長野（418）	36°40′N	気温	−0.4	0.4	4.3	10.6	16.4	20.4	24.3	25.4	21.0	14.4	7.9	2.3	12.3
		138°12′E	降水量	54.6	49.1	60.1	56.9	69.3	106.1	137.7	111.8	125.5	100.3	44.4	49.4	965.1
	松本（610）	36°15′N	気温	−0.3	0.6	4.6	10.8	16.5	20.2	24.2	25.1	20.4	13.9	7.8	2.5	12.2
		137°58′E	降水量	39.8	38.5	78.0	81.1	94.5	114.9	131.3	101.6	148.0	128.3	56.3	32.7	1045.1
	飯田（516）	35°31′N	気温	1.0	2.3	6.1	11.8	16.9	20.6	24.4	25.4	21.5	15.0	8.6	3.4	13.1
		137°49′E	降水量	63.4	78.7	139.1	141.0	153.8	192.0	240.1	149.4	208.6	163.3	93.4	65.4	1688.1
	年降水量が比較的少ない															
	大阪（23）	34°41′N	気温	6.2	6.6	9.9	15.2	20.1	23.6	27.7	29.0	25.2	19.5	13.8	8.7	17.1
		135°31′E	降水量	47.0	60.5	103.1	101.9	136.5	185.1	174.4	113.0	152.8	136.0	72.5	55.5	1338.3
	岡山（5）	34°41′N	気温	4.6	5.2	8.7	14.1	19.1	22.7	27.0	28.1	23.9	18.0	11.6	6.6	15.8
		133°56′E	降水量	36.2	45.4	82.5	90.0	112.6	169.3	177.4	97.2	142.2	95.4	53.3	41.5	1143.1
	広島（4）	34°24′N	気温	5.4	6.2	9.5	14.8	19.6	23.2	27.2	28.5	24.7	18.8	12.9	7.5	16.5
		132°28′E	降水量	46.2	64.0	118.3	141.0	169.8	226.5	279.8	131.4	162.7	109.2	69.3	54.0	1572.2
	高松（9）	34°19′N	気温	5.9	6.3	9.4	14.7	19.8	23.3	27.5	28.6	24.7	19.0	13.2	8.1	16.7
		134°03′E	降水量	39.4	45.8	81.4	74.6	100.9	153.1	159.8	106.0	167.4	120.1	55.0	46.7	1150.1
南西諸島	奄美（名瀬）（3）	28°23′N	気温	15.0	15.3	17.1	19.8	22.8	26.2	28.8	28.5	27.0	23.9	20.4	16.7	21.8
		129°30′E	降水量	184.1	161.6	210.1	213.9	278.1	427.4	214.9	294.4	346.0	261.3	173.6	170.4	2935.7
	那覇（28）	26°12′N	気温	17.3	17.5	19.1	21.5	24.2	27.2	29.1	29.0	27.9	25.5	22.5	19.0	23.3
		127°41′E	降水量	101.6	114.5	142.8	161.0	245.3	284.4	188.1	240.0	275.2	179.2	119.1	110.0	2161.0

⑮ 世界の国別統計

（国名の色分けは次の加盟国を示す。 ▨東南アジア諸国連合(ASEAN) ▨ヨーロッパ連合(EU) □アフリカ連合(AU) ★独立国家共同体(CIS)）

地域	国番号	正式国名	首都	人口(万人)2019年	面積(千km²)2019年	人口密度(人/km²)2019年	産業別人口の割合(%)2019年 第1次	第2次	第3次	老年人口率(65歳以上)(%)2019年	非識字率＊(%)2018年 男	女	二酸化炭素排出量(t/人)2018年	国土に占める森林割合(%)2018年	1人あたりの国民総所得(ドル)2019年	穀物自給率(%)2018年	エネルギー自給率(%)2018年	海外直接投資額(対外,残高)(億ドル)2019年
アジア(47か国)	1	アゼルバイジャン共和国★	バクー	1,002	87	116	36.0	14.8	49.2	6.4	0.1	0.3	3.1	13.4	4,480	74	385	261
	2	アフガニスタン・イスラム共和国	カブール	3,072	653	47	17) 42.8	17.6	39.6	2.6	44.5	70.2	—	1.9	540	53	—	1
	3	アラブ首長国連邦	アブダビ	18) 936	71	132	2.2	28.8	69.0	1.2	10.5	8.5	19.9	4.5	43,470	0	343	1,554
	4	アルメニア共和国★	エレバン	296	30	100	18) 25.8	22.8	51.4	11.5	0.2	0.3	1.8	11.6	4,680	41	27	5
	5	イエメン共和国	サヌア	17) 2,817	528	53	14) 29.2	14.5	56.3	2.9	26.8	65.0	0.2	1.0	18) 940	9	54	7
	6	イスラエル国	エルサレム	905	22	410	0.9	16.1	83.0	12.2	—	—	6.7	6.5	43,290	5	36	1,104
	7	イラク共和国	バグダッド	3,883	435	89	08) 23.4	18.2	58.4	3.4	43.8	56.0	3.9	1.9	5,740	35	375	29
	8	イラン・イスラム共和国	テヘラン	8,307	1,629	51	17.8	32.2	50.0	6.4	9.6	19.2	7.0	6.6	17) 5,420	60	153	40
	9	インド	デリー	131,224	3,287	399	18) 43.3	24.9	31.8	6.4	17.6	34.2	1.7	24.1	2,130	114	62	1,787
	10	インドネシア共和国	ジャカルタ	26,691	1,911	140	28.5	22.4	49.1	6.1	2.7	6.0	2.0	49.7	4,050	98	195	788
	11	ウズベキスタン共和国★	タシケント	3,325	449	74	18) 26.6	22.7	50.7	4.6	0.0	0.0	3.2	8.3	1,800	61	119	2
	12	オマーン国	マスカット	461	310	15	18) 4.4	46.2	49.4	2.4	3.0	7.3	14.2	0.01	15,330	7	320	120
	13	カザフスタン共和国★	アスタナ	1,851	2,725	7	13.7	19.8	66.5	7.7	0.2	0.3	11.7	1.3	8,810	185	234	156
	14	カタール国	ドーハ	279	12	241	17) 1.2	54.5	44.3	1.5	6.9	5.3	**31.2**	0.0	63,410	—	505	448
	15	カンボジア王国	プノンペン	1,528	181	84	17) 38.2	25.5	36.3	4.7	13.5	25.0	0.6	47.5	1,480	105	61	11
	16	キプロス共和国	ニコシア	87	9	95	2.4	18.4	79.2	14.0	0.7	1.9	7.3	18.7	27,710	6	7	4,428
	17	キルギス共和国★	ビシュケク	639	200	32	18) 20.4	24.6	55.0	4.6	0.3	0.5	1.6	6.7	1,240	83	51	0.1
	18	クウェート国	クウェート	442	18	248	17) 2.2	20.8	77.0	2.8	3.3	5.1	21.2	0.4	18) 34,290	1	484	330
	19	サウジアラビア王国	リヤド	3,421	2,207	16	18) 2.5	24.8	72.7	3.4	2.9	7.3	14.5	0.5	22,850	7	311	1,230
	20	ジョージア	トビリシ	372	70	53	38.1	14.3	47.6	15.1	0.6	0.7	2.3	40.6	4,740	37	26	29
	21	シリア・アラブ共和国	ダマスカス	15) 1,799	185	97	11) 13.2	31.4	55.4	4.7	12.2	26.4	1.5	2.8	07) 1,820	—	39	0.05
	22	シンガポール共和国	シンガポール	570	0.7	7,867	0.0	14.0	86.0	12.4	1.1	4.1	8.4	22.5	59,590	—	2	11,062
	23	スリランカ民主社会主義共和国	スリジャヤワルダナプラコッテ	2,180	66	332	25.3	27.6	47.1	10.8	7.0	9.0	0.9	34.3	4,020	79	45	15
	24	タイ王国	バンコク	6,637	513	129	31.4	22.8	45.8	12.4	5.3	8.8	3.4	39.0	7,260	141	54	1,374
	25	大韓民国	ソウル	5,133	100	512	5.1	24.5	70.4	15.1	—	—	11.7	64.7	33,720	25	16	4,401
	26	タジキスタン共和国★	ドゥシャンベ	912	143	64	18) 45.8	15.5	38.7	3.1	0.2	0.3	0.7	3.0	1,030	49	78	2
	27	中華人民共和国	ペキン	① **142,949**	① 9,601	① 149	25.1	27.5	47.4	11.5	1.5	4.8	6.8	23.0	10,410	98	80	20,994
	28	朝鮮民主主義人民共和国	ピョンヤン	15) 2,518	121	209	—	—	—	9.3	0.0	0.0	0.6	50.4	—	70	93	—
	29	トルクメニスタン	アシガバット	15) 556	488	11	—	—	—	4.6	0.3	0.4	11.8	8.8	18) 6,740	70	287	—
	30	トルコ共和国	アンカラ	8,237	784	105	18.1	25.3	56.6	8.7	1.2	6.5	4.6	28.5	9,610	96	28	478
	31	日本国	東京	12,626	378	334	3.3	23.7	73.0	**28.0**	—	—	8.5	68.4	41,690	29	12	18,181
	32	ネパール	カトマンズ	2,961	147	201	08) 71.3	7.4	21.3	5.8	21.4	40.3	0.4	41.6	1,090	93	74	—
	33	パキスタン・イスラム共和国	イスラマバード	17) 20,777	796	261	18) 37.4	25.0	37.6	4.3	28.9	53.5	0.9	4.9	1,530	114	61	19
	34	バーレーン王国	マナーマ	148	0.8	1,906	15) 1.1	34.7	64.2	2.5	1.2	5.1	19.2	0.8	22,110	—	158	191
	35	バングラデシュ人民共和国	ダッカ	16,650	148	1,122	17) 40.6	20.4	39.0	5.2	23.3	28.8	0.5	14.5	1,940	86	80	16
	36	東ティモール民主共和国	ディリ	128	15	86	16) 46.3	8.5	45.2	4.3	28.1	35.8	—	62.1	1,890	66	—	1
	37	フィリピン共和国	マニラ	10,728	300	358	22.9	19.1	58.0	5.3	1.9	1.8	1.2	23.9	3,850	79	48	526
	38	ブータン王国	ティンプー	74	38	19	15) 58.0	9.7	32.3	6.1	25.0	42.9	—	71.3	18) 2,970	—	—	—
	39	ブルネイ・ダルサラーム国	バンダルスリブガワン	46	6	80	2.0	20.8	77.2	5.2	1.9	3.7	16.6	72.1	32,230	—	439	—
	40	ベトナム社会主義共和国	ハノイ	9,620	331	290	29.4	31.9	38.7	7.6	3.5	6.4	2.3	46.7	2,540	99	73	111
	41	マレーシア	クアラルンプール	3,258	331	99	17) 11.3	27.7	61.0	6.9	3.7	8.9	7.2	58.5	11,200	28	105	1,186
	42	ミャンマー連邦共和国	ネーピードー	5,434	677	80	48.9	16.9	34.2	6.0	20.0	28.2	0.5	44.6	1,390	105	121	—
	43	モルディブ共和国	マレ	53	0.3	1,780	16) 9.0	18.3	72.7	3.6	2.7	1.9	—	2.7	9,650	0	—	—
	44	モンゴル国	ウランバートル	326	1,564	2	25.3	21.6	53.1	4.2	1.8	1.4	6.6	9.1	3,780	87	462	7
	45	ヨルダン・ハシェミット王国	アンマン	1,055	89	118	3.3	18.4	78.3	3.9	1.4	2.2	2.3	1.1	4,300	3	6	7
	46	ラオス人民民主共和国	ビエンチャン	712	237	30	17) 31.3	14.1	54.6	4.2	10.0	20.6	2.5	72.2	2,570	109	127	0.9
	47	レバノン共和国	ベイルート	15) 653	10	625	3.6	20.5	75.9	7.3	3.1	6.7	3.7	13.9	7,600	10	3	160
アフリカ(54か国)	1	アルジェリア民主人民共和国	アルジェ	4,341	2,382	18	17) 10.1	30.9	59.0	6.6	12.6	24.7	3.2	0.8	3,970	36	255	28
	2	アンゴラ共和国	ルアンダ	3,017	1,247	24	14) 44.2	6.1	49.7	2.2	20.0	46.6	0.6	54.3	3,050	58	552	36
	3	ウガンダ共和国	カンパラ	4,030	242	167	13) 71.7	7.0	21.3	2.0	17.3	29.2	0.1	12.1	780	91	92	0.8
	4	エジプト・アラブ共和国	カイロ	9,890	1,002	99	18) 21.6	26.8	51.6	5.3	23.5	34.5	2.2	0.05	2,690	46	91	82
	5	エスワティニ王国	ムババーネ	117	17	68	16) 12.9	24.0	63.1	4.0	11.7	11.5	—	28.8	3,590	32	—	1
	6	エチオピア連邦民主共和国	アディスアベバ	9,853	1,104	89	13) 71.0	8.4	20.6	3.5	40.8	55.6	0.1	15.2	850	94	91	—
	7	エリトリア国	アスマラ	337	121	28	—	—	—	4.8	15.6	31.1	0.1	10.5	11) 600	—	73	
	8	ガーナ共和国	アクラ	3,028	239	127	17) 28.4	21.0	50.6	3.1	16.5	25.5	0.4	35.0	2,220	74	145	5
	9	カーボベルデ共和国	プライア	55	4	136	10.6	21.8	67.6	4.7	8.3	18.0	—	11.2	3,630	3	—	0.9
	10	ガボン共和国	リーブルビル	15) 194	268	7	93) 43.5	9.6	46.9	3.5	14.1	16.6	1.2	91.4	7,210	15	281	0.8
	11	カメルーン共和国	ヤウンデ	2,549	476	54	14) 47.5	14.1	38.4	2.7	17.4	28.4	0.2	43.3	1,500	73	124	9
	12	ガンビア共和国	バンジュール	221	11	196	12) 29.6	15.4	55.0	2.6	38.2	58.4	—	25.1	740	47	—	
	13	ギニア共和国	コナクリ	1,221	246	50	12) 74.8	5.6	19.6	2.9	56.4	78.0	—	25.5	950	71	—	0.7
	14	ギニアビサウ共和国	ビサウ	160	36	44	—	—	—	2.9	37.8	69.2	—	71.0	820	63	—	0.1
	15	ケニア共和国	ナイロビ	4,756	592	80	05) 61.1	6.7	32.2	2.4	15.0	21.8	0.3	6.3	1,750	61	81	21
	16	コートジボワール共和国	ヤムスクロ	2,582	322	80	17) 41.9	12.5	45.6	2.9	46.3	59.5	0.4	9.6	2,290	67	96	14
	17	コモロ連合	モロニ	15) 77	2	348	14) 38.0	19.0	43.0	3.1	35.4	47.0	—	18.2	1,420	—	—	
	18	コンゴ共和国	ブラザビル	533	342	16	05) 35.2	20.6	44.2	2.7	13.9	25.4	0.5	64.4	1,750	6	667	0.8
	19	コンゴ民主共和国	キンシャサ	15) 7,624	2,345	33	05) 71.5	8.2	20.3	3.0	11.5	33.5	0.03	56.6	520	—	101	29
	20	サントメ・プリンシペ民主共和国	サントメ	20	1	214	06) 26.2	14.5	59.3	3.0	3.8	10.5	—	55.4	1,960	5	—	0.03
	21	ザンビア共和国	ルサカ	1,738	753	23	12) 55.8	10.1	34.1	2.1	9.4	16.9	0.3	60.8	1,450	83	90	22
	22	シエラレオネ共和国	フリータウン	790	72	109	14) 57.0	6.0	37.0	2.9	48.4	65.1	—	35.7	500	57	—	
	23	ジブチ共和国	ジブチ	15) 91	23	39	—	—	—	4.6	—	—	—	0.2	3,540	0	—	
	24	ジンバブエ共和国	ハラレ	18) 1,484	391	38	14) 67.2	7.4	25.4	3.0	10.8	11.7	0.8	45.3	1,390	69	90	6
	25	スーダン共和国	ハルツーム	4,020	1,847	22	11) 44.0	15.1	40.9	3.6	34.6	43.9	0.4	10.1	590	91	91	—
	26	赤道ギニア共和国	マラボ	140	28	50	83) 76.3	4.8	18.9	2.4	2.7	7.6	4.5	87.9	6,460	—	578	—
	27	セーシェル共和国	ビクトリア	9	0.5	214	3.3	12.8	83.9	7.8	4.6	3.6	—	73.3	16,870	—	—	3
	28	セネガル共和国	ダカール	1,620	197	82	15) 33.2	12.9	53.9	3.1	35.2	60.2	0.5	42.3	1,450	41	37	9

18)西暦下2けたの年次。＊15歳以上の人口に対する非識字人口の割合。①ホンコン，マカオ，台湾を含む。

（赤太字は世界1位，赤字は2位から5位までの国を示す。人口・面積・人口密度の青字は下位5か国を示す。面積・人口密度は居住不能な極地・島を除く。）

〔Demographic Yearbook 2019，ほか〕

貿易額(百万ドル) 2019年 輸出	輸入	おもな輸出品目	通貨単位	為替レート(1米ドルあたりの各国通貨単位)(2020年12月現在)	独立年月	旧宗主国(1943年以降)	おもな民族(%)	おもな宗教(%)	おもな言語	正式国名	国番号
19,636	13,649	原油,天然ガス	アゼルバイジャン・マナト	1.70	1991.8	—	アゼルバイジャン人92	イスラーム96	アゼルバイジャン語	アゼルバイジャン共和国	1
18)1,769	18)14,813	ナッツ類,植物性原材料,干しぶどう	アフガニー	77.14	—	イギリス	パシュトゥン人42,タジク系27	イスラーム99	ダリー語,パシュトゥー語	アフガニスタン・イスラム共和国	2
18)387,910	18)244,646	原油,機械類,石油製品	UAEディルハム	3.67	1971.12	イギリス	南アジア系59,自国籍アラブ人12	イスラーム62,ヒンドゥー教21	アラビア語	アラブ首長国連邦	3
2,612	5,053	銅鉱石,たばこ,蒸留酒	ドラム	493.60	1991.9	—	アルメニア人98	アルメニア教会73	アルメニア語	アルメニア共和国	4
15)510	4,716	魚介類,自動車,機械類	イエメン・リアル	250.25	1990.5	トルコ・イギリス	アラブ人93	イスラーム99	アラビア語	イエメン共和国	5
58,488	76,579	機械類,ダイヤモンド,精密機械	新シェケル	3.42	1948.5	イギリス	ユダヤ人75,アラブ人21	ユダヤ教75,イスラーム19	ヘブライ語,アラビア語	イスラエル国	6
16)43,774	14)37,064	原油	イラク・ディナール	1182.00	—	イギリス	アラブ人65,クルド人23	イスラーム96	アラビア語,クルド語	イラク共和国	7
17)105,844	17)51,612	原油,石油製品	イラン・リアル	42000.00	—	イギリス	ペルシア人35,アゼルバイジャン系16	イスラーム99	ペルシア語	イラン・イスラム共和国	8
323,251	478,884	石油製品,機械類,ダイヤモンド	インド・ルピー	73.97	1947.8	イギリス	インド・アーリヤ系72,ドラヴィダ系25	ヒンドゥー教80,イスラーム14	ヒンディー語,英語	インド	9
167,003	170,727	石炭,パーム油,機械類	ルピア	14690.00	1945.8	オランダ	ジャワ人40,スンダ人16	イスラーム87,キリスト教10	インドネシア語	インドネシア共和国	10
14,930	21,867	金,天然ガス,繊維品	スム	10348.00	1991.8	—	ウズベク人78	イスラーム76	ウズベク語,ロシア語	ウズベキスタン共和国	11
18)41,761	18)25,770	原油,液化天然ガス,石油製品	オマーン・リアル	0.38	—	ポルトガル	アラブ人55,インド・パキスタン系32	イスラーム89	アラビア語	オマーン国	12
57,723	38,357	原油,鉄鋼	テンゲ	431.82	1991.12	—	カザフ人66,ロシア系22	イスラーム70,キリスト教26	カザフ語,ロシア語	カザフスタン共和国	13
72,935	29,178	液化天然ガス,原油,石油製品	カタール・リヤル	3.64	1971.9	イギリス	アラブ人40,インド系20	イスラーム68,キリスト教14	アラビア語	カタール国	14
18)12,700	18)17,489	衣類,履物	リエル	4113.00	1953.11	フランス	カンボジア人(クメール人)85	仏教97	カンボジア語(クメール語)	カンボジア王国	15
3,528	9,219	船舶,石油製品,医薬品	ユーロ	0.85	1960.8	イギリス	ギリシャ系81,トルコ系11	ギリシャ正教78,イスラーム18	ギリシャ語,トルコ語	キプロス共和国	16
18)1,835	18)5,292	金,衣類,貴金属鉱	ソム	81.80	1991.8	—	キルギス人71,ウズベク系14	イスラーム61,キリスト教10	キルギス語,ロシア語	キルギス共和国	17
18)71,941	18)35,867	原油,石油製品	クウェート・ディナール	0.31	1961.6	イギリス	アラブ人59,アジア系38	イスラーム74,キリスト教13	アラビア語	クウェート国	18
16)207,572	18)135,211	原油,石油製品,プラスチック類	サウジアラビア・リヤル	3.75	—	イギリス	サウジ系アラブ人74	イスラーム94	アラビア語	サウジアラビア王国	19
3,764	9,098	自動車,銅鉱石,鉄鋼	ラリ	3.23	1991.4	—	ジョージア人87	ジョージア正教84,イスラーム11	ジョージア語	ジョージア	20
10)11,353	10)17,562	原油,石油製品,繊維品	シリア・ポンド	1250.00	1946.4	フランス	アラブ人90	イスラーム88	アラビア語,クルド語	シリア・アラブ共和国	21
390,332	358,975	機械類,石油製品,精密機械	シンガポール・ドル	1.36	1965.8	イギリス	中国系74,マレー系13	仏教33,キリスト教18	マレー語,中国語,タミル語,英語	シンガポール共和国	22
17)11,741	17)21,316	衣類,茶,ゴム製品	スリランカ・ルピー	186.16	1948.2	イギリス	シンハラ人75,タミル人15	仏教70,ヒンドゥー教13	シンハラ語,タミル語	スリランカ民主社会主義共和国	23
233,674	216,805	機械類,自動車	バーツ	31.20	—	—	タイ人81,中国系11	仏教95	タイ語	タイ王国	24
542,172	503,263	機械類,自動車,石油製品	韓国ウォン	1133.40	1948.8	日本	朝鮮民族(韓民族)98	キリスト教28,仏教16	韓国語	大韓民国	25
17)873	17)2,390	アルミニウム,電力,綿花	ソモニ	10.32	1991.9	—	タジク人84,ウズベク系12	イスラーム84	タジク語,ロシア語	タジキスタン共和国	26
18)**2,494,230**	18)2,134,983	機械類,衣類	元	6.70	—	—	漢民族92	道教,仏教	標準中国語,中国語7地域方言	中華人民共和国	27
18)222	18)2,320	鉱物性生産品,繊維品	北朝鮮ウォン	104.46	1948.9	日本	朝鮮民族99.8	仏教,キリスト教	朝鮮語	朝鮮民主主義人民共和国	28
17)7,458	17)4,571	天然ガス,原油,石油製品	トルクメン・マナト	3.50	1991.10	—	トルクメン人85	イスラーム87	トルクメン語,ロシア語	トルクメニスタン	29
180,839	210,343	機械類,自動車,衣類	リラ	7.82	—	—	トルコ人65,クルド人19	イスラーム98	トルコ語,クルド語	トルコ共和国	30
705,730	721,030	電気機械,一般機械,自動車	円	104.58	—	—	日本人	神道,仏教,キリスト教など	日本語	日本国	31
17)741	17)10,038	繊維品,衣類,鉄鋼	ネパール・ルピー	117.84	—	—	チェトリ人17,ブラーマン人12	ヒンドゥー教81,仏教9	ネパール語	ネパール	32
23,759	50,047	繊維品,衣類,米	パキスタン・ルピー	165.79	1947.8	イギリス	パンジャブ人53,パシュトゥン人13	イスラーム96	ウルドゥー語,英語	パキスタン・イスラム共和国	33
18)14,348	18)20,598	石油製品,アルミニウム,鉄鉱石	バーレーン・ディナール	0.38	1971.8	イギリス	アラブ人51,アジア系46	イスラーム82,キリスト教11	アラビア語	バーレーン王国	34
15)31,734	15)48,059	衣類,繊維品	タカ	84.80	1971.12	パキスタン	ベンガル人98	イスラーム89,ヒンドゥー教10	ベンガル語	バングラデシュ人民共和国	35
17)24	17)588	コーヒー,古着,植物性原材料	米ドル	1.00	2002.5	—	メラネシア系,マレー系	カトリック98	テトゥン語,ポルトガル語	東ティモール民主共和国	36
70,927	117,247	機械類,バナナ	フィリピン・ペソ	48.40	1946.7	アメリカ合衆国	タガログ人28,セブアノ人13	カトリック80	フィリピノ語,英語	フィリピン共和国	37
12)531	12)992	鉄鋼,電力,無機化合物	ヌルタム	73.97	—	—	ブータン人(チベット系)50,ネパール系35	チベット仏教74,ヒンドゥー教25	ゾンカ語,ネパール語	ブータン王国	38
7,039	4,164	液化天然ガス,原油,石油製品	ブルネイ・ドル	1.36	1984.1	イギリス	マレー系66,中国系10	イスラーム79	マレー語	ブルネイ・ダルサラーム国	39
264,610	253,442	機械類,衣類,履物	ドン	23213.00	1945.9	フランス	ベトナム人(キン人)86	仏教8,カトリック7	ベトナム語	ベトナム社会主義共和国	40
238,089	204,906	機械類,石油製品	リンギット	4.16	1957.8	イギリス	ブミプトラ62,中国系23	イスラーム61,仏教20	マレー語,英語,中国語	マレーシア	41
17,997	18,578	衣類,液化天然ガス,天然ガス	チャット	1308.80	1948.1	イギリス	ビルマ人68	仏教88	ミャンマー語(ビルマ語)	ミャンマー連邦共和国	42
18)182	18)2,961	冷凍まぐろ・かつお類,まぐろ・かつお調製品	ルフィア	15.40	1965.7	イギリス	モルディブ人99	イスラーム94	ディヴェヒ語	モルディブ共和国	43
7,620	6,127	石炭,銅鉱石,鉄鉱石	トゥグルグ	2851.99	—	中国	モンゴル人(ハルハ人)82	仏教53(おもにチベット仏教)	モンゴル語	モンゴル国	44
8,313	19,337	衣類,化学肥料,医薬品	ヨルダン・ディナール	0.71	1946.5	イギリス	アラブ人98	イスラーム97	アラビア語	ヨルダン・ハシェミット王国	45
5,809	5,797	電力,銅鉱石,銅	キープ	9046.00	1953.10	フランス	ラオ人53,クムー人11	仏教65	ラオ語	ラオス人民民主共和国	46
18)2,953	18)19,983	機械類,金,ダイヤモンド	レバノン・ポンド	1507.50	1943.11	フランス	アラブ人85	イスラーム59,キリスト教41	アラビア語	レバノン共和国	47
17)35,191	17)46,053	原油,天然ガス,石油製品	アルジェリア・ディナール	129.14	1962.7	フランス	アラブ人74,アマジグ(ベルベル)系26	イスラーム99.7	アラビア語,アマジグ語	アルジェリア民主人民共和国	1
18)42,097	18)16,036	原油	クワンザ	620.21	1975.11	ポルトガル	オヴィンブンドゥ人37,キンブンドゥ人25	カトリック55,独立派キリスト教30	ポルトガル語,ウンブンド語	アンゴラ共和国	2
18)3,087	18)6,729	金,コーヒー豆,魚介類	ウガンダ・シリング	3740.46	1962.10	イギリス	バガンダ人17,バニャンコレ人10	キリスト教85,イスラーム12	英語,スワヒリ語	ウガンダ共和国	3
30,633	78,658	石油製品,金,原油	エジプト・ポンド	15.71	—	イギリス	エジプト人(アラブ人)99.6	イスラーム90,キリスト教10	アラビア語	エジプト・アラブ共和国	4
2,002	1,832	芳香油・香水,砂糖,化学品	リランゲニ	16.26	1968.9	イギリス	スワティ人82,ズールー人10	キリスト教90	スワティ語,英語	エスワティニ王国	5
18)1,549	18)14,986	コーヒー豆,ごま,野菜	ブル	32.27	—	—	オロモ人35,アムハラ人26	エチオピア教会43,イスラーム34	アムハラ語	エチオピア連邦民主共和国	6
03)7	03)433	魚介類,皮革類,サンゴ類	ナクファ	15.07	1993.5	—	ティグライ人55,ティグレ人30	イスラーム50,キリスト教48	ティグリニャ語,アラビア語,英語	エリトリア国	7
16,768	10,440	金,原油,カカオ豆	セディ	5.68	1957.3	イギリス	アカン人48,モレダバン人17	キリスト教71,イスラーム18	英語,アサンテ語	ガーナ共和国	8
18)75	18)815	魚介類加工品,まぐろ・かつお類,衣類	エスクード	94.23	1975.7	ポルトガル	アフリカ系とヨーロッパ系の混血70	カトリック77	ポルトガル語,クレオール語	カーボベルデ共和国	9
09)5,356	09)2,501	原油,木材,マンガン鉱	CFAフラン(注1)	560.74	1960.8	フランス	ファン人29,プヌ人10	カトリック42,プロテスタント14	フランス語,ファン語	ガボン共和国	10
17)3,264	17)5,184	原油,木材,カカオ豆	CFAフラン	560.74	1960.1	イギリス・フランス	バミレケ人12,フラ人9	カトリック38,プロテスタント26	フランス語,英語	カメルーン共和国	11
25	494	石油製品,木材,カシューナッツ	ダラシ	51.85	1965.2	イギリス	マンディンカ人34,フラ人22	イスラーム96	英語,マンディンカ語	ガンビア共和国	12
15)1,574	15)2,139	金,ボーキサイト,切手類	ギニア・フラン	9400.82	1958.10	フランス	フラ人32,マリンケ人30	イスラーム87	フランス語,フラ語	ギニア共和国	13
05)23	05)112	カシューナッツ	CFAフラン	560.74	1973.9	ポルトガル	フラ人24,バランタ人23	イスラーム45,キリスト教22	ポルトガル語,クレオール語	ギニアビサウ共和国	14
18)6,050	18)17,377	茶,切花,石油製品	ケニア・シリング	108.50	1963.12	イギリス	キクユ人17,ルヒヤ人14	キリスト教83,イスラーム11	スワヒリ語,英語	ケニア共和国	15
12,718	10,483	カカオ豆,金,石油製品	CFAフラン	560.74	1960.8	フランス	アカン人29,ボルタイック人・グロ人16	イスラーム43,キリスト教34	フランス語	コートジボワール共和国	16
49	201	クローブ,芳香油・香水,バニラ	コモロ・フラン	420.56	1975.7	フランス	コモロ人97	イスラーム98	コモロ語,アラビア語,フランス語	コモロ連合	17
5,576	2,242	原油,木材,船舶	CFAフラン	560.74	1960.8	フランス	コンゴ人48,サンガ人20	キリスト教79	フランス語,リンガラ語	コンゴ共和国	18
17)10,980	17)10,820	ダイヤモンド,銅	コンゴ・フラン	1964.96	1960.6	ベルギー	ルバ人18,コンゴ人16	キリスト教80,イスラーム10	フランス語,スワヒリ語	コンゴ民主共和国	19
10	148	カカオ豆,パーム油	ドブラ	21.71	1975.7	ポルトガル	アフリカ系とヨーロッパ系の混血80	カトリック80,プロテスタント15	ポルトガル語,クレオール語	サントメ・プリンシペ民主共和国	20
7,029	7,221	銅	ザンビア・クワチャ	20.02	1964.10	イギリス	ベンバ人21,トンガ人14	プロテスタント75,カトリック20	英語,ベンバ語	ザンビア共和国	21
17)103	17)1,074	自動車,カカオ豆,機械類	レオネ	9828.24	1961.4	イギリス	テムネ人35,メンデ人31	イスラーム65,キリスト教25	英語,メンデ語	シエラレオネ共和国	22
09)364	09)648	自動車,機械類,ゴム製品	ジブチ・フラン	177.72	1977.6	フランス	ソマリ人46,アファル人35	イスラーム94	フランス語,アラビア語	ジブチ共和国	23
4,279	4,787	ニッケル鉱,金,たばこ	ジンバブエ・ドル	82.15	1980.4	イギリス	ショナ人71,ンデベレ人16	キリスト教94	英語,ショナ語,ンデベレ語	ジンバブエ共和国	24
18)3,619	18)10,484	金,ごま,羊	スーダン・ポンド	55.00	1956.1	イギリス・エジプト	アフリカ系52,アラブ人39	イスラーム68,伝統信仰11	アラビア語,英語	スーダン共和国	25
17)6,118	17)2,577	石油製品,木材	CFAフラン	560.74	1968.10	スペイン	ファン人57,ブビ人10	キリスト教87	スペイン語,フランス語,ポルトガル語	赤道ギニア共和国	26
824	1,438	石油製品,まぐろ・かつお調製品,船舶	セーシェル・ルピー	19.68	1976.6	イギリス	クレオール93	カトリック76,プロテスタント11	クレオール語,英語,フランス語	セーシェル共和国	27
4,175	8,143	石油製品,金,魚介類	CFAフラン	560.74	1960.8	フランス	ウォロフ人39,フラ人27	イスラーム95	フランス語,ウォロフ語	セネガル共和国	28

(注1)アフリカ金融共同体フラン。

（国名の色分けは次の加盟国を示す。 アフリカ連合(AU)　ヨーロッパ自由貿易連合(EFTA)　ヨーロッパ連合(EU)　米国・メキシコ・カナダ協定(USMCA)　中米統合機構(SICA)　★独立国家共同体(CIS)）

地域	国番号	正式国名	首都	人口(万人)2019年	面積(千km²)2019年	人口密度(人/km²)2019年	産業別人口の割合(%)2019年 第1次	第2次	第3次	老年人口率(65歳以上)(%)2019年	非識字率*(%)2018年 男	女	二酸化炭素排出量(t/人)2018年	国土に占める森林割合(%)2018年	1人あたりの国民総所得(ドル)2019年	穀物自給率(%)2018年	エネルギー自給率(%)2018年	海外直接投資額(対外，残高)(億ドル)2019年
アフリカ(54か国)	29	ソマリア連邦共和国	モガディシュ	15) 1,379	638	22	—	—	—	2.9	—	—	—	9.8	—	—	—	—
	30	タンザニア連合共和国	ダルエスサラーム	5,589	947	59	14) 68.1	6.3	25.6	2.6	16.8	26.9	0.1	52.7	1,080	102	88	—
	31	チャド共和国	ンジャメナ	1,569	1,284	12	18) 70.4	8.9	20.7	2.5	**68.7**	**86.0**	—	3.6	700	101	—	—
	32	中央アフリカ共和国	バンギ	15) 449	623	7	—	—	—	2.8	50.5	74.2	—	35.9	520	99	—	—
	33	チュニジア共和国	チュニス	1,172	164	72	17) 14.7	33.1	52.2	8.6	13.9	27.8	2.2	4.5	3,360	43	47	5
	34	トーゴ共和国	ロメ	761	57	134	15) 11.1	11.1	77.8	2.9	22.7	48.8	0.1	22.3	690	85	82	29
	35	ナイジェリア連邦共和国	アブジャ	16) 19,339	924	209	13) 37.8	11.7	50.5	2.7	28.7	47.3	0.5	24.1	2,030	80	160	89
	36	ナミビア共和国	ウィントフック	245	824	3	18) 22.6	16.2	61.2	3.6	8.4	8.6	1.5	8.2	5,060	35	25	16
	37	ニジェール共和国	ニアメ	17) 2,065	1,267	16	12) 74.5	7.2	18.3	2.6	60.9	77.4	0.1	0.9	560	95	102	4
	38	ブルキナファソ	ワガドゥグー	2,087	273	76	06) 78.4	5.3	16.3	2.4	49.9	67.3	—	23.1	790	92	—	4
	39	ブルンジ共和国	ブジュンブラ	1,204	28	433	17) 86.3	3.5	10.2	2.3	23.7	38.8	—	10.9	280	—	—	0.03
	40	ベナン共和国	ポルトノボ	18) 1,149	115	100	11) 43.6	18.6	37.8	3.3	46.0	68.9	0.6	28.7	1,250	59	52	3
	41	ボツワナ共和国	ハボローネ	233	582	4	7.2	18.0	74.8	4.4	13.3	11.3	3.5	27.3	7,660	11	66	10
	42	マダガスカル共和国	アンタナナリボ	2,662	587	45	15) 74.5	9.2	16.3	3.0	22.7	27.6	0.1	21.4	520	79	87	9
	43	マラウイ共和国	リロングウェ	18) 1,756	118	149	—	—	—	2.6	30.2	44.8	—	24.7	380	94	—	4
	44	マリ共和国	バマコ	18) 1,941	1,240	16	18) 63.0	7.7	29.3	2.5	53.8	74.3	0.2	10.9	880	102	68	3
	45	南アフリカ共和国	プレトリア	5,877	1,221	48	5.3	22.3	72.4	5.4	12.3	13.5	7.4	14.1	6,040	93	118	2,079
	46	南スーダン共和国	ジュバ	18) 1,232	659	19	—	—	—	3.4	59.7	71.1	0.1	11.3	15) 1,090	—	**1,081**	—
	47	モザンビーク共和国	マプト	2,931	799	37	15) 72.1	7.7	20.2	2.9	27.4	49.7	0.2	47.3	480	47	194	0.07
	48	モーリシャス共和国	ポートルイス	126	2	640	5.6	23.9	70.5	12.0	6.6	10.6	3.2	19.1	12,740	0	14	8
	49	モーリタニア・イスラム共和国	ヌアクショット	18) 398	1,031	4	17) 31.9	17.7	50.4	3.2	36.3	56.6	—	0.3	1,660	36	—	0.9
	50	モロッコ王国	ラバト	3,558	447	80	14) 37.2	17.7	45.1	7.3	16.7	35.4	1.6	12.8	3,190	64	10	65
	51	リビア	トリポリ	15) 616	1,676	4	86) 19.7	30.0	50.3	4.5	6.2	22.2	6.8	0.1	7,640	—	392	209
	52	リベリア共和国	モンロビア	15) 447	111	40	14) 33.7	9.0	57.3	3.3	37.3	65.9	—	79.7	580	39	—	47
	53	ルワンダ共和国	キガリ	1,237	26	470	37.5	18.6	43.9	3.0	22.4	30.6	—	11.1	820	99	—	1
	54	レソト王国	マセル	16) 200	30	66	08) 42.1	21.6	36.3	4.9	32.3	15.1	—	1.1	1,360	31	—	—
ヨーロッパ(45か国)	1	アイスランド	レイキャビク	35	103	3	4.0	17.4	78.6	15.2	—	—	6.2	0.5	72,850	4	88	57
	2	アイルランド	ダブリン	490	70	70	4.4	18.7	76.9	14.2	—	—	7.2	11.2	62,210	42	36	10,852
	3	アルバニア共和国	ティラナ	286	29	100	36.4	20.2	43.4	14.2	1.5	2.2	1.5	28.8	5,240	58	86	7
	4	アンドラ公国	アンドララベリャ	7	0.5	163	—	—	—	13.6	—	—	—	34.0	—	—	—	—
	5	イタリア共和国	ローマ	18) 6,042	302	200	3.9	25.9	70.2	23.0	0.6	1.0	①5.2	31.8	34,460	62	①23	5,584
	6	ウクライナ	キーウ(キエフ)	4,215	604	70	17) 15.4	24.3	60.3	16.7	0.0	0.0	4.0	16.7	3,370	246	65	80
	7	エストニア共和国	タリン	132	45	29	3.2	28.7	68.1	20.0	0.1	0.1	11.9	56.1	23,220	182	105	101
	8	オーストリア共和国	ウィーン	885	84	106	3.7	25.4	70.9	19.1	—	—	6.9	47.2	51,300	88	36	2,346
	9	オランダ王国	アムステルダム	1,728	42	416	1.9	14.5	83.6	19.6	—	—	8.7	10.9	53,200	10	50	25,653
	10	北マケドニア共和国	スコピエ	207	26	81	13.9	31.1	55.0	14.1	1.2	3.3	3.3	39.7	5,910	78	44	1
	11	ギリシャ共和国	アテネ	1,072	132	81	11.6	15.3	73.1	21.9	1.7	3.5	5.7	30.3	20,320	66	32	198
	12	グレートブリテン及び北アイルランド連合王国	ロンドン	6,679	242	275	1.0	18.1	80.9	18.5	—	—	5.3	13.1	42,370	83	70	19,494
	13	クロアチア共和国	ザグレブ	407	57	72	6.2	27.6	66.2	20.9	0.4	1.3	3.7	34.2	14,910	127	49	11
	14	コソボ共和国	プリシュティナ	178	11	163	5.2	27.6	67.2	—	—	—	4.4	—	4,640	—	70	5
	15	サンマリノ共和国	サンマリノ	18) 3	0.06	574	0.3	42.4	57.3	18) 19.4	0.1	0.1	—	16.7	—	—	—	—
	16	スイス連邦	ベルン	851	41	206	2.5	19.9	77.6	18.8	—	—	4.1	31.9	85,500	46	52	15,262
	17	スウェーデン王国	ストックホルム	1,023	439	23	1.7	18.3	80.0	20.2	—	—	3.3	68.7	55,840	102	73	3,965
	18	スペイン王国	マドリード	4,693	506	93	4.0	20.4	75.6	19.6	1.1	2.0	5.3	37.2	30,390	71	27	6,065
	19	スロバキア共和国	ブラチスラバ	545	49	111	2.8	36.1	61.1	16.2	—	—	5.8	40.1	19,320	173	36	47
	20	スロベニア共和国	リュブリャナ	208	20	103	4.3	33.9	61.8	20.2	0.3	0.4	6.5	61.7	25,750	68	51	70
	21	セルビア共和国	ベオグラード	696	78	90	15.6	27.4	57.0	18.7	0.9	2.5	6.4	31.1	7,020	137	65	41
	22	チェコ共和国	プラハ	1,066	79	135	2.7	37.2	60.1	19.8	—	—	9.4	34.6	22,000	154	64	454
	23	デンマーク王国	コペンハーゲン	581	43	135	2.2	18.5	79.3	20.0	—	—	5.5	15.7	63,240	94	81	2,025
	24	ドイツ連邦共和国	ベルリン	8,301	358	232	1.2	27.2	71.6	21.6	—	—	8.4	32.7	48,520	101	37	17,194
	25	ノルウェー王国	オスロ	③532	③324	③16	2.0	19.4	78.6	17.3	—	—	6.7	33.3	82,500	41	731	2,185
	26	バチカン市国	バチカン	0.06	0.44km²	1,398	—	—	—	—	—	—	—	—	—	—	—	—
	27	ハンガリー	ブダペスト	977	93	105	4.7	32.1	63.2	19.7	0.8	0.9	4.6	22.5	16,140	145	42	337
	28	フィンランド共和国	ヘルシンキ	④554	④338	④16	3.8	21.6	74.6	22.1	—	—	7.9	73.7	49,580	87	58	1,301
	29	フランス共和国	パリ	⑤6,702	⑤641	⑤105	2.5	20.1	77.4	20.4	—	—	⑥4.5	31.2	42,400	176	⑥55	15,328
	30	ブルガリア共和国	ソフィア	700	110	63	6.6	30.0	63.4	21.3	1.3	2.0	5.6	35.6	9,410	**308**	64	28
	31	ベラルーシ共和国★	ミンスク	947	208	46	11.1	30.4	58.5	15.2	0.2	0.3	6.0	43.1	6,280	88	15	14
	32	ベルギー王国	ブリュッセル	1,145	31	375	0.9	20.8	78.3	19.0	—	—	7.9	22.8	47,350	31	22	6,564
	33	ボスニア・ヘルツェゴビナ	サラエボ	349	51	68	18.0	31.7	50.3	17.2	0.8	5.1	6.6	42.7	6,150	73	76	5
	34	ポーランド共和国	ワルシャワ	3,797	313	121	9.1	32.0	58.9	18.1	0.7	1.7	7.9	30.9	15,200	108	59	248
	35	ポルトガル共和国	リスボン	1,027	92	111	5.5	24.7	69.8	22.4	2.6	4.9	4.5	36.2	23,080	21	27	581
	36	マルタ共和国	バレッタ	49	0.3	1,565	1.0	18.9	80.1	20.8	7.0	4.0	3.2	1.4	27,290	10	3	613
	37	モナコ公国	モナコ	3	2.02km²	**18,861**	—	—	—	16) 25.9	—	—	—	—	—	—	—	—
	38	モルドバ共和国★	キシナウ	268	34	79	21.0	21.7	57.3	12.0	0.4	0.9	2.2	11.8	18) 3,930	162	20	3
	39	モンテネグロ	ポドゴリツァ	62	14	45	7.2	19.4	73.4	15.4	0.5	1.7	4.0	61.5	9,010	5	69	2
	40	ラトビア共和国	リガ	192	65	30	7.3	23.7	69.0	20.3	0.1	0.1	3.7	54.8	17,730	223	62	18
	41	リトアニア共和国	ビリニュス	279	65	43	6.4	25.7	67.9	20.2	0.2	0.2	3.9	35.1	18,990	209	26	47
	42	リヒテンシュタイン公国	ファドーツ	3	0.2	241	17) 1.0	28.5	70.5	17.9	—	—	—	41.9	09) **116,430**	—	—	—
	43	ルクセンブルク大公国	ルクセンブルク	61	3	237	0.6	10.1	89.3	14.3	—	—	14.6	36.5	73,910	70	5	2,172
	44	ルーマニア	ブカレスト	1,941	238	81	21.2	30.1	48.7	18.8	0.9	1.4	3.6	30.1	12,630	191	75	13
	45	ロシア連邦★	モスクワ	15) 14,400	**17,098**	8	5.8	26.8	67.4	15.1	0.3	0.3	10.9	49.8	11,260	184	195	3,866
北アメリカ	1	アメリカ合衆国	ワシントンD.C.	32,824	⑦9,834	33	1.4	19.9	78.7	16.2	—	—	15.0	33.9	65,760	128	97	**77,217**
	2	アンティグア・バーブーダ	セントジョンズ	9	0.4	218	08) 2.8	15.6	81.6	9.1	1.6	0.6	—	18.8	16,660	0	—	0.9
	3	エルサルバドル共和国	サンサルバドル	18) 664	21	316	16.3	22.5	61.2	8.5	9.4	13.3	1.0	28.6	4,000	46	47	0.04
	4	カナダ	オタワ	3,758	⑦9,985	4	1.5	19.3	79.2	17.6	—	—	15.2	38.7	46,370	198	178	16,525
	5	キューバ共和国	ハバナ	1,120	110	102	14) 18.9	16.9	64.2	15.6	0.3	0.2	2.1	31.2	16) 7,480	27	53	—

18)西暦下2けたの年次。①サンマリノ，バチカンを含む。②リヒテンシュタインを含む。③スヴァールバル諸島などの海外領土を除く。④オーランド諸島を含む。
⑤フランス海外県(ギアナ，マルティニーク，グアドループ，レユニオン，マヨット)を含む。フランス本土：人口6,482万人，面積552千km²，人口密度118人/km²。⑥モナコを含む。

輸出	輸入	おもな輸出品目	通貨単位	為替レート(1米ドルあたりの各国通貨単位)(2020年12月現在)	独立年月	旧宗主国(1943年以降)	おもな民族(%)	おもな宗教(%)	おもな言語	正式国名	国番号
貿易額(百万ドル) 2019年					独立年月と旧宗主国(1943年以降)						
14) 819	14) 3,482	家畜,バナナ,皮革類	ソマリア・シリング	24300.00	1960.7	イギリス・イタリア	ソマリ人92	イスラーム99	ソマリ語,アラビア語	ソマリア連邦共和国	29
17) 4,178	18) 8,554	金,カシューナッツ,たばこ	タンザニア・シリング	2297.60	1961.12	イギリス	バンツー系95	キリスト教61,イスラーム35	スワヒリ語,英語	タンザニア連合共和国	30
17) 2,464	17) 2,160	原油,家畜,綿花	CFAフラン	560.74	1960.8	フランス	サラ人30,アラブ人10	イスラーム52,キリスト教44	フランス語,アラビア語	チャド共和国	31
17) 197	17) 419	自動車,木材	CFAフラン	560.74	1960.8	フランス	バヤ人33,バンダ人27	キリスト教80,伝統信仰10	サンゴ語,フランス語	中央アフリカ共和国	32
14,944	21,574	機械類,衣類	チュニジア・ディナール	2.77	1956.3	フランス	アラブ人96	イスラーム99	アラビア語,フランス語	チュニジア共和国	33
917	1,844	綿花,セメント,プラスチック製品	CFAフラン	560.74	1960.4	フランス	エウェ人22,カブレ人13	キリスト教47,伝統信仰33	フランス語,エウェ語	トーゴ共和国	34
18) 62,400	18) 43,012	原油,液化天然ガス	ナイラ	381.00	1960.10	イギリス	ヨルバ人18,ハウサ人17	イスラーム51,キリスト教48	英語,ハウサ語,ヨルバ語,イボ語	ナイジェリア連邦共和国	35
6,256	8,086	銅,ダイヤモンド,ウラン鉱	ナミビア・ドル	16.36	1990.3	南アフリカ	オバンボ人34,混血15	プロテスタント49,カトリック18	英語,アフリカーンス語	ナミビア共和国	36
16) 930	16) 1,863	ウラン鉱,石油製品,米	CFAフラン	560.74	1960.8	フランス	ハウサ人53,ジェルマ・ソンガイ人21	イスラーム90	フランス語,ハウサ語	ニジェール共和国	37
18) 3,283	18) 4,296	金,綿花,カシューナッツ	CFAフラン	560.74	1960.8	フランス	モシ人52	イスラーム62,キリスト教30	フランス語,モシ語	ブルキナファソ	38
18) 169	18) 794	金,コーヒー豆,茶	ブルンジ・フラン	1926.14	1962.7	ベルギー	フツ人81,ツチ人16	カトリック61,プロテスタント21	ルンディ語,フランス語	ブルンジ共和国	39
852	2,905	綿花,カシューナッツ,採油用種子	CFAフラン	560.74	1960.8	フランス	フォン人38,アジャ人15	キリスト教49,イスラーム28	フランス語,フォン語	ベナン共和国	40
5,238	6,559	ダイヤモンド	プラ	11.46	1966.9	イギリス	ツワナ人67,カランガ人15	キリスト教79	ツワナ語,英語	ボツワナ共和国	41
2,689	3,944	バニラ,衣類,ニッケル	アリアリ	3882.84	1960.6	フランス	マレーポリネシア系96	キリスト教47,伝統信仰42	マダガスカル語,フランス語	マダガスカル共和国	42
17) 884	17) 2,547	たばこ,茶,大豆飼料	マラウイ・クワチャ	756.93	1964.7	イギリス	チェワ人35,ロムウェ人19	キリスト教87,イスラーム13	英語,チェワ語	マラウイ共和国	43
17) 1,903	17) 4,337	金,綿花,牛	CFAフラン	560.74	1960.9	フランス	バンバラ人34,フラ人15	イスラーム95	フランス語,バンバラ語	マリ共和国	44
89,396	88,037	自動車,プラチナ,機械類	ランド	16.26	—	イギリス	アフリカ系80,混血9	独立派キリスト教37,プロテスタント26	ズールー語,アフリカーンス語,英語	南アフリカ共和国	45
—	—	原油	南スーダン・ポンド	164.90	2011.7	—	ディンカ人38,ヌエル人17	キリスト教60	英語,アラビア語	南スーダン共和国	46
18) 5,196	18) 6,786	石炭,アルミニウム,電力	メティカル	73.24	1975.6	ポルトガル	マクア・ロムウェ人52,ソンガ・ロンガ人24	キリスト教56,イスラーム18	ポルトガル語,マクワ語	モザンビーク共和国	47
1,876	5,601	衣類,魚介類,砂糖	モーリシャス・ルピー	40.13	1968.3	イギリス	インド・パキスタン系67,クレオール27	ヒンドゥー教49,キリスト教33	英語	モーリシャス共和国	48
17) 1,989	17) 3,522	魚介類,鉄鉱石,金	ウギア	36.83	1960.11	フランス	混血モール人40,モール人30	イスラーム99	アラビア語,プラー語	モーリタニア・イスラム共和国	49
29,328	51,075	機械類,自動車,衣類	モロッコ・ディルハム	9.25	1956.3	フランス	アマジグ(ベルベル)系45,アラブ人44	イスラーム99	アラビア語,アマジグ語	モロッコ王国	50
17) 18,380	17) 11,360	原油,石油製品,天然ガス	リビア・ディナール	1.41	1951.12	イタリア	アラブ人87	イスラーム97	アラビア語,アマジグ語	リビア	51
17) 261	17) 1,166	天然ゴム,木材,鉄鉱石	リベリア・ドル	199.40	—	アメリカ合衆国	クペレ人20,バサ人13	キリスト教86,イスラーム12	英語,マンデ語	リベリア共和国	52
992	3,214	石油製品,金,茶	ルワンダ・フラン	963.26	1962.7	ベルギー	フツ人85,ツチ人14	カトリック44,プロテスタント38	キニャルワンダ語,フランス語,英語	ルワンダ共和国	53
17) 673	17) 2,066	衣類,機械類,羊毛	ロティ	16.26	1966.10	イギリス	ソト人80,ズールー人14	キリスト教91	ソト語,英語	レソト王国	54
5,228	6,579	魚介類,アルミニウム	アイスランド・クローナ	140.56	1944.6	デンマーク	アイスランド人93	ルーテル派プロテスタント77	アイスランド語	アイスランド	1
170,743	101,473	医薬品,有機化合物,機械類	ユーロ	0.85	—	イギリス	アイルランド人82	カトリック78	アイルランド語,英語	アイルランド	2
18) 2,876	18) 5,941	衣類,履物	レク	106.16	—	—	アルバニア人83	イスラーム59,カトリック10	アルバニア語	アルバニア共和国	3
18) 129	18) 1,609	機械類,自動車,義歯・同用品	ユーロ	0.85	1993.3	フランス・スペイン	アンドラ人46,スペイン系26	カトリック89	カタルーニャ語	アンドラ公国	4
532,684	473,562	機械類,自動車,医薬品	ユーロ	0.85	—	—	イタリア人96	カトリック83	イタリア語	イタリア共和国	5
18) 47,335	18) 57,187	鉄鋼,機械類,ひまわり油	フリブニャ	28.44	1991.8	—	ウクライナ人78,ロシア系17	ウクライナ正教84,カトリック10	ウクライナ語,ロシア語	ウクライナ	6
16,811	18,659	機械類,石油製品,自動車	ユーロ	0.85	1991.9	—	エストニア人69,ロシア系25	キリスト教64	エストニア語,ロシア語	エストニア共和国	7
171,532	176,596	機械類,自動車,医薬品	ユーロ	0.85	—	—	オーストリア人91	カトリック66	ドイツ語	オーストリア共和国	8
577,617	514,513	機械類,石油製品,医薬品	ユーロ	0.85	—	—	オランダ人79	カトリック28,プロテスタント19	オランダ語	オランダ王国	9
7,186	9,470	機械類,化学品,鉄鋼	デナール	52.74	1991.9	—	マケドニア人64,アルバニア系25	マケドニア正教65,イスラーム32	マケドニア語,アルバニア語	北マケドニア共和国	10
37,886	62,198	石油製品,機械類,医薬品	ユーロ	0.85	—	—	ギリシャ人90	ギリシャ正教90	ギリシャ語	ギリシャ共和国	11
468,322	692,494	機械類,自動車,医薬品	英ポンド	0.77	—	—	イングランド人84,スコットランド人9	キリスト教72	英語	グレートブリテン及び北アイルランド連合王国	12
17,063	28,004	機械類,医薬品,石油製品	クーナ*	6.48	1991.6	—	クロアチア人90,セルビア系4	カトリック86	クロアチア語	クロアチア共和国	13
17) 428	17) 3,223	鉱物性生産品,革製品	ユーロ	0.85	2008.2	—	アルバニア系93	イスラーム96	アルバニア語,セルビア語	コソボ共和国	14
11) 3,827	11) 2,551	建築用石材	ユーロ	0.85	—	—	サンマリノ人85,イタリア系13	カトリック89	イタリア語	サンマリノ共和国	15
②313,630	②276,292	医薬品,金,機械類	スイス・フラン	0.92	—	—	ドイツ系65,フランス系18	カトリック37,プロテスタント25	ドイツ語,フランス語,イタリア語	スイス連邦	16
160,538	158,710	機械類,自動車,医薬品	スウェーデン・クローナ	8.86	—	—	スウェーデン人86	ルーテル派プロテスタント77	スウェーデン語	スウェーデン王国	17
337,215	375,485	自動車,機械類	ユーロ	0.85	—	—	スペイン人45,カタルーニャ人28	カトリック77	スペイン語,カタルーニャ語	スペイン王国	18
90,050	90,979	自動車,機械類	ユーロ	0.85	1993.1	—	スロバキア人81	カトリック62	スロバキア語	スロバキア共和国	19
37,575	38,162	機械類,自動車,医薬品	ユーロ	0.85	1991.6	—	スロベニア人83	カトリック58	スロベニア語	スロベニア共和国	20
19,633	26,730	機械類,自動車,ゴム製品	セルビア・ディナール	100.61	1992.4	—	セルビア人83	セルビア正教85	セルビア語	セルビア共和国	21
198,852	178,552	機械類,自動車	コルナ	23.30	1993.1	—	チェコ人64	カトリック27	チェコ語	チェコ共和国	22
109,907	97,272	機械類,医薬品	デンマーク・クローネ	6.37	—	—	デンマーク人92	ルーテル派プロテスタント76	デンマーク語	デンマーク王国	23
1,492,835	1,240,504	機械類,自動車,医薬品	ユーロ	0.85	—	—	ドイツ人88	カトリック29,プロテスタント27	ドイツ語	ドイツ連邦共和国	24
104,030	86,145	原油,天然ガス,魚介類	ノルウェー・クローネ	9.48	—	—	ノルウェー人83	ルーテル派プロテスタント82	ノルウェー語	ノルウェー王国	25
—	—	切手類	ユーロ	0.85	—	—	イタリア人,スイス人など	カトリック	ラテン語,イタリア語,フランス語	バチカン市国	26
121,995	116,556	機械類,自動車,医薬品	フォリント	315.04	—	—	ハンガリー人86	カトリック37,プロテスタント15	ハンガリー語(マジャール語)	ハンガリー	27
72,704	73,505	機械類,紙・同製品,石油製品	ユーロ	0.85	—	—	フィン人93	ルーテル派プロテスタント72	フィンランド語,スウェーデン語	フィンランド共和国	28
⑥569,757	⑥651,164	機械類,航空機,自動車	ユーロ	0.85	—	—	フランス人77	カトリック64	フランス語	フランス共和国	29
33,415	37,278	機械類,石油製品,銅	レフ	1.67	—	—	ブルガリア人77	ブルガリア正教59	ブルガリア語	ブルガリア共和国	30
18) 33,726	18) 38,409	石油製品,機械類,カリウム肥料	ベラルーシ・ルーブル	2.64	1991.8	—	ベラルーシ人84,ロシア系8	ベラルーシ正教48	ベラルーシ語,ロシア語	ベラルーシ共和国	31
445,214	426,489	医薬品,自動車,機械類	ユーロ	0.85	—	—	フラマン系54,ワロン系36	カトリック50	オランダ語,フランス語,ドイツ語	ベルギー王国	32
6,578	11,159	機械類,金属製品,家具	兌換マルカ	1.67	1992.3	—	ボシュニャク人50,セルビア系31	イスラーム51,セルビア正教31	ボスニア語,セルビア語,クロアチア語	ボスニア・ヘルツェゴビナ	33
251,865	246,654	機械類,自動車,家具	ズロチ	3.96	—	—	ポーランド人97	カトリック87	ポーランド語	ポーランド共和国	34
67,012	89,929	自動車,機械類,衣類	ユーロ	0.85	—	—	ポルトガル人92	カトリック81	ポルトガル語	ポルトガル共和国	35
4,143	8,211	石油製品,機械類,医薬品	ユーロ	0.85	1964.9	イギリス	マルタ人95	カトリック95	マルタ語,英語	マルタ共和国	36
—	—	切手類	ユーロ	0.85	—	—	フランス系28,モナコ人22	カトリック89	フランス語	モナコ公国	37
2,779	5,842	機械類,衣類,ひまわりの種	モルドバ・レウ	16.96	1991.8	—	モルドバ人76	モルドバ正教32,ベッサラビア正教16	モルドバ語,ロシア語	モルドバ共和国	38
18) 466	18) 3,003	アルミニウム,電力,木材	ユーロ	0.85	2006.6	—	モンテネグロ人45,セルビア系29	セルビア正教72,イスラーム19	モンテネグロ語,セルビア語	モンテネグロ	39
14,447	17,768	機械類,木材,自動車	ユーロ	0.85	1991.9	—	ラトビア人62,ロシア系26	ルーテル派プロテスタント20,正教会15	ラトビア語,ロシア語	ラトビア共和国	40
33,151	35,759	機械類,石油製品,家具	ユーロ	0.85	1991.9	—	リトアニア人84	カトリック77	リトアニア語,ロシア語	リトアニア共和国	41
—	—	精密機械	スイス・フラン	0.91	—	—	リヒテンシュタイン人66,スイス系10	カトリック76	ドイツ語	リヒテンシュタイン公国	42
18) 15,148	18) 23,119	機械類,鉄鋼,自動車	ユーロ	0.85	—	—	ルクセンブルク人53,ポルトガル系16	カトリック90	ルクセンブルク語,フランス語	ルクセンブルク大公国	43
77,299	96,644	機械類,自動車	ルーマニア・レウ	4.18	—	—	ルーマニア人83	ルーマニア正教82	ルーマニア語	ルーマニア	44
426,720	247,161	原油,石油製品,天然ガス	ロシア・ルーブル	79.33	—	—	ロシア人78	ロシア正教53	ロシア語	ロシア連邦	45
1,644,276	**2,567,492**	機械類,自動車,石油製品	米ドル	1.00	—	—	ヨーロッパ系73,アフリカ系13	プロテスタント47,カトリック21	英語,スペイン語	アメリカ合衆国	1
37	568	金,石油製品,蒸留酒	東カリブ・ドル	2.70	1981.11	イギリス	アフリカ系87	キリスト教84	英語	アンティグア・バーブーダ	2
5,943	12,018	衣類,繊維品,機械類	米ドル	1.00	—	スペイン	メスチーソ86,ヨーロッパ系13	カトリック50,プロテスタント36	スペイン語	エルサルバドル共和国	3
446,148	453,234	原油,自動車,機械類	カナダ・ドル	1.33	—	イギリス	カナダ人32,イングランド系18	カトリック39,プロテスタント20	英語,フランス語	カナダ	4
17) 2,630	17) 11,060	ニッケル鉱,医薬品,砂糖	兌換ペソ/キューバ・ペソ★	1.00	—	スペイン	混血50,ヨーロッパ系25	カトリック47	スペイン語	キューバ共和国	5

)国連の統計による(五大湖などの水域面積を含む)。＊2023年1月1日よりユーロへ移行。★数値は兌換ペソの為替レート。1兌換ペソ＝24キューバ・ペソ。2021年1月よりキューバ・ペソに統一。

統計・さくいん

（国名の色分けは次の加盟国を示す。 米国・メキシコ・カナダ協定(USMCA) 中米統合機構(SICA) ※南米南部共同市場(MERCOSUR) アンデス共同体 太平洋諸島フォーラム(PIF)）

※2021年8月現在，ベネズエラは加盟資格停止中。ボリビアは各国議会の批准待ち。

	国番号	正式国名	首都	人口(万人) 2019年	面積(千km²) 2019年	人口密度(人/km²) 2019年	産業別人口の割合(%) 2019年			老年人口率(65歳以上)(%)2019年	非識字率*(%)2018年		二酸化炭素排出量(t/人) 2018年	国土に占める森林割合(%) 2018年	1人あたりの国民総所得(ドル)2019年	穀物自給率(%) 2018年	エネルギー自給率(%) 2018年	海外直接投資額(対外，残高)(億ドル) 2019年
							第1次	第2次	第3次		男	女						
北アメリカ(23か国)	6	グアテマラ共和国	グアテマラシティ	18) 1,731	109	159	17) 31.8	19.0	49.2	4.9	13.2	23.6	0.9	33.1	4,610	49	67	17
	7	グレナダ	セントジョージズ	17) 11	0.3	322	98) 13.8	23.9	62.3	9.7	1.4	1.4	—	52.1	9,980	0	—	0.8
	8	コスタリカ共和国	サンホセ	506	51	99	11.9	18.7	69.4	9.9	2.2	2.1	1.5	58.8	11,700	11	47	35
	9	ジャマイカ	キングストン	273	11	249	15.2	16.2	68.6	8.9	16.6	7.3	2.7	54.4	5,250	0	8	10
	10	セントクリストファー・ネービス	バセテール	15) 5	0.3	196	01) 0.2	48.8	51.0	11) 7.8	—	—	—	42.3	19,030	0	—	0.2
	11	セントビンセント及びグレナディーン諸島	キングスタウン	11	0.4	284	01) 15.4	19.7	64.9	9.7	—	—	—	73.2	7,460	4	—	0.6
	12	セントルシア	カストリーズ	18) 17	0.5	332	9.8	14.2	76.0	10.0	—	—	—	34.0	11,020	0	—	2
	13	ドミニカ共和国	サントドミンゴ	1,035	49	213	8.8	18.8	72.4	7.3	6.2	6.2	2.1	44.0	8,090	34	12	—
	14	ドミニカ国	ロゾー	17) 6	0.8	89	01) 21.0	19.9	59.1	11) 11.2	—	—	—	63.8	8,090	0	—	0.02
	15	トリニダード・トバゴ共和国	ポートオブスペイン	136	5	266	16) 3.2	27.3	69.5	11.1	0.9	1.7	12.3	44.6	16,890	3	201	12
	16	ニカラグア共和国	マナグア	652	130	50	14) 31.1	17.5	51.4	5.5	17.6	17.2	0.7	30.0	1,910	58	58	7
	17	ハイチ共和国	ポルトープランス	1,157	28	417	12) 31.3	6.7	62.0	5.1	34.7	41.7	0.2	12.8	790	37	75	—
	18	パナマ共和国	パナマシティ	421	75	56	14.4	17.7	67.9	8.3	4.0	5.1	2.2	57.1	14,950	31	25	131
	19	バハマ国	ナッソー	38	14	28	11) 3.7	12.9	83.4	7.5	—	—	—	50.9	31,780	3	—	71
	20	バルバドス	ブリッジタウン	15) 27	0.4	638	16) 2.9	19.3	77.8	16.2	0.4	0.4	—	14.7	17,380	0	—	38
	21	ベリーズ	ベルモパン	40	23	18	17) 17.3	15.6	67.1	4.9	—	—	—	57.0	4,450	88	—	0.7
	22	ホンジュラス共和国	テグシガルパ	915	112	81	29.5	21.4	49.1	4.8	12.9	12.7	0.9	57.2	2,390	43	49	24
	23	メキシコ合衆国	メキシコシティ	12,657	1,964	64	12.4	25.4	62.2	7.4	3.8	5.4	3.6	33.9	9,430	65	88	2,304
南アメリカ(12か国)	1	アルゼンチン共和国	ブエノスアイレス	4,493	2,780	16	•0.1	21.8	78.1	11.2	1.1	0.9	3.8	10.5	11,200	248	94	435
	2	ウルグアイ東方共和国	モンテビデオ	351	174	20	8.4	18.8	72.8	14.9	1.6	1.0	1.8	11.4	16,230	147	60	76
	3	エクアドル共和国	キト	1,726	257	67	29.7	17.2	53.1	7.4	6.2	7.9	2.1	50.8	6,080	65	205	—
	4	ガイアナ共和国	ジョージタウン	74	215	3	18) 15.9	24.9	59.2	6.7	13.7	15.0	3.1	93.6	5,180	163	13	0.4
	5	コロンビア共和国	ボゴタ	4,939	1,142	43	15.8	20.1	64.1	8.8	5.1	4.7	1.4	53.7	6,510	37	310	638
	6	スリナム共和国	パラマリボ	18) 59	164	4	16) 7.5	25.1	67.4	7.0	3.9	7.3	3.5	**97.6**	5,540	123	101	2
	7	チリ共和国	サンティアゴ	1,910	756	25	9.0	22.2	68.8	11.9	3.5	3.7	4.5	24.2	15,010	56	35	1,316
	8	パラグアイ共和国	アスンシオン	715	407	18	18.7	18.1	63.2	6.6	5.5	6.5	1.1	41.9	5,510	267	114	—
	9	ブラジル連邦共和国	ブラジリア	21,014	8,516	25	9.1	20.0	70.9	9.3	7.0	6.6	1.9	59.7	9,130	109	103	2,239
	10	ベネズエラ・ボリバル共和国※	カラカス	3,206	930	34	17) 8.0	19.8	72.2	7.6	3.0	2.8	3.9	52.5	14) 13,080	43	275	278
	11	ペルー共和国	リマ	3,213	1,285	25	25.5	16.3	58.2	8.4	2.9	8.3	1.5	56.8	6,740	49	93	94
	12	ボリビア多民族国※	ラパス	1,147	1,099	10	28.3	20.1	51.6	7.3	3.5	11.4	1.8	47.3	3,530	97	210	9
オセアニア(16か国)	1	オーストラリア連邦	キャンベラ	2,536	7,692	3	2.6	19.1	78.3	15.9	—	—	15.3	17.4	54,910	239	321	5,793
	2	キリバス共和国	タラワ	15) 11	0.7	152	15) 24.3	18.2	57.5	4.1	—	—	—	1.5	3,350	0	—	0.02
	3	クック諸島	アバルア	2	0.2	86	2.7	11.5	85.8	16) 10.4	—	—	—	65.0	—	—	—	0.1
	4	サモア独立国	アピア	20	3	71	17) 21.9	15.4	62.7	4.9	1.0	0.8	—	57.5	4,180	0	—	0.2
	5	ソロモン諸島	ホニアラ	68	29	24	13) 36.7	8.2	55.1	3.6	16.3	31.0	—	90.2	2,050	3	—	0.7
	6	ツバル	フナフティ	16) 1	0.03	423	16) 27.0	9.5	63.5	16) 4.9	—	—	—	33.3	5,620	—	—	—
	7	トンガ王国	ヌクアロファ	16) 10	0.7	135	03) 31.8	30.6	37.6	5.9	0.6	0.5	—	12.4	18) 4,300	—	—	1
	8	ナウル共和国	ヤレン	16) 1	0.02	524	13) 2.7	24.9	72.4	16) 1.9	—	—	—	0.0	14,230	—	—	—
	9	ニウエ	アロフィ	17) 0.17	0.3	7	01) 9.0	20.4	70.6	17) 13.3	—	—	—	72.5	—	—	—	—
	10	ニュージーランド	ウェリントン	491	268	18	5.8	19.5	74.7	16.0	—	—	6.4	37.4	42,670	51	76	169
	11	バヌアツ共和国	ポートビラ	29	12	24	10) 63.6	6.8	29.6	3.6	11.7	13.3	—	36.3	3,170	4	—	0.3
	12	パプアニューギニア独立国	ポートモレスビー	16) 815	463	18	00) 72.3	3.6	24.1	3.5	34.7	42.1	—	79.3	2,780	—	—	5
	13	パラオ共和国	マルキョク	18) 1	0.5	39	14) 2.7	7.2	90.1	15) 7.3	3.2	3.7	—	89.7	18) 17,280	—	—	—
	14	フィジー共和国	スバ	88	18	49	16) 19.1	14.2	66.7	5.6	0.9	0.9	—	61.7	5,860	9	—	0.5
	15	マーシャル諸島共和国	マジュロ	15) 5	0.2	304	10) 11.0	9.4	79.6	11) 2.0	1.7	1.8	—	52.2	18) 4,860	—	—	—
	16	ミクロネシア連邦	パリキール	10	0.7	149	14) 34.6	6.2	59.2	4.2	—	—	—	91.9	18) 3,400	—	—	0.05
世界(197か国)				771,346	130,094	59	—	—	—	9.1	10.2	17.2	4.4	31.2	11,570	103	101	345,711

•都市部のみの統計。

16 世界のおもな産物

〔FAOSTAT，ほか〕

農林水産物

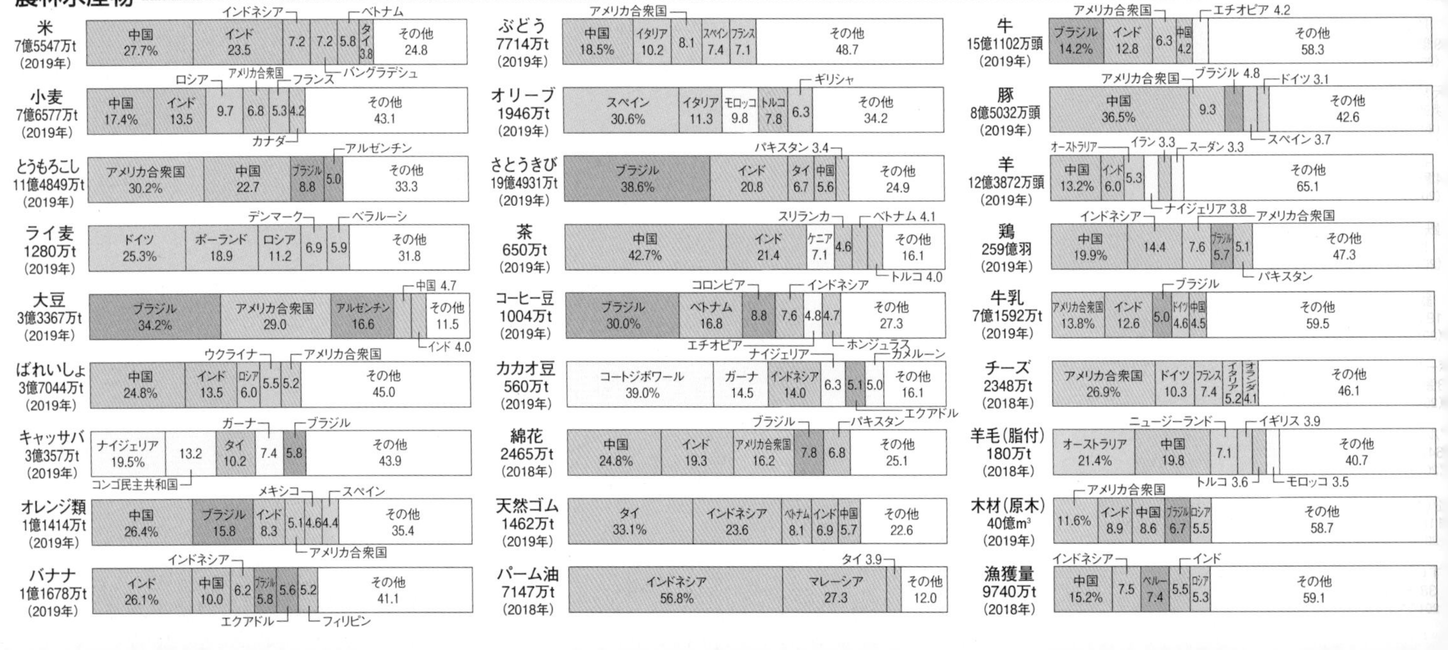

- **米** 7億5547万t (2019年)：中国 27.7%，インド 23.5，インドネシア 7.2，バングラデシュ 7.2，ベトナム 5.8，タイ 3.8，その他 24.8
- **小麦** 7億6577万t (2019年)：中国 17.4%，インド 13.5，ロシア 9.7，アメリカ合衆国 6.8，フランス 5.3，カナダ 4.2，その他 43.1
- **とうもろこし** 11億4849万t (2019年)：アメリカ合衆国 30.2%，中国 22.7，ブラジル 8.8，アルゼンチン 5.0，その他 33.3
- **ライ麦** 1280万t (2019年)：ドイツ 25.3%，ポーランド 18.9，ロシア 11.2，デンマーク 6.9，ベラルーシ 5.9，その他 31.8
- **大豆** 3億3367万t (2019年)：ブラジル 34.2%，アメリカ合衆国 29.0，アルゼンチン 16.6，中国 4.7，インド 4.0，その他 11.5
- **ばれいしょ** 3億7044万t (2019年)：中国 24.8%，インド 13.5，ロシア 6.0，ウクライナ 5.5，アメリカ合衆国 5.2，その他 45.0
- **キャッサバ** 3億357万t (2019年)：ナイジェリア 19.5%，コンゴ民主共和国 13.2，タイ 10.2，ガーナ 7.4，ブラジル 5.8，その他 43.9
- **オレンジ類** 1億1414万t (2019年)：中国 26.4%，ブラジル 15.8，インド 8.3，アメリカ合衆国 5.1，メキシコ 4.6，スペイン 4.4，その他 35.4
- **バナナ** 1億1678万t (2019年)：インド 26.1%，中国 10.0，インドネシア 6.2，ブラジル 5.8，エクアドル 5.6，フィリピン 5.2，その他 41.1
- **ぶどう** 7714万t (2019年)：中国 18.5%，イタリア 10.2，アメリカ合衆国 8.1，スペイン 7.4，フランス 7.1，その他 48.7
- **オリーブ** 1946万t (2019年)：スペイン 30.6%，イタリア 11.3，モロッコ 9.8，トルコ 7.8，ギリシャ 6.3，その他 34.2
- **さとうきび** 19億4931万t (2019年)：ブラジル 38.6%，インド 20.8，タイ 6.7，中国 5.6，パキスタン 3.4，その他 24.9
- **茶** 650万t (2019年)：中国 42.7%，インド 21.4，ケニア 7.1，スリランカ 4.6，ベトナム 4.1，トルコ 4.0，その他 16.1
- **コーヒー豆** 1004万t (2019年)：ブラジル 30.0%，ベトナム 16.8，コロンビア 8.8，インドネシア 7.6，エチオピア 4.8，ホンジュラス 4.7，その他 27.3
- **カカオ豆** 560万t (2019年)：コートジボワール 39.0%，ガーナ 14.5，インドネシア 14.0，ナイジェリア 6.3，エクアドル 5.1，カメルーン 5.0，その他 16.1
- **綿花** 2465万t (2018年)：中国 24.8%，インド 19.3，アメリカ合衆国 16.2，ブラジル 7.8，パキスタン 6.8，その他 25.1
- **天然ゴム** 1462万t (2019年)：タイ 33.1%，インドネシア 23.6，ベトナム 8.1，インド 6.9，中国 5.7，その他 22.6
- **パーム油** 7147万t (2018年)：インドネシア 56.8%，マレーシア 27.3，タイ 3.9，その他 12.0
- **牛** 15億1102万頭 (2019年)：ブラジル 14.2%，インド 12.8，アメリカ合衆国 6.3，中国 4.2，エチオピア 4.2，その他 58.3
- **豚** 8億5032万頭 (2019年)：中国 36.5%，アメリカ合衆国 9.3，ブラジル 4.8，スペイン 3.7，ドイツ 3.1，その他 42.6
- **羊** 12億3872万頭 (2019年)：中国 13.2%，インド 6.0，オーストラリア 5.3，ナイジェリア 3.8，イラン 3.3，スーダン 3.3，その他 65.1
- **鶏** 259億羽 (2019年)：中国 19.9%，インドネシア 14.4，アメリカ合衆国 7.6，ブラジル 5.7，パキスタン 5.1，その他 47.3
- **牛乳** 7億1592万t (2019年)：アメリカ合衆国 13.8%，インド 12.6，ブラジル 5.0，ドイツ 4.6，中国 4.5，その他 59.5
- **チーズ** 2348万t (2018年)：アメリカ合衆国 26.9%，ドイツ 10.3，フランス 7.4，イタリア 5.2，オランダ 4.1，その他 46.1
- **羊毛(脂付)** 180万t (2018年)：オーストラリア 21.4%，中国 19.8，ニュージーランド 7.1，イギリス 3.9，トルコ 3.6，モロッコ 3.5，その他 40.7
- **木材(原木)** 40億m³ (2019年)：アメリカ合衆国 11.6%，インド 8.9，中国 8.6，ブラジル 6.7，ロシア 5.5，その他 58.7
- **漁獲量** 9740万t (2018年)：中国 15.2%，インドネシア 7.5，ペルー 7.4，インド 5.5，ロシア 5.3，その他 59.1

★流通しているのは米ドル紙幣で，それを「バルボア」とよんでいる(硬貨は独自のものもあり)。★★2021年10月より「ボリバル・デジタル」に変更。①南北アメリカのインディオは先住民とした。

貿易額(百万ドル) 2019年 輸出	輸入	おもな輸出品目	通貨単位	為替レート(1米ドルあたりの各国通貨単位)(2020年12月現在)	独立年月と旧宗主国(1943年以降)		おもな民族(%)	おもな宗教(%)	おもな言語	正式国名	国番号
11,289	19,871	衣類,果実,砂糖	ケツァル	7.80	—	スペイン	混血60,マヤ系先住民39	カトリック57,プロテスタント・独立派キリスト教40	スペイン語	グアテマラ共和国	6
08) 31	09) 282	小麦粉,機械類,紙・同製品	東カリブ・ドル	2.70	1974.2	イギリス	アフリカ系82,混血13	プロテスタント49,カトリック36	英語,クレオール語	グレナダ	7
18) 11,252	18) 16,563	精密機械,パイナップル,バナナ	コスタリカ・コロン	608.83	—	スペイン	ヨーロッパ系・メスチーソ84	カトリック76,プロテスタント14	スペイン語	コスタリカ共和国	8
17) 1,310	17) 5,818	アルミナ,石油製品,アルコール飲料	ジャマイカ・ドル	141.57	1962.8	イギリス	アフリカ系92	プロテスタント65	英語,クレオール語	ジャマイカ	9
17) 33	17) 309	機械類,切手類,金属製品	東カリブ・ドル	2.70	1983.9	イギリス	アフリカ系90	プロテスタント75,カトリック11	英語	セントクリストファー・ネービス	10
18) 44	18) 354	小麦粉,鉄鋼,ビール	東カリブ・ドル	2.70	1979.10	イギリス	アフリカ系65,ムラート20	キリスト教88	英語,クレオール語	セントビンセント及びグレナディーン諸島	11
17) 142	17) 664	自動車,機械類,貴金属	東カリブ・ドル	2.70	1979.2	イギリス	アフリカ系85,混血11	カトリック62,プロテスタント26	英語,クレオール語	セントルシア	12
17) 8,856	17) 19,524	金,機械類,精密機械	ドミニカ・ペソ	58.47	—	スペイン	ムラート70,アフリカ系16	カトリック64	スペイン語,ハイチ語	ドミニカ共和国	13
12) 37	12) 212	石けん,切手類,機械類	東カリブ・ドル	2.70	1978.11	イギリス	アフリカ系87	カトリック61,プロテスタント29	英語,クレオール語	ドミニカ国	14
15) 10,756	15) 9,298	液化天然ガス,石油製品,アンモニア	トリニダード・トバゴ・ドル	6.77	1962.8	イギリス	インド系35,アフリカ系34	キリスト教55,ヒンドゥー教18	英語,クレオール語	トリニダード・トバゴ共和国	15
18) 5,014	18) 7,351	衣類,機械類,牛肉	コルドバ	34.43	—	スペイン	メスチーソ63,ヨーロッパ系14	カトリック59,プロテスタント23	スペイン語	ニカラグア共和国	16
17) 980	17) 3,618	衣類,カカオ豆,マンゴー	グールド	65.92	—	フランス	アフリカ系94	カトリック55,プロテスタント29	フランス語,ハイチ語	ハイチ共和国	17
713	12,836	バナナ,魚介類,金属くず	バルボア★	1.00	—	スペイン	メスチーソ65,①先住民12	カトリック75,プロテスタント・独立派キリスト教20	スペイン語	パナマ共和国	18
15) 443	15) 3,161	プラスチック類,石油製品,ロブスター	バハマ・ドル	1.00	1973.7	イギリス	アフリカ系91	プロテスタント70,カトリック12	英語,クレオール語	バハマ国	19
18) 458	18) 1,600	石油製品,ラム酒,医薬品	バルバドス・ドル	2.00	1966.11	イギリス	アフリカ系92	プロテスタント66	英語	バルバドス	20
245	986	砂糖,バナナ,魚介類	ベリーズ・ドル	2.00	1981.9	イギリス	メスチーソ53,クレオール26	カトリック40,プロテスタント32	英語,スペイン語	ベリーズ	21
17) 4,970	17) 8,612	コーヒー豆,機械類,魚介類	レンピラ	24.33	—	スペイン	メスチーソ87	カトリック46,プロテスタント41	スペイン語	ホンジュラス共和国	22
472,273	467,293	機械類,自動車,原油	メキシコ・ペソ	21.16	—	スペイン	メスチーソ64,①先住民18	カトリック83	スペイン語	メキシコ合衆国	23
65,114	49,125	大豆飼料,とうもろこし,自動車	アルゼンチン・ペソ	76.08	—	スペイン	ヨーロッパ系86	カトリック70	スペイン語	アルゼンチン共和国	1
18) 7,498	18) 8,893	肉類,木材,乳製品・鶏卵	ウルグアイ・ペソ	42.58	—	—	ヨーロッパ系88	カトリック47	スペイン語	ウルグアイ東方共和国	2
18) 21,606	18) 23,020	原油,魚介類,バナナ	米ドル	1.00	—	スペイン	メスチーソ72	カトリック74,福音派プロテスタント10	スペイン語,ケチュア語	エクアドル共和国	3
18) 1,487	18) 3,998	金,自動車,ボーキサイト	ガイアナ・ドル	208.50	1966.5	イギリス	インド系40,アフリカ系29	キリスト教64,ヒンドゥー教25	英語,クレオール語	ガイアナ共和国	4
39,489	52,696	原油,石炭,石油製品	コロンビア・ペソ	3849.53	—	スペイン	メスチーソ58,ヨーロッパ系20	カトリック79,プロテスタント14	スペイン語	コロンビア共和国	5
1,461	1,711	金,木材	スリナム・ドル	14.15	1975.11	オランダ	インド・パキスタン系27,マルーン22	キリスト教50,ヒンドゥー教22	オランダ語,英語,スリナム語	スリナム共和国	6
69,681	69,591	銅鉱石,銅,果実	チリ・ペソ	770.45	—	スペイン	メスチーソ72,ヨーロッパ系22	カトリック67,プロテスタント16	スペイン語	チリ共和国	7
18) 9,042	18) 13,336	大豆,電力,牛肉	グアラニー	7024.75	—	スペイン	メスチーソ86	カトリック90	スペイン語,グアラニー語	パラグアイ共和国	8
225,383	177,348	大豆,原油,鉄鉱石	レアル	5.77	—	ポルトガル	ヨーロッパ系48,ムラート43	カトリック65,プロテスタント22	ポルトガル語	ブラジル連邦共和国	9
13) 87,961	13) 44,952	原油,石油製品	ボリバル・ソベラノ★★	38456.00	—	スペイン	メスチーソ52,ヨーロッパ系44	カトリック85	スペイン語	ベネズエラ・ボリバル共和国	10
46,132	42,376	銅鉱石,金,果実	ソル	3.43	—	スペイン	①先住民52,メスチーソ32	カトリック81,福音派プロテスタント13	スペイン語,ケチュア語,アイマラ語	ペルー共和国	11
18) 9,065	18) 10,045	天然ガス,亜鉛鉱,金	ボリビアーノ	6.91	—	スペイン	①先住民55,メスチーソ30	カトリック77,プロテスタント16	スペイン語,ケチュア語,アイマラ語	ボリビア多民族国	12
266,377	221,481	鉄鉱石,石炭,液化天然ガス	オーストラリア・ドル	1.42	—	イギリス	ヨーロッパ系90	キリスト教52	英語	オーストラリア連邦	1
16) 11	16) 119	コプラ油,魚介類,コプラ	オーストラリア・ドル	1.42	1979.7	イギリス	ミクロネシア系99	カトリック57,プロテスタント33	キリバス語,英語	キリバス共和国	2
11) 3	11) 109	野菜・果実ジュース,サンゴ類	ニュージーランド・ドル	1.51	1965	ニュージーランド	クック諸島マオリ人81	プロテスタント63,カトリック17	英語,ラロトンガ語	クック諸島	3
18) 46	18) 363	魚介類,石油製品,野菜・果実ジュース	タラ	2.64	1962.1	ニュージーランド	サモア人93	プロテスタント58,カトリック19	サモア語,英語	サモア独立国	4
18) 569	18) 601	木材,魚介類	ソロモン・ドル	8.12	1978.7	イギリス	メラネシア系95	プロテスタント73,カトリック20	英語,ピジン語	ソロモン諸島	5
05) 0.1	08) 27	機械類,切手類,液化石油ガス	オーストラリア・ドル	1.42	1978.10	イギリス	ポリネシア系95	ツバル教会91	ツバル語,英語	ツバル	6
14) 19	14) 218	魚介類,野菜,石油製品	パアンガ	2.27	1970.6	イギリス	トンガ人(ポリネシア系)97	キリスト教97	トンガ語,英語	トンガ王国	7
13) 125	16) 65	りん鉱石	オーストラリア・ドル	1.42	1968.1	イギリス	ナウル人96	プロテスタント60,カトリック33	ナウル語,英語	ナウル共和国	8
04) 0.2	04) 9	ココナッツクリーム,コプラ	ニュージーランド・ドル	1.51	1974	ニュージーランド	ニウエ人67,混血13	キリスト教92	ニウエ語,英語	ニウエ	9
39,540	42,271	乳製品,肉類,木材	ニュージーランド・ドル	1.51	—	イギリス	ヨーロッパ系71,マオリ人14	キリスト教46	英語,マオリ語	ニュージーランド	10
11) 64	11) 281	コプラ,野菜,魚介類	バツ	113.60	1980.7	イギリス・フランス	バヌアツ人98	プロテスタント70,カトリック12	ビスラマ語,英語,フランス語	バヌアツ共和国	11
12) 4,518	12) 8,341	プラチナ,パーム油,銅鉱石	キナ	3.50	1975.9	オーストラリア	パプア人84,メラネシア系15	キリスト教96	英語,ピジン英語,モツ語	パプアニューギニア独立国	12
18) 9	18) 154	魚介類	米ドル	1.00	1994.10	アメリカ合衆国	パラオ人73,アジア系22	カトリック45,プロテスタント35	パラオ語,英語	パラオ共和国	13
18) 1,041	18) 2,720	石油製品,魚介類,清涼飲料水	フィジー・ドル	2.14	1970.10	イギリス	フィジー人57,インド系38	キリスト教65,ヒンドゥー教28	英語,フィジー語,ヒンディー語	フィジー共和国	14
15) 47	16) 104	コプラ,ココナッツオイル,魚介類	米ドル	1.00	1986.10	アメリカ合衆国	マーシャル人92	プロテスタント83	マーシャル語,英語	マーシャル諸島共和国	15
15) 40	15) 168	魚介類	米ドル	1.00	1986.11	アメリカ合衆国	チューク人49,ポンペイ人30	カトリック55,プロテスタント41	英語,チューク語	ミクロネシア連邦	16
—	—			—							

世界の人口・面積には，属領，帰属未定地域を含む。ただし南極大陸の面積13,985千㎢は含まない。18)西暦下2けたの年次を表す。

エネルギー・鉱工業

〔IEA資料，ほか〕

モリブデン，チタン，タングステン，レアアース ➲ p.18⑧　プラチナ，コバルト ➲ p.44⑤

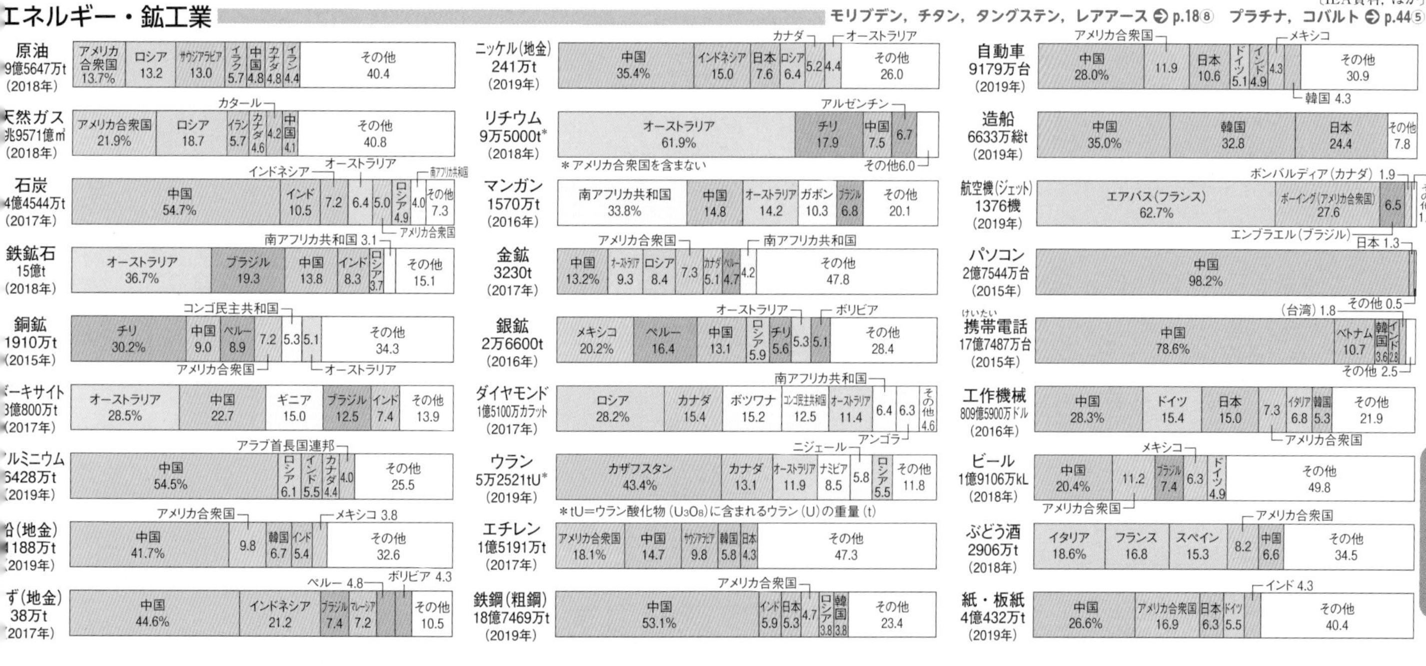

17 世界のおもな都市間の距離と時間 〔理科年表 2021, ほか〕

注）"時間"は旅客機による飛行時間を示す。

都市名	東京からの時間	東京	ペキン	シンガポール	モスクワ	デリー	フランクフルト	パリ	ロンドン	カイロ	ニューヨーク	ロサンゼルス	リオデジャネイロ	ホノルル
ペキン	3時間40分	2,104												
シンガポール	6時間55分	5,317	4,465											
モスクワ	9時間40分	7,502	5,809	8,426										
デリー	8時間45分	5,857	3,788	4,142	4,349									
フランクフルト	12時間00分	9,357	7,799	10,270	2,025	6,128								
パリ	12時間25分	9,738	8,236	10,743	2,492	6,601	480							
ロンドン	12時間25分	9,585	8,160	10,860	2,506	6,724	639	341						
カイロ	14時間30分	9,587	7,557	8,270	2,899	4,436	2,921	3,215	3,513					
ニューヨーク	12時間15分	10,870	11,012	15,349	7,530	11,779	6,219	5,851	5,586	9,042				
ロサンゼルス	9時間25分	8,828	10,082	14,136	9,793	12,882	9,324	9,106	8,778	12,223	3,945			
リオデジャネイロ	22時間20分	18,557	17,325	15,740	11,529	14,080	9,566	9,146	9,254	9,882	7,729	10,129		
ホノルル	6時間35分	6,208	8,171	10,824	11,342	11,930	11,983	11,988	11,653	14,239	7,996	4,125	13,343	
シドニー	9時間25分	7,794	8,923	6,293	14,487	10,415	16,479	16,959	16,990	14,415	15,990	12,065	13,539	8,151
		距離(km)												

都市名	時間
ニューヨーク	8時間15分
ペキン	9時間45分
	パリ

都市名	時間
カイロ	9時間30分
リオデジャネイロ	9時間10分
	ニューヨーク

この表の読み方→下側の都市(例:東京)から上にたどり，左側の都市(例:カイロ)から右へたどって，両者がであったところの数字(例:9,587)がその都市間の距離となる。

18 都道府県別統計

(赤太字は1位，赤字は2位から5位までの都道府県を示す。)　〔令和2年　全国都道府県市区町村別面積調　令和元年産　作物統計，ほか〕

県番号	都道府県	都道府県の庁所在地	人口(万人) 2020年	面積(km²) 2020年	人口密度(人/km²) 2020年	人口増減率(‰) 2018～2019年	老年人口率(65歳以上)(%) 2020年	合計特殊出生率 2019年	産業別人口の割合(%) 2015年 第1次	第2次	第3次	耕地面積(km²) 2019年	農業産出額(億円) 2019年	米(水稲)(千t) 2019年	野菜(億円) 2019年	漁業生産量(千t) 2019年	製造品出荷額(億円) 2018年	小売業年間販売額(億円) 2018年	1人あたり県民所得(千円) 2017年
1	北海道	札幌	526	83,424	63	-6.9	31.4	1.24	7.4	17.9	74.7	11,440	12,558	588	1,951	963	64,136	65,406	2,682
2	青森	青森	127	9,646	132	-13.1	32.7	1.38	12.4	20.4	67.2	1,505	3,138	282	642	184	18,031	13,707	2,490
3	岩手	盛岡	123	15,275	81	-11.7	32.8	1.35	10.8	25.4	63.8	1,498	2,676	280	259	123	27,451	13,481	2,772
4	宮城	仙台	229	・7,282	315	-4.7	27.7	1.23	4.5	23.4	72.1	1,263	1,932	377	265	271	46,912	27,350	2,944
5	秋田	秋田	98	11,638	85	-14.8	36.5	1.33	9.8	24.4	65.8	1,471	1,931	527	281	6	13,496	10,936	2,699
6	山形	山形	108	・9,323	116	-11.9	33.1	1.40	9.4	29.1	61.5	1,173	2,557	404	460	4	28,880	11,604	2,923
7	福島	福島	188	13,784	137	-10.0	30.7	1.47	6.7	30.6	62.7	1,396	2,086	369	438	71	52,812	20,832	2,971
8	茨城	水戸	292	6,097	479	-5.0	28.8	1.39	5.9	29.8	64.3	1,646	4,302	344	1,575	▪ 295	130,944	29,563	3,306
9	栃木	宇都宮	196	6,408	307	-5.4	28.2	1.39	5.7	31.9	62.4	1,226	2,859	311	784	1	92,571	22,101	3,413
10	群馬	前橋	196	6,362	310	-5.9	29.3	1.40	5.1	31.8	63.1	676	2,361	75	912	0.3	92,011	21,431	3,325
11	埼玉	さいたま	739	・3,798	1,946	1.7	26.2	1.27	1.7	24.9	73.4	745	1,678	154	796	0.002	143,440	68,620	3,067
12	千葉	千葉	631	・5,158	1,225	1.4	26.9	1.28	2.9	20.6	76.5	1,246	3,859	289	1,305	117	132,118	61,532	3,193
13	東京	東京(23区)	1,383	・2,194	6,306	6.9	22.6	1.15	0.4	17.5	82.1	67	234	1	121	▪ 53	78,495	198,532	5,427
14	神奈川	横浜	920	2,416	3,811	2.2	25.0	1.28	0.9	22.4	76.7	188	655	14	333	35	185,700	90,263	3,227
15	新潟	新潟	223	・12,584	178	-10.3	32.0	1.38	5.9	28.9	65.2	1,696	2,494	646	317	30	51,212	24,161	2,873
16	富山	富山	105	・4,248	249	-6.9	31.7	1.53	3.3	33.6	63.1	583	654	206	56	23	40,606	11,440	3,319
17	石川	金沢	113	4,186	272	-5.5	29.2	1.46	3.1	28.5	68.4	410	551	133	97	41	31,841	12,868	2,962
18	福井	福井	78	4,191	186	-8.2	29.8	1.56	3.8	31.3	64.9	401	468	131	81	▪ 12	22,822	8,287	3,265
19	山梨	甲府	82	・4,465	185	-7.4	30.1	1.44	7.3	28.4	64.3	235	914	27	110	▪ 1	26,121	8,205	2,973
20	長野	長野	208	・13,562	154	-6.9	31.2	1.57	9.3	29.2	61.5	1,061	2,556	198	818	2	65,287	22,792	2,940
21	岐阜	岐阜	203	・10,621	191	-5.7	29.6	1.45	3.2	33.1	63.7	557	1,066	109	323	2	59,674	21,948	2,849
22	静岡	静岡	370	・7,777	477	-4.8	29.3	1.44	3.9	33.2	62.9	641	1,979	81	607	179	176,639	38,079	3,388
23	愛知	名古屋	757	・5,173	1,464	1.4	24.7	1.45	2.2	33.6	64.2	742	2,949	137	1,010	75	489,829	85,676	3,685
24	三重	津	181	・5,774	314	-5.9	29.2	1.47	3.7	32.0	64.3	584	1,106	130	139	152	112,597	18,446	3,111
25	滋賀	大津	142	・4,017	354	0.6	25.7	1.47	2.7	33.8	63.5	515	647	161	106	▪ 0.4	81,024	13,945	3,290
26	京都	京都	254	4,612	552	-3.6	28.9	1.25	2.2	23.6	74.2	299	666	73	248	9	59,924	27,950	3,018
27	大阪	大阪	884	1,905	4,645	0.1	26.9	1.31	0.6	24.3	75.1	127	320	24	136	▪ 15	179,052	98,672	3,183
28	兵庫	神戸	554	8,401	661	-3.8	28.2	1.41	2.1	26.0	71.9	734	1,509	183	348	▪ 106	166,391	53,612	2,966
29	奈良	奈良	135	3,691	367	-6.6	30.8	1.31	2.7	23.4	73.9	202	403	44	104	0.01	21,998	10,994	2,600
30	和歌山	和歌山	95	4,725	202	-10.7	32.4	1.46	9.0	22.3	68.7	322	1,109	31	144	17	27,549	8,714	2,797
31	鳥取	鳥取	56	3,507	160	-8.6	31.5	1.63	9.1	22.0	68.9	343	761	65	213	84	8,113	6,411	2,485
32	島根	松江	67	6,708	101	-9.9	33.8	1.68	8.0	23.0	69.0	366	612	88	94	85	12,857	6,825	2,553
33	岡山	岡山	190	・7,114	268	-4.2	29.7	1.47	4.8	27.4	67.8	645	1,417	156	205	22	83,907	19,731	2,839
34	広島	広島	282	8,480	333	-4.1	28.9	1.49	3.2	26.8	70.0	541	1,168	113	236	116	101,053	31,099	3,167
35	山口	山口	136	6,113	224	-9.5	33.9	1.56	4.9	26.1	69.0	464	629	92	148	24	67,213	14,404	3,258
36	徳島	徳島	74	4,147	179	-10.7	32.7	1.46	8.5	24.1	67.4	288	961	52	349	21	18,659	7,267	3,091
37	香川	高松	98	・1,877	523	-6.1	30.7	1.59	5.4	25.9	68.7	299	803	57	242	36	28,003	11,343	3,018
38	愛媛	松山	136	5,676	241	-9.1	32.3	1.46	7.7	24.2	68.1	480	1,207	46	190	139	42,861	14,696	2,741
39	高知	高知	70	7,104	100	-11.5	34.6	1.47	11.8	17.2	71.0	270	1,117	48	715	83	6,047	6,932	2,650
40	福岡	福岡	512	・4,987	1,029	-0.3	27.2	1.44	2.9	21.2	75.9	803	2,027	159	702	60	103,019	56,451	2,888
41	佐賀	佐賀	82	2,441	338	-6.0	29.7	1.64	8.7	24.2	67.1	511	1,135	72	335	77	20,804	8,066	2,630
42	長崎	長崎	135	4,131	327	-10.7	32.1	1.66	7.7	20.1	72.2	463	1,513	52	453	275	18,084	14,201	2,571
43	熊本	熊本	176	・7,409	239	-5.7	30.7	1.60	9.8	21.1	69.1	1,107	3,364	161	1,220	65	28,638	17,858	2,613
44	大分	大分	115	・6,341	182	-7.7	32.3	1.53	7.0	23.4	69.6	551	1,195	90	309	55	44,532	11,945	2,710
45	宮崎	宮崎	109	・7,735	142	-7.1	31.7	1.73	11.0	21.1	67.9	660	3,396	75	661	117	17,322	10,810	2,487
46	鹿児島	鹿児島	163	・9,187	177	-8.1	31.5	1.63	9.5	19.4	71.1	1,160	4,890	89	532	▪ 115	21,010	15,525	2,492
47	沖縄	那覇	148	2,281	650	3.6	21.8	1.82	4.9	15.1	80.0	375	977	2	146	▪ 34	5,119	13,078	2,349
	全国合計(全国平均)		12,713	377,975	(336)	(−2.4)	(27.9)	(1.36)	(4.0)	(25.0)	(71.0)	43,970	89,387	7,762	21,515	4,195	3,346,804	1,387,787	(3,304)

注　1）面積の項の北海道には歯舞群島95km²，色丹島248km²，国後島1,489km²，択捉島3,167km²を含み，島根県には竹島0.2km²を含む。全国計にも含む。
2）面積の項の・印のある県は，県界に境界未定地域があるため，総務省統計局で推定した面積を記載している。
3）第1次産業人口→農林，水産業など，第2次産業人口→鉱・工業，建設業など，第3次産業人口→商業，運輸・通信業など。
4）漁業生産量の項の▪印のある県の数値は，海面養殖または内水面漁業，内水面養殖の数値を含まない。ただし，全国計には含む。

⑲ 日本の市と人口(2020年)

赤字は都道府県庁所在地，●は政令指定都市*，○は中核市**　〔住民基本台帳 人口・世帯数表〕
* ：政令指定都市　政令で指定する人口50万人以上の市で，ほぼ道府県なみの行政権・財政権を持っている。
**：中核市　人口20万人以上の市で，保健衛生や都市計画で政令指定都市に準じた事務が都道府県から委譲される。

都市名	人口(千人)
北海道	
●札幌	1,959
○旭川	334
○函館	255
苫小牧	171
釧路	168
帯広	166
江別	119
北見	116
小樽	114
千歳	97
室蘭	82
岩見沢	80
恵庭	70
石狩	58
北広島	58
登別	47
北斗	46
滝川	39
網走	35
伊達	33
稚内	33
名寄	27
根室	25
富良野	21
紋別	21
美唄	21
留萌	20
深川	20
士別	18
砂川	16
芦別	13
赤平	9
三笠	8
夕張	7
歌志内	3
青森	
○青森	281
○八戸	227
弘前	170
十和田	61
むつ	56
五所川原	53
三沢	39
黒石	33
つがる	31
平川	31
岩手	
○盛岡	288
奥州	116
一関	115
花巻	95
北上	92
滝沢	55
宮古	51
大船渡	35
久慈	34
釜石	32
二戸	26
遠野	26
八幡平	25
陸前高田	18
宮城	
●仙台	1,064
石巻	142
大崎	129
名取	79
登米	78
栗原	67
気仙沼	62
多賀城	62
塩竈	53
富谷	52
岩沼	43
東松島	39
白石	33
角田	28
秋田	
○秋田	307
横手	88
大仙	80
由利本荘	76
大館	71
能代	52
湯沢	44
潟上	32
北秋田	31
鹿角	30
男鹿	26
仙北	25
にかほ	24
山形	
○山形	244
鶴岡	125
酒田	101
米沢	79
天童	61
東根	47
寒河江	40
新庄	35
南陽	31
上山	30
長井	26
村山	23
尾花沢	15
福島	
○郡山	322
○いわき	321
○福島	277
会津若松	118
須賀川	76
白河	60
伊達	60
南相馬	59
二本松	54
喜多方	47
田村	36
相馬	34
本宮	30
茨城	
○水戸	271
つくば	237
日立	177
ひたちなか	158
古河	142
土浦	142
取手	107
筑西	104
神栖	95
牛久	84
龍ケ崎	77
笠間	75
石岡	74
守谷	68
鹿嶋	67
常総	63
那珂	54
坂東	53
つくばみらい	51
結城	51
常陸太田	51
小美玉	50
鉾田	48
下妻	43
北茨城	43
かすみがうら	41
桜川	41
常陸大宮	41
稲敷	40
行方	34
高萩	28
潮来	27
栃木	
○宇都宮	521
小山	167
栃木	159
足利	147
佐野	117
那須塩原	117
鹿沼	97
日光	81
真岡	80
大田原	70
下野	60
さくら	44
矢板	32
那須烏山	26
群馬	
○高崎	373
○前橋	336
太田	224
伊勢崎	213
桐生	110
渋川	76
館林	75
藤岡	65
安中	57
みどり	50
富岡	48
沼田	47
埼玉	
●さいたま	1,314
○川口	607
○川越	353
○越谷	344
所沢	344
草加	249
春日部	234
上尾	228
熊谷	196
新座	165
久喜	153
狭山	150
入間	147
深谷	143
三郷	142
朝霞	141
戸田	140
鴻巣	118
ふじみ野	114
加須	113
富士見	111
坂戸	101
八潮	92
東松山	90
和光	83
行田	80
飯能	79
本庄	78
志木	76
蕨	75
桶川	75
吉川	73
鶴ヶ島	69
北本	66
秩父	62
蓮田	61
日高	55
羽生	54
白岡	52
幸手	50
千葉	
●千葉	972
○船橋	642
松戸	498
市川	490
○柏	424
市原	275
八千代	199
流山	195
佐倉	175
習志野	173
浦安	170
野田	154
木更津	135
成田	132
我孫子	132
鎌ケ谷	109
印西	103
四街道	94
茂原	89
君津	83
香取	75
八街	69
旭	65
袖ケ浦	64
白井	63
銚子	60
東金	58
山武	51
富里	50
大網白里	49
館山	46
富津	44
南房総	37
いすみ	37
匝瑳	36
鴨川	32
勝浦	17
東京	
東京(23区)	9,570
○八王子	562
町田	428
府中	260
調布	237
西東京	205
小平	194
三鷹	188
日野	186
立川	184
東村山	151
多摩	148
武蔵野	146
青梅	133
国分寺	125
小金井	122
東久留米	116
昭島	113
稲城	91
東大和	85
狛江	83
あきる野	80
国立	76
清瀬	74
武蔵村山	72
福生	57
羽村	55
神奈川	
●横浜	3,754
●川崎	1,514
●相模原	718
藤沢	436
○横須賀	401
平塚	256
茅ヶ崎	243
大和	239
厚木	224
小田原	190
鎌倉	176
秦野	161
海老名	134
座間	131
伊勢原	100
綾瀬	85
逗子	59
三浦	43
南足柄	42
新潟	
●新潟	788
長岡	268
上越	191
三条	97
新発田	97
柏崎	82
燕	79
村上	59
南魚沼	56
佐渡	54
十日町	52
五泉	49
糸魚川	42
阿賀野	41
見附	40
魚沼	35
小千谷	35
妙高	32
胎内	28
加茂	26
富山	
○富山	415
高岡	170
射水	92
南砺	50
砺波	48
氷見	46
魚津	41
黒部	41
滑川	33
小矢部	29
石川	
○金沢	452
白山	113
小松	108
加賀	66
野々市	52
七尾	52
能美	50
かほく	35
輪島	26
羽咋	21
珠洲	14
福井	
○福井	263
坂井	91
越前	82
鯖江	69
敦賀	65
大野	32
小浜	29
あわら	28
勝山	22
山梨	
○甲府	187
甲斐	75
南アルプス	71
笛吹	69
富士吉田	48
北杜	46
山梨	34
甲州	31
中央	31
都留	30
韮崎	29
大月	23
上野原	22
長野	
○長野	375
松本	238
上田	156
飯田	100
佐久	98
安曇野	97
伊那	67
塩尻	67
千曲	60
茅野	55
須坂	50
諏訪	49
岡谷	49
中野	44
小諸	42
駒ヶ根	32
東御	30
大町	27
飯山	20
岐阜	
○岐阜	408
大垣	161
各務原	147
多治見	110
可児	102
関	88
高山	87
中津川	78
羽島	67
土岐	57
美濃加茂	57
瑞穂	55
恵那	49
郡上	41
瑞浪	37
海津	34
本巣	34
下呂	32
山県	26
飛騨	23
美濃	20
静岡	
●浜松	802
●静岡	698
富士	253
沼津	194
磐田	169
藤枝	144
焼津	139
富士宮	132
掛川	117
三島	109
島田	98
袋井	88
御殿場	88
伊東	68
湖西	59
裾野	51
菊川	48
伊豆の国	48
牧之原	45
熱海	36
御前崎	32
伊豆	30
下田	21
愛知	
●名古屋	2,301
○豊田	425
○岡崎	387
一宮	385
○豊橋	377
春日井	311
安城	190
豊川	186
西尾	172
小牧	153
刈谷	152
稲沢	136
瀬戸	129
半田	120
東海	115
江南	100
大府	92
日進	91
あま	89
北名古屋	86
知多	85
尾張旭	83
蒲郡	80
犬山	73
碧南	73
知立	72
清須	69
豊明	69
愛西	63
津島	62
田原	61
みよし	61
長久手	59
常滑	59
高浜	49
岩倉	48
新城	46
弥富	44
三重	
四日市	311
津	278
鈴鹿	199
松阪	163
桑名	142
伊勢	125
伊賀	91
名張	78
亀山	49
志摩	49
いなべ	45
鳥羽	18
尾鷲	17
熊野	16
滋賀	
○大津	343
草津	134
長浜	117
東近江	114
彦根	112
甲賀	90
守山	83
近江八幡	82
栗東	70
湖南	55
野洲	51
高島	48
米原	38
京都	
●京都	1,409
宇治	185
亀岡	88
舞鶴	81
長岡京	81
木津川	78
福知山	77
城陽	76
八幡	70
京田辺	70
向日	57
京丹後	54
綾部	33
南丹	31
宮津	17
大阪	
●大阪	2,730
●堺	834
○東大阪	488
○豊中	408
○枚方	401
○吹田	373
○高槻	351
茨木	282
○八尾	266
○寝屋川	231
岸和田	194
和泉	186
守口	143
箕面	138
門真	121
大東	120
松原	119
羽曳野	111
富田林	111
河内長野	104
池田	103
泉佐野	100
摂津	86
貝塚	86
交野	77
泉大津	74
柏原	68
藤井寺	64
泉南	61
大阪狭山	58
高石	57
四條畷	55
阪南	53
兵庫	
●神戸	1,533
○姫路	535
○西宮	484
○尼崎	463
○明石	303
加古川	264
宝塚	234
伊丹	203
川西	157
三田	111
芦屋	95
高砂	90
豊岡	80
三木	77
たつの	76
丹波	63
小野	48
赤穂	47
南あわじ	46
加西	44
淡路	43
洲本	43
丹波篠山	41
西脇	40
加東	40
宍粟	37
朝来	30
相生	29
養父	23
奈良	
○奈良	356
橿原	121
生駒	119
大和郡山	85
香芝	79
天理	64
大和高田	64
桜井	56
葛城	37
五條	30
宇陀	29
御所	25
和歌山	
○和歌山	366
田辺	73
橋本	62
紀の川	61
岩出	53
海南	50
新宮	28
有田	27
御坊	23
鳥取	
○鳥取	186
米子	147
倉吉	46
境港	33
島根	
○松江	201
出雲	174
浜田	53
益田	46
安来	38
雲南	37
大田	34
江津	23
岡山	
●岡山	708
○倉敷	482
津山	100
総社	69
玉野	58
笠岡	47
真庭	44
赤磐	44
井原	39
瀬戸内	37
備前	34
浅口	34
高梁	30
新見	29
美作	27
広島	
●広島	1,195
○福山	468
○呉	221
東広島	188
尾道	136
廿日市	117
三原	93
三次	51
府中	38
庄原	34
安芸高田	28
大竹	26
竹原	25
江田島	22
山口	
○下関	260
山口	191
宇部	164
周南	142
岩国	133
防府	115
山陽小野田	62
下松	57
光	50
萩	46
長門	33
柳井	31
美祢	23
徳島	
徳島	253
阿南	72
鳴門	56
吉野川	40
小松島	37
阿波	37
美馬	28
三好	25
香川	
○高松	427
丸亀	112
三豊	65
観音寺	59
坂出	52
さぬき	48
善通寺	32
東かがわ	30
愛媛	
○松山	511
今治	158
新居浜	118
西条	108
四国中央	86
宇和島	74
大洲	42
西予	37
伊予	36
東温	33
八幡浜	33
高知	
○高知	327
南国	47
四万十	33
香南	33
土佐	26
香美	26
須崎	21
宿毛	20
安芸	17
土佐清水	13
室戸	13
福岡	
●福岡	1,554
●北九州	950
○久留米	305
飯塚	128
大牟田	113
春日	113
筑紫野	104
糸島	101
大野城	101
宗像	97
行橋	73
太宰府	71
福津	66
柳川	65
八女	62
小郡	59
古賀	59
直方	56
朝倉	52
那珂川	50
筑後	49
田川	47
中間	41
嘉麻	37
みやま	37
大川	33
うきは	29
宮若	27
豊前	25
佐賀	
佐賀	232
唐津	121
鳥栖	73
伊万里	54
武雄	48
小城	45
神埼	31
鹿島	28
嬉野	25
多久	19
長崎	
○長崎	416
○佐世保	249
諫早	136
大村	96
南島原	45
島原	45
雲仙	43
五島	36
平戸	30
対馬	30
西海	27
壱岐	26
松浦	22
熊本	
●熊本	733
八代	126
天草	79
玉名	66
合志	62
宇城	58
荒尾	52
山鹿	51
菊池	48
宇土	37
人吉	32
上天草	26
阿蘇	25
水俣	24
大分	
○大分	478
別府	116
中津	83
佐伯	70
日田	64
宇佐	55
臼杵	38
豊後大野	35
由布	34
杵築	28
国東	27
豊後高田	22
竹田	21
津久見	17
宮崎	
○宮崎	402
都城	164
延岡	122
日向	61
日南	52
小林	45
西都	30
えびの	19
串間	18
鹿児島	
○鹿児島	602
霧島	125
鹿屋	102
薩摩川内	94
姶良	77
出水	53
日置	48
奄美	43
指宿	40
曽於	35
南九州	34
南さつま	33
志布志	31
いちき串木野	27
伊佐	25
枕崎	21
阿久根	20
西之表	15
垂水	14
沖縄	
○那覇	322
沖縄	142
うるま	124
浦添	115
宜野湾	99
豊見城	64
名護	63
糸満	62
宮古島	55
石垣	49
南城	44

※この表については2020年の統計数値を用いたため，2021年以降に市制施行・合併・編入する市は掲載していない。

おもな地名のさくいん

さくいんの引き方

例　ロンドン…………45　①E5S

（五十音順に配列）　（ページ）　（経線間のアルファベット文字）　（緯線間の数字）

図番号
①の場合は省略。ここでは仮に付記。

E・5のワク内の南側を意味する。北側＝N　南側＝S　中央部付近の場合はつけていない。

※記号で地点を表した都市や山などの地名のさくいんは、その記号のある場所を示している。

※山脈・高原・半島・海洋・湖沼などの自然地域名や国名などのさくいんは、その地名の文字がある場所を示している。

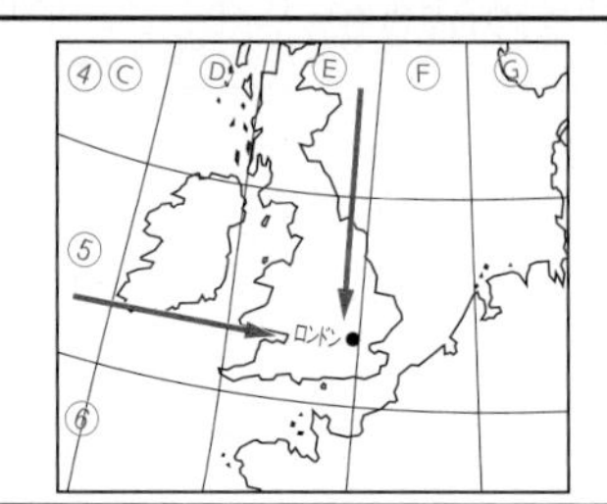

外国の部

赤文字　国名　　♯油田　　✕鉱山　　∴史跡・名勝　　🌲世界自然遺産
赤文字　首都名　Δガス田　■炭田　　🏛世界文化遺産　◈世界複合遺産

【エ】

【オ】

【カ】

【サ】

【シ】

【ツ】

【テ】

【ト】

【ナ】

【ニ】

【ヌ】

【ネ】

【ノ】

日本の部

赤文字　都道府県名
◎赤文字　都道府県庁所在地
◎ 市
○ 町・村
🏛 世界文化遺産
🌲 世界自然遺産
♨ 温泉

―日本の動き―

☆おもな鉄道の開通
- 北陸新幹線
  金沢～敦賀　125km
  2024年3月16日

☆おもな鉄道の廃止
- JR北海道　根室本線
  富良野～新得　81.7km
  2024年4月1日

☆おもな道路の開通
- 日本海東北自動車道
  遊佐比子I.C.～遊佐鳥海I.C.　6.5km　2024年3月23日
- 中部縦貫自動車道
  勝原I.C.～九頭竜I.C.　9.5km　2023年10月28日
- 山陰自動車道
  大田中央・三瓶山I.C.～仁摩・石見銀山I.C.　12.9km　2024年3月9日
- 九州中央自動車道
  山都中島西I.C.～山都通潤橋I.C.　10.4km　2024年2月11日

―世界の動き―

☆石油輸出国機構(OPEC)
アンゴラが脱退。　2024年1月1日

本地図帳使用上の注意

1．地名の表記
・原則として，日本語による表記も，欧文による表記も現地語音を取り入れている。
・日本語表記においては，原則としてBはバ行，スペイン語圏を除くVはヴ行の表記とした。

2．地図の記号
地図の記号はなるべく国土交通省国土地理院の地形図とあわせた。

3．基本図の出典
（外国）
地形　タイムズアトラス，アトラスミーラ，ほか
人口　世界人口年鑑，ほか
国名・首都名　外務省資料，ほか
都市名 自然に関する名称
リッピンコット地名辞典，ウェブスター地名辞典，タイムズアトラスならびに主要国の地図帳，ほか
山の高さ　理科年表，タイムズアトラスおよび主要国の地図帳，ほか
（日本）
地形　国土地理院：50万分の1地方図，ほか
山の高さ　国土地理院：日本の山岳標高一覧，2.5万分の1地形図，5万分の1地形図，20万分の1地勢図，ほか
土地利用　国土地理院：土地利用図，ほか
市町村名　国土行政区画総覧（国土地理協会）
人口　住民基本台帳 人口・世帯数表
自然に関する名称　国土地理院：標準地名集，ほか

4．その他
イ．統計の段階区分図の凡例では，中間段階における「以上・未満」の表記は省略している。
ロ．主題図の世界全図の縮尺は，赤道上の距離を表す。
ハ．主題図の国名は一部を除いて通称国名を用いている。（例，アメリカ・中国・韓国・南アフリカ）
ニ．正式国名についてはP.169～174参照。
ホ．イギリスは2020年1月にEUを離脱したが，統計年次によってはEUに含めている。

「測量法に基づく国土地理院長承認（使用）R 2JHs 1073」

［表紙デザイン］　畑中義和
［写真・イラスト］　朝日航洋，朝日新聞社，Avalon，アフロ，アマナイメージズ，アルトグラフィックス，今泉俊文ほか編「活断層詳細デジタルマップ（新編）」東京大学出版会 2018 年，エダりつこ，御嶽山火山防災協議会，（公財）海上保安協会，木下真一郎，九州大学 竹村俊彦教授，共同通信社，黒澤達矢，高知県四万十町危機管理課，国土交通省東北地方整備局，国連広報センター，時事通信フォト，地震調査研究推進本部，水産航空，杉下正良，ゼンリン／パナソニック，TNM Image Archives，東海大学情報技術センター（TRIC），東京都下水道局，TongRo Images，NASA，日本気象協会，ixstudio/PIXTA（ピクスタ），PPS 通信社，FUSAO ONO/SEBUN PHOTO，hemis.fr，毎日新聞社，ユニフォトプレス，ロイター，WPS

別記　著作者　東京大学名誉教授　荒井良雄　東京大学教授　茅根創　筑波大学教授　日下博幸
立正大学教授　鈴木厚志　鳥取大学名誉教授　藤井正
編集協力者　神奈川大学特任准教授　根元一幸

新詳高等地図

令和6年12月5日　印刷
令和6年12月10日　発行
定価 1,760円(本体1,600円+税)
ISBN978-4-8071-6739-5 C7025 ¥1600E

著作者　株式会社　帝国書院
代表者　佐藤清
ほか五名(別記)

発行所　株式会社　帝国書院
〒101-0051 東京都千代田区神田神保町3-29
振替口座 00180-7-67014番
電話 東京 (03)3262-4795(代)

印刷者　新村印刷株式会社
代表者　小田島隆太
東京都品川区大崎1-15-9

印刷者　株式会社　加藤文明社
代表者　加藤文男
東京都千代田区神田三崎町2-15-6

1 国際旅行者受入数と観光収入

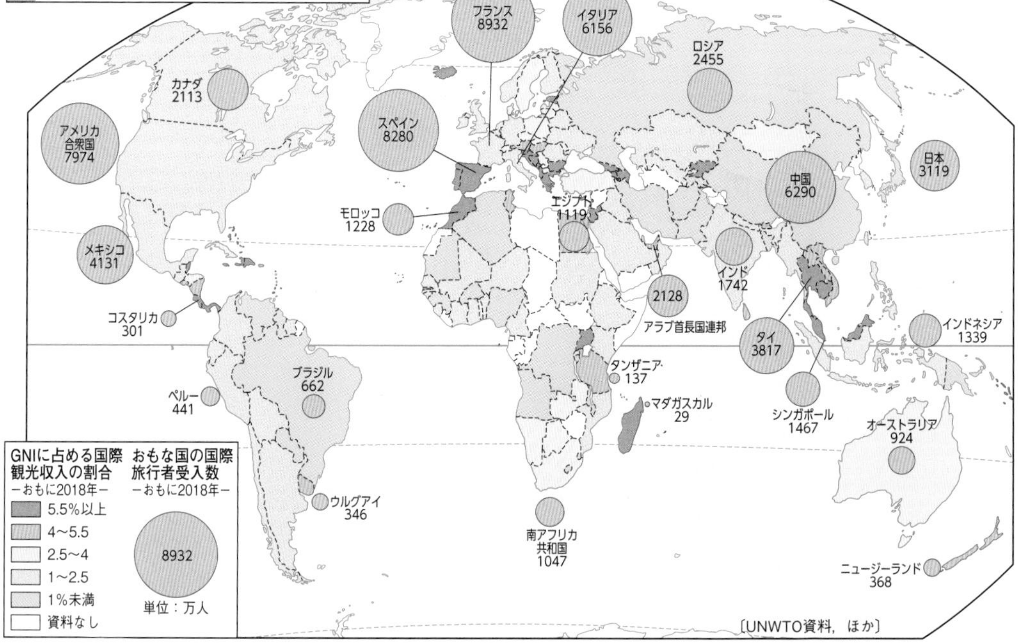

0 5000km

フランス 8932
イタリア 6156
ロシア 2455
カナダ 2113
スペイン 8280
アメリカ合衆国 7974
日本 3119
中国 6290
モロッコ 1228
エジプト 1119
メキシコ 4131
インド 1742
2128 アラブ首長国連邦
コスタリカ 301
タイ 3817
インドネシア 1339
ブラジル 662
タンザニア 137
ペルー 441
マダガスカル 29
シンガポール 1467
オーストラリア 924
ウルグアイ 346
南アフリカ共和国 1047
ニュージーランド 368

GNIに占める国際観光収入の割合 －おもに2018年－
5.5%以上
4～5.5
2.5～4
1～2.5
1%未満
資料なし

おもな国の国際旅行者受入数 －おもに2018年－
8932
単位：万人

〔UNWTO資料, ほか〕

ⓐ 訪日外国人数の推移

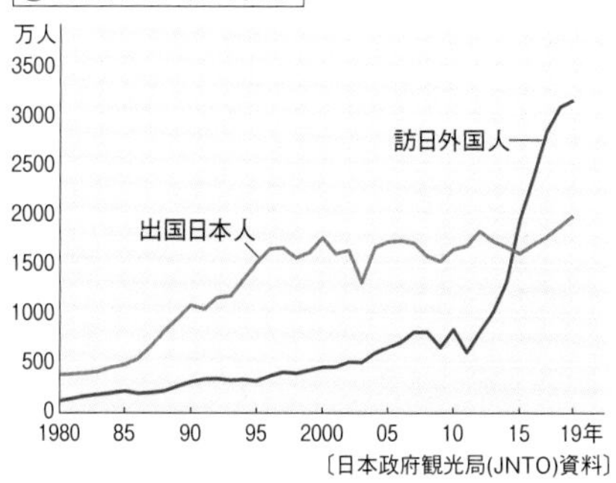

万人
3500
3000
2500
2000
1500
1000
500
0
1980 85 90 95 2000 05 10 15 19年

訪日外国人
出国日本人

〔日本政府観光局(JNTO)資料〕

ⓑ 訪日外国人の国・地域別割合

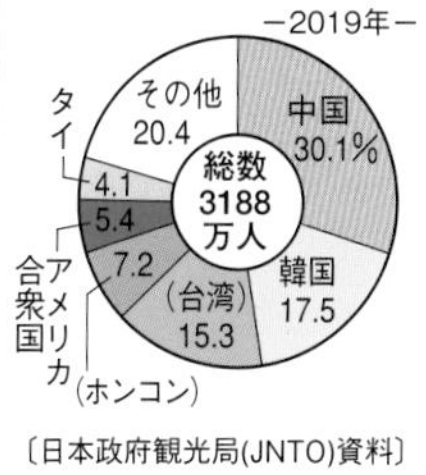

－2019年－

総数 3188万人

国・地域	割合(%)
中国	30.1
韓国	17.5
(台湾)	15.3
(ホンコン)	7.2
アメリカ合衆国	5.4
タイ	4.1
その他	20.4

〔日本政府観光局(JNTO)資料〕

読図 ①図から，どのような国で国際旅行者受入数が多いかを読み取ろう。また，①ⓐ図から日本では，出国日本人数と訪日外国人数の推移にどのような特徴があるかを読み取ろう。

2 国際旅行の訪問先

0 5000km 〔各国中心の正距方位図法〕

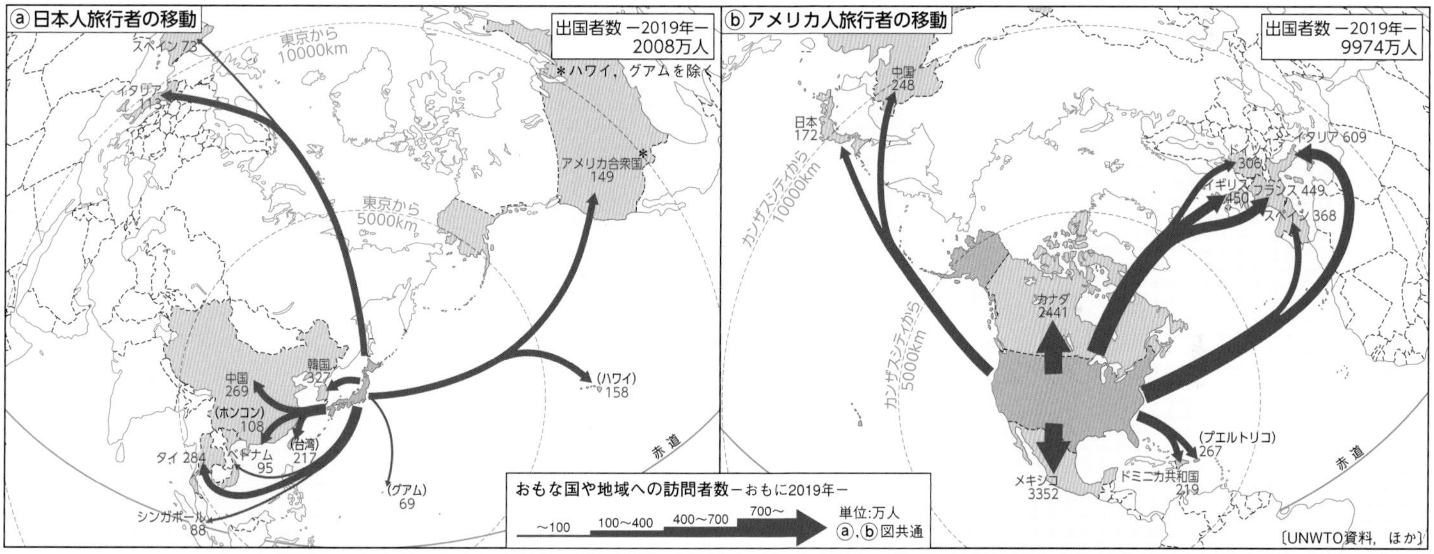

ⓐ 日本人旅行者の移動

出国者数 －2019年－ 2008万人
＊ハワイ，グアムを除く

東京から10000km
東京から5000km
スペイン 73
イタリア 113
アメリカ合衆国 149＊
韓国 327
中国 269
(ホンコン) 108
(台湾) 217
タイ 284
ベトナム 95
シンガポール 88
(グアム) 69
(ハワイ) 158
赤道

ⓑ アメリカ人旅行者の移動

出国者数 －2019年－ 9974万人

カンザスシティから10000km
カンザスシティから5000km
中国 248
日本 172
イタリア 609
306
イギリス 450
フランス 449
スペイン 368
カナダ 2441
メキシコ 3352
(プエルトリコ) 267
ドミニカ共和国 219
赤道

おもな国や地域への訪問者数 －おもに2019年－
～100 100～400 400～700 700～
単位:万人 ⓐ,ⓑ図共通

〔UNWTO資料, ほか〕

3 携帯電話の普及

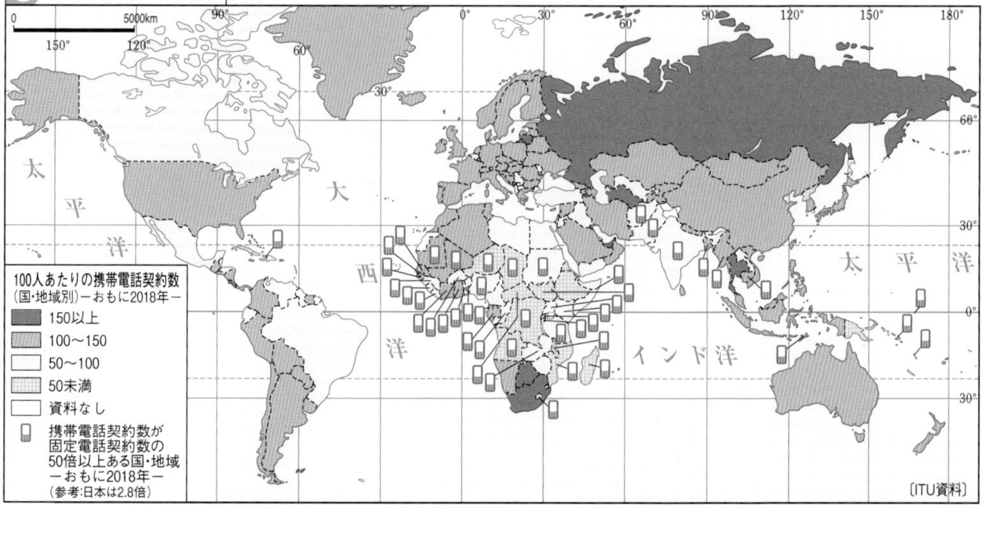

0 5000km

太平洋
大西洋
インド洋

100人あたりの携帯電話契約数 (国・地域別) －おもに2018年－
150以上
100～150
50～100
50未満
資料なし

携帯電話契約数が固定電話契約数の50倍以上ある国・地域 －おもに2018年－ (参考:日本は2.8倍)

〔ITU資料〕

ⓐ 地域別インターネット利用人口の推移

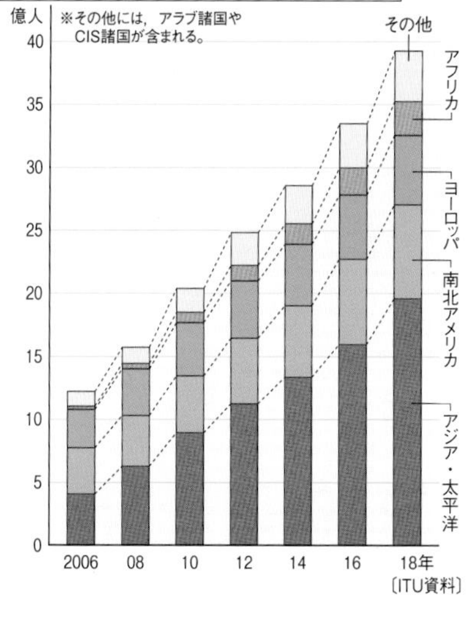

※その他には，アラブ諸国やCIS諸国が含まれる。

億人
40
35
30
25
20
15
10
5
0
2006 08 10 12 14 16 18年

その他
アフリカ
ヨーロッパ
南北アメリカ
アジア・太平洋

〔ITU資料〕

1 世界の地形
1：125 000 000
0 1000 2000km
ミラー図法（赤道における距離）
スヴァールバル諸島
ノヴァヤゼムリャ
バレンツ海
カラ海
ノール岬
北極圏
タイミル半島
北 極 海
東シベリア海
ウランゲル島
スカンディナヴィア半島
アイスランド
グレートブリテン島
アイルランド
北海
ウラル山脈
オビ川
エニセイ川
西シベリア低地
中央シベリア高原
ヴェルホヤンスク山脈
東ヨーロッパ平原
（アジア）
ユーラシア大陸
（ヨーロッパ）
カルパティア山脈
アルプス山脈
ピレネー山脈
イベリア半島
大
西
洋
中
央
海
嶺
地中海
エトナ山
ジブラルタル海峡
アトラス山脈
エルブルース山
カフカス山脈
カスピ海
アラル海
バルハシ湖
テンシャン山脈
タクラマカン砂漠
パミール高原
K2
クンルン山脈
チベット高原
ヒマラヤ山脈
エヴェレスト山 8848
ザグロス山脈
イラン高原
スエズ地峡
アラビア半島
ルブアルハリ砂漠
モンゴル高原
ゴビ砂漠
チンリン山脈
バイカル湖
スタノヴォイ山脈
オホーツク海
カムチャツカ半島
ベーリング海
アリューシャン列島
アリューシャン海溝
千島列島
千島・カムチャツカ海溝
日本海
日本列島
富士山 3776
日本海溝
伊豆・小笠原海溝
南西諸島海溝
東シナ海
南シナ海
フィリピン諸島
フィリピン海溝
マリアナ海溝
ミッドウェー諸島
サハラ砂漠
アフリカ大陸
サヘル
インド半島
デカン高原
アラビア海
ベンガル湾
インドシナ半島
マレー半島
メコン川
アンダマン諸島
エチオピア高原
ギニア湾
カメルーン山
コンゴ盆地
キリニャガ山
ヴィクトリア湖
キリマンジャロ山
セイロン島
カリマンタン島（ボルネオ）
スマトラ島
大スンダ列島
ジャワ島
スラウェシ島
ニューギニア島
カロリン諸島
マーシャル諸島
太平洋
ソロモン諸島
フェニックス諸島
アセンション島
セントヘレナ島
セーシェル諸島
インド洋中央海嶺
東経90度海嶺
インド洋
マダガスカル島
モザンビーク海峡
レユニオン島
カラハリ砂漠
ナミブ砂漠
ドラケンスバーグ山脈
喜望峰
トリスタンダクーニャ諸島
南西インド洋海嶺
南東インド洋海嶺
アラフラ海
ヨーク岬
グレートサンディー砂漠
オーストラリア大陸
グレートアーテジアン（大鑽井）盆地
グレートヴィクトリア砂漠
グレートディヴァイディング山脈
コジアスコ山 2229
コーラル海
ニューヘブリディーズ諸島
ニューカレドニア島
フィジー諸島
トンガ海溝
ケルマデック海溝
タスマン海
タスマニア島
北島
ニュージーランド
アオラキ（クック）山 3724
南島
チャタム諸島
クローゼー諸島
ケルゲレン島
南極海（南氷洋）
昭和基地
南極大陸
南極圏
4 世界の地震と火山
5000km
火 山（1万年以内に噴火）
地震の震源（1960～2019年の間に発生した震源の深さが100km未満でM5以上の地震）
〔USGS資料，ほか〕
ユーラシアプレート
エーゲ海・アナトリアプレート
イランプレート
北アメリカプレート
カリブプレート
アラビアプレート
アフリカプレート
ココスプレート
南アメリカプレート
ナスカプレート
インド・オーストラリアプレート
南極プレート
〔Alexander Gesamtausgabe 2004，ほか〕
プレートの境界 広がる境界 せばまる境界 ずれる境界 不明瞭